WAT HET DUISTER BRENGT

V.M. GIAMBANCO

WAT HET DUISTER BRENGT

Uitgeverij Luitingh-Sijthoff

© 2013 V.M. Giambanco
All rights reserved
© 2013 Luitingh-Sijthoff B.V., Amsterdam
Alle rechten voorbehouden
Oorspronkelijke titel: *The Gift of Darkness*
Vertaling: Tineke Funhoff
Omslagontwerp: Janine Jansen
Foto auteur: Helen Maybanks

ISBN 978 90 245 5826 1
NUR 305

www.lsamsterdam.nl
www.boekenwereld.com
www.watleesjij.nu

Een hemel zo blauw dat het pijn doet ernaar te kijken. Eeuwen-
oude bomen rijzen dertig meter hoog op, rode en gele ceders naast
zwarte populieren en esdoorns; hun wortels kronkelen uit diep-
groen, glibberig mos en rottend hout. De jongen rent op blote voe-
ten. Hij blijft zwaar en snel hijgend staan op een kleine open plek
en luistert. Elf, misschien twaalf jaar oud, donkere ogen openge-
sperd. Zijn spijkerbroek is gescheurd op de plekken waar dode
takken zijn blijven haken; het vuile, grijze T-shirt zit op zijn rug
vol zweetvlekken en de mouwen kleven aan zijn dunne armen.
Waar de stof kapot is, is zijn huid zichtbaar en zijn armen en han-
den zijn bedekt met bloed, alsof ze erin gedoopt zijn.

De jongen veegt een lok uit zijn ogen en spuugt het weinige dat
nog in zijn maag zit uit. Hij zoekt houvast tegen een boom en dan,
heuvelafwaarts. Zijn lichaam wordt aangetrokken door de zwaar-
tekracht, verliest zijn evenwicht en waadt door de gevallen blade-
ren. De wereld flitst knisperend onder zijn voeten voorbij.

Gisteravond

Duisternis. De golven sloegen bulderend op het kiezelstrand. Het was het hardste geluid dat James Sinclair ooit had gehoord en het vulde zijn hele lichaam.

Hij kon zich niet herinneren dat hij wakker was geworden en over het grasveld naar de steiger was gelopen. Er streek een koude wind over zijn gezicht en iets warms en droogs begon zich in zijn longen te verspreiden. Hij raakte in paniek en probeerde wakker te worden. In plaats daarvan proefde hij bloed en hoorde zichzelf schreeuwen. Het bed waarop hij lag, de blinddoek, het draad om zijn nek en zijn handen. Hij dacht aan zijn kinderen, hij dacht aan zijn vrouw.

1

'S Avonds kun je de zee tot aan de top van University Hill ruiken. Alice Madison rolde haar raampje een paar centimeter naar beneden en snoof de lucht op. Het was een koude nacht en de decembermist hing laag en vochtig tussen de huizen en de kale bomen. Over twee weken was het Kerstmis en de studenten die het zich konden veroorloven aan deze kant van de heuvel te wonen, waren al vertrokken voor de feestdagen, naar huizen die verspreid lagen in de staat Washington.

De klok op het dashboard gaf 4.15 uur aan. Brigadier Brown, de donkere gestalte die naast haar zat, had het verloop van de avond al uren geleden beschreven. 'Als de koffie op is en alles wat gezegd kan worden gezegd is, komt een nacht posten gewoon neer op lange uren waarin je weinig te doen hebt, met mensen die liever ergens anders iets anders zouden willen doen, in het gezelschap van iemand anders.' Het was een vrij correcte beschrijving van hun partnerschap, vond ze.

Brown draaide zich om en keek naar het andere einde van de straat. Ze ving een vleug aftershave op, koel en niet onaangenaam. Madison wist dat ze erop uit waren gestuurd met amper kans op succes. Brown was dan ook niet in zijn sas.

Gary Stevens – blanke man, 23, geen strafblad – stond boven aan de lijst van verdachten van de moord op een negentienjarige studente die op de campus woonde. Janice Hiller zat met een handboei aan de radiator geketend en met haar rug tegen de muur toen de politie haar vond, vermoord met één klap tegen haar hoofd. Naast haar rechterhand stond een halflege kop koffie.

De dag waarop ze in Seattle bij Moordzaken was begonnen, vier weken eerder, had Alice Madison het graf van haar grootouders bezocht op een kerkhof bij Burien. Ze had een bos witte rozen op de steen gelegd en er in haar eentje naar staan kijken. Waar ze ook waren, in hun hart zouden ze weten dat Alice was wie ze was dankzij hen, en hun liefde was een zegen die ze koesterde. Die avond ging Madison naar huis, maakte iets te eten klaar – geen diepvries, niet uit een blikje – en sliep tien uur achter elkaar.

Brown was vanaf die dag niet echt kil of onbehulpzaam geweest, alleen afstandelijk. Hij was een uitstekende agent, beter dan de meeste. Ze zouden nooit vrienden worden, zoveel wist ze wel, maar ze zou hem zonder aarzeling haar leven toevertrouwen. Misschien was dat voldoende.

Aan de andere kant van de straat probeerden twee mannen in een donkere Ford Sedan elkaar wakker te houden nadat ze door de koffie en de schuine moppen heen waren. Madison had de avond veel liever in hun gezelschap doorgebracht: de rechercheurs Spencer en Dunne waren al drie jaar partners. Ze kenden elkaar van de academie en konden goed samenwerken. Ze vormden een vreemd stel. Spencer was een tweedegeneratie-Japanner, getrouwd en met drie kinderen, en had op de avondschool een graad in de criminologie gehaald. Dunne was een roodharige Ier, had gestudeerd met behulp van een football-beurs en ging uit met vrouwen die korte rokjes droegen. Ze kenden elkaars gedachten en wisten precies hoe de ander zou reageren. Madison hoopte dat ze dat niet van Brown zou gaan verwachten, of van wie dan ook. Maar hier zat ze dan en de rest deed er weinig toe omdat ze alleen in de duisternis voor zich wilde staren.

Brown had gelijk wat de essentie van het posten betreft, maar toch wist Madison dat ze uitzag naar dat stille wachten vóór het doelwit in zicht kwam, als alles in de wereld verstomde en er niets anders meer bestond dan de hinderlaag en de achtervolging.

Ze had veel geleerd op de politieacademie, behalve hoe het voelt om achter iemand aan te zitten die je kwaad wil doen; daar had ze op straat achter moeten komen. Rechercheur Alice Madison leunde behaaglijker achterover in de stoel met de versleten leren zitting. Spencer en Dunne waren misschien vrolijker gezelschap geweest, maar vanavond zat ze toch precies op de plek waar ze wilde zijn.

De wind was aangewakkerd; een paar blokken verderop deinde de zee, die de verlaten pieren besproeide en poelen van zwart water achterliet. Stevens zou vanavond niet naar huis komen; hij zou nooit meer thuiskomen. Hij was waarschijnlijk de staat al uit, had

zijn naam veranderd en was op een andere campus opnieuw begonnen. Madison stond niet lang stil bij die gedachte; ze was nog
steeds in de fase waarin ze zich elke met rood geschreven naam op
het bord van Moordzaken kon herinneren, en de namen die van
rood in zwart veranderden en zo bijdroegen aan de stijging van
het percentage opgehelderde misdrijven.

'Goedemorgen, Seattle, de buitentemperatuur is een milde -1. En
we leven om...' Dunnes stem kraste uit de walkietalkie. Die lag
tussen hun stoelen in en Brown pakte hem op. 'Het zal ongeveer
kwart over vier zijn.'

'Hier ook. Hoe lang wil je dat we nog blijven?'

'Het is laat genoeg.' Brown zuchtte. 'Dat was het, heren, laten
we gaan.'

Madison voelde een steek van teleurstelling. Al waren ze er zonder verwachtingen aan begonnen, het maakte de aftocht er niet
prettiger op. 'Ik vind het niet erg om nog even te blijven,' zei ze.

'Er komen nog andere nachten.'

'Niet voor Stevens.'

'Stevens is ervandoor,' zei Brown.

'Misschien niet.'

'Denk je dat hij terugkomt als wij langer blijven wachten?'

'Waarschijnlijk niet.'

'Maar...?'

'Het geeft mij een beter gevoel,' zei ze.

Brown draaide zich naar Madison. 'Er komen nog andere nachten,' herhaalde hij.

Dunne meldde zich weer. 'Twee straten verderop is een tent die
vierentwintig uur open is. Zullen we daar afspreken?'

'Oké, we rijden achter jullie aan.' Brown startte de motor en de
auto reed zachtjes weg. De straat bleef achter zoals hij er uren eerder bij had gelegen.

Een stel van achter in de twintig liep door de gangpaden van de
Night & Day en pakte een paar magnetronmaaltijden. Het leek of
ze van een feestje kwamen – ze waren een beetje giechelig maar
niet echt dronken.

Dunne was meteen voor de koffie met donuts gegaan, Spencer

voor mineraalwater en Brown voor een cola light. Ze zeiden geen woord tegen elkaar; de uren in de auto waren voelbaar geworden zodra ze de avondwinkel waren in gelopen. Dunne rekte zich uit en geeuwde.

Madison pakte een kartonnetje melk en nam de huurvideo's door, voornamelijk actie- en horrorfilms met een paar Disneys erbij voor de kinderen. De laatste paar weken had ze op een dieet van Billy Wilder geleefd. Als ze na haar nachtdienst thuiskwam, viel ze op de bank in de huiskamer in slaap met *Some Like It Hot* in de dvd-speler. Zo hoefde ze niet aan andere dingen te denken, want soms waren die minder prettig. Ze betaalde en ging buiten staan wachten.

Madison leunde tegen hun auto en dronk haar melk. Het was nog steeds mistig. Misschien zou de mist tegen de ochtend optrekken, want de wind uit zee was flink aangewakkerd. Ze trok haar dikke jack dichter om zich heen en dacht aan alle dingen die ze de komende vierentwintig uur wilde gaan doen, en op dat moment kwam het meisje uit de mist tevoorschijn.

Ze viel Madison op omdat ze er zo jong en vreemd gekleed uitzag in haar spijkerjack en dunne broek. *Ze moet het steenkoud hebben.* Madison volgde haar met haar ogen; misschien had ze hulp nodig. Ze had kortgeknipt, babyblond haar en zag eruit als veertien, net de juiste leeftijd voor iemand die was weggelopen, en het kleine rugzakje hoorde ook bij het beeld. Ze had roze lippenstift op en veel eyeliner, en haar wangen gloeiden van de kou.

Zoals ze tegen de auto leunde met haar honkbalpetje op zag Madison er niet meteen uit als een agent. En dat was maar goed ook, want ze wilde het meisje niet afschrikken. Nu zag ze de donkere kringen onder haar ogen.

'Hé.'

Het meisje hield even in toen ze Madisons stem hoorde. Ze keek haar aan en knikte even. Madison lachte naar haar, en zag meteen dat het meisje er verwilderd uitzag. Uit ervaring wist Madison dat ze waarschijnlijk buiten sliep, nauwelijks genoeg at en waarschijnlijk het begin van een longontsteking had.

Het meisje liep door en was met twee passen de stoep op en de winkel in. Ze had weinig bij zich, had Madison al opgemerkt. Er paste niet veel in het rugzakje dat ze om had, maar er zat iets in de rechterzak van haar jasje, iets waar ze haar hand omheen klemde. Het was een koude, trieste, verspilde nacht geweest, en het zou nog erger worden: wat Madison had gezien, zag eruit als het puntje van het handvat van een pistool. Ze was de stoep al op en ging achter het meisje aan.

Ze liep drie meter voor haar en inspecteerde de snoepafdeling. Haar hoofd bewoog langzaam van de ene naar de andere kant.

Brown stond bij de kassa af te rekenen, een meter of anderhalf rechts van haar; Spencer en Dunne waren achter in de winkel. Het jonge stel had hun mandje volgeladen met bakjes en kartonnetjes en liep op de kassa af. Ze waren uitgebabbeld en het enige geluid in de winkel was het gezoem van de neonbuizen en de koelkast.

In één beweging deed Madison haar jack open en maakte het leren lusje los dat haar pistool op zijn plaats hield in de holster op haar rechterheup. Ze deed een stap in de richting van Brown en tikte hem op zijn schouder. Ze knikte naar het meisje en vormde met haar vingers een pistool. Brown trok zijn wenkbrauwen op en maakte het riempje van zijn holster los.

In de zak van de jas werd de hand klam en dat vond het meisje niet prettig. Maar ze wilde hem er niet uithalen om hem af te vegen aan haar broekspijp. Ze haatte het dat het metalen ding zo zwaar was dat de zak aan die kant lager hing. De hand klemde zich om het handvat van het pistool en liet weer los; haar ogen schoten over de Marsen en Milky Ways en Snickers.

Het stel zette hun mandje op de toonbank en een onderbetaalde en overwerkte bediende begon de artikelen aan te slaan. Madison ging achter hen staan; haar stem klonk zo zacht dat ze hem zelf nauwelijks hoorde. 'Politie. Ga de winkel uit.'

'Wat...' De jongeman deed zijn mond open en meteen weer dicht toen hij de flits van de penning aan de binnenkant van haar jack zag.

'Nu. Draai je niet om. Wegwezen.'

Godzijdank gehoorzaamden ze, maar niet zonder toch een blik over hun schouder te hebben geworpen.

De bediende was minder volgzaam. 'Wat betekent dit?'

Het meisje draaide zich om, het pistool met beide handen op

ooghoogte gericht. 'Verroer je niet.' Haar stem klonk beverig maar helder, en de bediende dook onder de toonbank.

Het meisje keek Brown en Madison aan, terwijl ze het pistool met korte rukken van de een naar de ander bewoog. Spencer en Dunne waren achter de stellingen verdwenen. Madison wist zeker dat ze allebei hun pistool hadden getrokken en een manier aan het bedenken waren om bij het meisje te komen zonder dat een van hen werd neergeschoten.

'Je hebt onze aandacht. Wat nu?' Brown was kalm en beheerst.

'Doe wat ik zeg. Ga op de grond liggen. Vooruit.' De stem van het meisje ging omhoog en sloeg over.

Madison zag dat haar ademhaling moeizamer ging. Ze moesten haar snel rustig zien te krijgen.

'Vooruit!' Ze kon nu elk moment hysterisch worden.

'Het is het niet waard,' zei Brown. 'Er zit minder dan vijftig dollar in de kassa. En je houdt je pistool op twee agenten gericht.'

De ogen van het meisje gingen een fractie van een seconde in de 'oh shit'-stand, wat lang genoeg was.

'Leg dat pistool op de grond en ga er als de bliksem vandoor.'

Haar mond hing open en ze dacht ingespannen na. De vier rechercheurs wisten maar al te goed dat iedereen stoer kon doen met een wapen in zijn hand, maar er waren er maar een paar die tegelijkertijd konden nadenken.

Madison wist dat ze het meisje in minder dan drie seconden kon neerschieten. Ze zag de loop trillen ter hoogte van Browns ogen; de man gaf geen krimp, keek haar recht aan en bleef vriendelijk doorpraten. Het meisje had glitternagellak op en ringetjes in haar oren, twee aan de linkerkant en een aan de rechter. Haar spijkerjasje was gevoerd met een versleten schapenvachtje en onder het neonlicht zag haar huid er doorzichtig uit.

'Praat niet tegen me!' schreeuwde het meisje, en Madison zag haar niet meer, maar alleen nog het pistool en ze bereidde zich voor op actie.

'Het is het niet waard,' zei Brown. Madison wist niet tegen wie.

'Oké, oké,' knikte het meisje. 'Ik ga een paar dingen pakken. Blijf waar je bent.'

Het moment was voorbij.

'Niemand doet iets,' glimlachte Brown. 'We staan gewoon met z'n drieën te praten.'

Ze reikte achter zich met haar linkerhand en vond de chocorepen. Ze greep er een paar en stopte ze in haar jack, greep er nog een paar en deed die in de achterzak van haar broek. 'Ik ga nu naar buiten. Ik laat het pistool op de stoep liggen. Kom niet achter me aan.'

'Wacht even. Leg het pistool nu op de grond. Ik geef je mijn woord dat ik en mijn partner hier nog drie minuten blijven nadat je weg bent.'

'Ja, vast.'

'Ik geef je mijn woord.' Brown wilde niet dat ze met het pistool de straat op zou gaan.

'Doe wat hij zegt. Niemand wil moeilijkheden. Leg het wapen neer en ga er zo snel mogelijk vandoor.'

'En als ik dat niet doe?'

Brown keek haar recht aan. 'De kinderrechter heeft geen dienst in het weekeinde, dus dan zit je vierentwintig uur in een cel met dronkenlappen en allerlei soorten gewelddadige types.' Het meisje knipperde twee keer met haar ogen. 'Ik denk niet dat je dat fijn vindt.'

Ze slikte moeizaam. Het was een rotnacht geweest. 'Oké.'

Ze deed een paar stappen in de richting van de deur, met haar ogen gericht op de twee agenten voor haar, en legde het pistool op de grond, klaar om te vluchten. Toen legde Spencer zijn arm om haar nek en klikte Dunne zijn handboeien om haar dunne, bleke polsen. Het was binnen enkele seconden voorbij. Het meisje gaf een gil. Ze probeerde hen af te weren terwijl de tranen al over haar wangen stroomden. Spencer liet haar los; Madison wist dat hij een zoon van haar leeftijd had. Ze ademde diep in en maakte met een bonkend hart het leren riempje aan haar holster weer vast.

'Het is niet geladen,' zei Dunne, en hij schudde zijn hoofd in ongeloof. 'Krijg nou wat.' De bediende stak zijn hoofd weer boven de toonbank en had ook iets te zeggen. 'Wie betaalt er voor die repen?'

Brown liep naar de kassa en legde een bankbiljet op de toonbank.

Ze leidden het meisje de stoep af; Brown en Madison zouden haar meenemen, met Spencer op de achterbank om op haar te passen. Dunne zou de andere auto naar het bureau rijden.

'Brengen jullie me naar de gevangenis?' vroeg ze aan niemand in het bijzonder.

'Je gaat mee naar het bureau om te vertellen hoe je hieraan bent gekomen.' Spencer wees naar het pistool.

Het meisje zakte in elkaar, alsof alle energie uit haar was verdwenen, en daar had ze al zo weinig van. Spencer en Madison hielden haar overeind om te voorkomen dat ze zou vallen en met haar hoofd op het asfalt terecht zou komen.

Toen ze haar in de auto hielpen, keek het meisje op. 'Hebben jullie een krant of zoiets?' Haar stem kwam nauwelijks boven een gefluister uit.

Madison zag de donkere plek op haar broek. 'Ik haal wel een krant in de winkel.' Ze liep naar de stoep. 'Wil je iets warms drinken?'

Het meisje dacht er even over na. 'Koffie. Zwart.'

De verwarming in de auto maakte de scherpe urinelucht bijna ondraaglijk. Ze draaiden de raampjes open. Het meisje hield de beker met haar vingertoppen vast en nam kleine slokjes. Haar woordenstroom was niet meer te stuiten; dat was geen ongebruikelijke reactie. Ze heette Rose, geen tweede naam, dertien jaar oud, geen permanent adres. Ze had gezien dat een man een bruinpapieren zak in een vuilnisbak op Pike Place Market gooide; ze had gehoopt op etensrestjes. Het wapen zat in een theedoek gewikkeld.

'Je hebt twee agenten met een ongeladen pistool bedreigd,' zei Spencer. 'Dat is een tien plus voor domheid.'

'Je wíst dat het niet geladen was,' zei Madison.

'Wat denken jullie?' Het had een fractie van een seconde geduurd voor ze antwoordde.

'Misschien wel en misschien niet.' Brown reed snel en keek zo nu en dan in de achteruitkijkspiegel.

'We hebben hoe dan ook een probleem. We zijn van Moordzaken. We kunnen je niet op het bureau vasthouden omdat je niemand hebt vermoord.' Hij zweeg even. 'Je hebt toch niemand vermoord, hoop ik?'

'Nee.'

'Gelukkig. Maar we kunnen je ook niet laten gaan, omdat je net je pistool op me hebt gericht.'

Als Brown het meisje doodsbang wilde maken, deed hij het goed. Madison schatte dat ze zo'n twee tot vier weken geleden vertrokken was van waar ze maar vandaan was gekomen.

'We zullen iemand van de Sociale Dienst moeten bellen om je te komen halen,' ging Brown op effen toon verder. 'En die gaan dat niet leuk vinden omdat het zondagochtend vijf uur is en ze al een hele week van dit gedonder achter de rug hebben. En een van ons zal bij je moeten blijven, om je familie te bellen en een rapport te schrijven over hoe je aan het pistool bent gekomen en wat er verder is gebeurd. En om te wachten op iemand die ons van je verlost. Snap je? Je had nu dood kunnen zijn, meisje.'

'En jouw woord stelt ook geen ene moer voor,' zei het meisje tegen zichzelf.

Drie kwartier later zat Madison achter haar bureau te typen. De anderen waren vertrokken nadat ze haar mompelend hadden bedankt toen zij had aangeboden te blijven. Het meisje droeg een schone joggingbroek die Madison in haar kastje had liggen en at een kipsandwich uit de ijskast die in het vertrek ernaast stond. Madison hoopte maar dat de uiterste houdbaarheidsdatum alleen een suggestie was; hij rook nog goed.

Er waren wat telefoontjes gepleegd en Shawna Williams van de Sociale Dienst was onderweg. Madison trok het vel papier uit de typemachine en legde het aan de zijkant van haar bureau. Ze stond op en rekte zich uit. De twaalf-tot-achtploeg was in zijn geheel op pad en ze waren alleen.

Het was een somber vertrek: bureaus, lampen, stoelen en een paar archiefkasten, allemaal in een charmante metaalgrijze tint. Browns bureau stond tegenover het hare. Als teken van hoop bewaarde hij een paperbackversie van *Moby Dick* in zijn la. Op een dag, had hij haar verteld, zouden mensen misschien lang genoeg stoppen elkaar te vermoorden om hem de tijd te gunnen het te lezen. Tot nu toe was het er niet van gekomen.

Rose lette niet op haar omgeving. Het meisje was uitgeput, maar Madison zag dat het eten haar goed had gedaan. Een slim kind kan een eind komen, maar niet in de winter: als het straatleven je niet fataal werd, dan deden kou en regen het wel.

'Weet je zeker dat er niemand is die je wilt bellen? Je mag interlokaal bellen en ik kan het nummer voor je opzoeken als je een naam hebt.'

Het meisje schudde haar hoofd. Madison wist wat ze voor zich zag: een volwassene met dure, warme kleren aan, drie maaltijden per dag en de sleutels van een appartement, misschien zelfs een huis. Zo iemand wilde ze geen tekst en uitleg geven. Madison begreep dat beter dan het meisje ooit zou weten.

'Ik herinner me nog de eerste keer dat ik op een politiebureau zat,' zei Madison terwijl ze een appel van haar bureau pakte en er een hap van nam.

Het meisje was te moe om zelfs maar te doen of ze geïnteresseerd was.

'Ik was twaalf jaar. Weggelopen van huis. De politie pakte me op bij de grens met Canada, ten noorden van Anacortes. Ik was een week weg voor ze me vonden.'

'Gelul.'

'Nee. Een week. Het was augustus en erg warm, niet zoals nu.' Madison vertelde het nuchter. 'We woonden op een eiland. Op een dag heb ik gewoon de veerboot genomen.'

'Dat verzin je maar. Ik wed dat je dat verhaal aan alle kinderen vertelt die je oppikt.'

'Denk je dat echt?' vroeg Madison.

'Goeiemorgen.' Shawna Williams kwam het vertrek binnen. Ze was een Afrikaans-Amerikaanse vrouw van begin veertig en ze hadden elkaar voor het eerst ontmoet toen Madison nog in uniform was. Ze keek neer op het blonde meisje.

'Wie hebben we hier? Mag ik je verhoorkamer even lenen?'

'Natuurlijk. Schenk maar een kop koffie in.'

'Wie heeft die gezet?'

'Ik.'

'Jij maakt koffie alsof het 't laatste kopje is dat je ooit zal drinken.'

'Je zegt het alsof het iets slechts is.'

'Alleen als je ouder wilt worden dan veertig jaar.'

'Dat zal ik onthouden.'

'Doe dat maar,' zei ze, en schonk zichzelf een kopje in. 'Kom mee.'

Madison en het meisje knikten naar elkaar als een soort afscheid. Madison stak haar hand naar haar uit. 'Als je nog eens een pistool vindt...'

Het meisje stopte het kaartje in haar zak en liep de schaars verlichte gang door. Shawna's warme stemgeluid weerkaatste tegen de muren, maar Madison kon de woorden niet meer verstaan.

Zes uur 's ochtends. Madison trok haar jack aan, legde de papieren op haar bureau recht, knipte haar lamp uit en vertrok. Howard Jenner, de brigadier van dienst, zwaaide naar haar terwijl hij een telefoon tegen zijn oor hield. Twee rechercheurs liepen de stoep op met een gehandboeide dronken man. Hij keek Madison aan toen ze voorbijliepen.

'Slaap lekker, schatje.' Zijn stem klonk als een gebroken fles.

Het was opgehouden met regenen en de hemel strekte zich boven hen uit.

Alki Beach was op dit uur van de dag verlaten. Madison parkeerde op haar gebruikelijke plekje en klom op de achterbank. Ze verkleedde zich in een joggingbroek en een verschoten shirt. Ze had het nooit een prettig idee gevonden om haar wapen in de auto achter te laten, voor het geval een of andere slimmerik besloot dat haar vier jaar oude Honda de moeite van het stelen waard was. Ze deed de holster om onder haar sweatshirt en liet haar hoofd van de ene naar de andere kant rollen. De spieren boven haar schouderbladen begonnen zich samen te trekken. Het was koud en vochtig en ze zou snel moeten opwarmen. Ze leunde met een hand tegen de auto, greep haar voet en trok die achter zich omhoog; ze deed hetzelfde met de andere.

Ze liep op een rustig drafje naar de rand van het water en versnelde haar pas na een paar minuten. Nog even en de wereld zou alleen bestaan uit het kabbelende water en haar voeten die het zand raakten.

In de vrijwel totale duisternis van het Hoh River-pad, drie uur rijden vanaf Seattle, rent een man door het bos. Hij is een vage schim tussen de bomen. Het is de zevenendertigste keer dat hij dit stuk rent, de twintigste in het donker. Snel genoeg om hem in leven te houden binnen de tijd die hij nodig zal hebben, langzaam genoeg voor zijn uiteindelijke doel. Hij komt bij de oever en kijkt op zijn horloge. Drieëntwintig minuten. Hij heft zijn gezicht op naar de hemel, huiverend in het plotselinge briesje, en zijn kleurloze ogen zien een paar sterren. *Hoe lang duurt het om goed genoeg te zijn?*

2

Alice Madison reed in het eerste morgenlicht. Haar eigen auto rook fris, niet geparfumeerd, gewoon heel schoon en een beetje naar leer, en Madison hield zich aan de maximumsnelheid. Uit de speakers knalde *No Cars Go* van Arcade Fire hard genoeg om elke gedachte aan wat er in de winkel was voorgevallen te verjagen.

Toen het nieuws van haar overplaatsing naar Moordzaken bekend werd, hadden Brown en Spencer haar, zoals gebruikelijk, nagetrokken. Het was een onofficiële traditie: een paar telefoontjes en ze hadden zelfs Madisons gegevens kunnen opvragen bij de universiteit van Chicago. Wat ze ontdekten, was alles wat ze hoefden te weten. De rest zou snel genoeg komen.

Alice Eleanor Madison was geboren in Los Angeles en was naar zes verschillende scholen gegaan in zes verschillende steden voor ze op haar dertiende in Seattle belandde en besloot daar te blijven. Universiteit van Chicago, een graad in de psychologie en criminologie, magna cum laude. Had geen enkele moeite met de politieacademie en haalde, zo mocht Spencer er graag bij vertellen, een gemiddelde van boven de negentig in de handkrachttest van een minuut met een Model 19 Smith and Wesson. 'Net wat we nodig hadden,' was het enige commentaar van Brown.

Ze was single, dronk weinig, rookte niet en betaalde haar rekeningen op tijd. Ze ging zo nu en dan met andere agenten om, maar was meestal op zichzelf.

Dunnes bijdrage aan het onderzoek was de mededeling dat Madison mee uit was gevraagd door minstens zeven van zijn kennissen in andere politiedistricten, die ze allemaal beleefd had afgewimpeld, zelfs de ongetrouwde mannen.

De afgelopen vier weken had Madison hard gewerkt. Ze had haar ogen en oren opengehouden, want haar jaren in burger waren slechts het fundament van het huis dat ze wilde bouwen. Brown, Spencer en Dunne hadden gezamenlijk veertig jaar ervaring, waarvan twintig bij Moordzaken. Het was alsof ze weer op school zat.

Three Oaks was een groene wijk aan de zuidwestkant van de stad. Door de dennenbomen heen zag je huizen van twee of drie verdiepingen met keurig verzorgde tuinen en garages voor twee auto's. Achter de huizen liepen de gazons af naar de stille wateren van Puget Sound. Er waren boten en smalle steigers en langs veel huizen liep een kiezelstrandje. Vashon Island was een donkergroene streep aan de overkant van het water. Zo vroeg op een zondag waren de straten leeg en slechts een paar enthousiaste vogels durfden de stilte te verbreken. Madison sloeg Maplewood Avenue in en een paar meter daarna haar eigen oprit. Eén hartslag lang stond er iemand voor een van de ramen op de eerste verdieping, maar ze wist dat het maar de schaduw van een boom was.

Ze zette haar auto naast de Mercedes van haar grootouders. Er was nu al meer dan een jaar niet in gereden en voor Madison was hij niet meer dan de bomen om haar heen of de stenen die onder de bladeren lagen: een deel van het landschap.

Tegen de deur stond een grote, gewatteerde envelop waar niets op geschreven was. Madison glimlachte; hij voelde zacht aan. Ze ging naar binnen en maakte de envelop open. Het briefje dat erin zat vermeldde: 'Brunch is om 12 uur, kom wanneer je kunt. Tot dan, Rachel.'

Madison stak haar hand dieper in de envelop en nam een hap van een chocoladekoekje. Ze ging op de bank zitten, keek naar het grasveld en het water en legde haar hoofd op de rug van de bank; niets te doen in de komende vierentwintig uur.

Haar gedachten flitsten terug naar het meisje dat uit alle macht het pistool had omklemd. Rose. Madison wist met absolute zekerheid wat ze gedaan zou hebben als het meisje geprobeerd had op Brown te schieten. Dat verbaasde haar niet, maar vervulde haar met een doffe pijn.

Het hardlopen had het laatste restje van haar energie opgebruikt, precies zoals ze had gehoopt. Ze sloot haar ogen, gleed de droom in en Alice Madison, twaalf jaar oud, wordt met een schok wakker in haar slaapkamer in Friday Harbor.

De maan staat hoog in het open venster, zoals altijd, een warm briesje strijkt over haar katoenen lakens en haar hart klopt als een razende. Ze weet wat er komt. De Mickey Mouse-klok op haar nachtkastje geeft 2.15 uur aan, zoals altijd, en haar ogen wennen langzaam aan het duister.

Haar moeder is vijf maanden daarvoor gestorven en Alice kan amper ademhalen van verdriet. Haar boeken staan in rijen op de planken, haar kleren hangen netjes over de stoel, haar konijnen-pantoffels staan bij het bed. Ze weet wat er komt. De vloer in de gang kraakt en haar hoofd draait met een ruk naar de dichte deur. Er is iemand in huis. Haar vader werkt 's nachts en ze verwacht hem pas thuis als het licht wordt.

Ze knippert met haar ogen en dwingt zichzelf om na te denken. *Het zou papa kunnen zijn.* Nee, het licht in de gang is uit, hij zou het licht hebben aangedaan, hij zou naar haar zijn komen kijken. Papa zou niet rondsluipen in het donker. Er loopt iemand van de ene kamer naar de andere en Madisons nagels persen zich door het laken heen in haar handpalm. Zware stappen die licht probe-ren te zijn gaan de kamer van haar ouders binnen.

Haar honkbalknuppel ligt onder het bed en ze grijpt hem snel vast zonder haar ogen van de deur af te houden.

Hij is weer in de gang. Alice is bang om zich te bewegen en bang om te blijven waar ze is. Ze staat met één blote voet op de koude vloer en de rest van haar nog onder het laken, terwijl ze met bei-de handen de knuppel vastgrijpt. De stappen blijven voor haar ka-mer stilstaan en de tijd stopt. 2.18 uur. Alice maakt geen geluid, beweegt zich niet, haalt geen adem.

Toen blafte er een hond in de buurt en Madison werd wakker in haar lege huis; haar holster porde in haar zij en haar hart bonsde.

Ze was gewend aan de droom, als aan een litteken dat je ziet als je je mouw oprolt: lelijk, blijvend en geheim. Hij eindigde daar niet altijd, soms kwam ze tot aan het moment waarop de knuppel zwaaide en het geluid van aan scherven vallend glas haar wakker maakte, maar deze keer niet.

Op minder dan een halve kilometer heeft James Sinclair al uren niet bewogen en hij kan het eerste licht over zijn lichaam niet voe-len. De stilte heeft zich als rook tot in de hoeken van het vertrek verspreid.

3

Op vele kilometers afstand van de stad sloot de man zijn ogen en luisterde naar de rivier. De vlieg kwam zacht op het water terecht, geworpen met een vloeiende beweging van de pols. Zijn handen waren koud, maar hij vond het niet prettig om handschoenen op zijn huid te voelen als hij viste. Op de rug van zijn rechterhand glinsterden drie dunne, witte, elkaar kruisende littekens van tien centimeter lang. Daglicht verspreidde zich over de hemel en de stille bossen gaven het hun zegen.

Hij zag eruit als een gewone man die aan het vissen was. Een net, kort kapsel, dure visspullen op de grond naast zijn laarzen. Niets waar een toevallige wandelaar twee keer naar zou kijken; niets wat iemand zich langer dan vijf minuten zou herinneren. Onder de rechterbroekspijp was de kleine revolver in zijn enkelholster een vertrouwd gewicht dat hij amper nog voelde.

Hij wierp de lijn nogmaals in het water. Zijn ogen volgden de lange, langzame boog en wisten op dat moment dat dit waarschijnlijk de enige rust was die de wereld hem ooit zou gunnen.

Hij besteedde totaal geen aandacht aan de schoten van de jagers boven hem op de berg.

Het was 12.45 uur toen Madison wakker werd. Ze was een beetje stijf omdat ze op de bank in slaap was gevallen, maar dat kwam wel weer goed met een hete douche en een kop sterke koffie. Daarna trok ze een katoenen broek, een donker spijkerhemd en een bruin suède jack aan. Ze zette de gymschoenen die ze tijdens het posten had gedragen bij de kast in haar slaapkamer en pakte in plaats daarvan een paar zwarte enkellaarsjes. De holster met het pistool erin ging in een afgesloten kluis onder het bed.

De afspraak was dat Alice haar pistool niet zou dragen in Rachels huis als ze geen dienst had. Ze waren het er beiden over eens dat het niet goed voor de kinderen zou zijn om gewend te raken aan een volwassene die in hun keuken koffie zat te drinken met een pistool aan haar riem.

Madison liep in zeven minuten naar Rachel. In de twintig jaar van hun vriendschap hadden hun huizen nooit verder uiteen gelegen dan vijftien minuten lopen. Als je dertien bent, is dat van het grootste belang.

Op Blueridge waren een paar huizen al versierd voor de kerst; er knipperden lichtjes vanachter gordijnen. Alice had nooit zo van dat soort dingen gehouden, maar haar grootouders hadden besloten dat ze tijdens hun eerste Kerstmis samen de grootste boom in Seattle moest krijgen en ze had hem prachtig gevonden.

Rachels huis zat stampvol familie. Neals broers met hun vrouwen en kinderen, tantes en ooms, nichten en neven die Alice al jaren niet had ontmoet. Een groepje kinderen was voor de televisie gezet om videospelletjes te spelen. Volwassenen zaten op de sofa's en stonden bij de buffettafel. Ruth, Rachels moeder, zorgde ervoor dat iedereen zoveel te eten en te drinken kreeg als hij of zij maar lustte.

Rachel had Alice door de kamer geloodst en ten slotte waren ze met hun bord op schoot op de trap bij de overloop op de eerste etage gaan zitten.

Ooit, toen Madison nog in uniform was, had ze gewerkt aan de zaak van een vermiste negenjarige jongen. De dag dat ze hem vonden, begraven onder de bosjes in de speeltuin, had Rachel urenlang samen met haar in het donkere huis gezeten. Nu ze bij Moordzaken werkte, zat ze niet meer met de lichten uit.

Rachel nam een slokje van haar wijn en keek haar vriendin aan. 'Hoe gaat het met je?' vroeg ze.

'Goed. Ik heb geslapen als een blok. Hoe was jouw week?'

'Oké. Het semester is voorbij, geen grote drama's. In de vakantie moet ik een enorme stapel werkstukken corrigeren.'

Rachel gaf twee keer per week een college psychologie aan de universiteit. 'En jij, droom je nog?'

Rachel was de enige ter wereld die ervan wist.

'Eens in de paar maanden, niet slecht.'

'De vrouw over wie ik je vertelde, is echt goed, als je met iemand wilt praten.'

'Het gaat best. Ik ben eraan gewend.'

'Ik denk niet dat het je goed doet om er gewoon maar mee te leven.'

'Het stelt niet meer zoveel voor.'

'Hou op, je bent nog wel afgestudeerd als psychologe.'

'Ja, niet te geloven, hè?'

'Nee, inderdaad. Trouwens, Tommy is weggelopen in de supermarkt. Weer. Ik vond hem ergens op de grond bij de cornflakes en de muesli. Hij was met de dozen aan het spelen. Het is al de tweede keer deze maand. Heb jij gisternacht die man nog te pakken gekregen?'

'Nee. Maar wel een dertienjarig meisje dat vier agenten bedreigde met een ongeladen pistool.'

'Jezus.'

'Ze had zich bijna neer laten schieten voor een paar repen.'

'Was je erbij?'

'Ja. Ze is nu bij de Sociale Dienst.' Madison nam een slok wijn. 'Ze heet Rose.'

'Mooie naam,' zei Rachel.

Een paar uur later zat Madison op de sofa Rachels zesjarige zoontje Tommy voor te lezen uit een van zijn boeken. Het was een verzameling inheems-Amerikaanse mythen, geschreven voor kinderen. Tommy kende het uit zijn hoofd, maar hij vond het fijn om voorgelezen te worden.

Het vuur knetterde in de haard en ze hadden Tommy's sprei over hun schoot. Nadat ze vijf minuten niet was onderbroken door zijn stemmetje besefte ze dat hij in slaap was gevallen. Madisons blik ging naar de muur boven de haard. Die noemden ze de 'familiemuur'. Foto's van de familie Levers en de familie Abramowitz tot op vele generaties geleden. Alice had altijd haar favorieten gehad: Rachels Russische grootouders op hun trouwdag, Rachel en zijzelf op de stoep van het appartement dat ze op de universiteit hadden gedeeld, het zwart-witportret van een onbekende jongen in zijn zondagse kleren.

Alice had geen foto's van haar ouders. Ze vond het fijn dat ze aan de muur hing met de rest van Rachels familie.

Iemand bij de buren speelde Bach; de schoonheid van de structuur klonk nog door ondanks de nutteloze pianolessen.

Madison bleef nog een poosje naar het vuur kijken en stond toen voorzichtig op om het kind niet wakker te maken. Tommy verroerde zich niet. Nadat ze gedag had gezegd, liep ze terug naar huis, inspecteerde de ijskast om te zien wat er nodig was en liep toen naar de slaapkamer. Voor ze besefte wat ze deed, had ze haar holster omgedaan met het wapen voor als ze geen dienst had. Ze sloot de kluis af en ging de deur uit.

Bij de supermarkt kocht ze fruit en groenten, kaas bij de delicatessenafdeling en vers brood. De winkel was al helemaal in de kerstsfeer en er werden achter elkaar kerstliedjes gespeeld.

Ze stond in het gangpad met kip en kalkoen toen ze de man zag, een magere, blanke kerel met een spijkerjack aan. Hij wipte van zijn ene voet op de andere en keek over zijn schouder naar de bewaker die met de jonge vrouw achter de kassa aan het praten was.

Op zijn kleren was niets aan te merken en ze kon allebei zijn handen zien. Hij keek weer naar de uitgang; de bewaker was nog steeds diep in gesprek. Op dat moment kwamen er een vrouw en een klein kind bij de man staan. Madison pakte wat stukken kip en ging in de rij staan om te betalen. Wat we toch niet allemaal in mensen zien. Madison kende geen enkele agent wiens aandacht niet automatisch werd getrokken door een man in een lange jas op een warme dag.

Thuisgekomen trok ze haar joggingpak aan en rende drie kwartier door de buurt. Ze dacht aan Brown. Gesteven witte overhemden en een regenjas. Haar neus tintelde in de vrieskou. Ze wilde van alles van hem leren, of hij dat nou leuk vond of niet.

Ze kookte met het nieuws aan en at uit de pan terwijl ze naar een herhaling van *Sports Night* keek. Vlak voor ze naar bed ging, haalde ze haar wapen tevoorschijn en maakte het helemaal schoon, schoot er een paar keer mee zonder kogels erin, laadde het weer en legde het onder het bed. Om halftien viel ze in een droomloze slaap.

4

Het kantoor van Quinn, Locke & Partners ligt op de achtste verdieping van de Stern Tower tussen Pike en 6th. Nathan Quinn was al sinds halfacht op kantoor om een instructie voor King County vs Mallory te lezen, waarbij hij aantekeningen maakte. Op zijn bureau lagen alleen de instructie en een laptop, naast een lamp en een porseleinen kopje met zwarte koffie. De regen trok dunne lijnen over Puget Sound en de haven.

Hij was gesteld op het stille, elegante kantoor en het mooie uitzicht, net als op het donkere kostuum en de dure schoenen. Maar Nathan Quinn was bovenal gesteld op het cirkeltje van licht op de mahoniehouten tafel en de instructie in zijn hand, waarmee hij zich voorbereidde op de strijd. Hij keek niet naar het uitzicht en dronk niet van zijn koffie.

Carl Doyle, die de dagelijkse leiding van de firma had, bracht hem om halfnegen zijn post, samen met een lijst boodschappen die die avond en nacht op het antwoordapparaat waren achtergelaten, en een herinnering aan de tijdstippen waarop hij die dag in de rechtszaal moest zijn.

Quinn bekeek de enveloppen even en maakte er een paar open. Eén was een bedankje en een andere een nauwelijks verhuld dreigement van een getuige die hij had gedagvaard. De derde envelop was van zwaar, crèmekleurig papier en zag eruit als een uitnodiging. Quinn maakte hem open en haalde het simpele, bijpassende kaartje eruit. Er stonden maar twee woorden op, in zwarte inkt. Hij draaide de kaart om, maar er stond verder niets op. Hij las ze nogmaals.

Dertien dagen

Hij legde hem opzij en keek de rest van de post door. Het was niet de eerste anonieme brief die hij had ontvangen, en het zou ook niet de laatste zijn. Deze was niet eens bijzonder origineel.

Later, veel later, zou hij terugdenken aan dit moment als een kleine dood.

5

Op maandagmorgen om halfnegen was Maria Davis te laat. Ze liep snel over Blueridge en hield haar paraplu stevig vast. Op maandag was het verkeer altijd het drukst, maar ze vond het niet erg om naar Three Oaks te gaan. Ze werkte al zeven jaar voor de familie Sinclair, sinds hun jongste was geboren. Het was een aardig jong stel en ze hoefde geen zwaar werk te doen. Mrs. Davis was drieënveertig jaar, haar eigen twee kinderen zaten op de middelbare school en ze maakte ook schoon bij een familie in de buurt.

Ze liep over de oprit en zag dat de gordijnen op de eerste verdieping nog dicht waren. Ze drukte één keer op de bel en stak toen haar sleutel in het slot, draaide hem om en ging naar binnen.

'Goeiemorgen!' riep ze. Ze deed de deur achter zich dicht en luisterde of ze stemmen hoorde.

Het enige licht in de hal kwam van de kerstboomlampjes.

'Hallo.' Ze hing haar jas aan de kapstok bij de deur.

Er streken takken van de boom tegen de ruiten toen ze de woonkamer in liep en even bleef staan. Alles op zijn plaats, gordijnen dicht, de kerstboom naast de openslaande deuren.

'Mrs. Anne...?'

Ze wierp een blik in de keuken; het lampje van de vaatwasser brandde, het programma was afgelopen. Maria Davis keek om zich heen – niemand had vandaag koffie gezet. Het was maar een detail en ze wist niet waarom ze er zo van overstuur was. *Ik zou in de slaapkamers moeten kijken.*

Boven aan de trap kwam haar plotseling een smerige geur tegemoet en de haartjes op haar armen gingen rechtovereind staan.

De deur stond wijd open: vier lichamen op het bed naast elkaar, als vlees dat in steen was veranderd, geblinddoekt en de handen vastgebonden, vlekken op de kussens die glibberig waren van het bloed, en de jongens die ertussen lagen.

Ze had geen adem genoeg om te schreeuwen; ze stond daar maar te staren. Toen ze eindelijk weer beneden was, pakte ze de telefoon en de telefonist vroeg met wie ze wilde spreken.

'De kinderen...' zei ze en ze moest de hoorn met beide handen vasthouden. Toen ze zeiden dat er een politiewagen onderweg was, deed Maria Davis de voordeur open en ging op de stoep zitten.

De eerste wagen kwam om 8.47 uur. De agenten Giordano en Hall zetten Mrs. Davis achter in de auto en gingen naar binnen. Ze leunde met gesloten ogen achterover.

Dit was geen goede manier om een maandagmorgen te beginnen, dacht Giordano. Zijn maagzweer speelde alweer op.

Hall wees naar de trap. Ze hadden hun wapens getrokken; de plaats delict was nog niet vrijgegeven. Ze liepen naar boven, kwamen bij de overloop en zagen wat zij had gezien.

'Niets aanraken,' fluisterde Giordano.

'Weet ik,' snauwde Hall.

Giordano had meer lijken gezien dan hem lief was, maar elke keer dat het kinderen betrof, had hij het gevoel dat hij in hun aanwezigheid zachtjes moest praten. Hall bleef nog even staan staren, niet in staat om zich te bewegen of weg te kijken.

Een paar minuten later, terug in de auto, klonk Giordano's stem weer luid en duidelijk. 'Twee volwassenen, twee kinderen. 1135 Blueridge, Three Oaks.'

Hij wreef met de palm van zijn handen over zijn gezicht en ging weer naar binnen, haalde zijn notitieboekje tevoorschijn en begon te schrijven.

Inspecteur Fynn nam het gesprek aan in zijn kantoor om 8.58 uur. Hij noteerde snel wat details en stond op om zijn ploeg bijeen te roepen. Madison wist dat hij een zwaargewicht was, een agent die liever met zijn mannen op de werkvloer bleef dan gepromoveerd te worden om golf te gaan spelen.

'Luister allemaal. We hebben vier doden in een privéwoning in Three Oaks.'

Madison keek op van haar papierwerk. Ze hoopte dat haar stem vast zou klinken. 'Welk adres?'

'1135 Blueridge.' Fynn keek het vertrek rond. 'Ik wil iedereen ter plekke hebben. Brown, neem jij de leiding?'

Brown had zijn regenjas al aan. 'Reken maar.'

Madison trok haar jas aan. Ze kende niemand aan Blueridge. Ze had opgelucht moeten zijn, maar zo gaat het niet altijd. Voor het eerst ging ze in haar eigen buurt aan het werk; dat maakte het niet makkelijker.

Madison en Brown reden mee met Chris Kelly, een oude rot van Moordzaken met een kribbig humeur die niet erg geliefd was. Hij vond zichzelf een harde jongen en was daarmee in zijn sas. Brown tolereerde hem, Madison hield zich op een afstand.

'Ken je daar mensen?' vroeg Brown. Er ontging de man ook niets.

'Ja,' antwoordde Madison. 'Ik woon er.'

Ze kon Kelly's oren bijna omhoog zien gaan, terwijl hij in zijn hoofd de prijs van onroerend goed berekende.

De sirenes sneden door het gestage gezoem op de I-5 en Madison voelde hoe de adrenaline begon te stromen.

'Ik weet niet wat we daar zullen aantreffen,' zei Brown, 'maar het wordt in ieder geval groot nieuws.'

Daar zou ik maar op rekenen, dacht Madison.

Een witte helikopter van een nieuwszender hing als een onheilspellend baken boven de beboste heuvels. Voor de oprit was zich al een menigte toeschouwers aan het verzamelen. Aan de zijkant stonden vier politieauto's geparkeerd waaruit het geluid van radio's knetterde. Brown remde af en liet zijn penning zien aan een van de drie agenten in uniform. Toen ze doorgewuifd werden, kwamen de ambulances er net aan.

Brown liep naar de jonge agenten bij de voordeur. 'Brown, Moordzaken. Wie heeft de leiding?'

Madison haalde haar notitieboekje tevoorschijn en keek naar de menigte. Die zou vast nog groter worden – niets haalde het bij gratis amusement. Ze had haar jas in de auto laten liggen en droeg een blazer over haar overhemd en broek, met haar penning van Moordzaken op een borstzakje gespeld. Een van de twee agenten in uniform nam haar van onder tot boven op. Ze keek hem recht aan en hij wendde zijn blik af.

Giordano liep met hen mee naar boven. 'Het is nogal schokkend,' zei hij.

Ja, dacht Madison toen ze achter elkaar de kamer in liepen, *dat is het zeker.*

'Spencer, wil jij met Mrs. Davis gaan praten?' vroeg Brown. 'Kijk of er een dokter moet komen.'

Spencer liep weg en Madison wist dat hij met die rustige stem van hem met de vrouw zou gaan praten, dat ze zou kalmeren en hem zou vertellen wat ze wist.

'Heeft ze verteld hoe ze heten?' vroeg Brown aan Giordano.

'Ja, dit is de vader, James Sinclair, eind dertig, denkt ze. Dat is zijn vrouw, Anne. Zelfde leeftijd. En dat zijn hun kinderen, John en David, negen en zeven jaar oud. Iemand heeft de hele familie uitgemoord.' Giordano klapte zijn notitieboekje dicht. 'Geen tekenen van braak. Alle lichten waren uit, behalve in de hal.'

'Bedankt, agent.'

Met de punt van een potlood deed Brown het grote licht aan. Giordano schuifelde heen en weer; hij wilde iets doen voor die arme mensen, maar wist niet wat. 'Ik zal ervoor zorgen dat jullie rustig je gang kunnen gaan.'

Iemand had zijn uiterste best gedaan om het tafereel voor hen in scène te zetten. Iemand had gereedschap meegenomen en lichamen gepositioneerd en had de hele zaak uiterst zorgvuldig doordacht. Hoewel Madison nog niet veel van de misdaad afwist, wist ze één ding zeker: welke emoties er ook ten grondslag lagen aan dit bloedbad, de hand die het ten uitvoer had gebracht, was beheerst, accuraat en dodelijk kalm. De kwaadaardige stilte in het oog van de orkaan.

Met haar handen diep in haar zakken nam ze alles in zich op.

'Goed, vertel me wat je ziet,' zei Brown. 'Laten we beginnen met de vader.'

Madison ging op haar hurken zitten. Haar neus protesteerde, maar die negeerde ze. 'Het lijkt minstens vierentwintig uur geleden.'

'Ja. Waarom?'

'De kleur van het lijk. Over rigor mortis kan ik niets zeggen zonder hem te verplaatsen en we moeten wachten op het team van de patholoog.'

'Ga door.'

'Hij is geblinddoekt met een stuk zwart fluweel. Niet afgescheurd, geknipt. Op het voorhoofd is een teken als van een kruis. Met bloed aangebracht. Hij is geboeid met – het ziet eruit als leer. Dunne koordjes. Om zijn nek, handen en voeten. Handen zijn op zijn rug gebonden. Bewegen is moeilijk als je op je handen ligt.'

Madison zweeg even en haalde diep adem; het was niet eenvoudig. Ze liet de feiten op zich inwerken.

'Donkerrode striemen op de plaatsen waar hij is vastgebonden. Wat blauwe plekken. Hij heeft zich verzet. Ik doe de blinddoek nog niet af. Geen in het oog springende wonden. Het ziet er niet naar uit dat het zijn bloed is op dat kussen. Doodsoorzaak waarschijnlijk verstikking. We moeten de ogen controleren op vlekken.'

'En de anderen?'

Madison was zich bewust van de mannen van de Plaats Delict-eenheid die alles klaarzetten op de overloop. De patholoog was net aangekomen en trok zijn handschoenen aan, twee paar over elkaar. Ze concentreerde zich weer op de donkerharige vrouw en haar kinderen.

'Allemaal geblinddoekt. Allemaal met een met bloed getekend kruis op het voorhoofd. Alleen de handen zijn geboeid. Op hun buik. Geen striemen.'

'Wat maak je daaruit op?'

'Post mortem. Ze werden geboeid toen ze al dood waren. Schotwonden in het hoofd van dichtbij. De schutter stond op minder dan een halve meter afstand. Allemaal behalve de vader. Eén schot. Geen kneuzingen, geen tekenen van verzet.'

Ze stond op. Het was koud in de kamer; de deur stond open omdat er mensen in en uit liepen. De Sinclairs en hun kinderen droegen pyjama's. Brown knikte even naar haar. Meer waardering had ze in die vier weken niet van hem gekregen.

'Hoe gaat het, ouwe?' De patholoog-anatoom begroette Brown op zijn gebruikelijke wijze.

'Het ging heel wat beter vóór ik hier kwam,' zei Brown.

'Ik zie waarom.' Dr. Fellman nam het geheel in zich op en knielde naast de vader. 'Heb je al namen?'

'James en Anne Sinclair,' wees Brown. 'John en David Sinclair.'

De fotograaf kwam bij hen staan. Iemand tekende de positie van de meubels al in een schetsboek.

Spencer kwam terug. 'De werkster is in shock. Ze is al zeven jaar bij het gezin. Aardige mensen, nooit problemen. De man is fiscaal jurist, de vrouw doet iets parttime bij een lagere school in de buurt. Voor zover zij weet geen vijanden, nooit ruzie.'

Madison wendde haar blik af van het schelle flitslicht van de camera.

Brown sloeg de informatie ergens in zijn hoofd op. 'Heb je alle foto's al genomen? Ik wil zijn blinddoek afdoen.'

'Geef me nog een minuut.'

Madison wilde bij het voorlopige onderzoek van de patholoog aanwezig zijn. Ze schreef in haar notitieboekje wat ze zojuist tegen Brown had gezegd. Vanaf dit moment zouden de levens van James Sinclair en zijn gezin systematisch ontdaan worden van iedere vorm van privacy. De camera flitste en klikte en ergens boven het huis hing de helikopter te wachten tot er beelden gemaakt konden worden van de lichamen die werden afgevoerd.

Andrew Riley had erover gehoord op zijn politieradioscanner. Hij moest snel nadenken; zo'n kans zou zich misschien maar één keer in zijn leven voordoen. Hij keek rond in zijn armzalige studioappartement; vier lijken in Blueridge zouden hem misschien iets beters kunnen opleveren.

Hij liep naar de kast en haalde het Federal Express-uniform tevoorschijn waarvoor hij drie maanden eerder een flink bedrag had neergelegd. Het was ook een prachtexemplaar. Het werd geleverd met klembord, notitieblok, honkbalpet, laarzen en, vooral, een authentieke Federal Express-tas die hij over zijn schouder kon hangen. De dag waarop hij het had gekregen, had hij het naar een vriend gebracht om het te laten aanpassen. De lens van de microcamera ging schuil achter een gesp aan de zijkant; de ontspanner stond in verbinding met een kleine afstandsbediening die makkelijk in zijn zak paste. De camera was gevoelig genoeg om binnen zonder flitslicht foto's te nemen. Want daar lagen de lijken.

Hij schoor zich snel – uiterlijk was belangrijk – en sneed zich even in zijn wang. Hij zocht op wie er op 1135 Blueridge woonde. *Sinclair, James R*. Riley schreef de naam op de FedEx-envelop, samen met de details van een verzonnen afzender, stopte er een *Seattle Times* van gisteren in en sloot de envelop. Als hij maar één goede foto van de lichamen – vier dode lichamen – in het huis zou kunnen maken, waar niemand anders werd toegelaten, zou die duizenden waard zijn. Dertien minuten nadat hij het nieuws op de scanner had gehoord, zat Andrew Riley al in de auto.

De politiefotograaf had iedere centimeter van de slachtoffers en het vertrek waarin ze lagen vastgelegd.

'Oké,' zei dr. Fellman. 'Laten we eens kijken.'

Hij haalde een bandrecordertje uit zijn zak, zette het op het nachtkastje dat het dichtst bij het lichaam van de man stond en drukte op de opnameknop.

'Sam, kun jij de verwarming controleren? Ik moet precies weten wanneer die aan- en uitgaat.'

De assistent van dr. Fellman, die Madison nog nooit één woord had horen zeggen, liep weg. Dr. Fellman voelde met zijn vingertoppen aan de zijkant van het hoofd van de man en testte de stijfheid van de nekspieren. Hij liet zijn vingers langs de kaak glijden.

'Totale rigor mortis. Ik zou zeggen tussen de 24 en 36.' Hij wendde zich tot Brown. 'Ruik je het?'

'Wat?'

Hij snuffelde op zo'n vijf centimeter afstand van het gezicht van de dode man en stak zijn hand achter het hoofd. 'Heb je een foto gemaakt van de knoop van de blinddoek?' riep hij naar de fotograaf, die op de overloop stond.

'Ja, van allemaal.'

Dr. Fellman sneed de blinddoek keurig bij de knoop door en hield hem aan zijn vingertoppen op voor Brown en Madison. 'Chloroform. Kijk naar de blaren rond zijn neus en mond. Genoeg om binnen een paar minuten een hartverlamming te veroorzaken. Na de lijkschouwing weten we het zeker. Maar toch ziet het er niet naar uit dat hij gestikt is.' Hij duwde de oogleden een voor een omhoog en keek in de ogen.

Madison had de chloroform niet geroken en prentte zich in die fout niet nog eens te maken.

Dr. Fellman deed de blinddoek in een papieren zak en merkte die. 'Laten we hem omdraaien.'

Brown hielp de patholoog om het lichaam op zijn zij te leggen en dr. Fellman sneed het leren koord dicht bij de knoop door en deed dat in een andere papieren zak. Er zat een korst bloed op afkomstig van de polsen van de man. Hij testte de ellebogen, polsen en vingers, rolde hem terug en probeerde de knieën te buigen zonder de voeten los te maken. Daarna liep hij om het bed heen en herhaalde de procedure – deed alle blinddoeken af door ze bij de knoop door te snijden en keek geconcentreerd naar de schotwonden.

'.22?' vroeg Brown.

'Daar lijkt het op. Ze zijn van heel dichtbij neergeschoten en de vrouw heeft geen uitgangswond.'

'Er zijn wat schoten in de muur gelost bij de stapelbedden van de kinderen,' zei Dunne, die bij de deur stond.

'Hebben we daar wat aan?' vroeg Brown.

'Ze zijn vrij ondiep.'

'Meer doe ik voorlopig niet,' zei dr. Fellman en hij wendde zich tot zijn assistent. 'Doe de handen in plastic, dan brengen we ze weg.'

Brown keek geconcentreerd naar de vier gezichten, met de donkere kruisen boven de ogen.

Agent Hall, die half de kamer in stapte, schraapte zijn keel.

'Ja?' zei Brown rustig.

'Er staat een FedEx-man beneden. Hij zegt dat hij een envelop voor het slachtoffer heeft en iemand moet ervoor tekenen.'

'Madison, zou jij…'

'Ja.'

Hall draaide zich om en botste bijna tegen de bezorger aan. 'Hé, ik had gezegd dat je beneden moest wachten.'

'Sorry, agent.' De man was kort en gedrongen, met stekeltjeshaar onder de honkbalpet en heldere ogen als van een vogel. 'Ik moet een handtekening hebben.'

Madison ging vlak voor hem staan, tussen de man en de open

deur in. 'Ik teken het beneden voor je. Je mag hier niet zijn.'

De man bewoog zich niet. Madison stapte dichter naar hem toe. 'Sorry, maar je mag hier niet zijn. Kom mee.' Zijn blik ging almaar langs haar heen de kamer in.

'Heb jij de leiding?' vroeg Andrew Riley, terwijl hij met zijn ene hand de envelop uitstak en zijn andere in zijn zak hield met zijn vinger op de afstandsbediening. Hij probeerde om de vrouwelijke agent die hem de weg versperde heen te komen en luisterde maar half naar haar. 'Dit moet getekend worden door degene die de leiding heeft. Dat zijn de regels.'

Madison zag iets in zijn ogen wat haar niet aanstond. De helikopter van de nieuwszender vloog laag over het huis, en toen wist ze het.

'Naar beneden jij. Nu!'

Riley ging achteruit, zijn stem klonk plotseling verontschuldigend. 'Sorry, agent. Ik wilde niet in de weg staan.' Hij begon de trap af te lopen, met Madison en Hall naast zich. Haar ogen gingen naar zijn handen, de envelop, de tas.

'Laat me je tas zien,' zei Madison.

'Nee, je moet dit hier...'

Madison stak haar hand uit. 'Geef op wat je daar hebt.'

Riley was min of meer omringd. De twee agenten in uniform die hij bij de deur was gepasseerd, stonden nu achter hem en de vrouwelijke agent was vlak voor hem komen staan. Hij hief zijn handen op. 'Hé.'

'Hé? Geef me die tas verdomme.' Haar stem klonk laag; ze méénde het.

Riley haalde de tas van zijn schouder en gaf hem aan haar. Madison sloeg de grote klep terug en zag meteen het mechanisme aan de zijkant zitten. 'Heb je nog meer bij je?'

'Nee.'

Er zat geen gesp aan zijn riem, geen andere geheime bergplaatsen.

'Identiteitsbewijs?'

Riley haalde zijn rijbewijs tevoorschijn. Het had geen zin om ze een valse identificatie te laten zien. Rileys ogen gingen naar de tas. *Kreng*, dacht hij, *kreng*.

Madison pakte hem boven de elleboog bij zijn rechterarm en begon naar buiten te lopen terwijl ze hem meetrok. 'Als ik jou was, zou ik me heel gedeisd houden.' Madison voelde de woede in haar borst kolken. 'De mensen daar zouden érg overstuur kunnen raken als ze wisten wat jij probeerde uit te halen.'

Ze liepen over de oprit naar de grote weg. Bezorgde buren en nieuwsgierige toeschouwers stonden onder donkere paraplu's; de menigte was aangegroeid tot enkele tientallen. Fotografen die zich verveelden, pakten hun camera's toen ze met z'n tweeën het huis uit kwamen.

'Ik deed alleen mijn werk,' siste Riley.

Madison hield hem steviger vast. Ze kwamen bij de rij agenten in uniform die de menigte tegenhield. Madison stond met haar rug naar de pers. Ze boog zich voorover en fluisterde: 'Als ik je ooit weer op een plaats delict tegenkom, krijgen jij en ik heel erge ruzie. Prettige dag verder.'

Ze keek even naar de menigte en begon weer naar binnen te lopen, de vragen van de journalisten negerend.

'Kreng,' zei Riley tegen zichzelf. Hij was doornat aan het worden.

De lichamen werden in lijkzakken naar buiten gedragen. De kleine processie zou binnen een paar minuten online staan. De ambulances vertrokken, gevolgd door de auto van de patholoog.

De menigte viel uiteen; sommigen liepen terug naar hun huis en anderen stonden een beetje te aarzelen over wat ze moesten doen nu de hoofdrolspelers weg waren. Het bleef zacht en gestaag regenen op de hoofden van de rechercheurs, onder wie Spencer en Hall die van de een naar de ander en van huis tot huis liepen om alle informatie te verzamelen die ze maar konden krijgen.

Brown porde even in het gat waarin een kogel had gezeten, bij het bovenste bed in de kamer van de jongens. Madison verdrong haar woede; die kon ze nu niet gebruiken. Iemand had geprobeerd hun iets duidelijk te maken met de moorden. De boodschap was wreed en gestoord en afschuwelijk. Het was tijd om uit te zoeken wie de boodschapper was.

Ze liepen het huis door, probeerden er vertrouwd mee te raken, een idee te krijgen van het leven dat erin was geleid. Brown ijsbeerde heen en weer tussen de slaapkamer van de ouders en die van de kinderen. Op de witte, glanzende deurstijl, zo'n anderhalve meter van de grond, zat een veeg bloed en nog iets, waarschijnlijk haar.

Madison ging van het ene vertrek naar het andere. Het leek alsof de moordenaar alleen boven was geweest. Er waren geen ramen geforceerd, er lag geen gebroken glas onder kleden of banken. De keuken beneden was een lang smal vertrek met links ramen die uitkeken op de tuin en witte kastjes aan de rechterkant. Hij was vlekkeloos. Met haar handschoenen nog aan deed Madison het deurtje van de vaatwasser open; de borden en glazen die erin stonden, waren schoon. Bij de gootsteen stonden een hoog glas en een colablikje. Ze keek erin – leeg. Een van de forensisch experts keek of er vingerafdrukken op het onderste deel van het raam zaten.

'Neem je deze ook mee?' zei ze, terwijl ze op het blikje en het glas wees.

'Ja,' zei hij zonder zich om te draaien.

Madison noteerde in haar boekje dat ze moest checken of het de echtgenoot, zijn vrouw of een van de jongens was geweest die het laatst in huis had rondgelopen, omwille van de chronologie. Te oordelen naar hoe netjes alles was, moest de vaatwasser al zijn aangezet, anders had het glas erin gestaan.

Boven ging Madison op in haar gedachten en hoorde bijna niet wat Brown vroeg. 'Waarom heeft hij de vader niet doodgeschoten? Als je een huis binnengaat, wat is dan de grootste bedreiging?'

'De vader,' zei Madison. Het was ook door haar hoofd gegaan.

'Zag je de blauwe plek onder de blinddoek?'

'Ja, hij heeft zich verzet. Dus waarom heeft hij hem niet doodgeschoten?'

'Ik weet het niet,' zei Brown.

'Ik denk dat hij ze heeft overvallen en dat ze niet wisten wat hun overkwam.' Madison keek om zich heen. 'Hij kende de indeling van het huis, ging naar binnen en deed wat hij van plan was te doen. Hij was zo brutaal dat hij de vader zelfs een kans gaf terug te vechten.'

Brown bleef zo lang stil dat ze dacht dat hij de kamer uit was gegaan. Ze draaide zich om. Hij stond als aan de grond genageld naar de bovenkant van de deurstijl in de slaapkamer te kijken. In het glanzende wit waren twee woorden gekerfd, in vijf centimeter grote, ruwe en hoekige maar perfect leesbare letters.

Dertien dagen

'Daar moeten we de PD-eenheid bij halen,' zei Brown.

De letters waren erin gekrast met een soort gewelddadige precisie die bijna onverdraaglijk was. Iemand had geprobeerd elke letter met een krulletje te laten eindigen, om ze mooier te maken.

'Heb je ooit zoiets gezien?'

'Nee,' antwoordde Brown.

'Het zou een waarschuwing kunnen zijn.'

'Het zou van alles kunnen zijn. Maar niets goeds.'

Toen ze de trap af liepen, roken ze de dennenwas nog. De leuningen waren van eikenhout en pas gepoetst. Een mooi huis, een leuk gezin.

In de deuropening keek Brown naar de mensen die er nog stonden. 'Heeft iemand foto's van ze genomen? Laat iemand er een video-opname van maken. Ik wil de gezichten kunnen zien.' Hij wees naar de muur van paraplu's, terwijl de camera's flitsten en de televisieploegen in actie kwamen.

6

Frank Lauren stond in het midden van de werkkamer op de bovenverdieping van het huis van de Sinclairs en nam alles in zich op. Zijn partner, Mary Kay Joyce, trok een nieuw paar handschoenen aan. Ze hadden bewijsmateriaal verzameld. Het raam was onderzocht op vingerafdrukken en het donkere poeder had vlekken achtergelaten op het witte kozijn. Er lag een boek ondersteboven opengeslagen op de leren leunstoel voor het bureau, een gebonden exemplaar van *Brieven uit Afrika* van Isak Dinesen. Joyce pakte het op, liet het geopend en al in een plastic zak glijden, verzegelde die en plakte er een etiket met haar handtekening op. Lauren krabbelde zijn naam onder de hare. Ze gingen systematisch en in totale stilte de hele kamer door.

Joyce streek met haar hand langs de zijkant van de stoel achter het bureau om te controleren of er iets vastzat in de vouw. Haar vingers vonden een dun strookje lichtgroen papier. Ze pakte het met een pincet en hield het tegen het licht.

Madison nam haar notities door terwijl Brown reed. Ze hadden de naam van de naaste familie in Sinclairs portefeuille gevonden. In dit geval was het nog belangrijker om zo snel mogelijk met ze te praten omdat het huis waarschijnlijk al op het nieuws was te zien, met alle bloederige details erbij.

Inspecteur Fynn had een verklaring afgelegd en gezegd dat er snel 'gerechtigheid zou geschieden', maar er waren nog geen bijzonderheden over de slachtoffers of de misdaad vrijgegeven. Madison maakte een notitie dat ze dr. Fellman moest vragen naar het tijdstip van overlijden van de vader in vergelijking met dat van de kinderen.

'Er gaat nog iets gebeuren,' zei Madison. 'Dertien dagen na de dood van de slachtoffers is ergens in de nacht tussen de 23ste en 24ste. Dat is maar twaalf dagen vanaf vandaag.'

'Tweehonderdachtentachtig uur, om precies te zijn,' zei Brown.

De auto stopte langs het trottoir. 'Heb je hem wel eens ontmoet?' vroeg Brown toen ze in de lift van de Stern Tower stapten.

'Nee, ik heb hem alleen in de rechtszaal gezien. Hij kan een getuige het vuur aan de schenen leggen.'

Ze stapten uit op de achtste verdieping en gingen de burelen van Quinn, Locke & Partners binnen. Brown vroeg naar de heer Nathan Quinn. Ze werden naar een wachtruimte verwezen; Mr. Quinn zou hen over een paar minuten kunnen ontvangen. Madison keek om zich heen, naar de kunst aan de muren.

Ze werden naar zijn kantoor gebracht en Nathan Quinn stond op om hen te begroeten. Hij was ergens in de veertig, met zwarte ogen en dezelfde ernst over zich die ze in de rechtszaal had gezien.

Zijn manier van doen was niet zo afstandelijk als je van een partner in een succesvolle firma met cliënten uit het bedrijfsleven zou verwachten. Hij zag eruit als een man die iemand zou kunnen afbreken met wat het rechtssysteem hem gegeven had, en als dat niet lukte zou hij het met zijn blote handen doen.

'Brigadier Brown. Rechercheur Madison. Wat kan ik voor jullie betekenen? Ga alsjeblieft zitten.'

Deze man was het gewend om met de politie om te gaan en Madison besefte dat hij waarschijnlijk dacht dat ze hier waren voor een of andere zaak waaraan hij werkte.

'Mr. Quinn, is James Sinclair een medewerker in deze firma?' vroeg Brown. Quinn leunde achterover in zijn stoel. 'Nee, hij is sinds vier jaar partner.'

'Hoe lang kende u hem al?'

'Waar gaat dit over?'

'Het spijt me,' zei Brown. 'Ik heb erg slecht nieuws.'

Quinn zette zich schrap.

'Er is geen enkele goede manier om dit te zeggen: James Sinclair is vanochtend dood aangetroffen in zijn huis. Zijn gezin...' Brown zweeg even. 'Zijn vrouw en kinderen waren bij hem.'

'Annie en de jongens?'

'Ja.'

'Wat is er gebeurd?'

'Een insluiper. We denken ergens zaterdagnacht.'

Nathan Quinn plantte zijn ellebogen op zijn bureau en keek

naar zijn handen. Bijna een minuut lang was alleen het geklik van een computertoetsenbord ergens in de buurt te horen. Pas toen zijn blik eindelijk weer op hen rustte, zei hij weer iets en zijn stem klonk kalm.

'Mag ik ze zien?'

'Ja. Als u denkt dat u het aankunt. We zouden graag willen dat u ze officieel identificeerde.'

'Dat begrijp ik.'

'We moeten u wat vragen stellen, en de mensen met wie hij samenwerkte.'

'Wat we maar kunnen doen…' Quinn aarzelde. 'Hoe zijn ze…'

'Later zullen we meer weten,' zei Brown, de woorden 'na de autopsie' vermijdend.

'Was het een inbraak?'

'Dat is nog niet duidelijk.'

'Als er vragen zijn die u me wilt stellen…'

'Dat zou fijn zijn,' zei Brown. 'We willen graag genoeg gegevens hebben om ons een idee te vormen van het gezin. Kende u ze goed?'

'Ja.'

'Wanneer heeft u ze voor het laatst gezien?'

'Ik heb James vrijdag op kantoor gezien. Hij ging om ongeveer vijf uur, halfzes weg, ik ietsje later.'

'Heeft u de laatste paar weken iets vreemds, iets ongebruikelijks in zijn gedrag opgemerkt?'

'Nee, alles was normaal.'

'Hoe goed kende u Mrs. Sinclair?'

'Ik kende haar heel goed.'

'Zag u elkaar ook buiten het werk?'

'Ja.'

'Bent u op bezoek geweest bij hen thuis?'

'Ja.'

'Hadden ze voor zover u weet vijanden, iemand die hun kwaad wilde doen?'

'Beslist niet. James is fiscaal jurist en Annie geeft les op een basisschool. Ze zijn, waren, fatsoenlijk en vriendelijk en royaal. Ze hadden geen vijanden.'

'Niemand van een oude zaak?'

'Nee.'

'U snapt wel dat we dit soort vragen moeten stellen, Mr. Quinn. Al zijn ze persoonlijk.'

'Ga uw gang.'

'Heeft James of Annie Sinclair ooit een verhouding met iemand anders gehad? Iemand die misschien kwaad genoeg is om ze iets aan te doen?'

'Nee,' zei Quinn.

'Zou u het weten als het wel zo was?' vroeg Brown vriendelijk.

Quinn keek Brown even rechtstreeks aan. Hij zou de politie dingen vertellen om ze te helpen hun werk te doen, dat zag Madison wel, maar Nathan Quinn zou het leven van zijn vrienden niet blootleggen aan vreemden die ermee aan de haal konden gaan.

'Ze waren dol op elkaar.'

'Dat is voorlopig alles. Dank u,' zei Brown, terwijl hij opstond.

Quinn stond ook op. 'Hebben de buren iets gezien of gehoord?'

'We vragen nog steeds rond.'

'Zijn er tekenen van braak?'

'Geen duidelijke, nee. Het is natuurlijk nog te vroeg om er zeker van te zijn.'

'Hoeveel mensen denkt u dat erbij betrokken waren?'

'We doen nog onderzoek op de plaats delict.'

Quinn masseerde zijn slapen met zijn wijsvingers. 'Brigadier, vorig jaar vonden er tweeëntwintig moorden plaats in Seattle, het jaar daarvoor dertig. Vergeleken met andere grote steden is het hier vrij veilig, en de meeste moorden worden opgelost. Het was geen inbraak.'

Quinn keek van de een naar de ander en taxeerde hen, zoals zij hem hadden getaxeerd. 'Ik zie u daar over een halfuur,' zei hij. 'Ik moet Annies zus in Chicago bellen.'

Terwijl de deuren van de lift voor hen dicht gleden, kwamen er drie of vier mensen om Quinn heen staan en Madison zag de uitdrukking op hun gezichten toen ze het nieuws te horen kregen. De sprakeloze schok, de pijn.

Terug in de auto checkten ze hun radio en hoorden dat er een boodschap was van Mary Kay Joyce. Ze werden doorverbonden en Joyce' stem kwam krakend over. Ze belde uit de politiebus. 'We hebben twee helften van een cheque van 25.000 dollar gevonden. De ene helft lag in de werkkamer, de andere in de vuilnisbak in de keuken. Ontvang je me duidelijk?'

'Ja, ga door.'

'De handtekening staat er maar half op, hij eindigt in het midden, maar is heel duidelijk. De naam is John Cameron. J-O-H-N C-A-M-E-R-O-N. Heb je dat?'

'Ik heb het.'

Madison keek op van haar notitieboekje. Even hoorde ze alleen het zachte geknetter van de radio en de regen op de voorruit.

'Ik heb Payne erbij gehaald,' ging Joyce door. 'Het is zijn vrije dag en hij was er niet blij mee. Er zijn tientallen dingen die gecheckt moeten worden, maar ik zal de cheque boven op de stapel leggen.'

Payne was de expert in latente vingerafdrukken. Als iemand of iets het stukje papier had aangeraakt, zou hij het te weten komen.

Brown was geen prater en Madison vond het sympathiek dat hij zijn gedachten voor zichzelf hield. Hij rolde het raampje omlaag en haalde een paar keer diep adem, alsof de lucht in de auto plotseling bedompt was geworden.

'Wat weet je van John Cameron?' vroeg hij.

Madison had in de loop der jaren van alles gehoord, van harde feiten tot speculaties, geruchten en mythen. 'Ik weet van de *Nostromo*,' antwoordde ze.

'Dan weet je genoeg. Als hij hier ook maar iets mee te maken heeft, is elk bewijs dat we hebben goud waard.'

'Hoe bedoel je?'

'Er waren vijf doden op de *Nostromo*. Twee agenten, drie ex-gedetineerden. Hij heeft ze de keel doorgesneden en liet ze doodbloeden.'

'Ik weet het nog.' Madison was net van de academie af en de zaak was wekenlang in het nieuws geweest. De boot en zijn lading waren aangetroffen in de wateren rond Orcas Island. Ze hadden al het bloed nooit uit het dek kunnen krijgen; het hout was er helemaal zwart van. Niemand was ooit beschuldigd van de moorden.

'We hadden niets. Geen bewijs, geen ooggetuigen, geen zaak. Informanten durfden zijn naam niet eens uit te spreken. Maar hij was het wel.'

Madison herinnerde zich de foto's in de kranten; gewone van de agenten en politiefoto's van de ex-gedetineerden. Brown reed naar het lijkenhuis.

'Twee jaar later kwam het lijk van een bekende dealer bovendrijven in Lake Union. Zijn handen waren afgehakt, zijn ogen ontbraken en hij was bijna geheel onthoofd. Een betrouwbare informant zei dat het Camerons werk was en meteen sloegen er ik weet niet hoeveel dealers op de vlucht. Vervolgens zei de informant dat hij het toch niet zeker wist en hadden we weer niks.'

'Hoe zou iemand als Cameron de Sinclairs kennen? Wat is de connectie?' vroeg Madison. 'Sinclair was advocaat. Een fiscaal jurist. Heel betrouwbaar.'

'Bedenk wel dat we niet zeker weten of het ónze Cameron is. Het zou gewoon dezelfde naam kunnen zijn.'

'Misschien. Hebben we een dossier van hem? Is hij wel eens gearresteerd?'

'Zo dichtbij zijn we nooit gekomen. Maar we hebben ooit vingerafdrukken genomen, toen hij als jongen een keer dronken achter het stuur zat. Daarna niets meer. De enige reden dat we zijn afdrukken hebben, is dat hij een paar drankjes te veel op had toen hij achttien was.'

'Dan hebben we ook een foto.'

'Voor wat een twintig jaar oude foto waard is.'

'We kunnen hem door de computer laten bewerken om te kijken hoe hij er nu uit zou kunnen zien. En die aan de buren tonen.'

'Als we Camerons naam laten vallen, breekt de hel los. Ik wil één duidelijk verband hebben.'

'Laat ik er dan een begin mee maken. We moeten zijn dossier en zijn vingerafdrukken hebben. Ik zie je later in het lijkenhuis.'

'Wees discreet, Madison.'

Brown moest stoppen op een drukke hoek. Madison stapte uit en verdween in de menigte.

In het gebouw waarin het kantoor van de patholoog en het lab tijdelijk waren gehuisvest, liepen de technische experts in en uit. Brown wachtte Quinn op in de hal. Quinn was niet makkelijk te doorgronden en Brown wilde zien hoe hij zich door de gruwelijke identificatie heen zou slaan. Hij hoopte iets te leren over wat voor soort man Quinn was; misschien zou die kennis hen ooit kunnen helpen.

Toen het zover was, ging Nathan Quinn bij het venster staan. Brown klopte op de ruit; de jaloezieën werden opgetrokken en onthulden de vier lijken. Quinn keek van het ene gezicht naar het andere, draaide zich om en gaf een kort knikje.

Op de parkeerplaats bleef hij minutenlang stil in zijn auto zitten; na een poosje reed hij met hoge snelheid weg. Brown dacht aan hoe Quinns rechterhand had getrild en hij hem in de zak van zijn jas had gestopt.

Brown schonk een glas water in uit de koeler in de gang en slikte er wat vitamine C mee door. Hij haalde zijn notitieboekje tevoorschijn en liep de steriele koelte van de autopsiezaal in.

7

Madison stond bij de printer in het Communicatiecentrum en hoopte dat de foto die de afdeling Beeld zou sturen kwalitatief goed genoeg was om er iets uit op te kunnen maken. Ze zouden met een kopie van het origineel moeten werken voor de leeftijdsaanpassing, als het ooit zover kwam.

Vanaf het moment dat Camerons naam was gevallen, was die in haar hoofd blijven hangen als een zacht geluid dat ze maar niet kon kwijtraken. Haar gedachten flitsten terug naar de geblinddoekte lichamen in Blueridge. Tegelijkertijd probeerde ze zich de details van de *Nostromo*-moorden te herinneren.

Er was weinig bekend over hoe die dag precies was verlopen. Elke boef in elke bar had zijn eigen versie. Kennelijk hadden de twee agenten, rechercheurs van de politie van Los Angeles, een smerige deal gesloten met de andere drie. Niemand wist welke rol Cameron daarin speelde, maar kennelijk had hij er wel een, want de vijf mannen hadden afgesproken dat hij niet terug zou keren van het tripje.

Of hij bij het vertrek al wist dat ze hem wilden doden of niet, John Cameron nam niet meteen de benen toen hij er lucht van kreeg. De politie vond twee 9 mm Glocks en drie revolvers bij de lijken. Met alle wapens was een aantal schoten gelost. Maar afgezien van het bloed van de dode mannen was er niets te bekennen; er waren geen bewijzen dat er nog iemand anders op de boot was geweest en er was geen verklaring voor hoe Cameron ervan af was gekomen.

Een visser op de kade had zes mannen aan boord van de *Nostromo* zien gaan, maar hij kon geen beschrijving geven. Sommigen zeiden dat Cameron ze gedrogeerd had en ze daarna een voor een had vermoord, sommigen zeiden dat hij ze dwong elkaar dood te schieten. Het enige wat ze wel wisten, was dat de mannen, ondanks alle verbruikte munitie, allemaal gedood waren door één steekwond in de hals.

Daarna verdween Cameron. Heel weinig mensen wisten hoe hij eruitzag. Hij zou evengoed, zo ging het verhaal, de man kunnen zijn die aan het einde van de bar zat, of de man met wie je net ruzie had gehad tijdens het biljarten.

Het apparaat begon te zoemen.

Er kwamen een paar agenten die ze kende op haar af. Madison pakte het vel papier met de naam en de foto erop en liep zonder ernaar te kijken het gebouw uit naar de parkeerplaats.

In de auto keerde ze het om en keek naar John Cameron, vermeend moordenaar van zes mensen. Het was de foto van een jongen, een achttienjarige die er geen dag ouder uitzag. Een zacht gezicht met halflang haar zoals dat toen in de mode was. De aanklacht was rijden onder invloed, maar hij maakte geen dronken indruk. Hij keek somber. Hij was een meter tachtig lang, met donker haar en de enige bijzondere kentekenen waren de littekens op zijn onderarmen en op de rug van zijn rechterhand.

Ze stopte de foto in een envelop met de vingerafdrukken erbij en reed weg om nog een laatste keer naar James Sinclair en zijn gezin te kijken.

In de vier uur na de eerste berichten op de televisie ontving de politiecentrale zevenentwintig telefoontjes van mensen die de moorden opbiechtten: tweeëntwintig mannen, vijf vrouwen, de dichtstbij wonende in Spokane, de verste in Miami. Die moesten allemaal nagetrokken worden en ze hadden het geen van allen gedaan. Het was een zinloze taak en een verspilling van manuren, en iedereen wist dat het nog veel erger zou worden.

De *Seattle Times* had de voorpagina eraan gewijd: een mooie foto van het huis plus de weinige feiten die bekend waren gemaakt; dat beperkte de speculaties tot een minimum.

De *Washington Star* had als kop 'Slachtpartij in kersttijd' met daaronder een foto van Madison die Riley aan zijn elleboog wegleidde. De krant stelde vragen over de aard van de moorden en haalde er nodeloos de doodslag bij die een paar jaar geleden op Blueridge had plaatsgevonden toen een klein meisje per ongeluk haar buurman had neergeschoten.

Mensen liepen in de stromende regen naar de krantenkiosk; als-

of er een storm op komst was, werden er ramen gecheckt, achter-
deuren op slot gedaan en kregen kinderen te horen dat ze niet buiten mochten spelen.

8

Madison kwam binnen op het moment dat dr. Fellman een Y-vormige incisie in het lichaam van de vader maakte. Ze hadden al een uitgebreid extern onderzoek gedaan. Livor mortis, de verkleuring van het lichaam doordat het bloed was opgehouden te stromen, had aangetoond dat het na de dood niet meer was verplaatst. Er waren bloed-, urine- en haarmonsters verzameld en er was oraal en anaal slijm afgenomen. Niets wees erop dat er een seksueel misdrijf was gepleegd, maar dr. Fellman had genoeg ervaring om er bij dit soort moorden voor te zorgen dat hij niets over het hoofd zag.

Brown leunde tegen de muur waarvandaan hij de autopsietafel kon zien. De arts dicteerde zijn bevindingen in een opgehangen microfoon. Hij somde gestaag de details op en gaf instructies aan Sam, die ook een groen operatieschort en een doorzichtig plastic oogmasker droeg.

'... organen zullen verstopt en licht verkleurd zijn. Oud litteken van blindedarmoperatie aanwezig. We hebben gezien dat de hersenen gezwollen waren. De longen lijken eveneens uitgezet. Dit komt overeen met langdurige inademing van chloroform. Toxicologie zal dat bevestigen. Zie blinddoek.'

Madison tikte op de envelop om Browns aandacht te trekken. 'Ik heb hem,' zei ze.

'Gaf het nog problemen?'

'Nee. Ik heb de foto, een handtekening om te vergelijken en vingerafdrukken. Heb je de cheque gezien?'

'Ja, hij ligt boven bij Documenten. Hij is erg gekreukt, maar we kunnen er iets mee. Ze moeten de handtekening vergelijken voor ze hem onderzoeken op vingerafdrukken. Ze wachten op je.'

'Wat hebben ze gevonden?'

'Chloroform.' Brown nam de notities door die hij had gemaakt tijdens dr. Fellmans onderzoek. 'Het jukbeen onder zijn linkeroog was gekneusd, waarschijnlijk de kolf van een wapen. Hard genoeg om hem een paar minuten buiten westen te brengen, maar niets gebroken. Ik denk dat hij toen is doorgegaan met de moeder en de kinderen. Toen de vader weer bijkwam, was hij vastgebonden en geblinddoekt, en ademde hij het vergif in.'

'Hij heeft geprobeerd los te komen.' Madison zag de donkerrode striemen om zijn polsen en enkels.

'Het vlees is bijna tot op het bot doorgesneden. Hij heeft zich verzet tot zijn hart het begaf.'

'Dokter,' vroeg Madison, 'hoe lang is hij bij kennis gebleven?'

Dat had haar van het begin af aan dwarsgezeten, het verschil in de manier waarop de doodvonnissen waren uitgevoerd.

'Moeilijk te zeggen. Het kan soms wel een kwartier duren voor chloroform gaat werken. Met deze hoeveelheid zou ik zeggen: zeker een paar minuten. Met stuiptrekkingen en hevige pijn.'

Madison draaide zich om naar Brown. 'Een paar minuten waarin Sinclair enorm tekeer is gegaan op het bed,' zei ze.

'En de lakens lagen netjes onder de lichamen toen we ze vonden,' knikte Brown.

'De moordenaar heeft het bed gladgestreken,' maakte ze haar gedachte af.

En zo zag Madison hem voor het eerst voor zich, de insluiper, wachtend tot zijn slachtoffer zich niet meer bewoog, over hem heen gebogen terwijl het leven uit hem wegvloeide, waarna hij rustig de lakens onder de slachtoffers rechttrok, hier en daar iets verplaatsend tot het tableau compleet was. Ze deinsde niet terug voor het beeld. In gedachten stond ze zwijgend bij de deur, kijkend hoe hij te werk ging terwijl ze zijn gezicht probeerde te zien.

Toen ze wegliep, begon dr. Fellman aan de maaginhoud.

Vingerafdrukidentificatie en Documentenonderzoek lagen op de eerste verdieping van het kleurloze betonnen gebouw. Madison was er vaak geweest toen ze een poosje bij Diefstal werkte en kende de technici goed.

Payne zat in zijn hemdsmouwen en dronk rozenbottelthee.

'Hoe gaat het ermee, Madison?'

'Heel goed. Ik heb de handtekening.'

'Documenten heeft een kopie. Ik kon niet wachten.'

Madison haalde de vingerafdrukken uit de envelop en gaf ze aan Payne. Hij keek naar de naam aan de bovenkant van het vel papier. 'Aha, ik zal tegelijkertijd controleren of er misschien afdrukken van de familieleden op staan.'

Madison herinnerde zich iets. 'Heb je ook aan de *Nostromo* gewerkt?'

'Voor zover dat kon. Er was niets op die boot te vinden. Totaal schoongeveegd.'

Madison rook de onaangename, metalige geur van ninhydrine vermengd met de overrijpe-bananengeur van amylacetaat. Dat was het beste om papier in te dopen zonder dat de inkt doorliep. Ze vond het allerminst jammer dat ze er niet bij kon blijven.

'Als je Brown ziet, herinner hem er dan aan dat dit mijn vrije dag is,' riep Payne haar achterna.

Wade Goodwin van Documenten duwde zijn bril omhoog. 'Eerlijk gezegd zou ik heel wat gelukkiger zijn als we een paar originelen hadden om ze mee te vergelijken. Je geeft ons maar weinig om mee te werken en dit houdt echt geen stand in de rechtszaal. Weet je iets van boven- en onderkant van lettervergelijkingen?'

'Zeker,' antwoordde Madison. Ze keken naar twee lijnen die hij net over de gedeeltelijke naam had getrokken.

'Nou, dat gezegd hebbende, denk ik dat de handtekening op de cheque vals is.'

'Dank je,' zei Madison. Dit was een begin. Vijf minuten geleden hadden ze niets, nu hadden ze een mogelijk motief. Iemand had een cheque vervalst, iemand was doodgegaan.

In Blueridge waren de buren behulpzaam en ongerust, maar niemand herinnerde zich iets ongebruikelijks van die zaterdagnacht of de dagen ervoor. Payne en zijn mensen waren vingerafdrukken van tientallen voorwerpen aan het nemen en vergelijken. Dat kostte nu eenmaal tijd en als je ze opjoeg, ging het toch niet sneller.

Dr. Fellman vergeleek de hoek van de ingangswonden van de doodgeschoten slachtoffers met de kneuzing op de wang van de vader.

'Wat denk je?' vroeg Brown toen de arts even wegliep.

'Ik weet wat ik denk en dat is te weinig om van nut te zijn.'

'Ga door.'

'De slachtoffers lagen plat toen ze aangevallen werden; er zaten haar en bloed op een deurstijl. Die moeten daar gekomen zijn toen hij een van de kinderen verplaatste. Ik zou zeggen dat hij een meter zevenenzeventig tot een meter drieëntachtig lang is. Rechtshandig en sterk.'

'Meneer Doorsnee. Gezien de hoek van de incisies in het hout zijn de woorden inderdaad met de rechterhand ingekerfd.'

'Er was geen enkele seksuele activiteit, dus ook geen lichaamsvocht.'

De interne telefoon ging en dr. Fellman nam hem op. Na een paar woorden legde hij weer neer. 'Ik heb een paar haren gevonden in de knoop van de boeien om Sinclairs polsen,' zei hij en hij trok met een knalletje zijn handschoenen uit. 'Ik heb ze laten onderzoeken.'

'Van wie zijn ze?'

'Onbekende volwassen man.'

'Hebben we zíjn DNA?'

'Prachtige haren. Met wortel en al, meer kun je niet wensen.'

Dr. Fellman zag er bleek en uitgeput uit, bijna als een geest in zijn groene operatieschort. Brown schudde hem de hand en vertrok.

Al urenlang had hij geprobeerd Quinn te bereiken op zijn mobiele telefoon. Hij wilde hem vragen of Sinclair het ooit over Cameron had gehad. Toen hij in de auto zat, probeerde hij het nogmaals. Nog steeds geen antwoord.

Brown was moe en hongerig. De regen was veranderd in lichte sneeuw. Op weg naar het bureau stopte hij om een kipsandwich en een kop koffie te halen.

9

Madison vertelde Brown over de vervalste handtekening en reed daarna terug naar de Stern Tower om een paar van Sinclairs collega's te ondervragen. Nathan Quinn was al enkele uren eerder van kantoor vertrokken. Carl Doyle installeerde haar in een vergaderzaal met een tafel waaraan twintig mensen konden zitten en dik fletsblauw tapijt. Door het raam was de grijze vlakte van Puget Sound te zien. Op een blad op de tafel stonden een kan water en wat glazen.

'Zeg maar wat ik nog meer kan doen,' zei Doyle toen hij een jonge medewerkster binnenliet. De vrouw deed haar best om niet te huilen; ze bette haar ogen met een papieren zakdoekje. De mascara liet er zwarte vlekken op achter.

'Ik wou dat ik u iets kon vertellen, maar ik kan me gewoon niet voorstellen dat iemand zoiets doet,' zei ze. 'Het is zo vreselijk.'

Na een paar minuten die niets opleverden, liet Madison haar weer gaan. 'Bedankt voor de hulp. Meer hoef ik op dit moment niet te weten,' zei ze.

Ze ondervroeg nog twee medewerkers. Ze waren eigenlijk allemaal nog in shock en konden weinig bijdragen.

Carl Doyle kwam tegenover Madison zitten. Zijn ogen waren roodomrand, maar hij leek zich in de hand te hebben. Madison had het sympathiek gevonden dat hij een paar anderen probeerde te troosten. Achter zijn enigszins aanstellerige manier van doen vermoedde ze een oprechte kracht. Hij ging met zijn handen door zijn haar en wreef in zijn ogen.

'Wat kan ik u vertellen?'

'Allereerst, hoe lang bent u al bij Quinn Locke?'

'Ongeveer tien jaar.'

'Dus net zo lang als James Sinclair.'

'Klopt. Ik ben twee maanden eerder begonnen.'

'Kende u hem goed?'

Doyle schonk zich wat water in; hij dacht even na over de vraag.

'Ik weet niet of ik dat kan beamen. We gingen niet samen uit eten of een biertje drinken, als u dat bedoelt. Maar ik zag hem dagelijks. Ik wist het als het slecht ging met een zaak of als er een meevaller was.'

Doyles ogen waren intens blauw en hij keek Madison recht aan. 'Ik herinner me dat zijn eerste zoon werd geboren.'

Madison boog zich naar hem toe. 'Wat herinnert u zich van de afgelopen weken? Hoe gedroeg hij zich?'

'Er loopt een complexe rechtszaak die ze voor de feestdagen geregeld wilden hebben, en dat leek te lukken. James was moe, maar verder oké. Hij had het erover dat hij met oud en nieuw een paar dagen weg wilde.'

'Was hij, in welk opzicht dan ook, anders dan anders?'

'Nee.'

Madison voelde teleurstelling in zich opkomen; het was alsof ze telkens weer een slok van een bitter drankje moest nemen.

'Nog één vraag. Kent u een cliënt of een vriend van James Sinclair die John Cameron heet?'

Doyle keek haar even aan, knipperend met zijn bleke wimpers. 'Natuurlijk,' zei hij. 'James kent hem al jaren.'

'Pardon...?'

'Ze kennen elkaar al sinds hun jeugd.'

'Hoe weet u dat?'

'Hoh River. Zij waren de jongens van de Hoh River.'

Madison had die naam al een hele tijd niet meer gehoord, maar ze wist het meteen weer. Hoe haar grootmoeder haar nog jaren later naar Rachels huis bracht, zodat ze niet alleen over straat hoefde te lopen, nog geen vijf minuten.

'Heeft u John Cameron ooit ontmoet?' vroeg ze.

'Nee, nooit.'

'Dank u hartelijk. Dat is het voorlopig.'

Doyle vertrok en deed de deur achter zich dicht. Madison toetste Browns mobiele nummer in en hoopte vurig dat ze hem kon bereiken.

'Sinclair kent Cameron al jaren, ze zijn bevríend. De Hoh Riverzaak,' zei Madison. Brown viel even stil voor hij weer begon te praten.

'We hebben DNA. Er zaten haren in de knoop van een van de boeien. Voorlopige testen wezen uit dat ze niet van de slachtoffers zijn.'

'Zijn er al mogelijke kenmerken bekend?'

'Niet echt. Zo'n 1.80 meter lang, rechtshandig en sterk. De haren zouden afkomstig kunnen zijn van een donkerharige man. Dat wil zeggen: van minstens een kwart van de bevolking.'

'We moeten met Quinn praten. Hij kende Sinclair heel goed; hij moet wel weten dat hij bevriend was met Cameron.'

'Ik probeer hem de hele middag al te bereiken. Zijn telefoon staat uit.'

'Hij zal toch ooit thuis moeten komen.'

'Het is al drie uur geleden dat jouw dienst eindigde.'

'Weet ik. Ik ga naar het bureau om de verhoren op te tekenen. Denk je dat het dossier van de Hoh River-zaak in het archief te vinden is?'

'Niet op een plek waar je het om deze tijd nog kunt vinden. Het is te oud.'

'Tot hoe laat blijf jij?'

'Ik moet nog met VICAP praten.'

VICAP, het Violent Criminal Apprehension Programme, is een database van misdadigers en misdaden opgezet door de FBI: als een moord in Arkansas dezelfde kenmerken heeft als een doodslag in Maryland kunnen de onderzoekers verslagen vergelijken om erachter te komen of ze door één individu zijn gepleegd. Het is van onschatbare waarde en Brown was de contactman in Seattle.

Madison stond op en knipte het licht uit. Het uitzicht, dat door de weerkaatsing op het venster onzichtbaar was geweest, ontrolde zich. De wind voerde sneeuwvlokken naar de flikkerende lichtjes van de stad. Zonder na te denken legde Madison haar handpalm op het glas alsof ze ze kon aanraken. Daarachter leefde en ademde een Ding dat kruisen in bloed had getekend. *Ik zie je,* dacht ze.

10

Andrew Riley zat op een kruk aan de bar, met een leeg borrelglas voor zich en een fles Budweiser waar hij half doorheen was. Hij was al een poosje bezig om dronken te worden; zijn ergste woede was aan het afnemen.

Maar telkens als hij aan de camera in de FedEx-tas dacht, die hij nooit meer terug zou zien, en aan de vernedering dat hij als een lulletje rozenwater op de voorpagina stond, voelde hij weer een steek door zich heen gaan. De *Washington Star* was van hand tot hand gegaan in de drukke bar en sommige vaste klanten hadden hem iets te drinken aangeboden en hem op de schouder geslagen.

Jordan's is een sportcafé in een zijstraat van Elliott Avenue; er hangen gesigneerde foto's van de Mariners en de Seahawks aan de muur en ingelijste krantenartikelen geschreven door verslaggevers die daar soms kwamen.

Nadat hij door 'dat kreng' het huis uit was gesleurd, was hij blijven rondhangen en had wat staan klagen tegen een collega. Hij had de lijken weggedragen zien worden en had de wagen van de patholoog nagekeken tot ze in het verkeer verdwenen.

Thuis had hij snel het FedEx-uniform uitgetrokken, had zijn tas met de Leica en de Olympus en hun verschillende lenzen gepakt en was het huis weer uitgerend. Hij kon het niet verdragen er te blijven. Toen hij naar het centrum reed, had hij zijn agentschap gebeld en een vriend bij de *Star*.

Hij had uren in zijn auto zitten wachten om een foto te maken van een Hollywood-actrice die een filmopname in de stad had. Hij zag haar, drukte af en e-mailde het agentschap en al die tijd kon hij alleen aan de drie minuten denken dat hij in 1135 Blueridge was geweest. Daarna was hij naar de bar gegaan.

De man rechts van hem was een gesprek begonnen; zijn stem bereikte hem door het gejuich van de menigte die naar de wedstrijd keek en zijn eigen verwarde gedachten heen.

'Het is gewoon een *hawk's game*.'

Wat is in godsnaam een 'hawk's game'?

Riley wreef met zijn vuisten in zijn ogen als een kind. Zijn metgezel was een paar decennia ouder dan hij, met een mooi pak aan en een duur horloge om. Hij beschreef een cirkeltje met zijn rechterwijsvinger; de barkeeper knikte en bracht hun allebei nog iets te drinken.

Riley gooide de borrel in één keer achterover, draaide zich om naar het pak, met zijn linkerelleboog op de bar, en probeerde zich te concentreren op wat de man zei. *Een hoop gebakken lucht,* dacht hij.

Hij zag de deur niet opengaan noch de man die binnenkwam en zich een weg door de menigte baande, een cola bestelde en achter hem op de bar leunde, zijn ogen gericht op de wedstrijd.

'Weet je wie Weegee is?' vroeg Riley.

'Wie?'

'Laat maar.'

Van alcohol werd hij melancholiek en hij was liever kwaad. Hij voelde de blik niet die de menigte scande en langs hem heen gleed, terug naar de wedstrijd. Een luid gejuich en geklap; iemand had ergens op het veld goed werk verricht.

De telefoon achter de bar ging. De barkeeper nam op, met zijn hand tegen zijn andere oor. 'Riley…' zei hij en stak hem de hoorn toe. Hij werd daar wel eens gebeld.

'Met Riley.'

Niets. Er was lawaai en ruis; hij wist niet zeker of het door de telefoon kwam of door de hoofdpijn die tegen de binnenkant van zijn ogen drukte.

'Hallo…'

Er werd opgehangen.

'Shit.' Hij legde de hoorn op de haak en dronk zijn bier in één teug op. Het fleecejack dat hij droeg, rook naar oud zweet en sigarettenrook en hij moest er bijna van kotsen.

'Leuk met je gepraat te hebben,' zei hij en legde een paar bankbiljetten op de bar. Hij klopte op zijn binnenzak om te checken of zijn Olympus er nog in zat. Hij droeg altijd zijn wapen bij zich, als een politieman buiten dienst.

Hij wrong zich het café uit en even later stond hij in de vrieskou.

Hij had zijn auto in de steeg aan de zijkant van het gebouw gezet, waar het personeel parkeerde. Hij was maar drie seconden verwijderd van het korte ritje naar huis en een diepe slaap.

'Riley,' zei de stem in de duisternis achter hem.

'Ja?' Hij wilde zich omdraaien toen iets hards hem op de zijkant van zijn gezicht raakte. Een pijn die zo hevig was dat het hem de adem benam. En voor hij zijn handen kon opsteken en op zijn knieën op de grond viel, kreeg hij weer een klap. Hij kon niet ademhalen, hij kon niets zien. Hij legde zijn armen om zijn hoofd. Hij voelde handen die hem beklopten. Zijn gezicht lag op het natte asfalt, dat ruw aanvoelde tegen zijn bebloede wang.

De man haalde de camera uit zijn binnenzak, sloeg het riempje om zijn eigen pols en zwiepte hem, vlak boven Rileys hoofd, tegen de stenen muur.

Een-, tweemaal. Een krakend geluid en een regen van verbrijzelde stukjes plastic en metaal. Drie keer, tot er amper meer iets aan het einde van het riempje hing.

Riley voelde dat de man bleef staan en zich over hem heen boog terwijl hij worstelde om adem te krijgen.

Dit was het, dacht hij, en hij verloor het bewustzijn.

Een kelner vond hem tien minuten later, belde een ambulance en legde een deken over hem heen om hem warm te houden.

11

Op Browns bureau lagen drie nette stapeltjes papieren en hij verwees ernaar in het telefoongesprek dat hij voerde. Hij had zijn mouwen opgerold; zijn das zat nog keurig in de knoop. 'Nee, dacht ik niet. De bloedtesten zijn er nog niet.'

Madison kwam binnen met notitieboekjes onder haar arm en een tray met twee bekers erin. Ze hadden de derde verhoorkamer in beslag genomen. Zo nu en dan kwamen er burgers met de politie praten, en het wachtlokaal was geen geschikte locatie voor hun foto's van de plaats delict.

Madison zette een beker op de hoek van Browns bureau en pakte haar verhoornotities.

'Dank je,' zei hij met een hand over de hoorn. 'Dit is Kamen.'

Fred Kamen was een van de knappe koppen van de Onderzoekssteungroep van de FBI-academie in Quantico, de afdeling die vroeger Gedragswetenschappen heette. Madison had colleges van hem gehad aan de universiteit van Chicago. Dat was in de tijd van de Goulden-McKee-kidnapzaak en ze herinnerde zich dat hij na afloop altijd samen met een andere agent vertrok om in de rest van zijn wakende uren te proberen de tiener weer terug bij zijn familie te krijgen. Het had de colleges iets urgents gegeven en ze hadden zich allemaal bij die zaak betrokken gevoeld. Toen de jongen na vier weken onderhandelen gezond en wel terug was gevonden, hadden Madison en haar medestudenten gejuicht.

'Ja, ik weet het. We zetten hem op de hotline. Morgen. Tot ziens.'

Brown duwde zijn leesbril omhoog. Boven op de stapels verhoren lagen vier foto's, één van elk slachtoffer zoals ze aangetroffen waren. Op de vensterbank lag Browns exemplaar van *Moby Dick*, ongelezen. Even zag Madison hem als een klerk op een of ander bovenaards kantoor.

'Het zal een paar uur duren voor er antwoord van VICAP komt, maar Kamen zelf heeft nog nooit zo'n soort enscenering aangetroffen en hij denkt ook niet dat het met een sekte van doen heeft. Maar dat *dertien dagen* staat hem niet aan. Dat is een tijdslimiet waar we nog niets van afweten.'

'Nog nieuws van Vingerafdrukken?'

'Niets bijzonders. Payne belde een halfuur geleden; ze waren klaar voor vandaag. Er zijn er een heleboel gevonden van het gezin, een paar van de werkster, een paar kleine in de jongensslaapkamer, van vriendjes waarschijnlijk. Maar geen Cameron.'

Madison praatte en typte tegelijkertijd. 'Als die wel waren gevonden, had een goede advocaat aangevoerd dat die van een andere gelegenheid konden zijn.'

Ze stopte met typen en keek op. 'Hoeveel mensen weten ervan?'

'Jij, ik, Fynn, Payne, Lauren en Joyce.'

'Ik bedoel, hoe groot is de kans dat dit gewoon toeval is en dat de naam op de cheque eigenlijk van een dokter in Tacoma is voor wie Sinclair de belasting deed?'

'Ik zou zeggen: vrijwel nul.'

'Ik herinner me niet dat er een boodschap is achtergelaten op de *Nostromo* of op het lichaam van de dealer.'

'Nee, dat is voor het eerst.'

Madison begon weer te typen; de woorden stroomden eruit terwijl haar gedachten elders waren.

'Je hebt goed werk geleverd vandaag,' zei Brown.

Madison hief haar blik op, maar Brown hield een bloedspatkaart tegen het licht en keek haar niet aan.

'We gaan deze zaak van de grond af opbouwen. Stukje bij beetje. De cheque is maar één steen. Zorg dat die alle andere mogelijkheden niet afsluit,' ging hij door.

'Wat bedoel je?'

'Dat je voor alles open moet staan.'

'Dat ben ik ook van plan.'

'Weet ik, maar alle zaken hebben hun eigen momentum. Deze begint snel in beweging te komen.' Hij keek nog steeds naar de kaart. 'Laat het je oordeel niet beïnvloeden.'

Iemand anders had zijn toon neerbuigend kunnen vinden. Madison dacht er even over na. Hij probeerde haar iets te leren; elke andere overweging was irrelevant.

Ze maakte haar papierwerk af en legde het bij dat van Brown.

'Morgenochtend gaan we eerst achter het Hoh River-dossier aan,' zei hij. 'Als ze elkaar zo hebben leren kennen, beginnen we daar.'

'Dat wou ik net zeggen.' Madison trok haar jasje aan. 'Ik ga naar de bibliotheek.'

Brown keek uit het raam; het was pikkedonker.

'Ik heb daar een vriend,' zei ze, terwijl ze een paar potloden op haar bureau recht legde. 'Het verhaal moet in die tijd in de kranten hebben gestaan. Ik ga kijken wat ik kan vinden.'

Madison reed noordwaarts naar 4th Avenue, stopte bij een avondwinkel en toetste een nummer in op haar mobieltje.

'Mr. Burton, met Alice Madison. Is het goed als ik vanavond langskom?'

Er was weinig aan gebak te krijgen in de avondwinkel, maar het getuigde nu eenmaal niet van goede manieren om met lege handen op bezoek te komen. Ze herinnerde zich de vorige keer en koos een chocoladecake uit.

Het was stil in de stad en ze reed zomaar, zonder een speciale reden, voorbij de bibliotheek verder over 6th Avenue. De achtste verdieping van de Stern Tower, het kantoor van Quinn Locke, was donker. Ze keek op, reed om het blok heen en ging weer in de richting waar ze vandaan was gekomen. Ze parkeerde een paar meter van de dienstingang van de Openbare Bibliotheek en drukte zachtjes op de zoemer; de metalen deur sprong bijna meteen open.

Een paar jaar eerder had Ernie Burtons zestienjarige dochter wat probleempjes met de politie gehad. Madison had ervoor gezorgd dat die verdwenen en dat had haar een levenslange toegangspas voor dag en nacht van de Openbare Bibliotheek in het centrum van Seattle opgeleverd. Burton was chef van de nachtploeg, en in die hoedanigheid had hij haar dat privilege gegeven en ervoor gezorgd dat zijn collega's op de hoogte waren.

Ze trof hem en drie anderen midden in een kaartspelletje aan. Het waren allemaal mannen die banen in de beveiliging hadden gevonden na een leven lang ander werk te hebben gedaan. Naast het salaris verwelkomden ze ook de kans om te ontsnappen aan hun pensionering en hun echtgenotes. Madison keek minder dan drie seconden naar de tafel en wist al wie er aan het winnen was, wie aan het verliezen en wie blij was met de onderbreking.

'Kijk eens wie we daar hebben.'

'Jeetje, rechercheur, ik dacht al dat we je nooit meer zouden zien. Ik kon wel huilen.'

'Hoe gaat het met je vrouw, Ronnie?' vroeg Madison glimlachend.

'Die leeft nog steeds. Ben je al getrouwd?'

'Wat, en nooit meer de kans krijgen om hier met jullie te komen flirten?'

Ze begonnen aan de cake en dronken er smerige instantkoffie bij.

'Ik weet dat je hier voor je werk bent. We willen je niet ophouden,' zei Burton.

'Dan moest ik maar eens van start gaan.'

De vier mannen verdiepten zich weer in hun kaartspel en Madison ging op weg in het vertrouwde gebouw. Ze kwam niet alleen om iets op te zoeken wat ze nodig had. Burton had haar de pas gegeven, omdat dat alles was wat hij terug kon doen. Hij had niet kunnen weten dat zijn cadeau voor Madison veel meer waard was dan wat zij voor hem had gedaan. Het had haar toentertijd nog geen kwartier gekost om het probleem bij haar baas en de Sociale Dienst op te lossen, in ruil waarvoor zij de sleutel van de speelgoedwinkel had gekregen.

Meestal moest ze iets speciaals opzoeken, maar nadat haar grootvader was gestorven, kwam ze ongeveer eens per maand om na middernacht in de grote ruimte nog een paar uur te lezen, vóór de schoonmaakploeg begon.

De lezers/printers voor de microfilms van de afdeling Dagbladen stonden op de eerste verdieping. Het kostte haar vijftig minuten om de knipsels te verzamelen waarvoor ze was gekomen. Er was uitgebreid aandacht besteed aan het verhaal en ze maakte fotokopieën van alle artikelen. Ze legde de vellen ruwweg op datum en gaf serieuze verslaggeving voorrang boven tabloidnieuws. Het grote, vierkante vertrek was schemerig verlicht. Het geluid van de mannen die beneden zaten te kaarten, drong hier niet door. Er stond een bordje op het bureau van de bibliothecaresse:

Vlak na elven ging Madison aan haar vaste tafel zitten, haalde een blikje cola en een notitieblok met gele blaadjes tevoorschijn, nam een slok en begon te lezen. Eerst de *Times*: een nuchter artikel met weinig bloederige details. Ze las het twee keer.

Op 28 augustus 1985 waren er drie jongens ontvoerd, terwijl ze aan het vissen waren in een park in Ballard. Hun namen waren: David Quinn, 13, James Sinclair, 13, John Cameron, 12. *David Quinn.*

Vier mannen waren in een blauw busje naar de jongens bij Jackson Pond toe gereden; ze gebruikten in chloroform gedoopte lappen, legden hen in het busje en reden weg. Er waren geen getuigen.

Toen de jongens 's middags niet thuiskwamen, begonnen de ouders zich ongerust te maken en werd er een zoektocht gehouden. Hun fietsen werden op de bodem van de vijver gevonden. De gezinnen raakten in paniek. Familieleden en vrienden doorzochten elke centimeter van het gebied rondom Jackson Pond en klopten op iedere deur in de buurt. Het werd donker en er kwam geen nieuws. De jongens waren verdwenen.

Om halfzes in de ochtend van 29 augustus reed Carlton Gray over de Upper Hoh Road. Er dook een jongen, die later werd geïdentificeerd als John Cameron, uit het bos op die zich bijna liet overrijden bij zijn poging om de truck te laten stoppen. De jongen kon amper uit zijn woorden komen, maar Gray zag dat hij vreselijk opgewonden was en wilde dat hij ergens mee naartoe ging.

Gray had al gezien dat de armen van de jongen met bloed waren bedekt. Er zaten scheuren in de mouwen van zijn T-shirt. Ze liepen zo'n kwartier door het bos tot ze bij een open plek kwamen.

Daar trof Carlton Gray James Sinclair aan, vastgebonden aan een spar, levend maar in shock. Hij maakte de jongen los en nam beide kinderen mee terug naar zijn truck, waar hij via de radio om hulp vroeg. De politie en de ambulances waren snel ter plekke. Ze hadden ten onrechte aangenomen dat alle drie de jongens levend waren gevonden en hadden de ouders gewaarschuwd.

Wat er in de voorafgaande vierentwintig uur had plaatsgevonden, was niet helemaal duidelijk. De autoriteiten konden de volgende feiten vaststellen: de kinderen waren naar de open plek gereden en werden alle drie vastgebonden aan een boom. Daarna werd het verwarrender: zijn vrienden, die geblinddoekt waren, hadden David Quinn naar adem horen happen. Na een poosje werd het stil. Een paar minuten later waren de mannen vertrokken en hadden David meegenomen. De andere twee werden achtergelaten in het bos.

David Quinn. Madison stond op en liep naar het raam. Ze dronk haar cola op en gooide het blikje in de prullenmand van de bibliothecaresse. Ze keek op haar horloge; Brown zou willen weten wat ze had gevonden. Ze belde zijn mobieltje.

'De derde jongen. Die in het bos is gestorven. Dat was Nathan Quinns jongere broer.'

'Daar hebben we ons verband.'

'Jep.'

'Je gaat nu zeker snel naar huis?'

'Ik maak het hier nog even af.'

Madison had enorme behoefte aan een kop sterke koffie, maar wat er uit de automaat beneden kwam, was net waterige, bittere modder. Dus waste ze haar gezicht maar met ijskoud water en liep terug naar de tafel.

De *Post-Intelligencer* had vrijwel hetzelfde verhaal als de *Times*. De treurige conclusie van beide bladen was dat er geen zichtbaar motief was voor de ontvoering en dat niemand er ooit voor was aangehouden.

De roddelbladen hadden niet meer feiten te bieden. Maar ze hadden wel foto's. Madison hield de pagina's onder het licht. Het waren schoolfoto's, een van elke jongen. Haar blik ging naar die van Cameron: hij was de jongste en leek kleiner dan de anderen. James Sinclair grijnsde en David Quinn droeg een Mariners-shirt; hij had blond krulhaar dat hij net gekamd had voor de foto.

Madison sloeg de pagina's om. Er was een foto van de families na de begrafenis van David Quinn, ongetwijfeld het werk van een ondernemende fotograaf die het kerkhof binnengeslopen was, zoals Andrew Riley op de plaats delict.

Hij had ze gekiekt toen ze wegliepen bij het graf. Het was een grove inbreuk op hun privacy op het pijnlijkste moment. Het was een verbijsterende foto.

Het moest die dag bewolkt zijn geweest, er waren geen schaduwen van iets of iemand te zien op de zwart-witfoto. Op de voorgrond een man en een vrouw in het zwart, omringd door familie en vrienden, een sprakeloos verdriet op hun gezichten. Een hechte groep van misschien vijftig mensen, voornamelijk volwassenen, een paar kinderen.

Alle mannen droegen een keppeltje. Eén man had zijn hand op de schouder van de vader gelegd; hij zei iets. Naast hem de twee jongens die het overleefd hadden; Cameron had zijn arm nog in een mitella. Ze zagen er verloren uit. Nathan Quinn stond bij hen in de buurt, een paar jaar ouder, waarschijnlijk al op college. Hij keek naar zijn moeder en tilt zijn linkerhand op alsof hij haar wilde aanraken.

Madison voelde een koude rilling door zich heen gaan, alsof de temperatuur plotseling gezakt was. Ze sloeg de map dicht en legde haar hand erop. Ze bleef een minuutje in het stille halfdonker zitten, pakte toen haar spullen bij elkaar en vertrok.

In de auto startte ze de motor en plotseling rook ze de zoete lucht van die dag in maart toen haar moeder werd begraven. Er danste kersenbloesem in het briesje. Madison veegde haar ogen af met de rug van haar pols. Haar vader had achter haar gestaan, met zijn handen op haar schouders.

Ze liet de motor draaien, sloot haar ogen en wachtte tot het warmer werd in de auto.

Het was altijd dezelfde begrafenis, telkens weer. Madison was naar herdenkingsdiensten voor agenten geweest, mannen en vrouwen die ze amper kende, en het was haar moeders graf waar ze naast stond in gala-uniform terwijl de vlag werd opgevouwen.

Haar grootouders waren die morgen in Friday Harbor aangekomen en ze zouden kort na de begrafenis weer vertrekken. Ze had ze in jaren niet gezien; in hun verdriet bleven ze maar naar dat jonge meisje kijken dat zo sterk op hun dode dochter leek en een vreemde voor hen was.

Vijf maanden later werd Alice midden in de nacht wakker; haar Mickey Mouse-klok stond op 2.15 uur en de volle maan scheen door haar open raam. Haar kamer zag er netjes uit in het bleke licht. Het twaalfjarige meisje dat een massa telefoonnummers van schooltherapeuten en rouwverwerkingsgroepen op haar bord had geprikt en met geen van allen had gepraat, deed haar best. Alice maakte haar eigen lunch klaar en haalde goede cijfers. *Ze is een vechtertje*, had haar mentor van dat jaar gezegd, *ze komt er wel bovenop*. En dus kaftte ze haar schoolboeken met bruin pakpapier en zette haar konijnenpantoffels netjes naast elkaar als ze naar bed ging en dat hielp haar op een of andere manier door de dagen heen; maar vanbinnen zakte ze steeds dieper weg.

Alice hoorde de voetstappen in de gang en wist dat het niet haar vader kon zijn, want die zou pas tegen de ochtend thuiskomen. Ze greep haar honkbalknuppel en wachtte; de adrenaline deed pijn in haar borst. Toen de voetstappen van de insluiper langzaam de gang door en uit het huis verdwenen, smaakte haar opluchting als metaal doordat ze op haar lip had gebeten. Ze wachtte een minuut, liet zich toen uit bed glijden en gluurde door het raam om te zien of de man echt verdwenen was: een eind verder, half in het duister, zag ze hem snel van haar weg lopen. Hij liep onder een straatlantaarn door en zelfs vanaf die afstand zag Alice dat het haar vader was. *Waarom had hij het licht niet aangedaan?* Hij had haar bijna een hartaanval bezorgd.

Terwijl ze onderweg de lichten aandeed, liep Alice zachtjes naar de keuken. Nog steeds in de war vulde ze een glas onder de kraan. Toen ze terugliep, zag ze dat de deur van haar ouders' slaapkamer, haar vaders slaapkamer, op een kier stond en dat de bovenste la van de commode een paar centimeter uitstak. De la van haar moeder. Die deden ze haast nooit open. In de la lag haar moeders juwelenkistje en Alice stond het zichzelf maar heel zelden toe om haar sieraden vast te houden, stuk voor stuk herinneringen die te mooi en te pijnlijk waren.

Ze stond nu bij de commode en alles in haar zei dat ze de la dicht moest doen en terug moest gaan naar bed. Er kon niets goeds van komen, van die speldenprik van twijfel waardoor ze zich dagenlang te schuldig zou voelen om haar vader in de ogen te kijken. Ze liet haar voorhoofd tegen de commode rusten; ze moest kijken, dat wist ze.

Ze trok de la open en haalde het zwartfluwelen kistje eruit. Het kleine slotje in de vorm van een haakje was open. De binnenkant was gevoerd met rode zij. Alice liet haar vingers over de gladde stof gaan: de ringen van haar moeder waren verdwenen, haar oorhangers, de ketting met de s-vormige sluiting en de diamanten vlinder.

Alice wist niet hoeveel ze waard waren, maar ze wist dat ze weg waren en dat haar vader het licht niet had aangedaan. Ze bleef daar een minuut staan, zette het kistje toen voorzichtig terug, ging weer naar haar slaapkamer en pakte de honkbalknuppel.

Ze had zich nog nooit zo zeker gevoeld, het was verbluffend. De eerste klap raakte de boekenplank; ze haalde hard uit en hij kwam los van de muur. Daarna volgde het bureau. Alice werkte methodisch de hele kamer af tot haar arm te veel pijn deed om de knuppel nog op te tillen. Tegen die tijd had ze zichzelf gesneden aan het glas van haar spiegel en was ze buiten adem. Haar vader zou thuiskomen voor het licht werd. Ze liep voorzichtig terug naar haar bed en ging erop liggen, met de knuppel nog in haar handen. Ze zou alleen haar ogen even dichtdoen, ze zou alleen even uitrusten en als hij thuiskwam, zou ze hem dwingen haar mee te nemen naar degene die haar moeders juwelen nu had. Ze viel in slaap met strepen opgedroogde tranen op haar wangen.

Haar ogen schoten open en de Mickey Mouse-klok stond op 6.47 uur. Ze keek de kamer rond en huiverde. Alles was kapot, alles was aan stukken. Ze stak haar blote voeten in haar gympen, liep zacht naar de deur en opende hem op een kier. Ze hoorde haar vaders ademhaling in zijn kamer.

Hij lag op zijn buik onder de lakens, met zijn kleren in een stapeltje naast het bed. Alice knielde bij het overhemd en de spijkerbroek en doorzocht zijn zakken. Ze vond twaalf dollar in kleine biljetten en een knipmes met een ivoren handvat dat ze nog nooit had gezien. Ze stopte alles terug.

Hij ademde langzaam en regelmatig. Ze liep weer naar de commode om in het juwelenkistje te kijken. Heel even, toen ze haar hand ernaar uitstak, stond ze het zichzelf toe om te hopen. Deze keer gebeurde er niets, geen tranen, geen woede, geen pijn. Ze wist genoeg van de wereld om te weten dat wat verloren was, verloren zou blijven. Zo was het nu eenmaal. Ze ging in de rieten stoel zitten en zag zijn rug op en neer gaan. Ze bleef naar hem zitten kijken tot elke mooie herinnering aan hem verdwenen was; het duurde niet lang.

Het topje van het handvat van het knipmes stak uit de achterzak van de spijkerbroek. Alice pakte het en het mes schoot open. Ze boog zich over hem heen. Er leek helemaal niets te zijn tussen zijn rug en het mes in haar hand. Ze voelde zich leeg en het enige wat nog tot haar doordrong, was dat hij moest ophouden met ademen. De rest deed er niet toe, het bruine pakpapier om haar boeken noch haar goede cijfers. *Laat de therapeuten me hier maar eens uit zien te redden,* zei een iel, duister stemmetje binnen in haar.

Toen blafte de hond in de tuin naast hen twee keer. Het klonk zo luid als een pistoolschot en Alice zag de kamer en zijzelf erin voor zich, elk detail scherp afgetekend.

Haar vader zou laat wakker worden op die drukkende augustusmorgen. Het huis was leeg en zijn dochter verdwenen. Het lemmet van het knipmes was vijf centimeter diep in het hout van zijn nachtkastje gedreven.

Een week later, toen de politie ten noorden van Anacortes een klein meisje aantrof dat daar in haar eentje liep, waren ze verbaasd dat de vader geen haast leek te maken om haar weer thuis te krijgen. Hij leek zelfs uitgesproken opgelucht toen de grootvader de zorg voor haar overnam.

'Ze zag eruit als een leuk meisje,' zei de ene agent na afloop tegen de andere. 'Maar je weet het nooit.'

Haar grootouders hielden haar vanuit het keukenraam in de gaten terwijl ze urenlang naar het water en naar Vashon Island zat te kijken; ze hielden haar in de gaten tijdens hun wandelingen naar de top van Mount Rainier.

'Laat haar maar met rust,' zei haar grootvader. 'Het enige wat telt, is dat ze eindelijk thuis is, en dat weet ze.'

Madison wist niet of zij de stad had geadopteerd of andersom. Het enige wat ze wist, was dat de donkere bossen eromheen haar als de hunne hadden aanvaard. Het maakte de bergen en de rivieren niet uit dat ze bijna haar vader had vermoord. Ze boden haar een veilige doortocht, en zoveel gemoedsrust als ze zichzelf wilde toestaan.

Rechercheur Alice Madison legde de map op de passagiersplaats, zette de auto in de versnelling en reed naar huis. Het rode lampje van het antwoordapparaat knipperde. 'Hallo, Alice, met Marlene. Deze keer kom je niet onder onze reünie uit. We moeten je promotie vieren en Judy is eindelijk weg bij Verkeerszaken. Niet te geloven toch? Bel me voor ik een opsporingsbericht laat uitgaan.'

Een kwartier later lag Madison op de bank te slapen, met de witte sprei uit haar slaapkamer over zich heen, een half opgegeten sandwich op de salontafel en *Some Like It Hot* in de dvd-speler.

12

Fred Tully's carrière was al een tijdlang niet bepaald glanzend te noemen. Hij zat achter zijn bureau op het kantoor van de *Washington Star*, met de proef die hij moest corrigeren in zijn ene hand en een punt koude pizza in de andere. Hij keek op de ronde klok aan de muur tegenover hem. Middernacht. Hij zou ergens anders willen zijn, overal liever dan hier waar hij het gevoel had dat zijn leven met de dag somberder werd. Hij dacht aan zijn vrouw thuis, die televisie zat te kijken en hem niet miste.

De stagiair liet de envelop op zijn bureau vallen, waardoor Tully bijna van schrik uit zijn stoel sprong.

'Draag schoenen die mensen kunnen horen,' snauwde hij zonder zich om te keren.

Het was een witte envelop met een harde achterkant. Op een klein etiketje stond zijn naam, verder was er niets op geschreven. Tully keek het vertrek rond: hij was niet het soort man dat midden in de nacht persoonlijk afgegeven post ontving, al een tijdje niet meer.

Hij scheurde de zijkant open met zijn wijsvinger. Iemand zou er flink van langs krijgen als dit een grap was. Er zat een vel papier en een kleinere envelop in.

Tully las het korte briefje één keer door. Hij nam een hap van wat er nog over was van de pizza en hield die in zijn mond terwijl hij de flap van de envelop openmaakte en er een foto uithaalde.

Het was een kleurenfoto, binnen genomen met flitslicht. Een lamp op de voorgrond en iets wat eruitzag als een deel van het hoofdeinde van een bed. Tully wist niet waar hij naar zat te kijken. Hij las de regel, staarde naar de foto, las de regel, staarde naar de foto.

Greg Salomon, hoofdredacteur van de *Star*, keek niet op toen Tully zijn kantoor binnen kwam lopen.

'Wat is er?'

Tully deed de deur dicht. Hij legde de foto op het bureau. Salomon schoof zijn bril omhoog en pakte hem op.

'Wat is dit?'

'De plaats delict in Blueridge.'

Er viel even een stilte. 'Hoe kom je daaraan?'

Tully glimlachte. 'Iemand moet veel van me houden. Ik heb hem net gekregen.'

'Moest je ervoor betalen?'

'Geen cent.'

Er lag een vergrootglas onder een stapel papieren. Salomon pakte het en bestudeerde de foto. 'Je kunt er niet veel op zien, maar genoeg om te weten wat het is. Is hij echt?'

'Reken maar. Dit zat erbij.' Tully gaf hem het vel papier.

Ik neem contact op.

'Wat denk jij ervan?'

'Het is niet voor publicatie; dan krijgen we zo de politie en de officier van justitie op ons dak. Iemand wil ons vertellen dat hij ermee te maken heeft. Ik denk een agent,' zei Tully.

'Ja, hij wil onze belangstelling wekken. De volgende keer vraagt hij wel geld.'

Tully krabbelde iets op zijn notitieblok. 'Ik bel de één. We kunnen de posities van de lichamen en de blinddoeken bevestigen.'

Hij keek weer naar de foto; de donkere kruisen waren onscherp, maar goed zichtbaar. Meer kon hij niet zien, hoofden op kussens vanaf de zijkant.

'Zou dit een van je vaste jongens kunnen zijn?' vroeg Salomon.

'Ik denk het niet.'

'Ik moet Kramer bellen; die is met het verhaal bezig.'

'Dit is van míj, Greg.'

'Weet ik. We regelen wel iets.'

Dat is je geraden ook, dacht Tully.

Om kwart voor zes werd Madison plotseling wakker. De digitale wekker gloeide op haar nachtkastje. Drie uur geleden was ze opgeschrokken op de bank beneden. De film was afgelopen en ze had versuft de tv uitgezet en zichzelf naar haar bed boven gesleept.

Om 5.46 uur stond Madison op en liep op haar blote voeten naar de keuken terwijl ze de lichten aandeed. Ze schonk water in de onderste helft van de Italiaanse percolator, mat de koffie af voor de filter, schroefde de bovenkant er weer op en zette hem op het vuur.

Ze kon die handelingen automatisch uitvoeren, zonder er helemaal bij te zijn. Dat had ze zo vaak gedaan als ze na twee uur slaap weer opstond om aan de dag te beginnen. Tegen halfzeven was Madison het huis uit.

Ze reed langs Blueridge en stopte naast de politiewagen die bij de voordeur stond. De twee agenten keken op; de lange, koude uren waren van hun gezichten af te lezen. Ze had ze nog nooit gezien. Madison rolde haar raampje omlaag en liet haar penning zien. 'Madison, Moordzaken. Hoe gaat het?'

De oudste van de twee knikte alleen.

'Rustige nacht?'

'Een paar klootzakken probeerden een stuk tape te stelen.' Hij wees naar de gele stroken op de grond bij de zijdeur. Het huis voelde al leeg aan, alsof er een hele tijd geen mensen meer in hadden geslapen, gekookt en rondgelopen.

Madison kwam in het drukke verkeer terecht toen ze naar de stad reed. In het ijle zonlicht glinsterden in de verte glas, metaal en water. Ze zette de autoradio aan, had er meteen spijt van en deed hem weer uit. Het was niet zo'n goed idee geweest om langs te gaan bij het huis. Ze had zich bijna gedwongen gevoeld meteen naar binnen te gaan en het te doorzoeken, van onder tot boven, van de zolder tot aan de kelder. Maar die zoektocht moest nog uren wachten. De moordenaar had het huis uitgekozen om zijn werk te doen; door dat werk zou hij zich aan hen openbaren.

Nathan Quinn zou onaangenaam getroffen zijn: ze hadden een bevelschrift nodig om Sinclairs financiële zaken en de dossiers van zijn werk uit te kammen. Waarschijnlijk nam hij werk mee naar huis; de cheque was in de werkkamer aangetroffen. Een armzalig bedrag van 25.000 dollar had vier mensen het leven gekost en zou een ellendige smeerlap die beter had moeten weten voor eens en altijd de das omdoen.

De recreatieruimte was amper groot genoeg, maar het was het enige vertrek waar ze allemaal bijeen konden komen. De rechercheurs zaten rondom de tafel. Het dossier, dat tussen plastic bekertjes en opschrijfboekjes in lag, was al een paar centimeter dik.

Brown leidde de bijeenkomst, met de hulp van Madison. Hij keek op zijn horloge. Spencer en Dunne hadden het schoolbord met de plattegronden van het huis van de Sinclairs naar binnen gedragen.

Inspecteur Fynn had de ochtendbladen meegebracht: over twee uur had hij een afspraak met een vrouw van de afdeling Voorlichting van de politie. Hij kreeg liever een wortelkanaalbehandeling.

Ze konden nog achtenveertig uur op Spencer, Dunne en Kelly rekenen. Daarna stonden Brown en Madison er alleen voor; de anderen kregen nieuwe zaken te doen en zouden alleen nog assisteren als ze tijd hadden.

Brown kwam meteen ter zake. 'We hebben de voorlopige autopsiebevindingen van de patholoog, daar kom ik zo op. Terwijl de heren zich de blaren op de voeten hebben gelopen voor het buurtonderzoek, hebben Lauren en Joyce de helft van een verscheurde cheque gevonden in de gleuf van een stoel in de werkkamer; de andere helft lag in de vuilnisbak in de keuken.'

Madison nam een slok koffie en wachtte tot Brown met het schokkende nieuws kwam. Fynn was al op de hoogte.

'Die cheque is nep,' ging Brown door. 'De handtekening is vervalst, de vingerafdrukken die erop zitten, zijn van Sinclair, de naam van de vervalste handtekening is John Cameron.'

Al het geritsel van papier en het geschuifel van voeten hield meteen op. Kelly legde zijn pen neer.

Dunne glimlachte breed. 'Dit is wat sommige mensen een "aanwijzing" zouden noemen.'

Brown keek weer op zijn horloge. 'Oké. Sinclair en Cameron kennen elkaar al een hele tijd; ze waren de jongens van Hoh River. Als Sinclair van Cameron heeft gestolen, is alles mogelijk.'

'Ik wacht al jarenlang tot die rotzak weer opduikt. Ik zweer dat ik wist dat het ooit zou gebeuren,' zei Kelly.

'Wat hebben we verder?' vroeg inspecteur Fynn.

'We hebben haren uit de knoop van de boeien om Sinclairs handen. Fellman is ermee bezig; hij zegt dat hij het DNA kan bepalen. Het zou van de insluiper kunnen zijn,' zei Brown. 'Toxicologie heeft bevestigd dat er chloroform op de blinddoek van de vader zat.'

Madison voelde de kanteling van het beeld als een ijzige tocht door het vertrek gaan: vijf minuten geleden was James Sinclair nog het slachtoffer van een wrede moord, nu was hij mogelijk een hebzuchtige klootzak wiens gezin door zijn toedoen was vermoord.

Brown zette zijn bril af en wreef in zijn ogen. 'Laten we even pas op de plaats maken. Eén: we hebben geen moordwapen. Wat trouwens volgens de technische jongens een .22 was. En twee: we weten nog niet hoe hij binnen is gekomen.'

'Deuren en ramen?' vroeg Spencer.

'Op slot en schoon. Geen voetafdrukken rond de buitenkant en geen tekenen van braak.'

'Is hij soms ingestraald?' zei Dunne.

'Het lijkt er wel op.'

'Hoe zit het met dat *dertien dagen*?' vroeg Spencer.

'Daar weten we nog weinig van. Als het een boodschap is, weten we niet eens voor wie die bestemd is. We kunnen ervan uitgaan dat hij voor ons was, maar de betekenis is nog onduidelijk.'

De telefoon ging en Brown nam op. Het was Bob Payne. Ze praatten nog geen minuut. Toen hij ophing, staarde hij minstens even lang naar de hoorn.

Madison en Brown keken elkaar van een afstand aan. Hij zag eruit alsof hij net had gehoord dat de zon van nu af aan in het westen zou opkomen.

'Wat is er?' gebaarde ze vragend.

Brown knipperde twee keer en kwam weer tot zichzelf. 'Het was Payne. Er stond een glas in de keuken bij de gootsteen. Hij heeft een match gevonden. De vingerafdrukken van John Cameron staan erop. Drie afdrukken, twaalf overeenkomsten.'

Jury's hadden mensen om minder veroordeeld. Het bleef even stil in het vertrek.

Inspecteur Fynn had voldoende om zijn afspraak met de dame van Voorlichting te overleven. Hij stond op, zei even zacht een paar woorden tegen Brown en liet het karwei, wat in de woorden van Dunne neerkwam op 'jam aan de muur spijkeren', aan de rest over.

Er was veel te doen. Madison herinnerde zich vaag dat ze nog steeds niet gesproken hadden met Annie Sinclairs collega's op de basisschool. Het was vreemd: vanaf het eerste moment dat ze op de plaats delict was, had ze het gevoel gehad dat alle energie van de insluiper gericht was op de vader. Vierentwintig uur later, en met de bewijzen die ze nu hadden, had niets die eerste indruk weerlegd.

'Heb je Klein gezien?' vroeg Brown.

'Ze is in het gebouw. Ik heb haar gezien.'

'Ik piep haar wel op.'

Sarah Klein had dienst als hulpofficier van justitie. Ze was niet bepaald Madisons favoriet, dat was Georgia Wolf, een advocaat van midden dertig die haar naam eer aandeed.

Madison begon een zoektocht op de computer naar alle gegevens die ze bij de Dienst Motorvoertuigen over Cameron te pakken kon krijgen: alle auto's waarvan hij ooit eigenaar was geweest, alle adressen waar hij ooit had gewoond. Haar rechterhand wedde om vijf dollar met haar linkerhand dat ze niets recenters zouden vinden dan wat dat twintig jaar oude strafblad al vermeldde. *Je mag zeggen wat je wilt*, bedacht Madison, *maar die gladjakker ging voorzichtig te werk, dat moet je hem nageven.*

Sarah Klein leunde tegen Madisons bureau. Ze had donker, glanzend haar dat in een jongensachtige stijl was geknipt en droeg een scherp gesneden grijs mantelpak met een zijden bloes eronder. Madison verwachtte altijd dat ze het bureau schoon zou vegen voor ze erop leunde, maar dat had Klein nog nooit gedaan.

'Ik hoorde dat je een echte winnaar hebt uitgekozen,' zei ze.

Madison bracht haar op de hoogte en Klein luisterde zonder haar te onderbreken.

'De haren tellen alleen als Fellman er DNA op kan ontdekken,' zei Klein ten slotte.

'Hij zei van wel,' antwoordde Madison.

'Ik vertrouw hem. Met de cheque en het glas erbij heb je iets in handen, maar je bevindt je op glad ijs.'

'Hoezo?'

'Het glas geeft je een naam. De cheque verbindt de naam met een motief. Vergeet de persoonlijke band tussen beiden en volg het geld. Je hebt grond voor verdenking van financiële fraude.'

'Ik neem zo contact op met de Belastingdienst.'

'Dat is een begin. Als Sinclair de fiscaal jurist was van Cameron krijg je waarschijnlijk wel toestemming om de dossiers door te pluizen. Maar alleen als dat zo was. Zijn firma zal het je niet makkelijk maken.'

'Brown is een verklaring aan het opstellen.'

'Welke rechter wil je?'

'Hugo.'

'Vandaag niet. Ik heb hem gesproken en hij heeft een rotbui.'

'Martin dan.'

'Oké, wat nog meer?'

Madison stond zichzelf wat optimisme toe. 'Als we Cameron vinden, hoe liggen dan onze kansen om toestemming te krijgen voor een DNA-vergelijking met de haren op de plaats delict?'

'Met wat je nu hebt, zijn die vrijwel nihil.'

'Heel fijn. En het huis?'

'Wat is daarmee?'

'We willen de hele woning als plaats delict bestempelen. We weten niet waar de insluiper allemaal geweest kan zijn. We moeten elk vodje papier in elke la in elke kamer kunnen onderzoeken.'

'Dat moet geen probleem zijn.'

'Elke spijker in de garage, elke doos op zolder.'

'Moet geen probleem zijn.'

'Elk bestand in Sinclairs computer in de werkkamer.'

'Zolang ze niet met zijn werk te maken hebben.'

'Dat helpt niet veel.'

'Ik stel de regels niet op.'

'Nog iets anders: de zaakwaarnemer, wellicht de executeur-testamentair, is Nathan Quinn.'

Klein zuchtte. 'Brown moet zorgen dat die verklaring waterdicht is. Zo hermetisch dat er niets tussen te krijgen is. Quinn zal het niet leuk vinden als hij erachter komt dat een van zijn fiscaal juristen gelden heeft verduisterd. Daar schijnen cliënten niet van te houden.'

'Ze waren oude vrienden.'

'Maakt niet uit. Het heeft Capone ook ten val gebracht.'

'Belastingen?'

'Belastingen.'

Klein draaide zich om en Madison had de hoorn al opgepakt om te bellen. De juriste hield haar rechterduim en -wijsvinger een centimetertje van elkaar. 'Dun ijs,' zei ze.

'Ik weet het,' antwoordde Madison.

Ze dachten daarbij geen van beiden aan bevelschriften.

Tien minuten later liep Madison naar haar bureau met de uitdraai van de Dienst Motorvoertuigen. Haar blik ging eerst naar de foto, net zo oud als die op zijn strafblad: een ernstig kijkende jongeman met een jas van schapenvacht.

Er stond een adres op, hetzelfde als zij hadden. Ze zouden er snel achter komen hoe nuttig dat twintig jaar later nog was. John Cameron was kennelijk eigenaar geweest van een serie identieke zwarte Ford pick-uptrucks.

Madison legde de pagina's op Browns bureau; hij was aan het bellen. Voor hem lag de bijna voltooide verklaring.

De beambte van de Belastingdienst belde Madison terug. Toen ze uitgepraat waren, zag ze dat ze drie pagina's van haar notitieboekje had volgeschreven.

'De zaken liggen ietsje ingewikkelder dan we dachten,' zei Madison.

'Heeft de Belastingdienst zijn werk gedaan?'

'Nou en of. Alleen hebben we nu meer vragen dan antwoorden.'

'Ga door.'

'Sinclair was Camerons fiscaal jurist. En ook zeer scrupuleus. Hij vulde al sinds tijden elk jaar zijn belastingpapieren in.'

'Wat fatsoenlijk van hem. Waar verdient Cameron eigenlijk zijn geld mee?'

'Dat is nou juist het probleem. Hun vaders bezaten een restaurant, The Rock op Alki Beach, en nog wat onroerend goed eromheen, en dat hebben ze geërfd.'

'Cameron en Sinclair.'

'Nee, Cameron, Sinclair én Quinn. Hun vaders hadden het restaurant in de jaren zestig samen opgezet. Ik heb het gecontroleerd, de vergunning staat op hun naam. Iemand runt het voor hen, maar ze zijn nog steeds eigenaar.'

'En betalen er belasting over.'

'Tot op de cent. Ze sturen ons een kopie van het dossier.'

'Tja, wie had dat gedacht.' Brown stond op en pakte de verklaring. 'Rechter Martin is in de raadkamer; laten we haar dag gaan verpesten. Waar is Quinn?'

'Die is de hele dag in de rechtszaal.'

Toen ze beneden langs Jenner, de brigadier van dienst liepen, wenkte die Brown terwijl hij zijn hand over de hoorn hield. 'Fred Tully van de *Star*,' zei hij.

Brown schudde zijn hoofd.

'Sorry, Fred, hij is niet aanwezig.' Jenner rolde met zijn ogen. 'Nee, ik geloof het niet.'

'Derde keer al vandaag,' zei Brown.

Buiten was de zon nog niet zeker van zichzelf. Een fotograaf die op de stoep op iemand anders stond te wachten, herkende Brown en Madison van de televisie en maakte een foto van hen. De flits was veel helderder dan de zon.

13

Rechter Claire Martin tekende het verzoek om Sinclairs belastingdossiers te mogen inkijken met een sierlijke krul en een blik waaruit sprak: maak er geen zootje van.

Ze stonden op de lift te wachten toen Brown zijn handen diep in de zakken van zijn regenjas stak en Madison aankeek. 'Er is iets gevonden op het lab. Daar ging dat telefoontje over. Het kan iets zijn of het kan niets zijn. Fellman is het aan het uitzoeken.'

'Zeg alsjeblieft dat het niet om het DNA gaat.'

'Het gaat om de boeien, de leren strip die was vastgeknoopt. Hij zat strak om de polsen van de man.'

'Hij had diepe sneden en kneuzingen.'

Er stonden een paar advocaten bij de waterkoeler. Brown wachtte tot ze doorliepen. 'Dat is het probleem. Het bloed en de cellen die erop zitten, komen niet overeen met Sinclairs verwondingen.'

De lift kwam en ze stapten in, blij dat er niemand anders in stond.

'In welk opzicht?'

'De sneden zaten tot diep in het spierweefsel, maar er zit relatief weinig bloed op de knoop. Niet genoeg voor de mate waarin Sinclair zich verzette.'

'Toen we hem vonden, was hij strak vastgebonden. Met zijn handen op zijn rug.'

'Weet ik. Toch had het leer, gegeven de wrijving, meer slijtage moeten vertonen.'

Ze verlieten het gerechtshof van King County op 4th en James. De motregen voerde het lawaai van de I-5 mee.

Madison leunde met haar ellebogen op het dak van hun auto. 'Bedoelen we dat hij de boeien heeft vervangen nadat Sinclair dood was?'

'Ik weet nog niet wat we bedoelen. Maar zo ziet het er wel uit.'

Madison ging op de passagiersplaats zitten. Brown liet zich nooit door iemand anders rijden.

'Hij heeft de boeien vervangen,' herhaalde ze.

'Gelukkig voor ons. Als hij dat niet had gedaan, zouden we zijn DNA niet hebben.'

'Na afloop,' zei ze, meer tegen zichzelf dan tegen Brown. Het was een gedachte die plotseling bij haar was opgekomen, als een klein rond steentje dat in een vijver viel.

Ze stopten in Cherry Street, bij een plek waar ze koffie konden drinken. Brown had al weken op Madison gelet; hoe ze de eerste dag het wachtlokaal binnen was komen lopen, hoe ze zich gedragen had op de diverse plaatsen delict. Twee nachten geleden, het meisje in de winkel. Brown wist dat ze snel had moeten beslissen of het meisje hem neer zou schieten of niet. Ze had de juiste beslissing genomen en ze hadden het er allemaal levend van afgebracht.

Madison dronk haar koffie zonder dat ze per se iets hoefde te zeggen. Dat vond Brown leuk aan haar. Wat er ook was gebeurd in de vier weken sinds ze bij Moordzaken was gekomen, het was maar een inleiding op hoe ze zo dadelijk langzaam door de kerstdrukte zouden rijden, met hun kogelvrije vesten in de kofferbak, op weg naar het huis van John Cameron.

Ze reden noordwaarts over 4th Avenue en daarna naar het oosten over University Street, zaten net als iedereen vast bij het Convention Center en reden ten slotte de I-5 op. Ze spoedden zich langs Lake Union en Capitol Hill, door de nieuwe kantorenwijken van Eastlake naar het University District.

Madison zag niets en hoorde niets. Ze was in Blueridge, en probeerde in het hoofd van de man te kruipen die het noodzakelijk had geacht de boeien van een dood slachtoffer te vervangen, en die zijn vinger in het bloed van die man had gedoopt om er een kruis mee te tekenen.

Er was een rechte lijn die de slachtoffers verbond met het motief en het bewijs met de verdachte. Dat was simpel genoeg. Maar het moment dat ze de slaapkamer binnenliep en de vermoorde kinderen tussen hun ouders in had zien liggen, was onbeschrijflijk.

Het was niet gewoon vergelding, het was wraak van onmenselijke proporties. De kinderen die gestraft werden voor de zonden van hun vaders; een angstwekkend voorbeeld voor allen die ooit met de man te maken zouden krijgen.

Madison wist dat het adres in Laurelhurst waar ze naartoe reden op Camerons rijbewijs en belastingformulier stond. Het was het huis waarin zijn ouders waren gaan wonen nadat hij als jongen was ontvoerd en dat hij jaren later van hen had geërfd.

Het was Camerons enige officiële adres. Madison wist zeker dat hij daar niet meer woonde en ook dat hij niet meer in de zwarte pick-uptruck reed die op zijn naam stond. Maar toch was het zíjn huis, de plek waar ze zijn geur konden opvangen. Natuurlijk hadden ze nog geen gerechtelijk bevel om er naar binnen te mogen.

Toen ze nog in uniform was, had Madison vaak verdachten aangehouden die uit het achterraam klommen terwijl haar partner op de voordeur klopte. Dat zou nu niet gebeuren.

Laurelhurst is een rijke buurt; goed onderhouden huizen en gemaaide gazons. Ze sloegen een van de kleinere straten in, met aan weerszijden bomen. De huizen waren er niet zo groot en lagen niet zo ver uiteen. De kerstversiering was bescheiden en er stonden flink wat auto's op de opritten. Niet iedereen was aan het werk.

Camerons huis lag halverwege de straat; het was van hout en steen, en had een schuin dak dat waarschijnlijk een zolder verborg met een daklicht aan de achterkant. Er stond geen auto op de oprit. Brown stopte langs het trottoir.

De gordijnen waren dicht en er scheen geen licht achter het glazen raam in de voordeur. Brown zette de motor af en ze bleven een minuut lang stilzitten zonder iets te zeggen. Het verschilde niet zoveel van het huis van haar grootouders, bedacht Madison, en ondanks zichzelf was ze blij met het gewicht van de holster op haar rechterheup.

'Als we hier nog langer blijven zitten, belt iemand beslist de politie,' zei Brown en hij deed het portier open.

Madison stapte op het gazon en hoorde de bevroren aarde kraken onder haar voeten. Ze haalde diep adem; de lucht was koud en schoon. Een dunne sliert rook uit een van de schoorstenen kringelde omhoog naar de bleke hemel. Een prachtig plaatje – haar vingers streken langs de snellader aan haar riem.

Ze liepen de stenen oprit op. De garage was breed genoeg voor een pick-uptruck en nog een andere auto. Toen ze bij de deur kwamen, keken ze elkaar aan. Even verwachtte Madison dat hij gewoon open zou gaan. Brown drukte op de bel, net alsof hij bij een oude vriend langsging. Ze wachtten. Van binnen was geen geluid of beweging te horen. Na een minuut drukte Brown weer op de bel. Niets.

'Ik ga aan de achterkant kijken,' zei Madison. Ze deed een paar stappen achteruit om de voorkant van het huis in zich op te nemen. Op de eerste verdieping waren drie ramen; de crèmekleurige gordijnen bewogen geen millimeter. Aan de rechterkant van het huis stak de garage uit, geflankeerd door esdoorns. Aan de linkerkant een twee meter hoge schutting met een deur naar de tuin. Ze ging rechtsom.

Toen ze uren eerder langs het huis van de Sinclairs was gereden, dat minder dan vier dagen leegstond, had het verlaten aangevoeld. Hier was John Cameron, vóór de arrestatie, vóór de *Nostromo*, vóór alle andere onvoorstelbare daden, na een schooldag naar teruggekeerd en had er zijn huiswerk gedaan, zoals alle andere kinderen in de straat. Madison voelde zijn aanwezigheid als een speling van het licht.

De struiken, die kaal waren en ongeveer tot schouderhoogte kwamen, groeiden vrij dicht tegen de garagemuren aan. Madison perste zich erlangs en ging op haar tenen staan om door het kleine raampje te kijken. Het zat op slot en was verduisterd. Madison bleef vlak langs de muur lopen. Haar jasje bleef haken aan een tak die met een scherp geluid afbrak.

Plotseling hoorde ze een geschuifel achter een esdoorn. Ze bleef stokstijf staan. De geur trof haar en ze wist meteen wat het was.

Ze deed een stap naar voren; de struiken waren nu achter haar en ze stond aan de lange kant van het huis. Er waren geen ramen. Bij de hoek voor haar begon de schutting die doorliep tot achter in de tuin. Er was ongeveer drie meter tussen de stenen muur en de bomen.

De geur van verrotting werd verergerd door de winterse kou. Madison zag de vleugel van de meeuw; hij schuifelde uit zicht en zijn veren ritselden tegen de dorre bladeren. Ze liep om de boom heen en zag het. De meeuw krijste. De kat was dood; hij moest daarheen zijn gekropen nadat hij door een auto was geraakt, of misschien was hij gewoon oud en ziek geweest. De meeuw had zich een tijdje met hem gevoed; zijn vacht was ooit grijszwart geweest.

'Verdomme,' zei ze, zo zacht dat zelfs de vogel het niet hoorde. Ze kwam een stap dichterbij en de meeuw hipte naar achteren, nog niet bereid om zijn prooi achter te laten.

Madison ging op haar hurken zitten en tilde de takken op waaronder de kat zich had verborgen. Hij had een diepe snee op een van zijn achterpoten. De meeuw had het zachte weefsel rondom zijn kop flink toegetakeld. Madison pakte een stokje op en streek daarmee zacht over de zijkant van zijn nek. Geen riempje.

Ze pakte een handjevol bladeren en wat stukjes hout en legde die boven op het kleine lijfje. De meeuw stond erbij te kijken.

Madison kwam overeind, nam snel een stap in zijn richting en de vogel vloog weg.

De schutting was hoog genoeg om 'ga weg' uit te stralen zonder al te vijandig te zijn tegenover de buren. De Camerons hadden veiligheid en privacy voor hun zoon gewild toen hij aan het bijkomen was van zijn beproevingen bij de Hoh River.

Madison keek naar links en naar rechts; er was niemand te bekennen en zij kon vanaf de straat absoluut niet gezien worden. Ze greep de bovenkant van de schutting met beide handen en sprong omhoog terwijl ze tegelijkertijd haar armen strekte. Ze leunde voorover om haar evenwicht te bewaren en hing half over de schutting.

De achtertuin was groot; achter de serre lag een patio. Aan de zijkant een stenen barbecue. Het was er kaal; het gras was doodgevroren. Dorre bladeren waren door de wind tegen de glazen deur aan geblazen; hij was al een tijd geleden voor het laatst opengedaan. Soms herinneren bepaalde plekken nog aan wat er binnen hun muren is voorgevallen; dit huis was een onbeschreven ruimte.

De meeuw vloog boven haar en ging op het dak zitten, waar hij Madison in de gaten hield. Ze liet los en kwam weer soepel op de grond aan de buitenkant van de schutting neer. 'Tot ziens,' fluisterde ze, en liep terug naar de voorkant van het huis.

Brown kwam tegelijkertijd tevoorschijn uit de tegenoverliggende hoek. 'Niets.'

'Nee,' zei ze.

'Kan ik u helpen?' De stem klonk achter hen. Brown en Madison draaiden zich iets te snel om.

Het was een man van in de zeventig, kort, grijs haar en een mooi, rood Gore-Tex-jack, met een zak boodschappen in zijn ene arm. De voordeur van het huis aan de overkant van de straat stond open en een vrouw in een bijpassend jack droeg meer boodschappentassen naar binnen.

'Hallo,' zei Madison. 'Wij zijn van de politie.' Ze lieten allebei hun penning zien.

'Clyde Phillips,' lachte de man. 'Ik ben een buurman. Als jullie Jack zoeken, die is niet thuis.'

'Mr. Cameron,' zei Browne.

'Ja, hij is de stad uit voor zaken. Gaat het over de inbraken op Surber Drive?'

'Nee, het is een privékwestie. Heeft u even tijd?'

'Zeker.' Hij zette de zak op de grond aan zijn voeten. Hij was in goede conditie voor zijn leeftijd; zijn wandelschoenen zagen eruit alsof ze heel wat kilometers hadden gemaakt.

'Wat wilt u precies van Jack?' Hoewel Brown duidelijk de oudere was, wendde Clyde Phillips zich tot Madison terwijl hij vroeg: 'Is alles in orde?'

Ze haakte erop in. 'We moeten hem dringend spreken. Weet u waar hij is of wanneer hij terugkomt?'

'En jullie zijn?'

Ze glimlachte geruststellend. 'Brigadier Brown en rechercheur Madison, van Moordzaken.'

Phillips bewoog zijn hoofd even naar achteren. Het was geen beleefd woord in Laurelhurst. 'O,' zei hij, en toen viel het kwartje pas. 'Gaat het om de familie in Three Oaks?'

De media konden er geen genoeg van krijgen; dezelfde beelden werden telkens weer herhaald.

'Ja, het waren kennissen van Mr. Cameron. Daarom is het van belang om zo snel mogelijk met hem te praten.'

'Is Jack op een of andere manier in gevaar?'

Jack.

Zou het helpen als ze de man vertelden dat ze zijn buurman verdachten van minstens vier wrede moorden? Zou hij dan meewerken?

'Hij zou in gevaar kunnen zijn, dat weten we nog niet.'

Eén nul voor ons team.

'Hij komt en gaat, maar, weet u wat, ik heb een telefoonnummer van een vriend van hem, voor noodgevallen, wat het huis betreft. Hij weet wel waar Jack is. Ik zal het even voor u halen.'

Hij kwam terug met een velletje papier; zijn handschrift was netjes. 'Ik hoop dat dit helpt. Ik hoop dat alles goed is met Jack.'

'Vast wel.'

'Zeg hem alstublieft dat we hem het beste wensen.'

'Dat zal ik doen zodra ik hem zie.' Madison schudde hem de hand, met het gevoel alsof ze een dief was. 'Dank u.'

Ze draaide zich om en liep naar de auto. Brown zat er al in en sprak over de radio. Ze keek naar het velletje papier. Daar stond in rode inkt en duidelijke cijfers het telefoonnummer van Nathan Quinn op zijn werk.

Ze zigzagden door het verkeer op de I-5 naar het zuiden. 'Dus als het huis in de fik stond, dan zou Phillips als tweede Nathan Quinn bellen,' zei Brown.

'Ja.'

'En Quinn weet altijd hoe hij Cameron kan bereiken.'

'Ja.' Madison trommelde met haar vingers op het dashboard. 'Is Quinn corrupt? Zijn daar ooit geruchten over geweest?'

'Het zou makkelijker zijn als dat zo was, nietwaar? Hij is een lastpak, maar voor zover ik weet, heeft hij niets op zijn geweten.'

'Trouwens, ik heb voor de zekerheid allebei de Sinclairs nagetrokken. Ze zijn geen van beiden ooit veroordeeld.' Madison bladerde door haar notitieboekje, de aantekeningen die ze in de bibliotheek had gemaakt over de Hoh River-ontvoering. 'In een van de kranten in de bibliotheek stond een foto van David Quinns begrafenis. Ze waren er allemaal.'

'Het was een ramp,' zei hij. 'Er was geen enkele aanwijzing. De jongens wilden er niet over praten. Er was absoluut niets waar we mee aan de slag konden. Ze hebben zelfs het lichaam nooit teruggevonden. Een puinhoop.'

'Dat weet ik nog. Veel ouders dachten dat het 't begin van een golf ontvoeringen was.'

'Nee.' Brown tikte met zijn vinger op het stuur. 'Daar ging het niet om. Het was iets persoonlijks voor die drie jongens en hun families. En niemand zei natuurlijk ook maar één woord tegen ons. Bovendien hadden we niet de forensisch experts die we nu hebben. We konden niets beginnen met de plaats delict.'

'Quinn is joods,' zei Madison na een korte stilte. 'Het is hun gewoonte om de begrafenis zo snel mogelijk na de dood te houden.'

Het grijze water van Lake Union gleed als een vage veeg voorbij. 'Ze hebben wat aarde begraven van de plek waar hij volgens hen was gestorven,' zei ze.

'Godsamme.'

Even later vervolgde hij: 'Weet je wat het met Quinn is? Of hij weet niet wat Cameron al die jaren heeft uitgespookt, wat onwaarschijnlijk is, of hij weet het wel en is erbij betrokken.'

'Er is nog een mogelijkheid. Hij weet het wel en hij is er niet bij betrokken.'

'Als advocaat is hij verplicht de waarheid te spreken. Als hij op de hoogte is van een criminele daad, dan is hij erbij betrokken.'

'Cameron heeft voor zover wij weten geen partners. Hij heeft nooit mannetjes voor zich laten werken.'

'Slim type.' Brown drukte het gaspedaal diep in. 'Hoog tijd voor Mr. Quinn om een telefoontje te plegen.'

De eerste regendruppels tikten op de voorruit toen ze terug raceten naar Elliott Bay en het centrum van Seattle.

14

Het was maar vierentwintig uur geleden dat Brown en Madison op het kantoor van Quinn, Locke & Partners voor het eerst hadden staan wachten op Nathan Quinn. Assistenten liepen snel heen en weer, er werden enveloppen afgegeven door koeriers en er hing kunst aan de muren. Toch was niets meer hetzelfde, en dat zou het ook nooit meer worden. De kerstversiering was vervangen door bloemen. Elke cliënt en elk bedrijf in het gebouw had zijn condoleances gestuurd. Er werd gekeken toen de rechercheurs binnenliepen.

Beneden hadden ze Tommy Saltzman ontmoet, die uitgeleend was door Financiën om de belastingformulieren na te kijken die Sinclair had ingevuld voor Cameron.

Saltzman, een lange, bleke man van ergens in de veertig die eruitzag of een stevig briesje hem zo omver zou blazen, genoot van deze afwijking van zijn dagelijkse routine. Er was hem alleen verteld dat een van de slachtoffers een fiscaal jurist was en of hij wat werkzaamheden van hem wilde controleren. Hij was er gretig op ingegaan.

Carl Doyle liep naar hen toe, onberispelijk in een antracietgrijs pak en een zwarte zijden das. Hij zag eruit of hij misschien maar drie uur had geslapen. Brown schudde hem de hand; Doyles blik ging naar Madison en ze knikten naar elkaar.

De eerste keer dat ze elkaar hadden ontmoet, hadden ze ondraaglijk nieuws; vandaag waren ze met een juridische koevoet gekomen.

In de lift omhoog had Brown het aan Madison overgelaten om antwoord te geven op Saltzmans vele vragen. Brown wist heel goed dat een gerechtelijk bevel maar een stuk bot gereedschap was als ze Quinn niet aan hun kant konden krijgen; fraude was kinderspel als de hoofdprijs moord was.

Quinn gebaarde dat ze binnen moesten komen en deed de deur van zijn kantoor achter hen dicht. Hij richtte zijn aandacht op

Brown en lette nauwelijks op de anderen. Hij vroeg ze niet of ze wilden gaan zitten.

'Wat bent u te weten gekomen?' vroeg Quinn.

'We hebben een aanwijzing.' Brown draaide er niet omheen. 'Er is bewijs gevonden op de plaats delict dat de moorden in verband brengt met een van James Sinclairs cliënten.'

'Wie?'

Brown negeerde de vraag.

'De gevolgtrekking is dat Mr. Sinclair wellicht frauduleus heeft gehandeld,' zei hij.

'Onmogelijk.' Quinns toon was ingehouden maar ondubbelzinnig, zijn reactie heftig genoeg om Saltzman even in elkaar te laten krimpen.

'We hebben een gerechtelijk bevel.' Brown overhandigde het aan hem. Quinn nam het aan zonder ernaar te kijken.

'U moet goed weten dat James altijd rechtdoorzee is geweest in alles wat hij ooit heeft gedaan. Als dat uw aanwijzing is, verspilt u uw tijd. Wie is de cliënt?'

'Wat ik weet, is dat we bewijzen hebben die we moeten natrekken. Dit is een bevelschrift. Help ons dit nu op te helderen, dan gaat alles een stuk sneller. Mr. Saltzman zal het dossier bekijken.'

Quinns blik zag niemand anders staan dan Brown. 'De bewijzen,' zei hij.

'We zouden graag willen dat u met ons meekomt naar het bureau. Dan praten we er daar over. Dat is het beste wat u voor hen kunt doen.'

Quinn had jarenlang voor jury's, rechters en advocaten van de tegenpartij gestaan. Hij keek vluchtig naar het bevelschrift, riep Doyle op via de intercom en droeg een medewerker op Saltzman te helpen zoeken naar de dossiers die hij nodig had.

Doyle maakte de deur van Sinclairs kantoor open en knipte het licht aan. Het was een ruimte die paste bij een partner in een succesvolle firma. Zijn enorme bureau, groter dan dat van Quinn, was bedekt met stapels netjes gerangschikte papieren. Links van de deur werd een hele muur in beslag genomen door een boekenkast; op elke plank stonden juridische naslagwerken.

Achter het bureau, rechts van de leren stoel, stond een klein antiek tafeltje. Daarop drie ingelijste foto's van zijn vrouw en kinderen: een van de hele familie, twee schoolfoto's. Een bloemenvaas waarin de witte fresia's hun best deden. Madison keek naar het lichtblauwe tapijt en de voetafdrukken rondom het bureau, misschien die van de schoonmaker, misschien die van Sinclair zelf.

Bij het raam stond een vergadertafel. Doyle vroeg Saltzman of hij iets nodig had; hij klonk beleefd, alsof hij het tegen een gast in zijn eigen huis had. Beleefd en zo warm als een regenbui in januari. Madison vond hem erg sympathiek.

'Kom mee,' zei Brown. Ze bleven aan de andere kant van de glazen deuren, bij de lift, op Quinn wachten.

Toen Doyle ze naar binnen had gelaten, had Quinn niet in het kantoor van zijn vriend gekeken. Madison had het gevoel dat hij er nog niet was geweest.

'Hij keek niet echt naar het bevelschrift,' zei Madison op zachte toon.

'Nee.'

Het was een slecht teken; het betekende dat Nathan Quinn werkelijk geloofde dat er niets voor hen te vinden was. Als Sinclairs geweten lelieblank was, dan moest dat van Cameron het ook zijn. En ze wisten dat dat onmogelijk was.

'Honger?' vroeg Brown.

'Als een paard,' antwoordde Madison.

Ze hadden twintig minuten. Quinn had die tijd nodig om de partner die zijn afspraken van die middag overnam bij te praten. Er was een broodjeswinkel op 4th even na Seneca; ze hadden tijd genoeg om snel iets te eten.

Madison kon zich niet meer herinneren of ze ontbeten had. Ze vulde een plastic saladebakje met alles behalve gesneden kommkommer en bietjes, waar ze niet van hield, pakte een broodje en schoof in een zitje bij het raam. Brown werkte snel een bagel met roomkaas en gerookte zalm weg.

Ze zeiden geen van beiden een woord; ze aten alleen en dronken een glas sap. Sinds Madison bij Moordzaken was gekomen, hadden ze de meeste dagen samen geluncht. Ze wist dat hij van kip hield maar niet van rundvlees, van vis maar niet van schaaldieren en dat hij minstens evenveel koffie dronk als zij. Aan de andere kant wist ze niet zeker of hij haar er vóór gisteren in een line-up zou hebben uitgepikt.

Brown veegde zijn vingers af aan een servet. Inspecteur Fynn had hem eerder die ochtend, voor de briefing, bij zich geroepen en de deur dichtgedaan. Hij had hem gevraagd of hij dacht dat Madison de zaak wel aankon of dat hij een ervarener partner wilde. Het was een eerlijke vraag: in deze zaak was er geen tijd voor begeleiding. Madison zou alleen een minder belangrijke taak krijgen, meer niet.

Brown maakte een prop van zijn servet en legde die op zijn bord. *Ze kan het wel aan*, had hij gezegd.

Drie kwartier later liepen ze het politiebureau binnen. Madison pakte een stapeltje boodschappen op bij de brigadier van dienst en gaf er een paar aan Brown. In de auto had Madison hem gevraagd hoe hij het verhoor wilde aanpakken, of hij dacht dat ze hem meteen de eerste keer al aan de praat konden krijgen. Browns antwoord was kort en bondig. 'Ik wil dat hij vergeet wat hij denkt te weten.'

Ze hadden Quinn in zijn kantoor kunnen verhoren, maar dat was niet zoals het hoorde. In elke andere situatie zou een getuige naar het bureau zijn gebracht opdat het belang van de procedure en de formaliteit van de gelegenheid goed tot hem door zouden dringen. Een kneepje van het vak, om het zo maar te zeggen. Maar bij Quinn werkte dat niet; hij zou niet onder de indruk zijn van een haveloos vertrek met een spiegel waar je aan één kant doorheen kon kijken. Ze dachten niet dat hij andere antwoorden zou geven in een andere omgeving. Maar zo werd het spel nu eenmaal gespeeld en ze wisten allemaal wat de regels waren.

Twee rechercheurs die bij de brigadier van dienst stonden, staarden Nathan Quinn bij binnenkomst doordringend aan; hun blik bleef op zijn rug gericht toen hij langs hen liep. Hij had daar niet veel vrienden. Hij negeerde ze niet echt; ze waren niet eens bliepjes op zijn radar.

Ze vonden een lege verhoorkamer op de eerste verdieping. Madison deed hem van het slot. 'We kunnen hier gaan zitten,' zei ze.

Quinn keek naar binnen. Een vierkant vertrek, een tafel met wat stoelen eromheen en een eenzijdige spiegel die een observatiekamertje voor agenten en officieren van justitie aan het gezicht onttrok. Hij wendde zich tot Madison.

'Met hoeveel mensen ga ik vandaag praten?' vroeg hij, met een knikje naar de spiegel.

'Alleen met ons tweeën,' antwoordde Madison.

'Prima, dat is uitstekend,' zei hij. 'Laten we een andere plek zoeken.'

Hij was uit eigen beweging meegegaan; er was nog genoeg tijd om later ruzie met hem te maken. Ze gingen in de recreatieruimte zitten.

Brown excuseerde zich een paar minuten met het voorwendsel dat hij een boodschap moest natrekken. Hij ging naar inspecteur Fynn om hem op de hoogte te brengen.

'Dit staat me helemaal niet aan,' zei Fynn. 'Wat is hij? Een belangrijke getuige, zaakwaarnemer van de slachtoffers én van de voornaamste verdachte?'

'Dat weet hij niet. Op dit moment heeft hij nog geen keuze gemaakt. Hij zal de ene of de andere kant uit moeten gaan. We kunnen veel opmaken uit waar hij terechtkomt.'

'Denk je?'

'Dat hoop ik.'

Madison was voor het eerst alleen met Quinn en ze realiseerde zich plotseling dat ze waarschijnlijk niet meer dan vijf woorden tegen hem had gezegd sinds ze elkaar gisteren hadden ontmoet, misschien zelfs minder. Hij zat tegenover haar aan de tafel, zijn jas netjes opgevouwen over de rug van zijn stoel, een glas water naast zijn rechterhand. Hij tikte een onzichtbaar stofje van zijn mouw. Nathan Quinns ogen gloeiden zonder warmte toen hij Madison aankeek.

Ze wist dat hij de meeste oudere rechercheurs van het politiekorps in Seattle kende; dat hij Madison nooit had ontmoet, betekende dat ze nog niet zo lang geleden was bevorderd.

'Laten we dit zo snel mogelijk afhandelen,' zei hij.

Madison sloeg haar notitieboekje open. Brown kwam binnen

met een map, deed de deur dicht, ging naast haar zitten en legde het dossier op tafel. De regels van het spel.

'De bewijzen,' zei Quinn.

'Voldoende om een gerechtelijk bevel te krijgen,' antwoordde Brown.

'Je zult iets specifieker moeten zijn.'

Browns rechterhand lag met de palm naar beneden op het dossier. 'Laten we dat even terzijde schuiven. We hebben een vrij goed idee van de opeenvolging van gebeurtenissen in die zaterdagnacht. Wil je weten hoe het gegaan is?'

Op dat moment wist Madison dat het dossier foto's van de lijken op de plaats delict bevatte. Nu dienden ze als lokaas.

'Ga door,' zei Quinn.

'Het is geen prettig verhaal.'

'Ga door.'

'Goed. Op een bepaald moment in die zaterdagnacht of in de vroege uren van zondagmorgen is een man het huis van de Sinclairs binnengegaan. Ik zeg "is binnengegaan" omdat er geen tekenen zijn van braak. Van deuren noch van ramen. We denken dat hij misschien een sleutel heeft gehad.'

Quinn ging ietsje vooroverzitten op zijn stoel, maar knipperde niet met zijn ogen. Brown had even een stilte laten vallen zodat hij de informatie tot zich kon laten doordringen.

'De insluiper ging naar de slaapkamer van de ouders, waar hij James Sinclair met de kolf van een wapen op de zijkant van zijn gezicht sloeg. Die sliep op dat moment, raakte waarschijnlijk even bewusteloos. Toen zette hij het wapen op het hoofd van Annie Sinclair en vuurde. Eén keer. Daarna ging hij naar de kamer van de kinderen. Hij zette het wapen tegen hun hoofd en schoot ze dood. De jongen in het bovenste bed eerst, daarna de jongen in het onderste bed. Allebei met één schot. Uit het gat in de dekens maken we op dat de tweede jongen zich probeerde te verbergen.'

Brown pauzeerde weer even.

'Toen ging hij terug naar James Sinclair, blinddoekte hem en bond hem vast met repen leer. Hals, handen, voeten. Toen hij bijkwam, had hij zich niet kunnen bewegen als hij dat had geprobeerd. En hij probeerde het. Sinclair wist dat zijn gezin was aangevallen; hij probeerde uit alle macht los te komen. De boeien zijn door de huid in het vlees gedrongen.'

Quinn zat doodstil.

'De insluiper droeg de lichamen van de jongens naar de ouderslaapkamer en legde ze tussen Sinclair en zijn vrouw in. Sinclair probeerde nog steeds los te komen; dat lukte niet. Ten slotte deed de man een paar druppels chloroform op zijn blinddoek, wachtte een paar minuten tot het middel werkte. James Sinclair stierf aan een hartstilstand. De insluiper vertrok.'

Quinn keek naar het dossier. 'Zijn dat de foto's?'

'Ja.' Brown schoof het dossier in zijn richting. Quinn stak zijn hand uit.

De eerste foto was een opname van het bed en de vier lichamen. Zijn gezicht veranderde niet van uitdrukking. Hij keek er lang naar en sloeg toen de pagina om. De tweede foto was een close-up van de geblinddoekte Sinclair. De derde was Sinclairs vrouw. De vierde was een kleine jongen. Quinn sloeg het dossier dicht.

'Dat is wat we wéten,' ging Brown door. 'Dit is wat we hébben: we hebben in de keuken bij de gootsteen een glas gevonden. De afdrukken erop komen niet overeen met die van een van de slachtoffers. Misschien heeft de moordenaar iets te drinken ingeschonken voor hij vertrok. In de werkkamer hebben we ook een cheque gevonden; de handtekening op de cheque was vervalst.'

'Heeft iemand James' handtekening vervalst?'

'Nee. Sinclair heeft voor iemand anders getekend. Zijn vingerafdrukken staan erop,' antwoordde Brown.

'Nee.'

'We hebben de naam op de cheque vergeleken met de afdrukken op het glas,' vervolgde Brown. 'Ze komen overeen met een twintig jaar oude arrestatie wegens rijden onder invloed. Van John Cameron.'

Quinn ging achterover op zijn stoel zitten en keek hen kalm aan. 'Nee,' zei hij langzaam. 'Zoiets zou James nooit gedaan hebben.'

'Hoe weet je dat?' vroeg Madison. 'Hoe weet je wat iemand vierentwintig uur per dag doet?'

'Ik ken de man.'

'Natuurlijk, maar je moet toegeven dat hij het gedaan zou kúnnen hebben. Hij had de gelegenheid, hij behartigde Camerons zaken. Heeft John Cameron een sleutel van het huis?'

Quinn gaf geen antwoord; zijn blik ging naar het dichtgeslagen dossier.

'Je hoeft mij niet te geloven,' zei Brown. 'Je moet alleen de bewijzen geloven.'

'Vingerafdrukken betekenen niets. Hij is tientallen keren in hun huis geweest. Kun je bewijzen dat ze van het tijdstip van de moorden zijn?'

'Hoe goed ken je John Cameron?' Brown opende het dossier op de eerste pagina, de eerste foto.

Quinn stak zonder ernaar te kijken zijn hand uit en sloeg het dicht. 'Zo'n goedkoop gebaar past niet bij je, rechercheur,' zei hij.

'Wanneer heb je hem voor het laatst gezien?'

Quinn gaf geen antwoord.

'Gisteren,' zei Madison. Het was net bij haar opgekomen. 'Je hebt hem gisteren gezien, toen je het hem vertelde.'

Beide mannen keken haar aan. 'Je wilde niet dat hij het op het nieuws zou zien.' Ze wist dat ze gelijk had en maakte er ten volle gebruik van. 'Hoe nam hij het op?'

Quinn keek Madison rechtstreeks aan; de stilte tussen hen nam een tastbare vorm aan. Plotseling stond Quinn op en liep naar het raam. Het keek uit op de parkeerplaats, een heleboel auto's en motregen. Hij stond met zijn rug naar hen toe; toen hij begon te praten, klonken de woorden emotieloos.

'Ik ben John Camerons advocaat. Alles wat hij tegen me heeft gezegd, is vertrouwelijk. Er mogen me geen vragen over worden gesteld, noch over iets wat met onze relatie te maken heeft.'

Hij haalde zijn mobiele telefoon tevoorschijn. 'Ik zal een verklaring opstellen en alle taken betreffende de nalatenschap van Sinclair overdragen aan Bob Greenhut van Greenhut Lowell. Hij zal executeur zijn tot door een rechter is vastgesteld dat er geen verdere belangenverstrengelingen bestaan. Dan, en pas dan, zal ik het weer overnemen. Kunnen jullie daarmee akkoord gaan?'

'Als je het zo wilt,' zei Brown.

'Ik verzeker je dat ik dit alles helemaal niet wil. Ik zal Bob meteen bellen en de papieren gereedmaken. Daarna kunnen we praten over wat je van mijn cliënt wilt.'

Quinn liep naar het raam en begon te bellen. Brown en Madison gingen het vertrek uit.

'Vriendschap is ook niet alles,' zei Madison. 'Waarom reageer je zo lauw?'

Brown haalde zijn schouders op. 'Hij heeft een keus gemaakt. Voor de rest van het verhoor moeten we Klein erbij halen. Hoe wist je trouwens dat hij hem had gezien?'

'Dat weet ik niet; ik zou het zo gedaan hebben.'

'Quinn heeft niet gezegd hoe Cameron reageerde. Maar je hebt hem wel aan het denken gezet.'

Inspecteur Fynn nam het niet goed op. 'We hebben de man nog niet opgepakt of hij begint zich al in te dekken.'

Twintig minuten later was Bob Greenhut binnengehaald; de documenten werden snel en efficiënt opgesteld en kopieën werden naar het bureau gestuurd. Kortom, als Nathan Quinn maar in de richting van het huis van de Sinclairs wilde kijken, had hij daar toestemming van Greenhut voor nodig.

Ze zaten met z'n vieren om de tafel. 'Ik ben hier alleen om er zeker van te zijn dat jullie je aan de regels houden.' Sarah Klein, de hulpofficier van justitie, leunde achterover in haar stoel.

'Jullie hebben niet genoeg om mijn cliënt aan te klagen, jullie hebben niet genoeg om mijn cliënt op te pakken. Als je nog een keer zijn huis probeert binnen te glippen...' Quinn keek Madison recht aan, '... doe ik je een proces aan wegens wangedrag van de politie. Dat zijn mijn regels, Sarah.'

Hartelijk dank, Mr. Phillips.

'Hij moet zich melden,' zei Brown. 'En wel vandaag. We hebben DNA van een van de boeien. Als hij bloed laat afnemen, kunnen we allemaal weer naar huis. Als je zo zeker van jezelf bent, zou ik hem maar gauw bellen.'

Iemand klopte op de deur met een briefje voor Madison. Het was van Spencer; ze las het en gaf het aan Brown. Ze moest eraan denken hem vanavond op een drankje te trakteren – zijn timing was perfect.

Brown las de boodschap en legde haar opzij. 'We hebben een getuige. Een buurman heeft in de vroege uren van zondagmorgen een zwarte Ford pick-uptruck voor het huis van de Sinclairs zien staan. Waar rijdt Cameron in?' Brown wendde zich tot Klein. 'Voldoende?'

Ze knikte.

Dat was alles wat ze nodig hadden om door te gaan en Quinn wist het.

'We zijn hier klaar.' Hij stond op en zocht zijn papieren bij elkaar.

'Nathan.' Klein was ook opgestaan. 'Hij wordt gearresteerd en je weet dat de *grand jury* hem zal aanklagen. Als je informatie achterhoudt, als je weet waar hij is...'

Ze waren zich allebei bewust van de juridische consequenties.

'Ik weet niet waar hij is.'

'En als je het wist...' ging Brown door.

'Zou ik jou natuurlijk meteen bellen.'

'Waar hebt u hem gisteren gesproken?' vroeg Madison.

Quinn bleef staan met zijn ene hand op de kruk. 'Als je me laat volgen of mijn telefoons afluistert, gaan we een leuke dag in de rechtszaal beleven. Fijn je gezien te hebben, Sarah.'

Hij vertrok.

Maar Madison nam er geen genoegen mee. Ze volgde hem en haalde hem in op de trap. 'Mr. Quinn.'

Eén agent in burger en één in uniform kwamen naar boven; ze liet ze passeren.

'U hebt ooit als openbaar aanklager gewerkt.'

'Lang geleden.'

'Ik zou graag iets willen weten: hoe zou ú, met de bewijzen die wij zoals u weet hebben, deze zaak onderzoeken en aanpakken?'

'Waarom vraag je dat?'

'Ik denk dat er een heleboel dingen zijn die u ons niet wilt vertellen. Dat is jammer, maar het zij zo. Toch hebt u er persoonlijk belang bij dat de moordenaar wordt gepakt.'

Ze wist niet precies waarom ze het zo rechtstreeks had gevraagd, maar het was waar. Misschien moest het daarom juist gezegd worden.

'Hoe onmogelijk het in jouw ogen ook kan zijn, er is één ding dat veel erger is dan erachter komen dat John Cameron dit heeft gedaan,' zei hij.

'En wat is dat?'

'Weten dat hij het niet heeft gedaan. Wat mijn persoonlijk belang in deze zaak ook is, rechercheur, ik doe wat ik moet doen. Mijn redenen zijn niet voor jouw dossiers bestemd.'

Zijn auto stond niet ver van de ingang van het bureau geparkeerd; toen hij Madison voorbijreed, kon ze niet zien of hij al zat te bellen.

Brown en Klein waren in het kantoor van inspecteur Fynn en Madison kwam erbij zitten. Ze hadden een rechter nodig om een bevel te tekenen voor de arrestatie van Cameron en het doorzoeken van zijn huis.

Klein stond erop dat alles volgens het boekje zou verlopen. Zoals zij het uitdrukte: als je voor een jury de mist ingaat omdat het bewijs ontoelaatbaar is, dan is dat geen prettig gezicht en ze vergeten het nooit.

'Dan is er nog de kwestie met Quinn,' zei Brown tegen inspecteur Fynn.

'Welke kwestie?'

'Nou, hij kan heel goed informatie hebben waardoor we onze man zouden kunnen pakken, hij vertelt het alleen niet. Er kunnen dingen zijn die buiten de vertrouwensrelatie tussen advocaat en cliënt vallen.'

'Wat bedoel je?' vroeg Klein.

'Je weet wat ik bedoel.'

'Wil je Quinn dagvaarden?'

'Ja.'

'En je denkt dat een rechter daarin zal toestemmen?'

'Als je moeite doet, de omstandigheden uitlegt, misschien.'

'De jurisprudentie is vrij duidelijk wat betreft die vertrouwensrelatie,' zei Madison. 'Geen enkele rechter staat te popelen om daar geschiedenis mee te schrijven.'

'Weet ik, maar wat hebben we nog meer? Een huis waar hij niet naartoe gaat en een auto waar hij niet in rijdt. Quinn heeft hem gisteren gesproken en ik verwed het huis eronder dat hij op dit moment met hem aan de telefoon hangt.'

'Oké. Zolang we in ons achterhoofd houden dat het nooit gaat lukken, en dat de rechter me al wegstuurt als ik het alleen maar probeer, zal ik het voorleggen aan mijn baas,' zei Klein. 'En zorg dat je duidelijk maakt wat je zoekt in Camerons huis. Bijvoorbeeld een telefoonrekening. Zet erbij dat je in kleine ruimten wilt zoeken, laden, schoenendozen. Wat dan ook.'

'Een moordwapen zou ook fijn zijn,' zei inspecteur Fynn tegen niemand in het bijzonder.

'Ik ben ermee bezig.' Madison wist wat ze bedoelde: ze zochten naar alles wat hun inzicht kon geven in Camerons leven. Als ze ook maar het kleinste voorwerp op hun zoeklijst niet specifiek vermeldden, zou hun huiszoekingsbevel beperkt worden tot alles wat direct in zicht lag. Hetgeen, als zijn huis even netjes was als de plaats delict, zou kunnen neerkomen op niets.

Om een of andere reden was dat hoe Madison zich Camerons leven voorstelde: netjes en buiten zicht.

15

De agent in uniform drukte de rechterwijsvinger van de jongen op het inktkussen, terwijl hij oplette dat zijn eigen manchet er niet overheen streek. Hij liet de vinger zachtjes van links naar rechts rollen op de systeemkaart.

Hij had een beetje medelijden met de jongen. Zelf had hij op die leeftijd ook wel eens met een biertje naast zich achter het stuur gezeten. De meeste andere dronken tieners zouden hem een grote bek hebben gegeven terwijl hij hun vingerafdrukken nam, al was het maar om zichzelf moed in te spreken, maar deze was beleefd en goedgemanierd. Het was moeilijk te geloven dat hij stomdronken van de bourbon was aangetroffen, met een lege fles in zijn hand en een auto die niet wilde starten.

'Heb je kunnen bellen?' vroeg hij de jongen.

'Ja, dank u,' antwoordde John Cameron, achttien jaar.

De agent zag de littekens op de rug van zijn hand. Hij wist wat een scherp mes kon aanrichten en iemand had hier echt zijn best op gedaan. Ze zagen eruit alsof ze van jaren geleden waren.

'Ooit eerder in de problemen geweest?'

'Nee, meneer.'

John Cameron pakte een papieren zakdoekje en veegde langzaam zijn beide vingers af. Het hielp niet veel. Hij keek om zich heen en nam het vertrek in zich op. Halfvijf in de nacht, vier agenten. Twee aten pizza uit een doos, een ander zat bij de deur en een aan de telefoon. Op de bank zat een man met handboeien om te slapen.

Hij liet zich naar de arrestantencel brengen. Ze hadden hem net schoongemaakt met bleekmiddel. In een hoek aan het eind van de gang stonden een emmer en een zwabber. Er flikkerde een gloeilamp door het glas van een dichte deur; het hele gebouw deed zijn best om wakker te blijven.

De cel was vierkant, had een betonnen vloer en aan twee kanten tralies. Er lagen twee mannen op de stapelbedden. Ze hadden hun jas over zich heen getrokken en snurkten zacht. Een andere man leunde op een stoel tegen de muur.

'En jij gedraagt je, hè, Larry?' zei de bewaker, naar de man wijzend.

Toen de metalen deur achter de jongen dichtsloeg, keek Larry de jongen in het jack van schapenvacht lang en scherp aan. De man was ongeveer een meter tachtig lang en was zwaar, niet veel spieren, maar met een hoop overtollig gewicht. Cameron rook hem van een afstand. Zijn ogen waren glazig van de drank.

Cameron liep de cel door, leunde aan de andere kant tegen de tralies, sloeg zijn armen over elkaar en keek naar de ronde klok aan de muur. De minuten gingen langzaam voorbij.

Larry stond onvast op en wankelde zo dicht naar hem toe dat hij zijn hand op de schouder van de jongen had kunnen leggen. 'Hé,' zei hij schor.

Cameron keek op. Dit was de op één na langste nacht van zijn leven geweest en wat dat ook in zijn ogen had achtergelaten, het stond de man bepaald niet aan. Hij wreef met de rug van zijn hand over zijn kin.

'Hé,' zei Cameron.

De mond van de man bewoog, maar er kwam niets uit. Nee, hij mocht deze jongen helemaal niet. Er trilde iets in zijn keel.

Larry veegde zijn handen af aan de zijkant van zijn spijkerbroek en deed een stap terug. Hij vond zijn stoel zonder Cameron zijn rug toe te keren en ging zitten. Hij was plotseling nuchter en dorstig, de ergste combinatie.

'Jack.'

De bewaker opende de metalen deur. Daar stond Nathan Quinn. Zijn jas hing open over de kleren die hij na het telefoontje snel had aangetrokken. Er smolten nog wat sneeuwvlokken op de klep van zijn honkbalpetje.

Cameron liep de cel uit en Quinn greep hem vast in een snelle omhelzing. Hij nam hem mee naar een tafel in de hoek waar ze konden praten. 'Bedankt, Jeff,' zei Quinn tegen de bewaker.

'Graag gedaan.'

Ze werden alleen gelaten.

'Alles goed met je?' Quinn trok zijn jas uit en legde hem op tafel. Cameron zag dat hij aan een scheerbeurt toe was en dat zijn krulhaar te lang aan het worden was voor zijn functie als openbaar aanklager.

Quinn praatte tegen hem, maar John Cameron ademde de ijskoude lucht in die in de auto had gehangen toen hij aan de kant van de weg wachtte tot de politie hem kwam oppakken. Het brandde in zijn longen. Vage lichten van het verkeer gleden over de voorruit en zijn handen waren zo koud dat hij het stuur niet vast kon houden. Hij draaide de dop van de fles, nam een diepe teug en spuugde die uit. Hij morste wat op de voorkant van zijn jack en een paar druppels op de lege passagiersplaats. Hij trok de choke uit en liet de motor verzuipen.

De zaklantaarnstraal van de agent vond hem toen hij probeerde de auto te starten, voor de honderdste keer. Eindelijk.

'Wat is er gebeurd?' Quinn keek bezorgd, maar zo keek hij altijd, dacht Cameron.

'Je moet voor de nachtrechter verschijnen. Bernie Rhodes, de pro-Deoadvocaat, komt je bijstaan; ik heb nog iets van hem te goed. Je zegt dat je niet schuldig bent en ik betaal je borgtocht.'

Quinns donkere ogen gleden over de jongen. Hij zou hem mee naar huis nemen om hem een beetje op te knappen, anders zou zijn moeder een toeval krijgen.

'Wat is er gebeurd?'

'Het is gebeurd.'

'Hoeveel heb je gedronken?'

'Genoeg,' zei Cameron. 'Het is gebeurd, Nathan. Het is voorbij.'

'Het komt wel in orde.'

Bernie Rhodes kwam het vertrek binnen, met de bewaker, die een kop koffie in zijn hand had.

Cameron boog zich naar Quinn toe, en zijn stem klonk hol en gebarsten. 'Het is gebeurd.'

Quinn legde zijn hand op Camerons schouder. 'Het is oké. Kom mee.'

Larry's ogen volgden hem toen hij de ruimte uit liep.

Het duurde een paar maanden voor Quinn begreep wat Cameron had bedoeld. Tegen die tijd was de lente de wintersneeuw al te lijf gegaan en was het te laat, voor iedereen.

16

Ze gingen met twee auto's. Eerst Brown en Madison, met hun kogelvrije vesten al aan, de bevelschriften in Browns jaszak. Spencer en Dunne volgden.

Tegen de tijd dat ze er waren, was het vroeg in de avond en maakte Laurelhurst zich op voor het eten. Brown keek Madison even van opzij aan; ze droeg het vest over haar bloes en onder haar blazer. De buitenste laag was van een grof donkerblauw materiaal. Madison wreef er met de zijkant van haar duim overheen; verder zat ze doodstil.

In het huis van Clyde Phillips waren de ramen verlicht. Aan de overkant van de straat was Camerons huis in complete duisternis gedompeld. Ze lieten de auto's bij de oprit achter; er stonden een paar bomen tussen hen en het huis. Op vijftig meter afstand was een politiewagen met gedoofde lichten geparkeerd. Toen ze hen zagen, kwamen er twee agenten in uniform te voet naar hen toe.

'Het afgelopen uur is er niemand naar binnen gegaan of naar buiten gekomen.' Agent Buchman was klein en breed, een en al schouders en gemillimeterd haar. Zijn partner, agent Glaiser, knikte naar Dunne. Er waren misschien maar vijf mensen in het hele politiekorps van Seattle die Dunne niet goed genoeg kende om 'hallo' tegen te zeggen.

'Er is geen teken van leven in het huis te bekennen,' zei Brown, 'maar we passen toch de standaardprocedure toe.'

'Ik hou de achterkant in de gaten,' zei Madison. 'Daar ben ik vandaag al eerder geweest. Geef ons drie minuten om onze posities in te nemen.'

Madison was blij dat ze het huis bij daglicht had gezien. Gevolgd door Spencer liep ze de diepere schaduwen onder de bomen in en was al snel bij het kleine hoopje bladeren. Spencer snoof diep. 'Wat ligt daar in godsnaam?' fluisterde hij.

'Dode kat,' antwoordde Madison en haalde haar wapen uit haar holster.

Ze kwamen bij de schutting. Ze gluurde eroverheen. De tuin lag er nog net zo bij als eerder die dag; deuren en ramen waren donker en gesloten. Het was hier veel stiller dan aan de voorkant. Haar hart bonsde een beetje, maar dat was normaal.

Ze had beide handen nodig om over de schutting te komen. Ze stopte haar wapen weer in de holster en maakte automatisch het leren veiligheidslusje vast.

Madison en Spencer keken elkaar aan en zonder iets te zeggen klommen ze allebei over de schutting en kwamen stilletjes in Camerons tuin terecht. Met het wapen in de hand en naar de grond gericht liep Madison langs de zijkant op het huis af. Binnen vijf seconden hadden ze alle in- en uitgangen onder controle.

Nu, zei ze tegen zichzelf.

Brown wilde net de oprit op lopen. Er kwam een auto aan. Hij wilde wachten tot die voorbij was. Toen de auto bijna bij hem was, hoorde Brown dat hij remde en hij draaide zich om. De auto stopte. Een jongeman in een pak met stropdas rolde het raampje naar beneden. 'Brigadier Brown?'

Dat was eigenlijk niet wat hij wilde horen en hij had het gevoel dat de zaken vanaf dat moment mis zouden gaan.

'Ik ben Benny Craig, van Quinn Locke. Nathan Quinn heeft me gestuurd. U gaat een huiszoeking doen op dit adres. Hij dacht dat u deze misschien wilde hebben.'

Benny Craig stapte uit de wagen en stak zijn rechterhand uit naar Brown. In het schemerlicht fonkelde een kleine sleutelring met drie sleutels eraan. 'Hij zei dat u zo de deur niet hoeft in te trappen en hij hem niet hoeft te laten repareren.'

Als Benny er al bij glimlachte, dan kon Brown dat niet goed zien. 'Mag ik uw huiszoekingsbevel zien?'

Brown pakte de sleutels aan en begon de oprit op te lopen. 'Kom mee.'

Benny was nog niet uitgesproken. 'Er is geen alarm en ik moet de sleutels terug hebben als jullie klaar zijn.'

Zonder te blijven staan viste Brown het huiszoekingsbevel uit zijn binnenzak en gaf het aan Craig. Agenten Buchman en Glaiser wisten niet precies wat er aan de hand was of waarom Brown keek alsof hij een scheermesje had ingeslikt, maar ze betreurden het niet dat ze de deur niet hoefden open te breken.

'Blijf daar.' Dunne legde zijn open hand tegen Benny's borstkas en duwde hem zachtjes uit de weg.

De vier agenten trokken allemaal hun wapen. Brown stak een sleutel in het onderste slot. Hij draaide makkelijk om. Hij probeerde het bovenste slot en voelde de deur opengaan.

De ruimte werd schaars verlicht door de gloed van de straatlantaarns. Ze bleven even staan.

'Dit is de politie van Seattle...' Brown hoorde alle juiste woorden uit zijn mond komen.

Ze deden lampen aan, liepen van kamer naar kamer terwijl ze 'veilig' tegen elkaar riepen, controleerden iedere ruimte waar een man zich schuil kon houden. Dunne deed de tuindeur open en liet Madison en Spencer binnen.

'We zijn zojuist voor schut gezet,' zei hij.

Benny stond bij de voordeur; hij wist zich geen houding te geven. Dunne wees naar een bank bij de kapstok. 'Ga zitten. Nergens aankomen.'

Benny deed wat hem was opgedragen.

Madison trok haar latex handschoenen aan en leunde tegen de voordeur. Ze waren binnen.

Madison had meer huizen doorzocht dan ze zich kon herinneren: van grote woningen tot hutjes van één kamer tot auto's waarin mensen overdag rondreden en 's nachts sliepen. Elke keer had ze het gevoel dat ze meer over iemand zou weten na tien minuten te hebben gekeken naar waar hij woonde dan na een verhoor van een uur.

Ze had goede leraren gehad, John Douglas op de academie en Dave Carbone in uniform. Ze wist hoe ze te werk moest gaan en wat ze wilden bereiken met de huiszoeking. De .22 waarmee de slachtoffers waren doodgeschoten zou fijn zijn en een deel van het leer dat was gebruikt om ze vast te binden was ook welkom. Bovendien zouden alle papieren die een verband konden aantonen tussen Cameron, Sinclair en de verduisterde fondsen goud waard zijn voor de openbaar aanklager.

Een huiszoeking, had Douglas vaak gezegd, gaat altijd over

meer dan alleen tastbare dingen. Het gaat niet om dat ene boek op de plank dat ondersteboven is teruggezet. Het gaat om het laatste dat iemand heeft gelezen voor hij op pad ging om een moord te plegen.

Madison bleef doodstil staan. Ze was zich bewust van de anderen die onderling afspraken wie waarnaartoe zou gaan en wilde dat ze even hun mond zouden houden.

'Wat is er?' vroeg Brown.

'Ik probeer me de kamer voor te stellen zonder ons erin.'

John Cameron komt thuis, steekt de sleutel in het slot, draait hem om en stapt naar binnen. Dit is wat hij ziet. Dit is waar hij is. Hij zou zijn jasje aan de kapstok hangen. Ze negeerde Benny Craig.

Er stond een klein tafeltje met een mooie porseleinen schaal erop. Daar zouden de sleutels in gaan. Hij was leeg. De hal gaf toegang tot een lange, brede woonkamer. Die was waarschijnlijk ingericht door Camerons ouders. Er stonden twee grote banken en twee stoelen, bekleed met een discreet bloempatroon dat aangenaam ouderwets aandeed. Iets wat haar grootouders ook hadden kunnen kiezen. Een paar goedgevulde boekenkasten die tot het plafond kwamen en waarin ook kleine voorwerpen stonden: iemand had tabaksblikjes verzameld.

Spencer en Dunne waren al aan het werk aan de boekenkasten en het antieke roltopbureau in de hoek. Madison deed een stap achteruit; de kussens op de banken en de stoelen waren niet ingedeukt en lagen op hun plaats. Ze ging met een vinger over de tafel – geen stof.

Aan het eind van de kamer was een haard. Op de schoorsteenmantel slechts één foto: een stel van in de zestig dat lachte naar de camera. Camerons ouders. Het lijstje was in het midden geplaatst. Rechts van de haard stond een mand waarin netjes vier blokken hout waren gelegd. Uit een schaaltje gedroogde bloemblaadjes op de salontafel steeg de geur van vanille op.

Madison had het gevoel dat ze verse melk zou vinden als ze de ijskast open zou doen. In een huis waarin niemand woonde.

'Jongens...' zei ze.

Ze draaiden zich allemaal om; ze wees. Op een tafeltje in een hoek stond een grote glazen vaas. In de vaas een boeket witte lelies, met kleine druppeltjes water op de blaadjes. Op de bodem van de vaas was het poeder van de plantenvoeding nog niet helemaal opgelost. Hij was in het huis geweest, slechts enkele uren geleden.

'Heel fijn,' zei Spencer.

'Vertel eens over die getuige,' vroeg Brown hem.

'Buurman in het huis tegenover. Kwam om halfdrie 's nachts thuis van een feestje. Een feest van kantoor, maar hij was de bob.'

'Dank u wel, God.'

'Hij keek toevallig naar het huis van de Sinclairs en zag de pick-uptruck boven aan de oprit geparkeerd staan. Verder niets, alleen de truck.'

'Wat voor indruk maakt hij?'

'Solide getuige. Hij doet het vast goed in de rechtszaal.'

Madison vond de keuken. Camerons vader was kok in het restaurant geweest; de keuken weerspiegelde de smaak van mensen die veel van eten afwisten.

Hij was groter dan gemiddeld: kastjes met dichte deuren en glazenkasten langs twee muren en een groot werkblad in het midden. Aan de ene kant hingen sauspannen aan haken en aan de andere stond een professioneel fornuis met twee ovens en zes pitten.

Madison kon zich niet inhouden en deed de ijskast open. Hij was schoon en leeg. Geen melk, geen eieren, geen restjes van wat dan ook. Ze opende de vrieskast en daar stond iets. Eén beker *Chunkey Monkey* van Ben & Jerry's. Ze kon een glimlach niet onderdrukken. Misschien kwam het omdat het Cameron iets menselijker maakte. Madison sloot de vriezer en keek naar wat er verder nog stond: houten lepels en opscheplepels in smalle hoge potten.

Ze hoorde Brown achter zich.

'Er zijn geen messen,' zei ze zonder zich om te draaien.

Madison deed laden open en dicht tot ze vond wat ze zocht: bestek.

'Camerons vader was kok in The Rock. Messen zijn nogal belangrijk voor een kok, maar er staat maar één foto op de schoorsteenmantel en er zijn geen koksmessen in de keuken.'

Ze schoof de bestekla dicht met een gekletter van metaal.

'We zullen hier niets persoonlijks vinden,' zei ze. 'Hij heeft het huis leeggemaakt toen hij ergens anders ging wonen. Wanneer dat ook was. Ergens staat een huis met alle spullen die hier hadden moeten zijn maar er niet zijn. Familiefoto's en de messen van zijn vader.'

'Daar kikker ik enorm van op.'

'Sorry,' zei ze, terwijl ze alle kastjes inspecteerde.

'Saltzman belde. Hij heeft niets gevonden in de dossiers. Morgen gaat hij terug.'

Brown bracht goed en slecht nieuws op dezelfde kalme toon. Madison zag zijn lichtblauwe ogen door het vertrek dwalen.

'O, en de pick-uptruck staat niet in de garage.'

'Wat staat er wel?' vroeg Madison.

'Helemaal niets. Ik ga naar boven.'

Net toen hij de keuken uit wilde gaan, hoorden ze de eerste maten van *Should I Stay or Should I Go* van The Clash.

'Dunnes "Hoe leer ik mijn crimineel kennen"-theorie,' zei hij.

Madison wierp een blik in de woonkamer: Spencer ging met zijn hand rondom de kussens op de bank en Dunne scheen met een dunne zaklantaarn in de ruimte tussen de boekenkast en de muur. Ze gingen allebei op in hun werk.

Van buiten leek het net een feestje; felle lichten en The Clash die uit de luidsprekers knalde. Benny Craig schoof ongemakkelijk heen en weer op de bank en zag er voor het eerst echt ongerust uit.

Madison was klaar in de keuken. Haar voetstappen kraakten op de trap. De overloop gaf toegang tot drie kamers en een badkamer. Brown was in wat de werkkamer leek te zijn. Hij zat achter het bureau en poetste zijn bril op met zijn zakdoek.

'Heeft jouw familie je eindexamenfoto aan de muur hangen?'

'Natuurlijk,' zei Madison.

'Nou, het lijkt of onze jongen niet zo graag gekiekt wil worden.'

Afgezien van drie berglandschappen waren de muren kaal. Madison dacht aan de foto's van David Quinns begrafenis.

Ze werkten samen de kamer door. Het leven van de Camerons was hier teruggebracht tot gas-, water- en elektriciteitsrekeningen en vijftien jaar oude correspondentie met familieleden in Schotland.

Tegen de tijd dat ze klaar waren, waren de anderen aan de slaapkamer van de ouders begonnen, waar de schoenendozen in de kast alleen schoenen bevatten.

De deur naar Camerons kamer was dicht. Madison legde haar hand op de deurknop. Brown, Spencer en Dunne stonden achter haar alsof een van de agenten in uniform de kamer niet allang gecontroleerd en vrijgegeven had.

Ze duwde de deur open. Langzaam gingen haar nekharen overeind staan.

De stapelbedden waren opgemaakt met helderrode dekens. Vaantjes van de Mariners en de Sonics waren op de muur geprikt en vloekten met het subtiele patroon van het behang. In de boekenkast stonden sciencefictionpaperbacks en encyclopedieën. Er lag een wanordelijke stapel schoolboeken op het bureau en over de rug van de stoel hing een groen windjack. Een aan het plafond opgehangen modelvliegtuigje schommelde langzaam heen en weer. Aan een haak achter de deur hing een badjas. Onder het bed was nog net een paar afgesleten gympen te zien; de veters zaten in de knoop en op de witte zijkant zat modder. Een jongenskamer.

Dunne ademde uit.

'Oké,' zei Brown.

'Oké,' antwoordde Madison, en ze liepen naar binnen.

Ze bleven even midden in de kamer staan. Brown dook weg om het vliegtuigje te ontwijken.

'Kast.' Madison begon op de bovenste plank.

Brown liep naar het bureau en bladerde alle boeken op de stapel door. Ze keken elkaar aan en waren zich ervan bewust dat dit geen gewone kamer was, maar een soort zichtbaar gemaakte krankzinnigheid.

Er hingen weinig kleren in de kast, maar de kleren die er waren, konden niet zijn gedragen door een volwassene. Madison ging met haar hand over de spijkerjacks en de hemden, die een duidelijke voorkeur voor de kleur blauw verraadden, en kwam tot de conclusie dat Cameron ze na zijn tienertijd niet meer gedragen kon hebben. Er was een rood schooljack bij met gele mouwen, in een kleinere maat dan de meeste andere kledingstukken. Misschien had hij daarna geen belangstelling meer gehad voor schoolwedstrijden. Madison wist niet of hij naar college was gegaan en of dat er eigenlijk wel toe deed.

Een honkbalknuppel met een leren handschoen, en de bal er nog middenin, lagen in een hoek achter de kleren. Madison pakte de knuppel en hield hem met twee handen vast zoals een slagman zou doen. Ze was altijd weer verbaasd hoe prettig het gewicht ervan in haar armen voelde, hoe de zwaai bijna van haar afgleed, van rechts naar links.

Iets trok haar aandacht. Het hout was smetteloos en goed onderhouden, afgezien van een klein plekje. Een schilfertje van iets dat niet dikker was dan een nagel zat stevig vast op de plek waar je de bal moest raken. Ze ging er met haar vinger overheen. Zelfs door haar handschoen heen voelde ze hoe glad het hout was. Wat het ook was, het zat er zo diep in dat het je niet zou opvallen, tenzij je ernaar zocht.

'Zie jij ergens een vergrootglas?' vroeg Madison aan Brown.

Het hoorde bij de standaarduitrusting van alle kinderen die ooit wilden proberen om ergens een gat in te branden. Ergens moest er een liggen.

'Hier.' Het zat in de beker met een assortiment pennen en potloden. Brown gaf het haar. 'Wat heb je gevonden?'

'Dat weet ik nog niet.'

Madison knipte de lamp op het bureau aan en richtte hem zo dat hij recht op de knuppel scheen. De lens was niet zo goed als die op het politielab, maar goed genoeg om te kunnen zien wat ze moest zien.

Toen ze in haar jeugd honkbalde, kreeg een stevige jongen van haar leeftijd het geweldige idee om te proberen haar te hinderen bij het batten door de knuppel van achteren vast te grijpen terwijl zij al aan haar zwaai was begonnen. De jongen hield er een gebroken hand aan over en Madison leerde hoe een botsplinter eruitziet die vast is blijven zitten in een honkbalknuppel.

'Hij is oud,' zei ze.

'Heel oud,' antwoordde Brown.

'Toch is het de moeite waard om het na te gaan.'

'Yup.'

Madison zette de knuppel bij de deur. De kamer was niet minder spookachtig dan eerst; ze verwachtte op zijn minst die kleedkamerlucht te ruiken die in elke tienerkamer lijkt te hangen.

'Ik bel hem.' Brown ging achteroverzitten op de stoel en toetste een nummer in op zijn mobiel. Na een paar keer te zijn doorverbonden, kreeg hij Fred Kamen in Quantico aan de lijn.

'Ik ben op een plek die nergens op slaat,' zei hij. 'Nee, dat bedoel ik letterlijk. Heb je vijf minuten?'

In het begin van een onderzoek gaat alles gesmeerd: na die eerste kostbare achtenveertig uur begint alles schimmiger te worden. Na elke nieuwe dag vergeten getuigen meer details en de lijn tussen slachtoffer en moordenaar wordt telkens minder scherp.

Voordat de cheque werd gevonden, had Kamen misschien kunnen helpen om een profiel van de moordenaar op te stellen. Nu Cameron een rol was gaan spelen, zou hij kunnen helpen hem te begrijpen en op te sporen. Brown belde niet met de FBI, hij belde met Kamen. De ene hand hield de telefoon vast, de andere doorzocht de laden van het bureau.

Madison sloot zich voor hem af. Als je een jongen bent en je hebt een stapelbed, waar zou je dan normaal gesproken slapen? Ongetwijfeld in het bovenste bed. Madison lichtte met twee vingers een hoek van het kussen op. Geen pyjama. Die had ze ook niet echt verwacht, maar ze wist eigenlijk niet wat ze wel kon verwachten.

Ze leunde tegen de bedden en reikte met haar arm over het bovenste bed tot haar vingertop over het driehoekige Sonics-vaantje aan de muur streek. Het was van stof, met letters in reliëf erop, van het soort dat ze niet meer maakten.

Cameron had de kamer achtergelaten zoals hij hem ooit had ingericht. Niet opdat zij hem zo zouden vinden – hij had niet kunnen weten dat ze zouden komen – maar omdat hij wel moest. Madison trok haar handschoen uit en ging met haar vinger over de letters. Zo zeker als de donkere omtrek rondom de botsplinter iemands bloed was, zo zou deze kamer, wat die ook voor hem betekende, ten slotte zijn ondergang worden. Madison wist het op dat moment zo zeker als een hond die zojuist een geur heeft opgevangen.

Ze maakten hun werk af, ieder verdiept in zijn eigen gedachten, en waren blij toen ze weg konden. Ze hadden weinig gevonden en vertrokken met een kil gevoel dat ze urenlang niet van zich af konden schudden.

17

'Wat zei Kamen?' vroeg Madison aan Brown.
Ze waren net weggereden uit Laurelhurst; de honkbalknuppel lag op de achterbank en rolde bij elke bocht heen en weer.

'Hij zei dat Cameron al die jaren heel slim was geweest en dat 25.000 dollar hem in een klootzak had veranderd.'

'Ga door.'

'Daar kwam het op neer.'

Madison zweeg en wachtte tot Brown de rest in zijn eigen tempo zou vertellen.

'Wat is volgens jou het verschil tussen "poseren" en "ensceneren"?'

'Is dit een quiz?'

'Je vroeg wat Kamen zei.'

'Oké.' Madison ging even verzitten. '"Ensceneren" is als iets zo gearrangeerd is dat het iets anders moet voorstellen, zoals een moord laten lijken op een inbraak. Bij "poseren" behandel je het slachtoffer als een voorwerp dat in een bepaalde positie wordt gelegd om iets over te brengen, om een boodschap achter te laten.'

'Ja. Aan hoeveel gevallen van poseren heb je gewerkt?'

'Niet één. Het komt heel weinig voor.'

'Waarom doet de dader het?'

'Hij krijgt er een kick van. Niet alleen van de moord, maar van de totale controle over het geheel.'

'Ja. Bij de moord op de Sinclairs waren de slachtoffers in een zekere positie gelegd, geboeid en geblinddoekt. De handtekening. Waar het de moordenaar om ging, was niet alleen hun dood, maar de complete macht die hij na hun dood over hen had.'

'Mee eens.'

'Dit is wat Kamen me vroeg: was er sprake van poseren bij de *Nostromo*-moorden; zijn er na afloop tastbare bewijzen gevonden? Was er sprake van poseren bij de moord op de drugdealer in

Lake Washington en zijn daar na afloop tastbare bewijzen gevonden?'

'De antwoorden zijn: nee en geen enkel.'

'Het is waarschijnlijk dat Cameron nog andere moorden heeft gepleegd waarvan we niet op de hoogte zijn omdat we ze niet met hem in verband konden brengen. Maar toch, geen sprake van poseren, geen bewijzen, en er werd geen waarschuwing of boodschap achtergelaten op de plaats delict.'

'Wat bedoel je?'

'Cameron is veranderd. Plotseling worden ook de vrouw en de kinderen vermoord en probeert hij indruk te maken.'

'Deze keer lag het heel persoonlijk: een vriend heeft hem bestolen. Hij heeft ervoor gezorgd dat Sinclair wist wat er met zijn gezin gebeurde door hem als laatste te vermoorden. Hij moest, hoe zeg ik dat, de belediging uitwissen.'

'Daar draaide het om. Om het feit dat hij het moest weten.'

'Hoe bedoel je?'

'Je hebt net de vraag beantwoord die je gisteren stelde. Waarom is de vader op een andere manier vermoord? Vanwaar de chloroform, waarom moest hij geboeid worden voor hij stierf en niet daarna, zoals de anderen.'

Het was zo simpel.

'Omdat hij wilde dat Sinclair het wist,' zei ze. 'Hij wilde dat Sinclair wist wat er met zijn gezin gebeurde, dat was de straf.'

'Een schot in zijn achterhoofd in een donker steegje zou niet hetzelfde effect hebben gehad.'

'Was Kamen het niet eens met dit scenario?' vroeg Madison.

'Hij houdt er niet van als mensen hun gewoonten veranderen, dat is alles. Het zit hem dwars.'

'En jou?'

Brown haalde zijn schouders op.

'Had Kamen enig idee wat *dertien dagen* kon betekenen?'

'Nee.'

'Toen Payne je vanmorgen vertelde dat de vingerafdrukken op het glas van Cameron waren, was je onaangenaam verrast, alsof het op de een of andere manier slecht nieuws voor ons was.'

'Ik was verrast,' gaf Brown toe.

'Waarom?'

'Ik weet het niet. Misschien verwachtte ik gewoon niet dat hij in staat was om afdrukken achter te laten.'

Carl Doyle klopte zachtjes op Nathan Quinns deur en liep naar binnen. 'Hij is er,' zei hij.

'Laat hem verder komen.'

'Heb je nog iets anders nodig?'

'Nee, Carl. Bedankt dat je bent gebleven. Ga nu maar naar huis.'

Het was te laat om de situatie met Sinclairs dossiers te bespreken of waarom Bob Greenhut nu executeur was van Jimmy's nalatenschap. Op de beste momenten was Nathan Quinn al geen man die makkelijk over zijn privéleven sprak, en dit was bepaald geen beste tijd. Het enige wat Doyle te bieden had, waren zijn steun en zijn vriendelijkheid, en daar zou hij het bij laten.

'Tot morgen.'

Doyle vond het niet erg om langer te blijven. Het gaf hem de kans om dingen af te maken. Maar hij vond het wel erg om Tod Hollis, de belangrijkste privédetective van de firma, op dit uur van de avond te zien binnenkomen. Daar was nog nooit iets goeds van gekomen.

Zoals altijd droeg Hollis een donker kostuum en een das. Hij zag er eerder uit als een FBI-agent dan als de politieman die hij ooit was geweest, met zijn kortgeknipte haar en een snor waarin meer grijs dan zwart zat. Na vijfentwintig jaar in het korps te hebben gezeten, was hij neergeschoten en vanwege het manke been dat hij daaraan had overgehouden, was hij als privédetective gaan werken. Quinn Locke was zijn voornaamste cliënt.

Hollis greep Quinns hand en schudde hem krachtig.

'Ik vind het heel erg van James en zijn gezin.'

'Dank je.'

Hollis had in de loop der jaren met vele nabestaanden van slachtoffers te maken gehad. Hij keek naar Quinn om te zien hoe hij zich staande hield in deze ellendige situatie.

'Ga zitten. Wil je iets drinken?' Quinn gebaarde naar een paar stoelen tegenover zijn bureau.

Hij had zichzelf een halfuur geleden een glas bourbon ingeschonken. Het stond er nog onaangeraakt.

'Nee, dank je.'

Quinn ging zitten op de stoel naast hem.

'Hoe is het ermee?'

'Goed,' antwoordde Quinn. 'Het spijt me dat ik je op dit tijdstip nog laat komen.'

'Geen probleem.'

'Ik heb je hulp nodig.'

'Zeg maar wat ik kan doen.'

'Dit is anders.'

'Hoezo dan?'

Hollis zag de donkere kringen onder Quinns ogen en hoopte dat het alleen vermoeidheid was.

'Ik wil een beloning uitloven voor informatie die zal leiden tot de arrestatie van de man die James en zijn gezin heeft vermoord. 250.000 dollar. Ik zou graag willen dat jij dat regelde.'

'Dat is een hoop geld.'

'Het is het waard.'

'Dat weet ik. Maar ik bedoel dat elke griezel van hier tot Miami voor zo'n bedrag onder zijn rots vandaan komt kruipen om zijn moeder te verlinken.'

'Wat is volgens jou dan een passend bedrag?'

'100.000, en dan zullen we nog moeite hebben om alle telefoontjes te schiften.'

'Het geld is geen probleem.'

'Ik weet het.'

'En nog iets. Ik zou graag willen dat jijzelf ook onderzoek doet naar de moorden.'

De politie was amper twee dagen bezig. Hollis kende het korps; allemaal goede mensen die hun uiterste best deden.

'Wat is er aan de hand?' vroeg hij.

'De politie zegt dat ze bewijs hebben gevonden dat James geld zou hebben verduisterd van een van zijn belastingcliënten. Ze zeggen dat de moord uit wraak kan zijn gepleegd. Ze hebben hier vandaag zijn dossiers nageplozen. Natuurlijk hebben ze niets gevonden om hun theorie te staven.'

'Wat denk jij?'

'Ik geloof het nog voor geen seconde.'

'En wat voor bewijs hebben ze?' Hollis zou altijd als een politieman blijven denken.

'Daar kom ik zo op. Er is meer: ze zijn al op zoek naar iemand.'

'Wie?'

'De verkeerde man.'

'Oké.'

'En ik ben zijn advocaat.'

Hollis wachtte af.

'John Cameron.'

Hollis ging achteroverzitten in zijn stoel. 'Ik geloof dat ik nu wel iets wil drinken,' zei hij.

Quinn schonk hem in. Hollis hield het glas vast zonder ervan te drinken.

'Als ik dit aanneem, en dat wil ik, zul je me alles wat je weet moeten vertellen. Ik kan hier niet onvoorbereid aan beginnen.'

'Ik vertel je alles wat de politie aan mij heeft verteld. Alles wat relevant is voor de zaak. Daarna beslis je zelf wat je doet.'

Hollis haalde zijn notitieboekje tevoorschijn. 'Besef je dat ze gelijk kunnen hebben?' vroeg hij.

'Dat denk ik niet,' antwoordde Quinn.

'Heb je dat gevoel of weet je dat absoluut zeker, zonder de geringste twijfel?'

'Ik weet het absoluut zeker.'

'Nathan, in deze zaak ligt alles nog open. Twee dagen oud. Niemand ontvangt ons met open armen zolang de politie er nog mee bezig is. Wat gebeurt er als mijn bevindingen hun theorie bevestigen?'

'Dat gebeurt niet,' zei Quinn. 'Zoek zo veel mogelijk uit over die rechercheurs; ik wil weten met wie ik te maken heb. En die open armen zullen me een zorg zijn.'

De politiewagen stond voor het huis van de Sinclairs geparkeerd. In de loop van de avond waren de agenten geregeld om het huis heen gelopen. De laatste paar jaar waren er soms voorwerpen van plaatsen delict online te koop aangeboden. Een voorwerp uit Blueridge zou voor een flinke prijs het huis, de stad en de staat al uit kunnen zijn voor hun dienst was afgelopen.

Brock en McDowell knipten hun zaklantaarn uit toen ze bij de auto kwamen. Ze hadden bijna geen koffie meer en dat idee hield McDowell evenzeer bezig als de beveiliging van het huis.

Geen van beiden kende de buurt erg goed. Natuurlijk, ze hadden er geregeld gepatrouilleerd, maar ze waren niet op de hoogte van de geheimen. Ze wisten bijvoorbeeld niets van een pad driehonderd meter voorbij het huis. Dat leidde tussen de bomen en de huizen door naar een smal kiezelstrandje en het water. Dat hadden ze ook niet kunnen weten, maar John Cameron wist het wel.

Hij liep zonder aarzelen door het pikkedonker, hijzelf slechts een schaduw die iets donkerder was dan zijn omgeving. Hij maakte geen geluid op het pad en was binnen enkele seconden bij het water. Puget Sound lag even voor hem te glinsteren. Toen schoof er een wolk voor de maan en John Cameron liep het strand op.

Er twinkelden lichtjes op Vashon Island; het lege huis van James Sinclair lag rechts van hem. Cameron begon te lopen.

Hij had de agenten gadegeslagen, had de stralen van hun lantaarns gezien. Hij had gewacht tot hij zeker wist dat ze weer in hun auto zaten en was toen het pad af gelopen naar het huis.

Cameron klom de houten treden naar het gazon op, liep eroverheen en kwam bij de patiodeur. Hij had de sleutel al in zijn hand en liet zichzelf binnen. Hij sloot de glazen deur achter zich, draaide hem op slot en trok de gordijnen dicht zoals hij ze had aangetroffen.

John Cameron stond stil en hoorde zichzelf de muffe lucht in de woonkamer inademen. Hij wist waar elk meubelstuk en elk voorwerp stond alsof hij ze kon zien. Zijn ogen wenden langzaam aan het duister. Uit de rechterbroekzak haalde hij een kleine zaklantaarn die hij aanknipte. Het cirkeltje licht was fel. Cameron ging ermee over de grond om er zeker van te zijn dat er niets was veranderd sinds zijn vorige bezoek.

Hij scheen ietsje hoger en zag de vegen van het zwarte poeder dat de PD-eenheid had gebruikt om vingerafdrukken te nemen. Ze zaten overal. Hij nam het poeder, de bedompte geur en de veranderingen om hem heen in zich op. Hij zag de kamer in zijn geheel, nu in het daglicht, agenten die bezig waren met hun vak of stonden te wachten. Iemand heeft een stapel tijdschriften van zijn gebruikelijke plek verschoven. Vegen op de houten vloer door de hoeveelheid mensen die heen en weer zijn gelopen. Kleine inbreuken op het leven in het huis.

Op minder dan tien meter afstand stonden twee agenten te kletsen. John Cameron was zich bewust van hun aanwezigheid, maar maakte zich er niet druk over.

Wat hij ook voor gedachten of herinneringen had aan wat er in het huis is gebeurd, ze hadden geen invloed op het heden en op wat er nu moest gebeuren. Hij richtte de zaklantaarn op de grond en liep de trap op naar de slaapkamer van de ouders. Halverwege veranderde de lucht in een zwaardere geur als die van een slagerswinkel op een warme dag.

Van zijn vele bezoeken herinnerde hij zich welke treden waar kraakten en hij liep voorzichtig. Iemand die op de overloop stond, zou niet weten dat hij er was.

Hij kwam bij de slaapkamer. De straal van de zaklantaarn vond het hoofdeinde van het bed en bleef daar een hele tijd dralen. Hij volgde het spoor van het werk van de rechercheurs in elke omcirkelde plek op de muur en iedere bepoederde vlek op het raam. Hij zag dat de bovenkant van de deurstijl aan de binnenkant was verwijderd; de veeg bloed op de deur leidde hem naar de kinderkamer en de kogelgaten in de muur.

Op de plek waar een gruwelijke geweldsdaad was gepleegd, liep John Cameron van het ene vertrek naar het andere, terwijl hij alles rustig bekeek. In de werkkamer ging hij op de leren bank zitten en deed de zaklantaarn uit. Er was een groot stuk hemel in het venster te zien, maar er waren geen sterren.

Madison, moe en rusteloos, reed zo snel naar Three Oaks als wettelijk was toegestaan. Ze toetste Browns nummer in. 'Ik ben nog niet klaar voor vandaag,' zei ze. 'Ik denk erover om even rond te gaan kijken op de plaats delict, zien of er iets overeenkomt met Camerons huis.'

'Als je iets vindt…'

'Ik weet het. Dan vraag ik een van de agenten om ook te ondertekenen.'

'Trouwens, de sleutels liggen hier. Hoe kom je erin?'

'Ik zal iets moeten bedenken. Ik reken erop dat er een reserve-sleutel onder de mat ligt.'

'Ik wil niet te horen krijgen dat iemand een raampje achter heeft gebroken om binnen te komen.'

'Maak je geen zorgen. Als ik hem binnen vijf minuten niet vind, ga ik naar huis om niet te slapen.'

Tegen de tijd dat ze naast de politieauto stopte, was Madison behoorlijk nijdig op zichzelf. Ze liet de agenten haar penning zien, legde uit wie ze was en wat ze ging doen. Brock en McDowell wisselden een blik uit. Misschien ging er ook wat rollen met de ogen mee gepaard, maar dat wist Madison niet zeker.

Het kostte haar tien minuten om het kleine plastic zakje te vinden in een holle boomstronk een paar meter verderop langs de oprit, met daarin een sleutelring en twee sleutels.

Om vijf over twaalf stapte Madison over de drempel. Ze deed de lichten in de gang en in de woonkamer aan. Alles was zoals zij het zich herinnerde. Ze had eigenlijk geen plan; ze zou pas weten wat ze zocht als ze het had gevonden. Maar er was één ding dat ze eerst moest doen.

Ze knipte het traplicht aan en keek op. Niemand had de moeite genomen de centrale verwarming uit te zetten en die schakelde zichzelf net uit voor de nacht; er was een zacht geklik in de leidingen te horen.

Madison kwam bij de slaapkamer van de ouders en deed het licht aan; ze ging niet naar binnen. Wat betreft bloed en vernielingen was het niet de ergste plaats delict die ze had gezien, bij lange na niet. Maar wat ze in gedachten zag, was woede, blind en overweldigend, en toch beheerst gezien het netjes opgemaakte bed.

Deze woede suggereerde meer dan het liet zien. Als het een geluid maakte, bedacht Madison, wilde ze dat nooit horen.

Madison hoefde zich niet lang bezig te houden met die gedachten. Het was laat en ze lummelde rond in een leeg huis. Ze wist heel goed dat er een reden was waarom ze naar boven was gegaan: het was een manier om toestemming te vragen om hun huis te doorzoeken en in hun spullen te rommelen. Bepaalde dingen kunnen niet meegenomen worden; misschien zou het huis bereid zijn haar te geven wat ze nodig had.

Haar voetstappen kraakten toen ze langs de werkkamer liep. Ze ging niet naar binnen en dat was maar goed ook, het beste wat ze die dag had gedaan.

Madison deed het licht op de trap uit en John Cameron stopte het mes weer in het foedraal en leunde tegen de binnenkant van de deur.

Hij kon aan het gewicht van de voetstappen horen dat het een vrouw was. Het moest een agente zijn, een rechercheur zelfs. De agenten in de auto waren niet in het huis geweest in de tijd dat hij ze in de gaten had gehouden. Het is een inbreuk op zijn privétijd en hij is er diep verontwaardigd over. Maar ze is er nu eenmaal en als iemand midden in de nacht naar iets zoekt, kan het de moeite waard zijn te weten naar wat.

Minder dan een seconde weegt Cameron nieuwsgierigheid af tegen behoedzaamheid. Met zijn hoofd schuin als een vogel luistert hij naar de geluidjes uit de woonkamer; dan komt hij in beweging. Of ze hem ziet of niet ziet, kan hem eerlijk gezegd niets schelen. Zijn werk is onderbroken en hij is vanavond niet in een vergevingsgezinde stemming.

Madison keek om zich heen. De Sinclairs hadden een goed leven geleid, maar ze hadden niet met geld gesmeten. Er stonden twee auto's in de garage en overal in huis waren de attributen van een luxe bestaan te vinden. Een breedbeeldtelevisie in de woonkamer en een dvd-speler. Madison herinnerde zich dat ze een Olympus en een Sony digitale videocamera in de werkkamer had gezien, allebei meegenomen door Lauren en Joyce.

Ze hadden mooie meubels; voornamelijk modern met een paar antieke stukken. Het wees allemaal op een comfortabel leven, maar gaf geen antwoord op Madisons vraag: waarom zou James Sinclair juist geld stelen van de ene man voor wie hij, naar hij wist, moest uitkijken. Hoe kon hij zo stom zijn?

Gokken, schulden waar niemand iets van wist, afpersing, een vriendin. Het was allemaal mogelijk. Madison knielde voor een paar lage boekenplanken vol dvd's. Mogelijk, maar niet erg waarschijnlijk. Als James Sinclair een geheim leven had, was het zo goed verborgen dat ze het misschien nooit zouden vinden.

De dvd's waren kinderfilms, voornamelijk Disney-klassiekers die ze vroeger zelf ook had gehad. Een paar Scorseses en enkele Spielbergs. Allemaal vrij normaal.

Madisons oog viel op iets anders: *Kerstconcert en feest.* Het handschrift was netjes en duidelijk. Een amateurfilmpje. Ze pakje het schijfje, stopte het in de dvd-speler en drukte op *play*.

De aula van een school, kerstversiering aan de muren. Een toneel met lege stoelen. Degene die het filmpje had gemaakt, deed het goed. Hij zoomde uit vanaf een gouden ster en verbreedde het beeld tot de laatste rijen van het publiek.

'Daar zijn ze,' zei een mannenstem aan de linkerkant van de camera.

'Ik zie hem.' Een vrouwenstem.

Annie Sinclair richtte de camera op een groep van zo'n dertig kinderen die uit de coulissen kwamen en met hun instrumenten op hun plaatsen gingen zitten.

'Waar is hij?' Een jongensstem. Een geruis van kleren dicht bij de microfoon.

Madison stelde zich James Sinclair voor die een van de jongens optilde zodat hij zijn broer kon zien spelen. Ze begonnen. Madison glimlachte ondanks zichzelf: leraren veranderden nooit. Het was Pachelbels *Canon*.

De eerste maten zouden Camerons voetstappen op de trap overstemd hebben, als hij al geluid had gemaakt. Hij kwam halverwege naar beneden en bleef staan. Het huis was donker afgezien van een tafellamp in de woonkamer. In de poel van licht zat een vrouw met haar rug naar de deur toe; de televisie wierp blauwe schaduwen op de muren.

Cameron zag haar profiel afgetekend tegen het scherm toen ze zich omdraaide om de afstandsbediening te pakken. Een zwartwitfoto genomen door een verslaggever die zich verveelde, was voldoende om Madison te herkennen als de rechercheur die de zogenaamde FedEx-man had weggeleid van de plaats delict. Hij sloeg die informatie op. Wat rechercheur Madison ook zocht, ze zocht het in een kerstrecital.

Hij had liever gehad dat ze de boekenplanken had doorgenomen en laden had leeggegooid. In plaats daarvan zat ze doodstil in het veranderende licht. Cameron hield haar en het scherm vóór haar in de gaten; zij bewoog zich niet en hij ook niet.

De muziek klonk onbeholpen en ijl. John Sinclairs gezicht werd half verborgen door de camera. Madison, die tegen de bank leunde, haalde amper adem.

Het stuk eindigde en er begon een nieuw. Nu was het Bachs *Jesu Joy of Man's Desiring*. Soms veranderde het beeld om het hele toneel te laten zien, maar de camera bleef voornamelijk gericht op de kleine Sinclair.

Toen het publiek begon te klappen, zette Madison de dvd op 'pauze'. Ze stond op en liep naar de keuken. Die lag rechts van de woonkamer.

Cameron hoorde kastjes opengaan en een kraan die werd aangezet. Als hij een verstandig mens was geweest, was hij op dat moment vertrokken. De werkkamer had een raam. Hij had op de grond kunnen springen en binnen een paar seconden het grasveld kunnen oversteken. Maar John Cameron voelde zich niet verstandig op dat uur van de avond. Hij leunde tegen de trapspijlen en sloeg zijn armen over elkaar: tijd was het enige wat hij had. Tot zijn enorme opluchting voelde hij helemaal niets.

Madison dronk een glas kraanwater, vulde het weer en dronk ook dat op. Die films waren het enige wat er van de Sinclairs op deze aarde zou overblijven.

Nadat ze het glas had afgewassen en gedroogd, zette ze het terug en ging weer bij de televisie zitten. Ze drukte op *play*. De film ging door met het feestje na afloop: kinderen renden rond en ouders stonden in groepjes met elkaar te praten. James Sinclair droeg een donkerblauw overhemd en een spijkerbroek. Hij had een ongedwongen glimlach en zag er in niets uit als de dode man die Madison boven had gezien. Ze was blij dat er niet meer muziek kwam.

Madison negeerde de jongens en concentreerde zich op de ouders: toen de man de camera overnam, zag ze dat Annie Sinclair lang was, met een hoekig gezicht en intelligente ogen. Voor zover ze kon zien, droeg ze geen juwelen, behalve haar trouwring.

Madison bekeek de dvd tot aan het einde. Ze bolde haar wangen en ademde langzaam uit en ging door met de volgende. Er waren er minstens tien. Ze moesten de films hebben opgenomen met de digitale camera die ze boven had gevonden en ze daarna hebben omgezet.

Ze bekeek een schoolrecital en een verjaardagsfeestje waarbij ze de fast forward-knop ingedrukt hield. Ze had graag een kop koffie voor zichzelf gemaakt. Vreemd genoeg leek dat ongepast.

Ze wilde net een nieuwe dvd in het apparaat doen toen haar telefoon ging. Ze schrok ervan en keek automatisch op haar horloge.

'Je bent er nog.' Het was Brown.

'Ik bekijk de amateurfilmpjes.'

'Zit er iets bij?'

'Veel alledaagse opnamen. Schooltoneelstukken, verjaardagsfeestjes.'

'Nog geen jackpot?'

'Nee. Hij houdt vast niet zo erg van kinderfeestjes.'

'Waarschijnlijk niet.'

'Ik bekijk nog een paar filmpjes en dan klok ik uit.'

'Het is al bijna dag.'

'Dat klopt.' Ze glimlachte. 'Brown...'

'Ja.' Het klonk alsof hij in de auto zat.

'Wat heeft hij met het geld gedaan? Ik kijk om me heen en ik zie niets wat hij niet had kunnen kopen met zijn salaris.'

'Wat toevallig stukken hoger is dan het jouwe of het mijne.'

'Precies. Dus?'

Cameron wou dat hij het hele gesprek kon horen en niet alleen Madisons helft. Het was beslist een zeer interessant onderwerp voor hem. Hij zou ze een paar verhelderende feiten hebben kunnen vertellen, maar daar was het de tijd noch de plaats voor.

Plotseling stond Madison op en rekte zich uit. Camerons ogen volgden elke beweging.

'Ik weet het niet,' zei Brown.

'Nou, dan moeten we daar achter zien te komen, hè?'

'We gaan morgen met de bank praten.'

'Tot morgen.'

Madison stopte een nieuw schijfje in de dvd-speler. Het was de verjaardag van de jongste, David. Zijn zevende, zijn laatste. Ze speelde het op normale snelheid af, luisterde naar de nu bekende stemmen en hield er een oogje op terwijl ze naar de foto's op de schoorsteenmantel keek.

Het was het gebruikelijke assortiment formele gelegenheden en spontane opnamen. Een leuke groepsfoto op een bruiloftsreceptie. Haar ogen vonden Nathan Quinn, bleven daar even hangen en gleden verder. Ze scande alle gezichten. Geen Cameron.

David Sinclairs stem schreeuwde van blijdschap uit de televisie. Zijn moeder lachte.

'Wat zeg je dan, David?' zei ze.

'Dank u, oom Jack.'

Madison verstijfde. Cameron ademde langzaam uit. Madison spoelde de film een paar seconden terug en drukte op *play*.

Het gezin was binnen. Een grote tafel was bedekt met papieren bordjes en versieringen en proppen cadeaupapier, flitsen van de camera's. Madison vond de moeder, de vader, de oudere broer, de jarige, Quinn was er ook, een tiental andere kinderen van ongeveer dezelfde leeftijd en nog een paar ongeïdentificeerde volwassenen. Toen ze de vrouwen eenmaal had geëlimineerd, waren er maar zes onbekende mannen. Twee waren te oud, een was een Japanner, drie konden het simpelweg niet zijn.

'Dank u, oom Jack.'

Verdomme, hij neemt de film op.

Ze ging terug naar het begin van de dvd en bekeek ieder beeldje. Dat deed ze drie keer en ze schoot er helemaal niets mee op. Oom Jack was nooit in beeld en als hij iets gezegd had – wat hij ooit gedaan moest hebben – dan had hij het niet in de buurt van de microfoon gedaan. Het was onmogelijk om zijn stem te identificeren in die wirwar van geluiden.

Madison zette het beeld van het kind dat in de camera kijkt stil. Ze trommelde met haar vingers op de afstandsbediening. Het was gekmakend om zo dichtbij te zijn.

John Cameron kijkt ook naar het scherm. Zijn ogen vernauwen

zich bij de herinnering aan die dag en hij knippert bij een flits van de camera. Even merkt hij niet eens dat Madison opstaat.

Madison opende de kastdeurtjes onder de boekenkast, deed ze weer dicht, opende de volgende. Niets. Ze opende de laatste twee deurtjes; op de onderste plank een klein stapeltje foto's. Ze zaten in de vierde envelop: de foto's van de verjaardag van David Sinclair.

John Cameron doet een stap naar beneden op de trap.

Madison ging onder de lamp staan. Ze keek een paar seconden ingespannen naar elke foto en legde hem dan opzij. Ze was halverwege de stapel toen ze hem vond. Hij stond niet op de foto, maar zijn weerspiegeling wel, gevangen in het glas van de tuindeur: een donkerharige man met een camera in zijn hand die afstak tegen een blauwe lucht.

'Hallo, Jack,' zei Madison zachtjes.

In het halfduister ging er een trilling door Camerons rechterhand.

Ze hield de foto onder het licht; het leek alsof ze naar iemand keek die onder water was. Ze schrok op door een luid gebons op de voordeur. Madison draaide zich om en liep van de woonkamer door de gang naar de voordeur. Ze keek niet om. Ze knipte het licht niet aan.

Ze deed de deur open en agent McDowell stampte met zijn voeten op de grond om het bloed weer te laten stromen. 'Ik wilde alleen zeggen dat we afgelost worden.'

Er stond een andere politiewagen naast de hunne geparkeerd. Een paar agenten in uniform zagen er blozend en uitgerust uit aan het begin van hun dienst.

'Bedankt voor je hulp met de sleutels.'

'Ik heb de jongens verteld dat je er nog bent.'

Madison keek naar de aflossers. Ze knikten naar haar, maar ze zag dat ze het maar verdacht vonden dat iemand daar om twee uur 's nachts nog wilde zijn.

Jezus, ik zou het zelf ook verdacht vinden, dacht ze, en deed de deur dicht. Ze hield de foto nog in haar hand en voor het eerst die avond was ze helemaal alleen in het huis.

Madison nam de andere stapeltjes door en vond niets. Ze legde

ze terug zoals ze ze gevonden had en besloot eindelijk dat het wel-
letjes was geweest voor die dag.

Toen ze thuiskwam, kon ze de plaats delict nog in haar haar ruiken. Ze nam een douche, trok haar roodflanellen pyjama aan en
stapte in bed.

John Cameron rijdt snel met open raampjes vanuit Three Oaks
naar het noorden.

18

Fred Tully had de afgelopen vierentwintig uur de burelen van de *Star* amper verlaten. Hij was alleen naar huis gegaan om zich te verkleden en had een uurtje op de bank geslapen. Desondanks had hij zich in eeuwen niet zo goed gevoeld.

Het was vier uur in de nacht en hij zat aan zijn bureau met in zijn handen een proef van de voorpagina die zo dadelijk in de kiosk zou hangen. Tully glimlachte. De stagiair had de envelop rond acht uur 's avonds op zijn bureau gelegd.

'Heb je gezien wie hem heeft gebracht?'

De jongen trok alleen zijn wenkbrauwen op.

De afgelopen zesendertig uur, sinds de identiteit van de slachtoffers bekend was gemaakt, was er een gestage stroom bezoekers naar de Lincoln-school in Three Oaks gekomen, de school waar John en David Sinclair op zaten. Het begon met een paar bossen bloemen bij de poort, gebracht door moeders die de jongens hadden gekend. Het was nu een klein altaar geworden met kaarsen, kleine cadeautjes en boodschappen die waren vastgemaakt aan de bloemen.

Verslaggevers van KING en KOMO-TV gebruikten het als achtergrond voor nieuwe beelden en een paar vrijwilligers van de school zorgden ervoor dat de kinderen voorzichtig waren met de kaarsvlammen in de buurt van de kaarten en de speelgoedbeesten.

Harry Salinger stapte uit het busje met de camera al op zijn schouder. Het busje, wit met kentekens uit Oregon, had verduisterde ramen en de letters KTVX op de zijkant.

Harry Salinger was een meter tweeëntachtig, eerder gebouwd voor hoogspringen dan voor zware gewichten. Sinds hij kaal begon te worden toen hij begin twintig was, droeg hij zijn rossige haar heel kortgeknipt. Vandaag regende het zachtjes en had hij een fleecemuts met flappen over zijn oren getrokken.

Salinger bewoog zich door het groepje verslaggevers alsof hij een van hen was. Hij had een paar minuten beeld opgenomen van het geïmproviseerde altaar, waarbij hij passend somber keek. In werkelijkheid vond hij het niet prettig om in de buurt van kinderen te zijn en wilde hij zo snel mogelijk weer weg.

Toen hij zich omdraaide, botste er een moeder met een kleuter in haar armen tegen hem op. Ze verontschuldigde zich met een glimlach bij de man met het vriendelijke doktersgezicht en liep door.

Salinger was bij zijn busje gekomen, deed de deur open en klom erin. Hij schoof de deur achter zich dicht en trok zijn muts van zijn hoofd. Het busje rook schoon vanbinnen: Salinger had er een week eerder nog nieuw tapijt in gelegd.

Hij werd meestal nerveus van menigten, de stemmen, het lichamelijke contact. Door de camera bleef hij op een veilige afstand van waaraf hij alles kon waarnemen en vastleggen zonder gehinderd te worden door de onaangename nabijheid van al die mensen.

Het altaar zag er prachtig uit; hij was blij dat hij er een paar goede beelden van had. Hij was vooral ingenomen met de gedempte kleuren van de kaarten en de kaarsen die er in de zoeker uitzagen als vage vegen.

Hij reed achteruit en ging er snel vandoor. Hij zette KEZX op 1150-AM aan en wachtte op het nieuws. Hij wist al wat het eerste onderwerp zou zijn. In zijn ogen, die zo kleurloos waren als regenwater, flikkerde even iets lichts op. Hij reed Highway 99 op in noordelijke richting, langs Greenwood en Mountlake Terrace. In Lynnwood ging hij er weer af.

Zijn huis lag aan een oprit op tweehonderd meter van de weg, achter een groepje dennen die midden in een veld bijeen stonden. Hij had geen directe buren en het huis stond dichter bij Everett dan bij Seattle.

Hij parkeerde het busje in de garage, naast zijn Accord. Het huis was gebouwd in de jaren twintig en er waren telkens delen aangebouwd wanneer dat nodig was: drie kleine slaapkamers boven en een woonkamer, eetkamer en keuken op de begane grond.

Salinger at meestal in de keuken en de notaris van zijn grootouders, die hem papieren had gegeven die hij moest ondertekenen en hem op de schouders had geslagen, was de laatste die op de sofa had gezeten. Salinger had alle juiste woorden gezegd en de man had het huis – inmiddels zíjn huis – snel weer verlaten.

Salinger had de deur achter hem dichtgedaan en naar de plek op zijn blazer gekeken waar de notaris hem had aangeraakt. Hij wreef er even over. Daarna had hij alle ramen opengezet om de geur van zijn lotion kwijt te raken.

Er konden amper twee voertuigen in de garage, maar Salinger was even voorzichtig in zijn rijgedrag als in alles wat hij deed.

De garage had geen deur naar het huis. Hij sloot hem af met een hangslot en liep naar de smalle veranda die naar de voordeur leidde. Het huis was jaren eerder wit geschilderd en daar moest binnenkort weer iets aan gedaan worden; in zijn hoofd zette hij het op zijn lijstje dingen voor het nieuwe jaar en besefte toen dat hij, als alles goed ging, daar toch niet meer zou zijn, en hij glimlachte. Het was een enorme opluchting te weten dat het balletje aan het rollen was en dat dit spoedig allemaal achter hem zou liggen.

Salinger woonde alleen. Hij vond het nog steeds een heerlijk gevoel om zijn eigen huis binnen te gaan, het verre geluid van het verkeer buiten te sluiten en bijna opgezogen te worden door de totale stilte. Anderen zouden het misschien beklemmend vinden, maar voor een man die op de plekken was geweest waar hij was geweest, was het meer dan hij in zijn hart ooit had durven hopen. Hij zou wel een hapje eten onder het werken, bedacht hij.

Hij maakte een sandwich met ham klaar, roze en wit, wikkelde het uiteinde in een driehoekje van keukenpapier en nam hem mee naar beneden, waar hij werkte.

De kelder was enorm en liep over de totale lengte en breedte van het huis. Een kwart ervan gebruikte hij als opslagruimte en de rest was schoongeveegd. Er hingen extra lampen aan de balken en er waren spotjes geklemd aan de houten planken langs de stenen muren. Op de witte vlakken waren tientallen potloodschetsen geprikt; sommige waren plattegronden en andere lieten de ontwikkeling zien van een object van glas en metaal. Salinger had nooit kunstonderricht gehad, maar zijn prestaties zouden op elke bezoeker eerst verwarrend en daarna schokkend overkomen.

Gereedschap om metaal te bewerken en lasapparatuur lagen

keurig naast elkaar op een werkbank in de hoek en twee grote bureaus namen het grootste deel van de ruimte in het midden in beslag. Op elk bureau stonden drie televisiemonitoren, van het soort dat bij een videorecorder hoort. Naast een rij potloden lag een schelp waar zijn blik even op bleef rusten. De fijne spiraal was niet groter dan zijn nagel.

Hij boog zich voorover bij de linkertafel en pakte een schakelaar die tussen de vele kabels en draden lag. Twee monitoren kwamen tot leven, met een gedempt geluid. Ochtendtelevisie.

Zijn blik gleed van de ene naar de andere; zijn huid tintelde. Kookprogramma's, praatprogramma's, quizzen. Het was een taal die hij niet sprak, uit een wereld die hij niet begreep. Hij keek op zijn horloge; het nieuws zou zo beginnen.

Op een kleiner tafeltje aan de zijkant had hij een geluidssysteem gebouwd. Hij drukte op een paar toetsen en er kwam een krakend geluid uit de luidsprekers. Het was duidelijk een zelfgemaakte opstelling, beslist niet hightech; iedereen die genoeg tijd had, zou iets dergelijks in elkaar kunnen zetten. Toch was Salinger er erg trots op, en terecht.

Hij spoelde door tot de cijfers op de teller aangaven dat hij was waar hij wilde zijn; daarna liet hij de opname op normale snelheid lopen. De stem van Alice Madison vulde de kelder. *'Hij is geblinddoekt met een stuk zwart fluweel. Niet afgescheurd, geknipt. Op het voorhoofd is een teken als van een kruis. Met bloed aangebracht. Hij is geboeid met – het ziet eruit als leer. Dunne koordjes. Om zijn nek, handen en voeten. Handen zijn op zijn rug gebonden. Bewegen is moeilijk als je op je handen ligt.'*

Een pauze.

Het scherm van de derde monitor begon te flikkeren en toen het beeld scherper werd, was het de slaapkamer van de Sinclairs. In de korrelige duisternis bewoog een figuur voor de lens. Daarachter, op het bed, waren drie lichamen te zien, doodstil; het vierde lichaam, dat het dichtst bij de camera lag, worstelde, ging tekeer, rolde bijna van het bed af in zijn pogingen om zich te bevrijden.

Salinger zette het zachter; de gedempte geluiden vanonder de blinddoek leidden hem af.

'Donkerrode striemen op de plaatsen waar hij is vastgebonden.

Wat blauwe plekken. Hij heeft zich verzet.'

Harry Salinger kneep zijn ogen tot spleetjes terwijl hij naar het scherm keek en begon aan zijn sandwich. Hij had er al vaak naar geluisterd. Hij had het geheel zelfs overgezet op een cassette zodat hij er overal in huis naar kon luisteren, op een goedkope walkman die hij aan zijn riem kon bevestigen.

Toen hij een stemgeactiveerde microfoon op de plaats delict had achtergelaten, was dat alleen een functioneel besluit geweest. Hij had een idee willen hebben van waar ze over spraken, hun eerste indrukken van de zaak, van zijn werk. Hij wist dat het gedeeltelijk ijdelheid was, en dat gaf hij ook toe. Maar hij had dat voordeeltje werkelijk nodig, en daarmee uit.

Hij had gezien hoe Madison de fotograaf naar buiten sleurde. Een staaltje van intuïtie en kracht dat hij vaak had bekeken: de meeste verslaggevers hadden hun camera's gericht op Riley, maar Salinger niet. Hij was Madison gevolgd over de oprit, zag hoe ze naar de menigte keek en was haar blijven volgen tot ze het huis weer binnenging, dat hij even goed kende als zijn eigen woning.

Die eerste avond had hij, nadat hij zijn werk in de kelder had gedaan, urenlang van kamer naar kamer gelopen met een koptelefoon op.

'Schotwonden in het hoofd van dichtbij. De schutter stond op minder dan een halve meter afstand. Allemaal behalve de vader. Eén schot. Geen kneuzingen, geen tekenen van verzet.'

Salinger sloot zijn ogen en ieder woord onthulde zijn ware kleur, een gloed van helderrood en blauw die recht door hem heen brandde. Maar het allerbeste, iets wat hij nooit had verwacht: Madisons stem was indigoblauw. In de diepe holte van het huis is dat het enige menselijke geluid.

19

Alice Madison, tien jaar oud, zette haar fiets tegen de warme betonnen muur en klopte op de roestige hordeur van de bungalow. Ze had tegen haar moeder gezegd dat ze over een uur terug was en ze had snel gereden in de middagwind. De hemel boven de woestijn in Nevada was verblindend, maar ze wist dat het huis geruststellend donker en airconditioned was.

De mannen in de kelder hadden twaalf uur achter elkaar gespeeld en niemand vond het erg dat de kelder geen ramen had. Het had ook geen beroemde naam zoals andere gelegenheden in Las Vegas, maar dat leek weinig uit te maken; het spel was even echt en het geld ook.

Voor vijfhonderd dollar kreeg je een stoel in Joey Cavizzi's kelder, de rest liet hij aan hen over. Een zacht klopje en een korte, dikke man hield de deur op een kier. Het meisje liep naar binnen.

'Hé, schatje,' zei een van de spelers.

'Hoi, pap,' antwoordde Alice.

Ze liep om de tafel heen en klom op een hoge kruk naast een bar in de hoek. De kamer was een combinatie van asbak en apenkooi. Joey's neef ging over de drank.

'Hetzelfde als altijd?' vroeg hij haar.

Ze knikte. Uit een klein ijskastje pakte hij een flesje gemberbier, schepte wat ijsblokjes uit een emmer in een glas, schonk het drankje zwierig in en wikkelde een gevouwen servetje om het glas. Hij gaf het haar en schoof een bakje pretzels dichter naar haar toe.

'Schat,' zei haar vader, 'tien minuten geleden kreeg Richard een straight flush. Hoe groot is de kans daarop?' Zijn ogen glinsterden.

'Tweeënzeventigduizend honderdtweeënnegentig tegen een,' antwoordde Alice zonder aarzelen.

Alle mannen lachten. Alice Madison had talloze pokerwedstrijden meegemaakt. De spelers hadden er geen bezwaar tegen; sterker nog, ze kregen er een kick van. Zij was hun mascotte: de tienjarige die de vreugden en mysteries van hun religie begreep.

Ze zat heel stil, maar haar ogen volgden de kaarten en de handen van de mannen. Haar vader keek naar haar en zij keek naar Richard O'Malley, links van hem. Of liever gezegd, pater O'Malley, doordeweeks om vijf uur 's middags en twee keer op zondag. Alice wist dat zijn kaarten goed genoeg waren om een flink bedrag in te zetten. Haar vader glimlachte.

Woensdagmorgen. Madison liep om kwart voor acht het politiebureau binnen, een kwartier voor haar dienst begon. Een paar verslaggevers die aan de andere kant van de parkeerplaats stonden, zagen haar en probeerden haar tevergeefs in te halen.

De wekker had haar wakker gemaakt uit een diepe slaap. Ze had het gevoel dat ze dingen achterna had gezeten en in het algemeen onophoudelijk had rondgerend, zelfs in haar dromen.

Toen ze naar boven liep, kwamen een paar rechercheurs van de Zedenpolitie de trap af. Ze keken elkaar even aan toen ze haar zagen. De vrouw draaide zich half om naar Madison toen ze elkaar passeerden en zei: 'Zet je maar schrap.'

Dat kon maar één ding betekenen: de PV was aanwezig, de afdeling Professionele Verantwoordelijkheid. Dat Interne Zaken nu zo werd genoemd, maakte het er niet leuker op. Madison rolde met haar ogen.

In het kantoor van inspecteur Fynn zaten een man en een vrouw. De deur was dicht; de jaloezieën stonden net ver genoeg open om te weten dat ze hen niet eerder had ontmoet.

Brown stond bij zijn bureau met een krant in zijn hand. 'Dus je bent toch gekomen. Heb je niet naar de radio geluisterd?'

'Nee, waarom?'

Ze was het wel van plan geweest en had hem aangezet, maar het gekwebbel stond haar tegen en ze had de knop weer omgedraaid. 'Lees maar. Een geweldig staaltje van onderzoeksjournalistiek.' Hij gaf haar een exemplaar van de *Washington Star*.

BLUERIDGE-MOORDENAAR SLACHTTE GEZIN AF UIT WRAAK. Daarna werd het alleen maar erger. Madison ging op de rand van haar bureau zitten en las verder. Haar blik ving de naam van de journalist op: Fred Tully.

Het artikel ging zo gedetailleerd in op de manier waarop ze vermoord waren dat iedere gek die ook maar enigszins uit zijn woorden kon komen een bekentenis zou kunnen fabriceren. Er werd gesproken over bewijzen, documenten en motieven. En ten slotte, als klap op de vuurpijl, werd de naam John Cameron genoemd. Tully schreef over zijn relatie met het dode gezin en met Quinn, Locke & Partners, en hij vermeldde alle mythen, geruchten en halve waarheden die aan Camerons naam waren verbonden.

'Klootzak,' siste Madison.

Brown keek fronsend naar de krant. 'Ze zijn de dertien dagen aan het aftellen.'

'Hoe is hij daarachter gekomen?'

'Dat zullen we gauw genoeg weten,' zei Brown op effen toon.

De suggestie was dat iemand had gepraat. Dat kwam wel vaker voor: verslaggevers die tegelijk met de rechercheurs aankwamen bij de plaats delict. Het gebeurde – een korte uitwisseling van informatie voor een paar flappen. Het hoorde niet, maar het gebeurde.

Ze las het artikel nog een keer. Ze realiseerde zich dat ze was gaan staan. Haar eerste impuls was in haar auto te stappen om die etterbak te gaan zoeken.

'Later,' zei Brown, haar terughalend naar de realiteit.

De deur van inspecteur Fynns kantoor ging open en hij gebaarde dat ze binnen moesten komen. Ze werden aan elkaar voorgesteld: de rechercheurs Julianne Casey en Bobby Carr van PV waren op het bureau om te onderzoeken hoe de zaak op zo'n schandelijke manier naar buiten had kunnen komen. Niemand gaf elkaar een hand.

Casey en Carr waren allebei begin veertig en Madison dacht dat ze waarschijnlijk al tijden geen plaats delict meer hadden gezien. Aan de andere kant leken ze slim genoeg en ze hadden beiden rechtstreeks oogcontact gemaakt toen ze werden voorgesteld.

'Tully schrijft alles op, als het maar geld oplevert,' begon Casey. 'En om eerlijk te zijn verbaast het me nog dat hij kan spellen. Maar het gaat erom dat dit ons in een gênante positie brengt, en dat kunnen we niet gebruiken. Dat doet de zaak kwaad, en het doet de politie kwaad.'

Goed werk, dacht Madison. Ze viel voor de 'we vormen samen één team'-aanpak.

'We moeten alle rechercheurs die aan de zaak werken zo snel mogelijk verhoren,' zei Carr, die kennelijk het gevoel had dat ze toch niet samen één team vormden. Zijn ogen stonden dof en zijn das was te fel.

'Ik zou één ding heel duidelijk willen maken,' zei inspecteur Fynn. 'Als jullie een lek vinden, dan is het niet afkomstig uit deze kamer. Als deze situatie opgelost moet worden terwijl er een onderzoek naar een meervoudige moord gaande is, dan wil ik niet dat er tijd wordt verspild. Als jullie met mijn rechercheurs willen praten, doe het dan nu. We hebben allemaal nog een heleboel werk te doen. Maar mijn raad aan jullie is: ga ergens anders zoeken.'

Casey en Carr wendden zich tot Brown en Madison. 'Is het goed als we met jullie beginnen?' vroeg Casey.

Madison schonk zich wat water in uit de koeler. Het gesprek was zinloos geweest, zoals te voorspellen viel. Boosheid en frustratie hielpen niet om haar helderder te laten nadenken. Ze moest door en zette de *Star* voor een tijdje op een laag pitje.

20

Nathan Quinn stond bij het raam van zijn kantoor. Hij keek naar buiten, maar zag niets. Hij had het grootste deel van de nacht met Tod Hollis zitten praten en het bericht van de beloning geregeld met de *Times* en de *Post-Intelligencer*. Hij had in de vroege ochtend als laatste de burelen verlaten en was als eerste weer aanwezig. Buiten was het nog even donker.

Toen de rechercheurs waren gekomen en hem het nieuws vertelden, wist hij wat er zou gebeuren. Hij wist dat de bittere smaak in zijn mond adrenaline was; dat herinnerde hij zich van het moment dat ze hem belden en over David vertelden. Zijn vader was hem komen afhalen van het vliegveld en had alles uitgelegd. Zoveel jaren geleden, en die smaak was het eerste wat terugkwam.

Hij dacht weer aan zijn vader, die al jaren dood was, en hoe die, toen David nog een baby was, met zijn zware Schotse accent *Now the summer's in its prime with the flowers sweetly bloomin'* voor hem zong. Het lievelingslied van zijn vader. Quinn had al zo lang niet meer aan die woorden gedacht, en nu kwamen ze weer in hem op en bleven in zijn hoofd hangen, terwijl hij alleen maar stilte wilde.

Carl Doyle klopte op de deur en kwam binnen met zijn post. 'Nathan,' zei hij, 'dit moet je lezen.' Hij legde de stapel enveloppen op Quinns bureau en gaf hem de *Star* aan.

'Dank je, Carl.'

'Je hebt over vijf minuten een afspraak met Victor over Redmond vs. Woodleigh. En rechter Martin verwacht je om elf uur.'

'Geef me tien minuten en laat hem dan komen.'

'Oké.'

Doyle vertrok. Hij moest Quinn vertellen over het gesprek met Madison, al was het alleen maar van belang voor hemzelf. Hij was degene geweest die de eerste puntjes met elkaar verbonden had, waar die ook naartoe zouden leiden. Doyle ging achter zijn bureau zitten en probeerde zich bezig te houden met de agenda.

Nathan Quinn las het artikel. Hij las het twee keer om er zeker van te zijn dat hij alle verbanden die Tully had gelegd precies begreep. De achtergronden van de relatie tussen de mannen waren nogal vaag, maar elke krant in de staat zou het verhaal overnemen en in de latere edities zou vandaag alles over de Hoh River-ontvoering en hun gezamenlijke verleden staan. Het verbaasde Quinn niet: achtenveertig uur na de ontdekking van de lichamen, dat was precies wat hij had verwacht. De *lichamen*.

Quinn belde Hollis. Hij nam op toen zijn telefoon voor de tweede keer overging.

'Het is begonnen,' zei Quinn.

In de stapel post, tussen de kerstkaarten en de condoleances, lag een crèmekleurige envelop te wachten die wensen noch medeleven overbracht.

Billy Rain werkte in de garage van zijn zwager in een zijstraat van Eastlake Avenue. Hij was een prima monteur die verstand had van auto's en de meeste problemen snel en accuraat kon oplossen.

Hij werkte aan de motor van een Pontiac toen hij de blik van Tom Crane in zijn rug voelde prikken. Hij keek niet om. Hij wist dat zijn zwager hem minachtte en een hekel aan hem had, en hij nam het hem niet eens kwalijk.

Het probleem met Billy Rain was dat hij maar in één ding echt geweldig was: Billy was de man naar wie je toegaat als je iets open wilt hebben, zoals een stalen deur, een slot, een bankkluis. Billy had een gave. Sommige mensen merken al vroeg in hun leven dat ze aanleg hebben voor een bepaald instrument of bijvoorbeeld voor wiskunde. Billy Rain wist dat hij alles open kon krijgen, wat en waar dan ook. Oudere jongens kwamen al snel naar hem toe en lieten hem eigenlijk nooit meer gaan.

Billy ging rechtop staan en zag dat Tom met een andere monteur stond te praten, en dat ze allebei zo nu en dan in zijn richting keken. Ondanks de blikken had niemand in de garage hem ooit echt moeilijkheden bezorgd. Hij was een meter tweeënnegentig en ze wisten allemaal dat hij er al heel wat gevangenisstraffen op had zitten. De mythe van de harde ex-gevangene kwam hem prima van pas.

Billy Rain was nooit in een vechtpartij verzeild geraakt en was er ook nooit naar op zoek gegaan. In de gevangenis werd hij met rust gelaten, beschermd door mensen die hem later misschien nog nodig zouden hebben. Zijn handen, die nu onder de smeer en de olie zaten, waren een waardevol bezit. Hij veegde ze af aan de zijkant van zijn blauwe overall.

Tom Crane had tegen zijn zuster gezegd dat haar man voor hem kon komen werken als hij voorwaardelijk vrijkwam. Een eenmalige tegemoetkoming, dacht Billy, waardoor Tom Crane elke dag kon neerkijken op iemand die er ellendiger aan toe was dan hijzelf. Maar het maakte Billy niet uit. Hij had een vrouw die beter verdiende, een vijftienjarige zoon die hem haatte en een negenjarige dochter die hem aanbad. Hij had geen idee wat hij moest beginnen als Tom binnenkort een reden zou vinden om hem te ontslaan en het enige leven waarin hij zich ooit op zijn gemak had gevoeld hem weer zou opeisen.

'Ik neem even pauze,' zei hij.

Hij schonk zich een kop koffie in uit de pot in Toms kantoor en nam hem mee naar buiten. Het was koud en de hemel was metaalgrijs, maar er stond een klein bankje bij het hek, uit de buurt van de radio en het onophoudelijke geklets.

Hij ging zitten en bladerde de krant door die hij die morgen had gekocht. Het was de *Washington Star*. Hij begon Tully's artikel te lezen.

Billy was nooit gewelddadig geweest. Hij was niet eens een dief; hij zorgde er alleen voor dat de andere jongens binnenkwamen. Die kwestie in Blueridge schokte hem. Een van de jongens was van dezelfde leeftijd als zijn meisje.

Billy Rain las de beschrijving van de moorden en heel geleidelijk aan verdwenen het lawaai en de radio naar de achtergrond en nam een zware, drukkende stilte hem vanbinnen in bezit. Op zijn eigen verachtelijke manier was Fred Tully even onthullend geweest als de foto die hij toegestuurd had gekregen.

Op een of andere manier vond Billy Rain het toilet aan de linkerkant van de binnenplaats en deed de deur op slot. Zijn gezicht in de spiegel was zo wit als de tegels aan de muur. Hij voelde een golf in zich opkomen en gaf over in het toilet.

Zo'n drie jaar geleden, in de gevangenis, op een ochtend die even koud was als deze. Hij gaf weer over. Billy maakte zijn werk af in de gevangeniswasserij. Tijdens de wisseling van de ploegen was er niemand anders aanwezig. Hij sloeg een hoek om en was zich plotseling bewust van twee mannen die zwijgend met elkaar in gevecht waren. Hij trok zich terug en wachtte tot ze uitgevochten waren en weg zouden gaan. Er klonk een vochtig, gesmoord gereutel en het geluid van iemand die zich schoppend probeerde te bevrijden. Billy bleef stokstijf met zijn rug tegen een hoge kar met wasgoed staan.

Daarna een minuut lang zacht geritsel en de voetstappen van één man die wegliep. Het lichaam lag languit op de betonnen vloer, met de handen voor de buik gebonden. Billy herkende een jonge pyromaan die George Pathune heette. Hij was geblinddoekt met een reep donker gevangenisdenim. Hij was dood. Op zijn voorhoofd was met bloed iets gesmeerd wat eruitzag als een kruis.

Billy Rain keek een paar seconden naar hem en haastte zich toen weg. Hij vertelde het aan niemand en toen het lijk werd ontdekt, praatte hij er met geen van de andere gevangenen over. Hij hield zich gedeisd en wachtte tot hij voorwaardelijk werd vrijgelaten.

In het toilet van de garage wreef Billy zijn met zeep ingesmeerde handen over zijn gezicht en spatte er water op. Het werk aan de Pontiac en de rest van de dag gingen als in een waas aan hem voorbij.

Kort voor elven vertrok Nathan Quinn uit zijn kantoor en nam de lift naar de parkeergarage van de Stern Tower. Hij stapte in de Jeep en startte de motor voor het korte ritje naar het gerechtshof aan 6th en Spring. Hij was niet ongerust, hij was niet bang. Sarah Klein, een openbaar aanklager die eerder een zwakke bewijsvoering bespeurde dan een luipaard een mank dier, kon onmogelijk zijn echte zorgen doorgronden, nog in geen duizend jaar.

De hemel hing laag en zwaar van de sneeuw boven de stad. Nathan Quinn knipperde tegen het licht toen de auto het gebouw uit reed. De grond zou hard zijn door de vorst, dacht hij. De grafdelvers zouden vroeg moeten beginnen en pas laat klaar zijn.

'Ik had een goede week, miss Klein. En we weten allemaal hoe zeldzaam dat is. En toen belandde jouw verzoek op mijn rol.'

Nathan Quinn en Sarah Klein zaten zwijgend tegenover de edelachtbare Claire Martin. Ze hadden allebei genoeg uren in haar rechtszaal doorgebracht om te weten dat ze haar niet moesten onderbreken. Ze wachtten terwijl de rechter haar toga uitdeed en op een hangertje hing. Zoals altijd droeg ze haar lange peper-en-zoutkleurige haar in een knotje en haar varifocusbril op het puntje van haar neus.

In haar meer dan twintig jaar als rechter had de edelachtbare Claire Martin veel onvoorbereide advocaten verrast: niemand kon voorspellen wat haar uitspraak zou zijn. Alleen dat ze standhielden en nooit werden herroepen door een hoger gerechtshof.

'De vertrouwensrelatie tussen advocaat en cliënt,' zei ze terwijl ze ging zitten. 'Oké, miss Klein, doe alsjeblieft of ik in een papieren zak leef en geen kranten heb gelezen en geen nieuws heb gezien. Geef me de details. Hou het kort.'

Sarah Klein had de opening in haar hoofd telkens opnieuw gerepeteerd. Vier aanklachten van moord, de manier waarop de misdaad was gepland en uitgevoerd, de jonge leeftijd van de kinderen, die factoren zouden zwaar meetellen bij de uitspraak van de rechter.

Ze hield het inderdaad kort en het lukte haar om geen detail over te slaan. Rechter Martin luisterde en maakte aantekeningen.

'Op dit moment doen het politiekorps van Seattle en de openbaar aanklager alles wat ze kunnen om Mr. Cameron, tegen wie een arrestatiebevel is uitgevaardigd, te lokaliseren. Terwijl Mr. Quinn hier vanaf het allereerste begin in contact met hem heeft gestaan en precies weet hoe en waar hij zijn cliënt kan bereiken.'

'Edelachtbare...' begon Quinn, maar rechter Martin hief haar linkerhand op. 'Nog niet,' zei ze. 'Wat wil je van me, Sarah?'

'De vertrouwensrelatie beschermt de communicaties tussen een advocaat en zijn cliënt, maar niet het feit dat die hebben plaatsgevonden of de manier waarop ze hebben plaatsgevonden of de locatie waar ze zich afspeelden. De belangen van de gerechtigheid overstijgen het doel van de vertrouwelijkheid.'

'Het duurde tien minuten om bij "de belangen van de gerechtigheid" te komen,' zei Quinn spottend.

'Ik denk dat de belangen van de maatschappij er het beste mee zijn gediend als van Mr. Quinn wordt geëist dat hij de verblijfplaats van zijn cliënt en de manier waarop hij contact met hem opneemt onthult. Edelachtbare, Mr. Quinn mag voor mijn part een telefoon oppakken of een boodschap in een fles versturen, maar als hij de moordenaar van minstens vier mensen beschermt, valt dat niet binnen de vertrouwelijkheid.'

'"Minstens vier mensen"? We hebben het hier alleen over de onderhavige zaak.'

Klein knikte. 'De staat heeft het recht die vragen te stellen,' zei ze. 'Een gevaarlijke man verschuilt zich nu achter het recht op een advocaat. Hiervoor is het Zesde Amendement niet bedoeld.'

Rechter Martin wendde zich tot Nathan Quinn. 'Nathan...'

Het was zijn beurt om iets te zeggen. Hij keek van de een naar de ander, met ogen die zo hard waren als zwarte steen.

'Niemand in dit vertrek wil liever dan ik dat de man die deze moorden heeft gepleegd wordt gepakt, dat kunnen jullie van me aannemen. Dit arrestatiebevel is alleen gestoeld op indirecte bewijzen en op de ooggetuige die een "soortgelijke" pick-uptruck als die van mijn cliënt, midden in de nacht, aan de overkant van een donkere straat zag staan. Hij heeft mijn cliënt niet ter plekke of in de buurt ervan gezien.'

'Ik heb het bevel zelf ondertekend; ik weet waar het op gebaseerd is,' zei de rechter.

'Laten we het wensdenken van de openbaar aanklager even terzijde schuiven. Er is niets in deze zaak dat het opschorten van het principe van de vertrouwelijkheid rechtvaardigt: elke vraag die miss Klein stelt, is nog steeds ongepast en elke onthulling zou een schending zijn van de normen van de professionele ethiek. Vóór de beschermde status van die communicaties opgeheven kan worden, moet de openbaar aanklager aantonen dat ze hebben bijgedragen aan een geplande of daadwerkelijke onwettigheid en dat ik, als advocaat van mijn cliënt, daaraan heb meegewerkt.'

'Toe nou, Nathan, daar gaat het niet om,' zei Klein.

'Daar gaat het juist wel om.'

'De vertrouwelijkheid strekt zich niet uit tot feiten die geen deel uitmaken van de communicatie. Je weet waar Cameron is omdat jullie een persoonlijke relatie hebben. Daarom heb je jezelf ontheven van de plichten als executeur van Sinclairs nalatenschap.'

'Is dat waar?' vroeg rechter Martin.

'Ja.'

De edelachtbare Claire Martin leunde achterover in haar stoel en zette haar bril af. De richting waarin het gesprek ging, stond Quinn helemaal niet aan. Hij besefte op dat ogenblik dat er inderdaad één deur op een kiertje stond, en hij hoopte vurig dat Sarah Klein het niet zou zien. Hij moest haar daar uit de buurt zien te krijgen.

'Sarah, als advocaat ben ik verplicht de waarheid te spreken. Ik zou hier de vertrouwensrelatie tussen advocaat en cliënt niet zitten verdedigen als ik enige kennis of enig bewijs had dat mijn cliënt de moorden heeft gepleegd.'

'Edelachtbare, het is grappig dat Mr. Quinn zegt dat hij verplicht is de waarheid te spreken, terwijl zijn weigering om iets los te laten duidelijk een belemmering is van de pogingen van de rechtbank om zijn cliënt te verhoren. Meer vragen we niet.'

'Nu maak je er een puinhoop van, miss Klein,' zei de rechter en ze wendde zich tot Quinn. 'Ben je bekend met Heidebrink vs. Moriwaki?'

'Oogmerk van de cliënt?'

'Precies. Het cruciale punt in de vertrouwensrelatie tussen advocaat en cliënt is het oogmerk van de cliënt toen de communicatie werd gelegd.'

Quinn vervolgde: 'Als de cliënt gelooft dat hij professioneel juridisch advies zoekt en de advocaat wordt geconsulteerd in zijn capaciteit als jurist, dan is de communicatie beschermd.'

'Miss Klein, het oogmerk van de cliënt wordt hier niet in twijfel getrokken. Wat heb je nog meer?'

Quinn wist het antwoord al voor ze begon te praten.

'En hoe zit het met het oogmerk van de advocaat?' vroeg ze. Ze had de deur gezien en was er meteen doorheen gelopen.

'Ga door,' zei de rechter.

'Toen Mr. Quinn werd verhoord door de rechercheurs Brown en Madison, werd hem voorgelegd dat hij Mr. Cameron het nieuws van de doden "persoonlijk" had gebracht omdat hij niet wilde dat hij het op het nieuws zou horen. Mijn punt is dat het op dat moment niet Mr. Quinns oogmerk was om juridisch advies te geven, maar om een vriend de schok te besparen iets op de televisie te horen. En dát wordt niet gedekt door de vertrouwensrelatie tussen advocaat en cliënt.'

Rechter Martin dacht erover na.

'Heb jij het initiatief genomen tot de communicatie?' vroeg ze aan Quinn.

'Dat is naar mijn mening vertrouwelijk,' antwoordde hij.

Er viel een lange stilte. Rechter Martin keek naar de twee advocaten tegenover haar; ze pakte haar vulpen en tekende het bovenste vel van de dagvaarding.

21

'Morgenochtend om elf uur. God zegene de edelachtbare Claire Martin.' Kleins stem kraakte door haar mobieltje.

Madison glimlachte; ze konden allemaal wel wat goed nieuws gebruiken. De PV-rechercheurs waren de hele morgen hard aan het werk geweest. Ze hadden iedereen ondervraagd en inspecteur Fynn voor het laatst bewaard. Toen ze klaar waren, vertrokken ze en steeg het geluid in het wachtlokaal weer naar zijn normale niveau.

Het onderzoek ging nu zijn derde dag in. Veel mensen waren nieuwsgierig; zelfs rechercheurs die geen goede reden hadden om op het bureau te zijn, kwamen toch binnenwandelen. Madison was blij dat hun onderzoeksteam apart zat.

Aan de muur hingen foto's van de plaats delict naast beelden van de Sinclairs die uit krantenartikelen waren geknipt. De slachtofferfoto's waren in kleur, met close-ups van ingangs- en uitgangswonden. Die uit de kranten waren zwart-wit. De PD-eenheid had voorzichtig de bovenkant van de deurstijl verwijderd om die in het lab te analyseren. Madison had er een foto van op het bord geprikt.

Lijsten met voorwerpen die waren meegenomen van de plaats delict waren boven op elkaar vastgeprikt en wedijverden met plattegronden van het huis en een diagram van welke rechercheurs welke buren hadden ondervraagd.

Boven haar bureau had Madison de foto van het verjaardagsfeestje gehangen die ze bij de Sinclairs had gevonden. Daarnaast hing een vergrote kopie van Camerons vingerafdruk. Een recente foto was leuk geweest, maar de spiralen en de bogen, zwart op wit, verzekerden haar ervan dat ze op zoek waren naar een werkelijk bestaande persoon. Van vlees en bloed, en sterfelijk.

Madisons bureau was bezaaid met documenten. Er heerste een soort van orde in de diverse lagen: de eerste bestond uit haar aantekeningen uit de bibliotheek over de Hoh River-ontvoering, daarna het *Nostromo*-dossier en de relevante krantenknipsels, en ten slotte, bovenop, de bankafschriften van James en Annie Sinclair.

'Dit.' Madison pakte het vel papier van Seattle First Savings & Loans op. 'James heeft deze rekening een halfjaar geleden geopend. Voor de andere kon zowel hij als zijn vrouw tekenen. Maar deze staat alleen op zijn naam.'

Ze bekeek de pagina, maar veel was er niet op te lezen.

'Hij zette er vijfhonderd dollar op toen hij de rekening opende. Daarna werd er elke maand, vier maanden lang, vijfentwintigduizend dollar op gestort. Dat blijft er een dag op staan en de volgende dag is het weg. Contant opgenomen. Hetzelfde bedrag als op de vervalste cheque.'

'Ik denk dat we weten waar het geld heen ging, maar niet waarom,' zei Brown.

'Hij nam het contant op. In totaal honderdduizend dollar.'

Brown leunde achterover in zijn stoel, zette zijn bril af en begon hem schoon te poetsen met zijn witte zakdoek.

'Hoe groot is Quinns beloning?'

Madison wist dat hij het niet hoefde te vragen. Hij was er de man niet naar om details te vergeten.

'Honderdduizend dollar.'

Ze hadden allebei hetzelfde gedacht: uiteindelijk komt het op hetzelfde neer.

Quinns beloning was in de eerste plaats een complicatie. Daar was iedereen het over eens. Het nieuws was op het bureau ontvangen met een luid gekreun. Het zou nooit bruikbare informatie over Cameron opleveren, alleen een hoop gekken met telefoonkaarten en te veel vrije tijd. Het was de poging van een advocaat om de boel in de war te sturen, niets meer en niets minder.

Brown ging door met het opstellen van een lijst personen met wie Cameron had samengewerkt. Het was een heel korte lijst. Cameron werkte eigenlijk nooit met iemand samen. Op de lijst stonden alle namen die in de loop der jaren naar boven waren gekomen in verband met de zaken waarvan Cameron níét was beschuldigd.

'Harry Cueron,' begon Brown.

Madison keek op. 'Stelt weinig voor. Kleinschalige wapenhandelaar?'

'Ja.'

'Vorig jaar gepakt. Hij zit nu in de gevangenis.'

'Bobby Hooper, drugs en prostitutie.'

'Verhuisd naar Miami.'

Brown streepte de namen door.

'John Keane,' deed Madison nog een poging. 'Enorme sukkel. Zijn broer is gedood op de *Nostromo*.'

'Drie maanden geleden in de gevangenis vermoord.'

Er viel even een stilte.

'Dit wordt niets,' zei Brown.

De assistente klopte en kwam binnen. 'Dit is voor jullie gekomen van Registratie en Identificatie.' Ze gaf Brown een envelop, keek expres niet naar de foto's aan de muur en vertrok weer.

In de jaren tachtig was er een computerprogramma ontwikkeld om het zoeken naar kinderen die al een tijd waren vermist te vergemakkelijken: de software kon aan de hand van de meest recente foto weergeven hoe dat kind er over vijf, tien, twintig jaar uit zou zien.

Brown haalde een foto van tien bij vijftien tevoorschijn.

'Daar is hij,' zei hij, en hij gaf hem aan Madison.

Ze hadden goed werk verricht. De tiener van de politiefoto was veranderd in een man. Al was er in het proces iets verloren gegaan, toch voelde Madison een koude rilling over haar rug gaan, niet van angst maar van herkenning. Daar was hij.

'We zouden Quinn moeten vragen of het een goede gelijkenis is.'

'Dat is waarschijnlijk vertrouwelijk,' antwoordde Brown.

Inspecteur Fynn stak zijn hoofd om de deur. 'De baas belt me om het kwartier. Hoe ver zijn we?'

'Ik heb met Gertz gebeld,' zei Brown. 'De lokale politie krijgt de foto, evenals de staatspolitie, de douane en de luchthavenpolitie. Ik zorg ervoor dat alle charterdiensten naar de eilanden hem ook krijgen. De foto en de details worden doorgegeven aan VICAP en de FBI. Aan die pick-uptruck hebben we niets, die heeft hij waarschijnlijk al gedumpt in de bossen. En Klein heeft het voor elkaar gekregen dat Quinn morgenochtend voor de rechter moet verschijnen.'

'We zouden kaartjes moeten verkopen,' zei Fynn en hij zweeg

even. 'Cameron kan al jaren ongestoord zijn gang gaan. Ik wil dat hij nu zichtbaar wordt. Ik wil zijn foto op het nieuws zien, zijn gezicht op de voorpagina. Laten ze hun gang maar gaan. Hij mag geen pakje sigaretten meer kopen zonder dat hij door vijfentwintig mensen wordt herkend.'

Het bleef even stil toen Fynn van de een naar de ander keek. 'Ik weet het niet,' zei Madison. 'Het publiek moet ervan op de hoogte zijn, natuurlijk. Maar er zijn veel bossen en bergen in deze staat en de burgers hebben het recht om een wapen te dragen. Voor je het weet hebben we een schietpartij in de 7-Eleven.'

Fynn keek naar Brown. 'Laten we wachten tot we weten wat Quinn ons gaat vertellen.'

'Dan heeft hij nog vierentwintig uur om te gaan en te staan waar hij wil.'

'Niet echt. Alle politiekorpsen in de staat zijn naar hem op zoek. Hij kan nergens een auto huren of een vliegticket kopen. Hij kan alleen blijven zitten waar hij zit.'

'Na Quinn is hij op het middagnieuws.' Fynn nam een hap van een appel. 'Nog iets gehoord van onze informanten?'

'Nee.' Brown schudde zijn hoofd. 'Alle verklikkers in Seattle zijn de stad uit voor de feestdagen.'

'Ik wou dat ik dat ook kon doen,' zei Fynn en hij liep de deur uit.

'We gaan uit van de veronderstelling dat hij nog in Seattle is,' zei Madison. 'Hij kan vertrokken zijn na zijn ontmoeting met Quinn op maandag.'

'Misschien, maar dat denk ik niet.'

'Ik ook niet, maar het zou leuk zijn om te weten hoe hij het nieuws heeft opgenomen.'

'Ik ken een tentje op Alki Beach.' Brown stond op en hees zich in zijn jasje. 'Laten we gaan lunchen.'

Als je tegen een muur oploopt, moet je er een paar schoppen tegen geven, alleen om te kijken of er iets loskomt. Daar geloofde Madison heilig in.

Alki Beach. The Rock was opgetrokken uit hout en glas en stond op een pier. Het restaurant zweefde boven het water alsof het weg probeerde te komen van het strand. De hoge ramen glansden in het grijze decemberlicht en weerspiegelden de wolken in de lucht en elk lichtstraaltje dat ze doorlieten.

Madison stapte uit de auto, dankbaar om het zout in de lucht. De pont naar Bremerton was net langs gevaren; zeemeeuwen volgden in zijn kielzog, een smalle witte lijn in het stille water en aan het eind, aan de andere kant van Elliott Bay, de skyline van Seattle.

Madison wist niet of John Cameron ooit in het restaurant kwam, maar in elke keuken gebeuren altijd twee dingen: er wordt gekookt en er wordt gekletst. Als Cameron er geweest was, moest erover gepraat zijn. En misschien had iemand gezien in wat voor auto hij reed. Madison hoopte dat de mensen hier een soort loyaliteit voelden met James Sinclair en zijn gezin. Ze hoopte dat ze zich zijn kinderen herinnerden.

De manager kwam naar hen toe en nam hen mee naar zijn kantoor. Jacques Silano, Frans-Canadees, midden dertig, een meter negenenzeventig, gedrongen gestalte met een donker, mediterraan uiterlijk. Hij sprak met een licht accent en ging onberispelijk gekleed in een krijtstreepkostuum met een wijnrode das. Het kantoor, klein en volgestouwd met ordners, rekeningen en drie verschillende kalenders aan de muur – leveranties, vakanties van het personeel en groepsreserveringen – was even netjes en smetteloos schoon. Ze gingen zitten.

'Wat kan ik voor jullie doen?' vroeg hij.

Madison had het gevoel dat ze weinig loze praatjes van hem te verwachten hadden. Geen 'ik kan het nog steeds niet geloven' of 'wat is het toch vreselijk' die ze van andere kennissen te horen hadden gekregen. Jacques Silano straalde een en al zakelijkheid uit.

Evenals Brown. 'John Cameron is een van de eigenaren van The Rock. We zouden graag weten hoe uw omgang met hem is sinds u hier werkt, en wanneer u hem voor het laatst hebt gezien.'

Ze hoefden hem amper aan te moedigen.

'De laatste vrijdag van de maand,' zei hij. 'Quinn, Sinclair en Cameron. Ze komen laat, nadat de keuken al gesloten is. Er is een privévertrek achterin. De keukenstaf en het bedienend personeel zijn dan al vertrokken.' Silano glimlachte even. 'Pokernacht.'

'Ga door,' zei Brown.

'Ze spelen al sinds vóór ik hier kwam werken. Zo'n drie jaar geleden vroegen ze of ik mee wilde doen. We beginnen laat en spelen tot het licht wordt. Dan ga ik naar huis, maar zij blijven vaak nog om te ontbijten.'

'En Cameron was erbij?'

Silano knikte.

'Altijd?'

Hij knikte weer.

'Wat kunt u ons vertellen over John Cameron?'

'Ik weet het niet,' zei hij. 'De eerste keer dat ik hem ontmoette, werkte ik hier een week. Hij had een eetafspraak met Sinclair en Quinn. We werden aan elkaar voorgesteld. Ik wist niet wie hij was. Maanden later hoorde ik twee van de koks over hem praten. Geroddel over dingen die hij gedaan zou hebben. Ik zei dat ik dat soort praatjes niet in de keuken wilde horen en de chef-kok viel me bij. Donny is hier al langer dan ik. Donny O'Keefe. Quinn en Sinclair komen hier om de paar weken lunchen of dineren, maar Cameron komt altijd pas laat in de avond. Na een paar jaar vroegen ze me er dus bij. Donny deed al mee.'

'Wordt er goed gespeeld?'

'O ja.'

'Waar praten jullie over?'

'Nergens over. Over alles. Geen persoonlijke dingen.'

'En Cameron?'

'Hetzelfde als de anderen.'

'Over hoeveel geld hebben we het?'

Silano lachte even. 'Als ik een heel goede nacht had, won ik zo'n driehonderd dollar. Ik verloor ongeveer evenveel als ik een slechte nacht had. Niemand is hier rijk of arm geworden.'

'Deed Sinclair mee? Weet u of hij nog ergens anders gokte?'

'Gokken? Hij blufte niet eens.'

'Wanneer hebben jullie voor het laatst gespeeld?' vroeg Madison.

'De laatste vrijdag in november.'

Toen was Sinclair Cameron al maanden aan het afzetten, dacht ze.

'Ging het er toen anders aan toe?'

'Nee.'

'Hoe laat begonnen jullie die avond te spelen?'

Madison was er vrij zeker van dat een man die in zijn werkende leven zo ordelijk was een goed geheugen voor details had.

'Na twaalven, zoals altijd,' antwoordde hij.

'Wie kwam het eerst binnen?'

Silano moest daar even over nadenken. 'Quinn en Cameron hadden hier gegeten. James kwam wat later.'

'Deed er nog iemand anders mee?'

'Nee.'

'Er kwam niemand langs om gedag te zeggen, een biertje te pakken, dat soort dingen?'

'Nee, we waren altijd met zijn vijven.'

'Hadden jullie wel eens ruzie? Heeft iemand ooit vals gespeeld?'

'In het gezelschap van die mannen? Dat meent u niet.' Silano glimlachte. 'Nee. Niemand speelde vals. We plaagden Sinclair vaak omdat je aan zijn gezicht kon zien wat voor kaarten hij had, zoals die keer dat hij een full house kreeg. Weet u hoe klein de kans daarop is?'

'Zeshonderddrieënnegentig tegen een,' antwoordde Madison zonder erbij na te denken.

'Nou, hij heeft er zo'n tien dollar mee gewonnen. Zo was Sinclair. Bij Quinn en Cameron wist je het gewoon niet. En Donny? Ik heb gehoord dat hij de studie van zijn kinderen heeft betaald met pokeren.'

'Laten we teruggaan naar Cameron. Zou u heel goed na willen denken over de laatste pokernacht?' zei Brown.

'Het was een leuke nacht.' Hij sloot zijn ogen. 'Quinn had een paar heel dure sigaren meegebracht die we moesten proeven. Ik won negentig dollar.' Hij deed zijn ogen weer open.

'Was er spanning tussen Sinclair en Cameron? Een blik, een enigszins andere sfeer?'

'Nee.'

'Waar praatten jullie over?'

'Over de gewone dingen. Alle nachten lopen zo'n beetje in elkaar over, als u snapt wat ik bedoel. Er gebeurde niets vreemds die

nacht.' Silano leunde achterover. 'Ik heb vanmorgen de krant gelezen en ik begrijp wat u me vraagt, maar nee, er was niets onge-
woons aan de hand en er is geen ruzie geweest, over wat dan ook.
Nooit. Over niets.'

Toen ze klaar waren, stond Brown op. 'We zouden graag een lijst
van uw werknemers willen hebben, tot op een jaar terug, als u die
heeft, met adressen en telefoonnummers.'

'Hier heb ik er een,' zei hij en hij haalde een paar getypte vellen
uit een van de ordners.

'We gaan het personeel nu een paar vragen stellen.'

Silano knikte. Er viel weinig meer te zeggen.

'Heeft u ooit gezien in wat voor auto hij rijdt?' vroeg Madison
toen ze opstond, al wetend wat het antwoord zou zijn.

'Een zwarte Ford pick-uptruck,' antwoordde Silano zonder enige aarzeling.

'Natuurlijk,' zei ze.

Brown legde zijn hand op de deurknop: 'Waarom besloot u om
ons over het pokeren te vertellen?'

'Op een nacht, maanden geleden, waren we in de keuken iets te
eten aan het klaarmaken toen ik achter me gekletter hoorde en
Donny die begon te vloeken. Ik draaide me om. Er was overal
bloed. Een van de keukenmessen was uitgeschoten, ik weet niet
hoe, en het bloed stroomde uit Camerons hand op de vloer. Sinclair en Quinn komen binnen en pakken handdoeken om zijn
hand in te wikkelen. Cameron kijkt er alleen naar, hij spreidt zijn
hand zelfs om het beter te kunnen zien. Hij wilde geen hechtingen.
Hij deed er een handdoek om en dat was dat.' Silano zweeg even.
'Iedereen was aan het roepen en schreeuwen, maar Cameron gaf
geen kik.'

Silano schudde zijn hoofd. 'Ik weet het niet,' zei hij ten slotte.

Ze vonden Donny O'Keefe op het terras, waar hij een sigaret stond
te roken. De achterdeur van de keuken kwam uit op een plaatsje
met een trap naar het strand. Hij leunde op de houten omheining
met zijn rug naar hen toe. Er stond een flinke bries uit zee en de hemel was al donker aan het worden. O'Keefe droeg alleen zijn witte koksschort: als hij het koud had, was hem dat niet aan te zien.

'Mr. O'Keefe,' zei Brown.

Hij draaide zich om. Een pezige man van achter in de veertig. Zijn haar was wit en kortgeknipt. Hij was niet groter dan een meter zeventig, maar in zijn ogen ging zoveel om dat niemand hem ooit had lastiggevallen.

Nadat ze zich hadden voorgesteld, keek hij Brown en Madison even aan. Zijn mouwen waren opgerold en ze zagen de oude gevangenistatoeage op zijn rechteronderarm. Een arend omringd door prikkeldraad. Hij keek ernaar.

'Drieëntwintig jaar geleden. Ik heb hem gehouden om mezelf eraan te herinneren dat ik ooit jong, mooi en zo stom als het achtereind van een varken was.'

Hij nam een laatste trekje en maakte het peukje uit in een kleine asbak die op de reling stond.

'Wat kan ik voor jullie doen?'

'U weet waarom we hier zijn,' zei Brown.

'Ik heb het nieuws vanochtend gehoord. Ik dacht wel dat jullie vroeg of laat langs zouden komen.'

'Hoe lang werkt u al bij The Rock?'

'Drie jaar als souschef. Zeven jaar als chef-kok.'

'Dat zijn een heleboel pokernachten.'

O'Keefe glimlachte.

'Er zal heel wat afgekletst zijn.'

'Ja.'

'Je zit geen tien jaar aan tafel tegenover een man zonder iets van hem af te weten,' zei Brown terwijl hij zijn handen op de reling legde en uitkeek over zee. Een echtpaar was een klein hondje aan het uitlaten.

'Soms wel. Hoe meer je iemand ziet, hoe minder je hem soms kent.'

'Wat er in de krant stond – denkt u dat hij het niet heeft gedaan?' vroeg Madison.

'Nee, dat denk ik niet.'

'U denkt niet dat hij zoiets kon doen.'

'Ik denk niet dat hij het zóú doen.' O'Keefe stak zijn handen in de zakken van zijn schort. 'U vroeg ernaar en dit is mijn antwoord. Denkt u dat we hem, met een biertje en wat chips erbij, hebben gevraagd hoe hij die kerels op de boot heeft afgemaakt?'

'Wij denken dat hij een man en zijn gezin heeft vermoord,' zei Madison. Haar stem klonk zacht vergeleken met de metalige geluiden uit de keuken. 'Een man die een heel lange tijd deel uitmaakte van uw leven. U zou dingen kunnen weten die ons kunnen helpen om zijn moordenaar te vinden.'

'Denkt u dat ik de klootzak die dit heeft gedaan niet wil vinden?'

'Praat dan met ons.'

'Jullie begrijpen het niet. Cameron komt hier één keer per maand om te pokeren: dat is het enige wat we van hem weten. Wat hij in de tussentijd doet? Niemand vraagt ernaar. Waar hij woont? Niemand vraagt het.'

Hij haalde een pakje Marlboro's uit zijn borstzakje, schudde er een uit, stak hem op en inhaleerde diep.

'Daarbinnen staat een vissoep waarvan een volwassen man in huilen uit zou barsten. Meer dan dat weet ik niet.'

Brown haalde een van de foto's van Cameron tevoorschijn en liet hem aan O'Keefe zien.

'Lijkt hij hier een beetje op?'

'Ja, hoor,' zei hij, wat meer klonk als 'niet echt'.

Brown wees naar de keuken. 'We gaan wat vragen stellen. Misschien herinnert iemand zich iets dat onze komst de moeite waard maakt.'

'Ga je gang. Willen jullie soms iets eten?' O'Keefe sloeg zijn armen over elkaar en leunde achterover.

'Misschien een ander keertje,' antwoordde Madison. 'Trouwens, waarvoor zat u drieëntwintig jaar geleden vast?'

'Ik dacht dat u het nooit zou vragen.' Hij trok aan de sigaret tot de punt opgloeide. 'Autodiefstal. De auto was van een politieman. Ze hadden me binnen drie uur te pakken.'

Hij leek het grappig te vinden, alsof het iemand anders was overkomen.

'Slimme zet,' zei Madison.

'Zo stom als het achtereind van een varken,' antwoordde O'Keefe.

Ze lieten hem buiten achter.

Vijf mannen – drie Latijns-Amerikanen, twee blanken – ook in koksschorten, waren aan het werk in een lange, smalle, smetteloze keuken. Ze stonden te hakken, te snijden, af te wassen en zich voor te bereiden op de avonddrukte en de kerstreserveringen. Brown en Madison liepen naar binnen en de gesprekken verstomden.

Iedereen wist wie ze waren en wat ze wilden. Het kostte Brown en Madison drie kwartier om een voor een met ze te praten. De kelners en hulpkelners waren aan het eind van hun dienst al naar huis gegaan.

Toen ze naar buiten kwamen, hadden de langsrijdende auto's hun lichten aan. Het zou niet lang duren voor het donker was. Brown vinkte de namen van de lijst die Silano hun had gegeven af. Madison wilde het liefst weer aan de slag en het politiebureau bellen; agenten hadden autoverhuurbedrijven gecheckt voor het geval Cameron de pick-up had gedumpt en bij het dichtstbijzijnde kantoor van Hertz langs was gegaan.

Zijzelf zou ervoor hebben gezorgd, bedacht ze, dat er een onverdachte auto klaarstond. Een met een lokaal nummerbord, contant betaald, die niet naar haar teruggevoerd kon worden. En dat zou ze al dágen voor de moorden hebben geregeld.

Dan waren er nog de veiligheidscamera's op het vliegveld: iemand zou naar Sea-Tac moeten gaan met de foto van Registratie en op zijn minst de eerste vierentwintig uur na de misdaad moeten controleren. Een kleine kans als je ervan uitging dat hij zijn uiterlijk niet al te zeer had veranderd. Madison maakte altijd gebruik van het standaard zwarte notitieboekje van de politie, met het elastiek eromheen. Ze haalde het uit de binnenzak van haar jasje, leunde tegen de auto en schreef iets op. *Pokernacht.* Ze sloot haar ogen en even zat ze weer op de kruk en keek ze over de schouder van haar vader naar zijn kaarten. Ze had veel over Cameron kunnen leren als ze hem had zien pokeren, al was het maar één keer.

Brown was, een paar passen achter haar, al aan het bellen. Het was het einde van de middag. Madison had honger en die vissoep had er heerlijk uitgezien.

'Dat was Kelly,' zei Brown nadat hij zijn mobieltje had dichtgeklapt. 'Hij is op een plaats delict op Genesee Hill. Hij zei dat we moesten komen.'

'Wat is er gebeurd?'

'Blanke man, steekwond in de hals.'

Madison knikte. Kelly was bepaald niet haar beste vriend en ze wist uit ervaring dat hij nog onaangenamer zou zijn als hij de verantwoordelijke man op een zaak was.

'Poker jij wel eens?' vroeg Brown haar plotseling.

'Ik heb mensen gekend die pokerden.'

Brown trommelde met zijn vingers op het dak van de auto. 'Oké,' zei hij, 'we zouden via Husky's kunnen rijden.'

Husky's Deli. Kijk, daar fleurde ze van op.

De pers was al aanwezig. Ze hadden de geur opgesnoven en stonden in groepjes, met hun camera in de aanslag, te wachten.

'Ze weten het altijd,' mompelde Brown zachtjes.

Drie politieauto's blokkeerden de oprit. Camera's flitsten toen ze dichterbij kwamen. Brown liet zijn penning zien en ze mochten doorrijden.

Het was een groot huis in het duurste deel van Genesee Hill. De voortuin was omheind en Madison zag dat er een kleine veiligheidscamera op het hek was gemonteerd. Het busje van de PD-eenheid stond naast een ambulance bij de voordeur geparkeerd.

Chris Kelly kwam net naar buiten toen Brown en Madison uitstapten. 'Precies op tijd,' zei hij. 'Ik wilde dat jullie hem zagen voor hij verplaatst wordt.'

Kelly's partner, een mager, ontevreden type dat Tony Rosario heette, was net terug van ziekteverlof. Hij knikte gedag en liep naar zijn auto. Natuurlijk, dacht Madison, was het heel goed mogelijk dat Rosario in werkelijkheid een heel aardige man was: als je twaalf uur per dag met Kelly moest doorbrengen, dan deed dat iets met je.

Kelly begeleidde hen naar de woonkamer. De technische mensen waren al volop bezig. Het was een modern huis; zowel binnen als buiten was een vage poging tot stijlvol minimalisme gedaan, waar Madison een enorme hekel aan had. De woonkamer was in zwartwit gedacht. Een enorme zwartsuède sofa en een kniehoge glazen tafel domineerden de ruimte; de rest bestond uit scherpe hoeken en hardhouten vloeren.

Madison registreerde het bloed op de muren al als een verstoring van de patronen voor ze besefte waar ze naar keek. Toen ze het zag, wist ze het en voelde ze de adrenaline stromen. Haar ogen volgden de golvende bewegingen van de rode spray; de witte kussens waren bedekt met een fijne nevel. Niemand kon zoveel bloed verliezen en toch blijven leven.

De man hing met zijn rug tegen de achterkant van de sofa. Madison kon niet zeggen wat voor kleur zijn overhemd was geweest, misschien lichtblauw, misschien wit. Het was nu doorweekt van het bloed, evenals zijn spijkerbroek. Het bloed was in de vouwen van zijn kleren blijven liggen en lag om hem heen op de houten vloer. Zijn handen lagen naast hem, met de plastic zakken er al om, rood en vochtig.

Hij was een grote, stevige man geweest: rond de een meter vijfennegentig. Zijn haar was vaalblond en hij begon al kaal te worden, wat hij had geprobeerd te verhullen. Hij zag er fit uit; als er was gevochten, zou hij een geduchte tegenstander zijn geweest. Maar daar lag hij nu, met een gapende wond over zijn keel die bijna van oor tot oor liep en zijn mond open alsof hij verrast was.

'Zijn vriendin heeft hem gevonden. Het ambulancepersoneel moest haar een kalmerend middel geven,' zei Kelly. 'Er zitten vier sloten op de voordeur. De man was nogal gespitst op veiligheid. Toen de vriendin de deur opendeed met haar sleutels waren alle vier de sloten nog intact. De ramen zijn niet aangeraakt en voor je door de achterdeur kunt, moet je ook nog eens drie sloten openmaken. Allemaal nog intact. Nergens sporen van braak. En als klap op de vuurpijl: in de slaapkamer staat een kluis waarin je een wandelingetje zou kunnen maken. Wijd open. Met genoeg wit spul erin om een sneeuwpop te maken.'

'Een dealer,' zei Brown.

'Erroll Sanders.'

De naam deed ergens een belletje rinkelen bij Madison.

Brown ging op zijn hurken zitten en keek in de wond. 'Mr. Sanders, lang niet gezien.'

'Ken je hem?' vroeg Madison.

'Hij heeft zich een paar jaar muisstil gehouden.' Brown kwam weer overeind. 'Ongeveer sinds een van zijn jongens zonder ogen en handen boven kwam drijven in Lake Washington.'

'Camerons werk?'

'Hoogstwaarschijnlijk wel.'

Aan de ene kant waren openslaande deuren, de andere drie muren waren verblindend wit geschilderd. Madison keek om zich heen. Afgezien van de golvende bloedspatten leken er geen directe bewijzen van een vechtpartij te zijn. Er stonden een paar vazen op een schoorsteenmantel bij de deur en lampen op twee kleinere tafeltjes aan weerszijden van de sofa. Er was niets verschoven.

'Hij heeft hem van voren te pakken genomen,' zei Kelly, neerkijkend op het lichaam.

'Ja.' Brown onderzocht de spetters bloed op de muur rechts van hem. Hij wees. 'Die zijn afkomstig van het mes dat met een zwaai terug is getrokken nadat het de snee heeft gemaakt.'

Hij ging met zijn vinger langs een rechte lijn fijne druppeltjes, waarvan de staart de richting aangaf waaruit ze waren gekomen. Hij bewoog langzaam zijn arm terwijl hij berekende waar de moordenaar had gestaan.

De wond was heel diep en gezien Erroll Sanders' lengte was het onwaarschijnlijk dat zijn moordenaar hem van achteren in een houdgreep had genomen en daarna zijn keel had doorgesneden.

Madison ging op haar hurken zitten. De wond was aan de rechterkant dieper en liep links een beetje omhoog: de moordenaar was snel en ongelooflijk sterk geweest. Eén snelle jaap en Sanders moest door het bloedverlies binnen enkele seconden het bewustzijn hebben verloren.

'De snee loopt van rechts naar links,' zei Brown. 'Hij is rechtshandig.'

'De PD-eenheid is al uren naar vingerafdrukken aan het zoeken.' Kelly leek vreemd genoeg ingenomen met zichzelf. 'Ze hebben er nul komma nul gevonden. Hij had een revolver in een enkelholster, waar hij dus niets aan had, en een .45 op zijn nachtkastje. Het ziet eruit alsof hij die net had afgedaan. Niemand heeft hem nog aangeraakt. Er ligt zo'n vijfduizend dollar naast de cocaïne. Dit ging niet om drugs, dit ging niet om geld. Ik denk dat we hier met een *Nostromo*-achtige situatie van doen hebben.'

'Dat weten we niet zeker,' zei Brown. 'Hoe zit het met de veiligheidscamera buiten?'

'Die heb ik gecontroleerd: de band ontbreekt. Er staan een paar glazen in de gootsteen, afgewassen. Dat betekent niet per se dat Sanders iets met hem heeft gedronken, maar als dat wel zo was, dan heeft de moordenaar de boel schoongemaakt.'

De glazen tafel zou een perfect oppervlak zijn geweest om vingerafdrukken op te vinden en daar hadden ze hun glazen kunnen neerzetten.

'Niets op te bekennen,' zei Kelly.

Het geweld was alleen gericht tegen Erroll Sanders. De moordenaar was in niets anders geïnteresseerd geweest dan in het beëindigen van zijn leven met één snelle haal van het mes.

'Tijdstip van overlijden?' vroeg Madison.

'Waarschijnlijk tussen vier en zes uur vannacht.'

Het was een van de plezante eigenaardigheden van hun relatie. Als Madison iets aan Kelly vroeg, gaf hij meestal antwoord aan Brown. Even vroeg Madison zich af of het haar de tijd en de moeite waard waren hem daar een dezer dagen onder vier ogen op aan te spreken. Niet nu, dacht ze, niet hier.

'Kunnen we hem meenemen?' De vraag kwam van een ambulancebroeder.

'Ga je gang,' zei Kelly en Erroll Sanders werd voorzichtig van de grond getild, in een lijkzak geritst en weggedragen.

'We weten niet of hij de insluiper al in het huis aantrof toen hij thuiskwam. Of dat de man hem naar binnen is gevolgd. We weten niet waarom en we weten amper wanneer,' zei Brown.

'Hoe bedoel je dat?'

Het werd Madison plotseling duidelijk dat Kelly erg ingenomen zou zijn als Cameron de moordenaar bleek te zijn.

'Ik zou dolgraag willen weten hoe hij binnen is gekomen,' zei Kelly.

'Misschien moet je erop aandringen dat ze de auto van het slachtoffer op vingerafdrukken onderzoeken. Misschien was het een paard van Troje. Is het goed als we rondkijken?'

Kelly dacht daar even over na. Hij was geen Homerus-lezer, maar het idee moest hem vertrouwd zijn.

'Ga je gang,' zei hij en ging op zoek naar Rosario.

'We hebben weinig, maar wel iets,' zei Madison. 'We hebben Sanders en we hebben de lichamen op de *Nostromo*. Ik wil de post mortem-verslagen en de beschrijving van de verwondingen controleren.'

'Kelly is verantwoordelijk.'

'Weet ik. Maar Cameron heeft zich jarenlang gedeisd gehouden en nu hebben we vijf moorden binnen vier dagen.'

'En jij zoekt naar een verband?'

'Zoek jij daar dan niet naar?'

Brown wreef met de muis van zijn hand in zijn ogen. 'Bij alle vijf de mannen op de *Nostromo* was de keel doorgesneden door een rechtshandige man. Drie van achteren, van links naar rechts. Twee van voren, van rechts naar links. Aan de hoek te oordelen was de moordenaar ongeveer een meter zevenenzeventig lang. Gezien Sanders' lengte en de hoogte van de snee, is zijn moordenaar ongeveer een meter zevenenzeventig. Het lemmet op de *Nostromo* was van het type ongekarteld scheermes, scherp genoeg om je adem in tweeën te snijden. Net zoals wat hier is gebruikt.' Hij wees naar de donkere spatten op de muren.

'Een mes is een wapen dat je van dichtbij gebruikt,' kwam Madison tussenbeide. 'En het is gevaarlijk omdat je dichter bij het slachtoffer moet komen. Kelly had gelijk: iemand was zo woest op Sanders, dat het hem niet kon schelen. Het was persoonlijk.'

Er kwam iets bij Madison op. 'Met al dat bloed op en rondom Sanders moet de moordenaar helemaal onder hebben gezeten toen hij wegging.'

Brown knikte. 'Kelly heeft vast opdracht gegeven om de vuilnisbakken op straat te controleren.'

'Nee, daar is de moordenaar te slim voor.' Madison begon op de grond bij de bank te zoeken, dicht bij de plek waar het lichaam lag.

'Hij wist dat Sanders meteen in elkaar zou zakken nadat hij had toegeslagen,' ging ze door. 'Voor hem is het gevaar voorbij. Hij kan rustig van de show gaan genieten.'

Ze vond wat ze zocht. 'Kijk.'

Op de hardhouten vloer, een meter van waar Sanders was neergekomen, tekende zich een enigszins gebogen lijn bloeddruppels af. De druppels waren groot en rond en waren loodrecht op de grond gevallen.

'Hij droeg een lange jas. Een plastic regenjas. Daar kwam het bloed op terecht en dat gleed er vervolgens vanaf. Toen Sanders dood was, trok hij de jas uit – en wat hij ook maar over zijn schoenen had gedaan. Hij stopte hem in een tas en ging naar huis. Schoon.'

'En de tas?'

'Een dunne regenjas is zo verbrand. Zoiets laat je niet slingeren.'

'Een regenjas.'

'Zo'n jas van doorzichtig plastic.'

'Precies.'

'Slim.'

'Vind ik ook.'

Ze liepen door de gang en de keuken en de biljartkamer en de slaapkamer met de grote open kluis erin – waaruit de drugs en het geld intussen verdwenen waren – om zich een beeld te vormen van het slachtoffer en misschien een reden te vinden voor zijn dood.

Maar het huis gaf niets prijs, behalve dat Erroll Sanders een man met een slechte smaak was geweest en weinig oordeelkundig, en een van die twee eigenschappen had hem op een vroege morgen in december de das omgedaan.

Terug op het politiebureau bood het *Nostromo*-dossier, hoe dik het ook was, weinig hulp. Het bevestigde alle details die Brown zich had herinnerd en niets meer.

Erroll Sanders' werknemer, wijlen Joe Navasky, had dagenlang in Lake Washington gelegen voor ze hem vonden. Tegen die tijd was het moeilijk vast te stellen of de bijna-onthoofding en de verminking van zijn ogen en handen na zijn dood waren toegebracht of ervoor.

Samenhang was aan Madison goed besteed: de *Nostromo*, Navasky, Sanders. Ze zag de overeenkomsten in de manier waarop ze gestorven waren en het uitwissen van sporen en vingerafdrukken. Ze sloeg haar eigen aantekeningen over de moorden in Blueridge erop na. Het gekozen wapen, de methode van de moord, het gebruik van chloroform op de blinddoek, de betrokkenheid van de vrouw en kinderen en zelfs de bewijzen die ter plekke waren gevonden: niets kwam overeen.

Ze dacht aan de jongenskamer in Camerons huis en de honk-balknuppel in de kast. Het lab had haar verteld dat het bloed en de botsplinter minstens vijftien jaar oud waren.

Sinds ze terug waren van de plaats delict van Sanders had Brown amper meer een woord tegen haar gezegd. Madison had leren om-gaan met de stiltes van Brown, maar deze keer las hij al een half-uur dezelfde pagina, tot hulpofficier van justitie Sarah Klein bin-nenkwam om voorbereidingen te treffen voor Quinns hoorzitting.

Net toen Klein weer vertrok, stak Kelly zijn hoofd om de deur. 'Niets te vinden in Sanders' auto, bijna niets. Er zat een gedeelte-lijke afdruk van een duim op de as.' Kelly straalde. 'Hij heeft hem er half afgeveegd, maar er zijn genoeg overeenkomsten om als gel-dig bewijs te dienen. Hoe laat is de hoorzitting morgen?'

Het was goed nieuws. Goed dat Cameron nog in de buurt was en een beetje slordig was geworden. Goed dat er een spoor was in de zaak-Sanders. Madison las nog even de knipsels over de Hoh River-ontvoering door, maar Brown stond op en trok zijn jasje aan. 'Ga naar huis,' zei hij. 'We hebben genoeg gedaan voor van-daag.'

'Quinns jongere broer,' zei Madison. 'Waarom hebben de ont-voerders het lichaam meegenomen als hij dood was?'

'Toentertijd was het onmogelijk om een vervolging in te stellen zonder een lijk. De andere twee jongens hadden al die tijd een blinddoek voor gehad; die konden niet getuigen.'

Nadat Brown was vertrokken, zocht Madison naar dingen om te doen, maar ze kon zich niet meer concentreren. Ze was nog niet helemaal klaar om naar huis te gaan en liep het wachtlokaal in. De gebruikelijke mensen en de gebruikelijke geuren van afhaal-maaltijden.

Iemand had een *Seattle Times* op een tafel laten liggen. Madison pakte hem en sloeg de tweede pagina open om niets over de zaak te hoeven lezen. Haar blik viel op een paar regels onderaan: de fo-tograaf die ze had weggestuurd van de plaats delict in Blueridge was aangevallen en bewusteloos achtergelaten in een steegje. In zijn verklaring had Andrew Riley gezegd dat de politie er mis-schien achter zat, dat een of andere agent, zij dus, het op hem had gemunt na wat er in het huis van de Sinclairs was voorgevallen.

Madison knipperde met haar ogen; ze was hem al totaal vergeten. Met twee telefoontjes had ze de rechercheur gevonden die de zaak behandelde. 'Hij is een slappe etterbak, maar ze hebben hem wel toegetakeld,' zei rechercheur Nolan. 'Nu heeft hij zich opgesloten in zijn flat. Iemand wil hem te pakken nemen, denkt hij. Hij noemde zelfs jouw naam.'

'Dat zal best.'

'We nemen het niet serieus, maar hij moet íemand pisnijdig hebben gemaakt.'

'Is er niks van hem gepikt?'

'Nee. Hij denkt dat hij is aangevallen omdat hij naar het huis toe is gegaan. Hij was in Jordan's, in een zijstraat van Elliott Avenue, werd daar gebeld, maar er was niemand aan de lijn. Een paar minuten later ging hij naar buiten en iemand gaf hem een dreun. Zo hard dat hij tegen de vlakte ging. En de man heeft ook zijn camera vernietigd. Er hing nauwelijks meer iets aan de riem waaruit je kon opmaken dat het een camera was geweest.'

Madison reed met open raampjes naar huis. Riley had erge pech gehad, maar er was niets wat hem met de Sinclairs in verband leek te brengen behalve zijn aanwezigheid op de plaats delict.

Twee dingen: een, het telefoontje was gepleegd om hem te identificeren in de bar. Wat betekende dat de aanvaller daar ook was geweest om te zien wie het aannam. Twee, de aanvaller had het op zijn camera voorzien en die vernietigd. Grondig zelfs.

Hij had Riley opgespoord in een volle bar en had hem, zonder uitleg, zonder dreigementen of waarschuwingen, aangevallen en zijn geliefde camera aan gort geslagen.

Hoe je het ook bekeek, iemand had aanstoot genomen aan zijn manier van werken. Dat gold ook voor Madison en ze wist zeker dat haar reactie minder beheerst zou zijn geweest als Riley háár dierbaren had proberen te fotograferen.

De zaakwaarnemer van de Sinclairs was Nathan Quinn en Madison kon zich niet voorstellen dat hij Riley in het donker zou opwachten, dat was zijn stijl niet. Quinn zou hem zelf nooit met één vinger aanraken, maar toch zouden er dingen gebeuren waardoor Riley nooit van zijn leven meer één foto zou verkopen. En

Quinn zou ervoor zorgen dat Riley wist waarom. Hoever zijzelf zou zijn gegaan, was iets waar Madison niet bij stil wilde staan.

Tussen de bomen zag ze de duistere contouren van het huis van de Sinclairs. Madison reed langzaam voorbij en ving een glimp op van de politieauto die ervoor geparkeerd stond. In een flits herinnerde ze zich dat ze de sleutels niet had teruggelegd in de boomstronk. Ze zaten nog in de binnenzak van haar blazer. Madison remde zachtjes. Ze stond op het punt om de auto in zijn achteruit te zetten, haar hand lag al op het pookje.

Nog niet.

Ze zette de auto in zijn een en reed verder.

Vierentwintig uur geleden was Erroll Sanders teruggereden naar zijn huis. Misschien zat Cameron bij hem in de auto, misschien niet. Hoe dan ook, op dat moment had Sanders nog een halfuur te leven gehad.

Madison reed langs haar eigen oprit door naar Rachels huis. Dat had ze al een hele tijd niet meer gedaan, niet sinds de maanden na de dood van haar grootvader. Ze stopte voor de bocht.

Het enige licht brandde boven de voordeur; aan de klopper was een krans vastgemaakt. Aan de zijkant stonden twee auto's geparkeerd en de gordijnen waren dicht. Madison zette de motor uit. Ze vond het niet vreemd dat ze hier soms, na een dag vol bloed en willekeurig kwaad, naartoe reed en een paar momenten in haar stille auto bleef zitten. Ze kon Rachels leven in het huis voelen, Rachels familie die een wereld bewoonde die de hare maar gedeeltelijk overlapte; hun wereld was veilig en liefdevol en zo ver verwijderd als maar mogelijk was van de verschrikkingen die zij kende. Het was een onbeschrijflijke troost.

Na een paar minuten reed ze naar huis.

Nathan Quinn deed de glazen deur achter zich op slot terwijl het kantooralarm zachtjes afging. Hij zei een van de schoonmakers gedag die zijn kar over de overloop van de achtste verdieping duwde en liet de lift komen. In zijn rechterhand had hij zijn aktetas, in zijn linker een dun stapeltje post waar hij nog niet naar had kunnen kijken. Hij drukte op de knop naar de ondergrondse parkeergarage en nam de enveloppen door.

Het was de vierde van boven en Nathan Quinn herkende het zware crèmekleurige papier voor zijn hersens hem konden vertellen wat het was. Hij scheurde hem open en haalde er een bijpassend kaartje uit. Daarop waren vijf cijfers geschreven in zwarte inkt:

25885

De deuren van de lift gingen open, maar Quinn draaide zich om en liep weer naar zijn kantoor. Hij tikte de code van het alarm weer in, knipte zijn bureaulamp aan en trok een la van de archiefkast achter hem open. Het was de eerste in de map; hij had hem er maandag zelf ingelegd. Hetzelfde papier, dezelfde kaart, alleen de boodschap verschilde. Hij legde de twee kaarten naast elkaar op zijn bureau.

Quinn twijfelde er geen moment aan dat dezelfde hand die de woorden had geschreven een einde had gemaakt aan de levens van James en zijn gezin. Hij pakte de hoorn, toetste een telefoonnummer in en legde hem weer op de haak. Na zo'n dertig seconden ging zijn mobieltje over. Hij pakte het op. 'Jack,' zei hij.

22

Harry Salinger zat aan de werkbank in de kelder van zijn huis. Hij keek door zijn juweliersloep naar een glasscherf. Hij hield hem voorzichtig vast tussen zijn rechterduim en -wijsvinger en draaide hem rond tot hij tevreden was met wat hij zag.

In een hoek stond de vrucht van zijn harde werk: de basis was makkelijk te maken, gezien het feit dat hij hem licht en draagbaar moest houden, maar hij wist dat zijn meesterwerk stond of viel met de metalen tralies. Hij ging staan en zette zijn lasbril op.

Lynne Salinger was negenendertig jaar toen ze merkte dat ze een kind verwachtte. Ze huilde urenlang. De wankele routine van haar dagelijkse leven zou aan duigen vallen en gezien haar streng katholieke achtergrond zou er geen sprake kunnen zijn van een abortus.

Haar man, Richard Salinger, eenenveertig, agent bij het politiekorps van Seattle, gaf een paar rondjes in de bar en werd aan het einde van de avond door zijn partner naar huis gebracht.

Het was in Salingers district algemeen bekend dat zijn temperament hem al vaak een promotie had gekost. In zijn privéleven was hij een dwingeland die zijn vrouw nog nooit geslagen had omdat dat niet nodig was: lichamelijk reageerde hij zich af tijdens zijn werk op straat en zijn meest duistere stemmingen bewaarde hij voor thuis.

Lynne Salinger baarde een tweeling, Michael en Harry, en verzonk ogenblikkelijk in een drie jaar durende, niet-gediagnosticeerde postnatale depressie; de week na hun derde verjaardag pleegde ze zelfmoord met een overdosis slaappillen en stierf zoals ze had geleefd, met weinig opschudding.

Haar dood werd als een verkeerde reactie op medicijnen bestempeld en als iemand op het bureau het waagde eraan te twijfelen, dan zou Richard Salinger hem wel eens corrigeren. Het was iets wat Richard vaak deed, mensen corrigeren. Het was zijn baan en zijn leven en zijn speciale plaats in de orde der dingen.

Tien jaar later. Michael en Harry Salinger fietsten zo hard ze konden over de stoep om op tijd thuis te zijn. Ze waren groot voor hun leeftijd en blond; hun ogen waren bijna kleurloos. Ze leken op hun moeder, die ze zich totaal niet konden herinneren.

Ze hoorden het toen ze het hek achter zich op slot deden: de telefoon in de keuken die overging. Ze wisten allebei dat Michael sneller kon rennen.

'Gauw,' riep Harry.

Michael gooide de fiets op de grond en liep vlug naar de achterdeur. Hij pakte de sleutel uit de zak van zijn spijkerbroek, stak hem in het slot en draaide. Hij duwde de deur open en was met één pas bij de telefoon. Zijn hand was vochtig toen hij de hoorn opnam.

'Hallo,' hijgde hij. 'Met Michael. Oké. Zeker, meneer. Hier is hij.'

Harry nam de telefoon over van zijn broer. 'Hallo, meneer. Ja. Oké. Dat zullen we doen.'

Hij legde de hoorn op de haak en ze bleven even staan in het duistere vertrek. Toen deed Michael de deur van de ijskast open en begon boterhammen met jam en pindakaas voor hen allebei te smeren.

Richard Salinger had zich aan de belofte gehouden die hij zichzelf gedaan had. Hij had de jongens in zijn eentje opgevoed, in het huis waarin ze waren geboren. Een buurvrouw van in de vijftig, Etta Greene, zorgde voor ze en deed wat huishoudelijk werk als hij weg was; de rest van de tijd waren de Salinger-mannen, zoals hij ze altijd noemde, op zichzelf aangewezen. Hij wist dat de jongens bang voor hem waren en genoot ervan ze te vertellen wat hij op zijn werk had meegemaakt, vooral als er enig geweld aan te pas was gekomen.

Op een middag toen de jongens vijf jaar waren, vroeg Etta Greene Harry om een kleur te noemen met de letter b. Zonder aarzelen zei Harry 'rood'. Etta keek een beetje teleurgesteld en Harry snapte niet waarom.

Zo lang hij zich kon herinneren was de letter B altijd rood geweest. Hij voelde rood en gaf een gevoel van rood aan elk woord waar hij deel van uitmaakte. Al waren ze het soms niet eens over welke kleur bij welke letter hoorde, Michael wist precies wat hij bedoelde. Het was de gave van hun moeder, gediagnosticeerd noch erkend.

Ze had het zelf als een soort gekte beschouwd, maar Lynne Salinger was niet krankzinnig en ook niet verdoemd en het enige probleem van synesthesie is dat het statistisch gezien zeldzaam is en vaak verkeerd wordt begrepen. Het joeg haar angst aan dat de meeste geluiden een gevoel van kleur met zich meedroegen waar ze geen controle over had. Als ze aan haar man dacht, kwam zijn naam ongevraagd bij haar op in de tinten antraciet en rood.

Etta Greene nam aan dat Harry in de war was en liet het daarbij.

Tegen de tijd dat de jongens naar school gingen, wisten ze genoeg van de wereld om nooit over de verborgen kleuren te praten, tegen niemand, zeker niet tegen hun vader.

Toen werd Richard Salinger tijdens zijn dienst door een gewapende overvaller in zijn knie geschoten. Nadat hij uit het ziekenhuis kwam, liep hij mank en had hij een invaliditeitsuitkering, allebei voor het leven. De stroom bezoekers die in het begin langskwam, werd een stroompje en droogde daarna helemaal op. Een halfjaar later waren ze helemaal alleen.

Op een morgen, toen de jongens op school zaten, doorzocht Richard Salinger hun kamer en vond in de hoek een nat laken. Toen ze thuiskwamen, wachtte hij ze op in de woonkamer. Hij was broodnuchter en zijn gezicht had een harde uitdrukking.

'Ik ga jullie één vraag stellen,' zei hij. 'Als jullie eerlijk zijn, is dat alles. Als jullie liegen, dan weet ik het meteen.'

Hij haalde het laken uit een plastic zak. Harry's binnenste vulde zich met ijswater.

'Wie heeft dit gedaan?'

Salinger wist het en hoefde het niet te vragen. Hij had het laken kunnen wassen en er niets over kunnen zeggen, maar zo'n soort man was hij niet. Hij wachtte. Michael deed een stap naar voren.

Harry sperde zijn ogen open.

'Ik heb het gedaan, meneer,' zei Michael. 'Het spijt me.'

Richard Salinger bleef Harry aankijken. 'Wat heb jij daarop te zeggen?'

Op tienjarige leeftijd wist Harry precies wat hij was: een mager scharminkel zonder durf of hersenen. Hij wist dat omdat het hem vaak genoeg was gezegd. Toch kreeg hij liever een pak slaag dan dat hij zijn broer ervoor op liet draaien.

'Ik heb het gedaan,' stotterde hij.

'Dat weet ik,' zei Richard Salinger terwijl hij opstond. 'Van nu af aan doen we het zo: als een van jullie het verkloot, krijgt de ander straf. Michael, jouw beurt.'

Harry Salinger, zevenendertig, hurkte neer in zijn kelder. Vonken van het lasapparaat flitsten voor zijn bril. Het was niet zijn beste werk, maar hij zag de schoonheid van het idee door de gebreken van zijn handwerk heen, en dat deed hem genoegen. Salinger trok zijn handschoenen uit en gooide ze op de werkbank. Tijd om te gaan.

In het Olympic National Park, drie uur rijden van Seattle, lag een stuk grond vol oude bomen en varens, bemoste stammen en kronkelige paden. Toeristen hadden er dagenlange reizen voor over om het te zien en te fotograferen met hun mobieltjes.

Harry Salinger nam geen foto's en keek amper op van het glibberige, rotsachtige pad. Midden in de winter waren er geen bezoekers en in de schemering van de vroege avond nam hij elk detail van het pad in zich op. Het was naar alle waarschijnlijkheid de laatste keer dat hij de kans had om dit te doen.

Hij boog zich voorover, controleerde of de veters van zijn hoge wandelschoenen goed gestrikt waren en wachtte tot het laatste straaltje daglicht was gedoofd. Toen was hij weg. Hij rende, vertrouwend op zijn herinnering aan het pad, zigzaggend tussen de bomen want als hij rechtdoor rende, zou hij al snel worden gedood; zijn schoenen maaiden en ruisten door het groen, niet te snel en niet te langzaam. Het was de achtendertigste keer dat hij over het pad rende, de eenentwintigste keer in het donker.

23

Halfzeven. Het kantoor van Quinn Locke was nog verlaten. Nathan Quinn deed de deur achter zich dicht. Uit een archiefkast haalde hij een doorzichtige plastic envelop en gaf die aan Tod Hollis. In de envelop zaten de anonieme berichten.

Hollis droeg een dikke jas met een zwarte coltrui eronder. Hij pakte de envelop aan en bekeek hem een paar seconden.

'Koffie?' vroeg Quinn.

'Graag.'

Quinn liet hem achter in het kantoor en ging naar de keuken. Hij haalde een koffiefilter uit een doos, schudde er wat gemalen koffie in en zette het apparaat aan.

Hij wist dat Hollis zou zeggen dat hij met de berichten naar de politie moest gaan, dat zij over de middelen beschikten om ze snel op vingerafdrukken te onderzoeken en konden nagaan waar het papier vandaan kwam. Hij zou hem aanraden de rechercheur te bellen die verantwoordelijk was voor de zaak en ze direct aan hem te geven. Dat was natuurlijk ook heel verstandig. Behalve dat Quinn nog niet bereid was om dat te doen, niet voor hij wist wat de schrijver wilde.

Hollis zou er niet blij mee zijn, maar hij kon weinig doen om hem van gedachten te laten veranderen: het voerde allemaal terug op een keuze die Quinn jaren geleden had gemaakt, voor een moment dat, naar hij toen hoopte, nooit zou komen. Maar nu zou rechter Martin over een paar uur op hem zitten wachten, en al het andere deed er niet toe. De koffie begon door te lopen.

Quinns beloning had binnen vierentwintig uur voor meer dan honderd telefoontjes gezorgd. Die waren allemaal nagetrokken en geregistreerd en geen ervan had iets toegevoegd aan het onderzoek.

Madison bladerde de volgetypte vellen door terwijl Brown een telefoongesprek voerde: er stond een speciaal team paraat om hen bij te staan als ze een adres van Cameron hadden, ze hadden binnen enkele minuten toegang tot telefoongegevens en agenten van de PD-eenheid waren gewaarschuwd voor een mogelijke noodsituatie. Afhankelijk van de uitkomst van de hoorzitting zou er wel of geen persconferentie worden gehouden waarop de foto van John Cameron vrijgegeven zou worden. Het enige wat Tully niet had.

'We hebben nooit begrepen waarom hij de knoop opnieuw heeft vastgemaakt,' zei ze.

Brown keek op.

'De boeien,' ging ze door. 'Cameron heeft de boeien om de polsen van James Sinclair vervangen. We hebben de haren gevonden, maar we weten nog steeds niet waarom hij dat deed.'

'Moeten we dat weten?'

Moeten we dat weten?

'Quinn veegt alles wat we niet zeker weten zo van tafel,' zei ze.

Brown stond op, deed de deur tussen hen en het wachtlokaal dicht en ging weer zitten.

'Oké, wat moet je weten?' vroeg hij.

'Wat bedoel je?'

'Precies wat ik zeg. We hebben vier lijken, een motief, een verdachte. We hebben tastbare bewijzen. Wat moet jíj verder nog weten?'

'Alles,' antwoordde ze zonder enige aarzeling. 'Als er iets is gebeurd, dan wil ik weten waarom. Als er iets niet is gebeurd, waarom dan niet?'

'Cameron doet precies wat hij moet doen. Niet meer, niet minder. De moord op Erroll Sanders past in dat principe. De moorden op de Sinclairs niet.'

'Soms doorbreken mensen hun eigen patronen, dat hangt van de omstandigheden af. Bij James Sinclair ging het Cameron voornamelijk om de afstraffing. Het is mogelijk dat zijn dood op de tweede plaats kwam; het feit dat Sinclair wist dat zijn gezin was afgeslacht, was belangrijker.'

'Waarom is het voor jou zo belangrijk om te weten waarom de boeien twee keer zijn omgedaan? Je hebt Camerons huis gezien, je weet hoe zijn slaapkamer eruitzag. Vergeet hoe de zaak voor de rechter zal verlopen en vertel me waarom we die vraag moeten stellen.'

'Je weet waarom.'

'Zeg het toch maar.'

'Het gaat om gedrag. De boeien maken daar maar een klein deel van uit. Net als de vingerafdruk op het glas.'

'Wat is daarmee?'

'Toen we te horen kregen dat de afdruk overeenkwam met die van Cameron reageerde jij alsof dat slecht nieuws was. Ik vroeg je waarom en je zei...'

'Het verraste me.'

'Je was teleurgesteld.'

'Misschien maak jij je te druk over de kleine details.'

Madison boog zich voorover. 'Het glas waarop de afdruk werd gevonden, stond in de keuken bij de gootsteen. Ik zag het voor de agent van de PD-eenheid het meenam. Het stond vlak naast een blikje cola.'

'Oké.'

'Er zaten geen vingerafdrukken op het blikje. Waarom niet? Cameron schenkt zichzelf iets te drinken in, met handschoenen aan. Dan doet hij de handschoenen uit, pakt het glas en drinkt eruit. Dat is slordig en zo is hij helemaal niet. Dat zijn geen kleine details.'

Ze keken elkaar even aan. Het was de eerste keer dat ze zelfs maar met een lichte stemverheffing tegen hem had gesproken en god mag weten waarom.

'Waarom ben je bij Moordzaken gegaan?' vroeg hij.

'Pardon?'

'Niet om het geld en ik ben er vrij zeker van dat het ook niet om de eer is.'

'Waarom vraag je dat nu en niet vijf weken geleden?'

'Als ik het toen had gevraagd, had ik je antwoord niet in een context kunnen zetten. Nu heb ik je aan het werk gezien. Waarom Moordzaken?'

Madison besefte dat ze op deze vraag had gewacht sinds ze elkaar voor het eerst hadden ontmoet. Ze hoorde zichzelf zeggen: 'Het is de enige plek waar ik wilde zijn.'

Hij knikte even. Ooit zou hij het haar misschien weer vragen.

Het gerechtsgebouw was aan alle kanten omringd door de pers. Brown, Madison, Kelly en Rosario moesten zich langs lichamen, microfoons en camera's wringen. Er werd geflitst en het ontging niemand dat de verantwoordelijke rechercheur in de zaak-Sanders aanwezig was op een hoorzitting over de moorden in Blueridge. Kelly droeg voor de gelegenheid zijn rechtbankkostuum.

Het zou Sarah Kleins show moeten worden. In het gebouw zelf was het stil. Mensen deden rustig hun werk; deze hoorzitting was er maar een van de vele.

Tony Rosario zag nog wat witjes omdat hij net ziek was geweest, maar misschien was afgematte bleekheid wel zijn normale teint. Het hielp ook niet dat hij een pak, overhemd en das droeg in diverse schakeringen grijs.

'Doe me een lol en leun niet tegen de muur, anders verlies ik je uit het oog,' zei Kelly.

'Grijs is mijn lievelingskleur,' antwoordde Rosario.

De liftdeuren gingen open en ze stapten naar buiten. Klein zei zachtjes tegen hen: 'Als je me tijdens de hoorzitting iets wilt vertellen, schrijf het dan op een stukje papier, en alleen als het absoluut noodzakelijk is.'

'Kun je hem iets vragen over de zaak-Sanders?' Kelly voelde zich betrokken, maar alleen zijdelings. Ze hadden Camerons vingerafdruk op de onderkant van Sanders' auto, maar dat was zelfs niet voldoende voor een huiszoekingsbevel in de woning van Cameron.

'Nee, dat heeft hier niets mee te maken. Ik moet me beperken tot wat er tussen Quinn en Cameron is voorgevallen toen ze elkaar voor het eerst troffen om over de moorden te praten. Alles van daarna is vertrouwelijk. Je bent een toerist, rechercheur Kelly, geniet er maar van.' Klein liep de rechtszaal in en zij volgden haar.

Madison was een aantal keren in een rechtszaal geweest, als getuige én als toeschouwer. Ze had sommige jury's goed werk zien doen nadat de aanklagers er een zootje van hadden gemaakt en gezien hoe andere jury's faalden nadat de aanklagers hun best hadden gedaan. Ze geloofde in het systeem omdat het zich, net zoals mensen, kon ontwikkelen en kon veranderen. Ze ging op de bank achter de tafel van de officier van justitie zitten. Brown voegde zich bij haar en Kelly en Rosario kwamen achter hen zitten.

Brown haalde zijn bril uit het etui en zette hem op. Hij was blij dat de hoorzitting niet openbaar was. Iedereen had er iets bij te winnen en hoewel zijn verwachtingen misschien niet dezelfde waren als die van de anderen, wist hij dat hij niet teleurgesteld zou worden. De avond ervoor had hij een uur aan de telefoon gezeten met Fred Kamen. Hij keek naar Madison en hoopte dat hij aan het eind van deze lange dag tijd zou hebben om het haar te vertellen.

Nathan Quinn ging aan de andere tafel zitten. Hij vertegenwoordigde zichzelf, zoals Madison al had verwacht. Hij was alleen en als hij zich al ergens druk over maakte, dan was hem dat niet af te zien.

'Sarah,' zei hij.

'Nathan.' Ze beantwoordde zijn knikje.

De overigen bestonden niet.

Rechter Martin nam haar plaats in en Nathan Quinn legde de eed af.

'Snel en zakelijk, miss Klein,' zei ze. 'Er is geen jury waarop indruk gemaakt moet worden en we weten allemaal waarom we hier zijn. Mr. Quinn, u staat nu onder ede en u weet wat dat betekent.'

Quinn zat in de getuigenbank en Sarah Klein stond naast haar tafel.

'Mr. Quinn, zou u ons willen vertellen over de gebeurtenissen van afgelopen maandag, vanaf het moment dat brigadier Brown en rechercheur Madison naar uw kantoor kwamen en u vertelden over de moord op James Sinclair en zijn gezin.'

'Brigadier Brown vertelde me dat James Sinclair in zijn huis was aangetroffen, met zijn vrouw en kinderen. Ze waren vermoord door een insluiper. Ze vroegen me om de lichamen te identificeren, en dat heb ik gedaan.'

'Hoe laat was dat?'

'Inmiddels was het vroeg in de middag.'

'Wat heeft u daarna gedaan?'

'Ik heb John Cameron gebeld.'

Klein keek op van de papieren die ze in haar hand hield. Het had vijfenveertig seconden geduurd voor het zover was. Quinn beantwoordde haar blik.

'Voor de goede orde: wie is John Cameron en wat is uw relatie met hem?'

'Hij is een vriend en een cliënt. Ik vertegenwoordig hem in juridische kwesties en we hebben een gezamenlijk zakelijk belang in het bedrijf dat we van onze vaders hebben geërfd. James Sinclair maakte daar ook deel van uit.'

'Waarom heeft u hem gebeld nadat u bij de patholoog was vertrokken?'

'Een collega op het werk vertelde me dat er al verslaggevers voor James' huis stonden en ik wilde niet dat hij er zo achter zou komen. Ik vond dat ik het hem persoonlijk moest vertellen. Ik heb zijn pieper gebeld om een plek af te spreken waar we elkaar zouden zien en na een paar seconden belde hij me terug op mijn mobiele telefoon.'

De notulist typte de laatste woorden op en er viel even een stilte. Er was iets mis. Klein kreeg wat ze wilde hebben, en zo makkelijk had het niet moeten gaan.

'Edelachtbare,' begon ze. 'Het doel van deze hoorzitting is ervoor te zorgen dat Mr. Cameron, tegen wie, voor de goede orde, een arrestatiebevel is uitgevaardigd wegens vier aanklachten van moord, zich niet kan beroepen op de vertrouwensrelatie tussen advocaat en cliënt om aan gevangenneming te ontkomen.'

'Daar zijn we ons terdege van bewust,' antwoordde rechter Martin.

'Mr. Quinn, hoe neemt u gewoonlijk contact op met John Cameron?'

'Zoals ik zei: ik bel zijn pieper en hij belt me terug.'

'Zo eenvoudig?'

'Zo eenvoudig.'

'Het OM verzoekt om het nummer, edelachtbare.'

'Maakt u daar bezwaar tegen, Mr. Quinn?' vroeg rechter Martin.

'Nee.'

Quinn gaf hun het nummer, de notulist typte het op. Evenals de rechercheurs. Een pieper. Cameron had hem waarschijnlijk vijf seconden nadat Quinn hem over de hoorzitting had verteld in de vuilnisbak gegooid. *Slag één.* Madison zette een cirkel om het nummer en twee gekruiste botten erachter.

'Wat zei u tegen Mr. Cameron toen hij u terugbelde?'

'Ik zei dat het een noodsituatie was en dat we elkaar meteen moesten spreken.'

'Heeft u hem verteld wat die noodsituatie inhield?'

'Nee.'

'Klonk hij verrast?'

'Hij vroeg waar het over ging en ik zei dat ik hem dat niet over de telefoon kon vertellen.'

'Oké, de telefoon. Vanwaar belde hij u terug?'

'Dat weet ik niet.'

'Heeft hij een mobiele telefoon?'

'Dat weet ik niet.'

'Het gaat om een oude vriend en zakenpartner en u weet niet of hij een mobiele telefoon heeft?'

Quinn wendde zich tot de rechter. 'De vraag is gesteld en beantwoord, edelachtbare.'

'Ga door, miss Klein,' zei ze.

'Dus u belde zijn pieper en hij belde terug. Hoe lang duurde het voordat hij een telefoon had gevonden?'

'Een minuut misschien.'

'Stond hij er vlak naast toen u hem belde?'

'Wellicht.'

'Miss Klein.'

De hulpofficier maakte een excuserend gebaar en ging door. 'U zei dat u het hem niet over de telefoon kon vertellen. Hoe reageerde hij daarop?'

'Hij vroeg alleen waar ik wilde afspreken.'

'Heeft u vaker gesprekken over onderwerpen die u liever niet over de telefoon bespreekt?'

'Nee.'

'In al uw jaren als advocaat van Mr. Cameron...'

'Ja.'

Klein keek hem achterdochtig aan. 'Wie stelde de locatie van de ontmoeting voor?'

'Ik.'

'Wat zei u tegen hem?'

Quinn vertelde het alsof ze bespraken wat ze voor het ontbijt hadden gegeten. 'Ik zei dat hij naar mijn huis moest komen.'

Slag twee.

Klein reageerde alleen door even achterover te leunen. Achter Madison ademde Kelly uit door zijn neus. In Quinns huis waren geen getuigen van de bijeenkomst. Het was de veiligste plek waar Cameron maar kon zijn.

'U ging niet naar hem toe.'

'Nee.'

'Waar was Mr. Cameron toen u hem belde?'

'Dat weet ik niet.'

'Zei hij dat niet?'

'Ik vroeg het niet.'

Klein wendde zich tot rechter Martin. 'Ik zou Mr. Quinn er graag aan willen herinneren dat liegen onder ede als meineed wordt beschouwd, edelachtbare.'

'Dat heeft u hierbij gedaan, miss Klein. Weet u iets wat wij niet weten?' vroeg rechter Martin haar.

'Nee, edelachtbare.'

'Ga dan verder. Mr. Quinn weet heel goed wat er met hem gebeurt als hij in mijn rechtszaal liegt.'

Klein knikte. 'Bent u na de identificatie meteen naar huis gegaan?'

'Ja.'

'Hoe lang duurde het om daar te komen?'

'Zo'n vijfentwintig minuten.'

'Hoe lang na uw telefoontje kwam Cameron bij uw huis aan?'

'Ongeveer anderhalf uur later.'

'Waar woont u, Mr. Quinn?'

'Seward Park.'

'Is het dus redelijk om te veronderstellen dat waar Mr. Cameron ook was toen u belde, het binnen een afstand van anderhalf uur van Seward Park was?'

'Ja. Maar misschien is hij gestopt om te tanken of was het druk op de weg. Ik weet het niet.'

'Natuurlijk, dat is redelijk,' zei ze. 'En wat gebeurde er toen hij er was?'

'Edelachtbare,' wendde Quinn zich tot de rechter. 'We stappen nu af van de communicatie die door mij voor persoonlijke doeleinden is gestart en komen bij vertrouwelijke informatie.'

'Daar zijn we nog niet, Mr. Quinn. U mag de vraag beantwoorden.'

'Ik vertelde het hem.'

'Wat was zijn reactie?'

'Hij was erg overstuur.'

'Was hij verrast?'

'Ja.'

'Wat zei hij toen u het hem vertelde?'

'Niets. Er was niets te zeggen.'

'Zei hij helemaal niets?'

'Hij was in shock, en ik ook.'

'Als u erop terugkijkt, wetend wat u nu weet over de gevonden bewijzen in het huis, was er dan iets wat niet klopte aan zijn reactie?'

'Nee.'

'Die was geheel in overeenstemming?'

'Edelachtbare...' Quinn bleef Klein aankijken.

'Gevraagd en beantwoord, miss Klein.'

'Mr. Quinn, toen John Cameron bij uw huis kwam, hebt u toen gezien in wat voor auto hij reed?'

'Edelachtbare...'

'Een auto is een auto, Mr. Quinn.'

Quinn draaide zich om naar Brown en Madison. 'Hij reed in een zwarte Ford Explorer.'

Madison beantwoordde zijn blik. Ze wisten allebei dat de politie er meteen mee aan de slag zou gaan en dat de auto intussen met de pieper erin in een greppel lag. Maar hij was ergens gekocht, er was in gereden en iemand had hem misschien gezien.

'Is dat de auto waar hij meestal in rijdt?'

'Ik let niet op auto's.'

'Werkelijk niet?'

'Nee.'

'Dat betwijfel ik. Ik betwijfel of er veel is wat u niet opmerkt, Mr. Quinn. Zou het u verrassen als ik zei dat er bij de Dienst Motorvoertuigen een zwarte Ford pick-up geregistreerd staat op naam van John Cameron?'

'Nee, een tijdje geleden reed hij ook in zo'n auto.'

'Weet u wat daarmee is gebeurd?'

'Geen idee.'

'Laten we terugkomen op de ontmoeting bij u thuis. Wat gebeurde er nadat u hem over de moorden had verteld?'

'We praatten een tijdje en toen vertrok hij.'

'Waar praatten jullie over?'

'Edelachtbare...'

'Sorry, miss Klein. Verboden terrein.'

Klein knikte.

'Kunt u Mr. Camerons voorkomen ten tijde van die bijeenkomst beschrijven?'

'Voorkomen?'

'Ja, te beginnen met zijn kleren.'

'Miss Klein,' onderbrak rechter Martin haar. 'Is dit relevant?'

'Edelachtbare, ik begrijp dat er grenzen zijn waar ik niet overheen mag gaan, maar gezien de ernst van de zaak en de consequenties van het feit dat Mr. Cameron nog steeds op vrije voeten is, probeer ik zoveel informatie te verzamelen als binnen mijn macht ligt. Ik hoef het hof er niet aan te herinneren dat Mr. Cameron ook wordt gezocht in verband met de moord op Erroll Sanders.'

'Ik geloof niet dat er een bevel is uitgevaardigd in de zaak-Sanders, dus daar kunt u beter niet over beginnen. Ik geef u wat speelruimte in de kwestie van zijn voorkomen.'

'Meer vraag ik niet.'

'Meer krijgt u niet.' De rechter gebaarde met haar hand dat ze door moest gaan.

'Wat droeg hij?'

'Een zwart jasje met een fleecevoering en een donkergroene broek.'

Uit een map haalde Sarah Klein de foto die Registratie had bewerkt. 'Deze foto is ontwikkeld op basis van Camerons arresta-

tiefoto. In hoeverre komt die overeen met zijn huidige voorkomen?'

Quinn keek er zo'n vijf seconden naar. 'Het is hem en ook weer
niet.'

'Zou u zeggen dat er een redelijke gelijkenis is?'

'Ja, het is redelijk.'

'Pardon?'

'Beter dan dit krijgen jullie waarschijnlijk niet voor elkaar.'

Klein borg de foto weer weg.

'Beschikt Cameron over een wapen voor zover u weet?'

Rechter Martin wachtte op een tegenwerping.

Nathan Quinn dacht aan een nacht waarin ze hadden gepokerd.
Hij had een fiche onder tafel laten vallen. Toen hij het weer oppakte, had hij iets om Jacks enkel zien zitten. Het was donker; hij
kon het niet goed zien.

'Nee, niet dat ik weet.'

'Mevrouw,' zei rechter Martin tegen Sarah Klein. 'Ik heb het gevoel dat u het onderwerp waarvan sprake is in de dagvaarding uit-
puttend hebt behandeld. Heeft u nog meer vragen?'

'Heel veel, edelachtbare. Jammer genoeg niet binnen deze voor-
waarden. Dit was het voorlopig.'

'Dank u. Mr. Quinn, u kunt gaan.'

En zo was het plotseling voorbij.

Rechter Martin verliet de rechtszaal en alle anderen vertrokken
na haar, tot alleen de advocaten en de rechercheurs er nog stonden.

'Je hebt snel nagedacht afgelopen maandag, nietwaar, Nathan?'
zei Sarah Klein. 'Je was misschien in shock, maar je had meteen
door dat iemand vroeg of laat vragen zou gaan stellen. Je gaat niet
naar zijn geheime adres, omdat iemand ernaar kan vragen en jij
wellicht antwoord moet geven. Je zorgt dat je zijn telefoonnummer niet hebt, omdat iemand ernaar kan vragen en jij wellicht antwoord moet geven. Je bent al die jaren zo voorzichtig geweest, en
toch sta je nu hier. Dit is geen aanklacht wegens rijden onder invloed. Dit kun je niet régelen.'

Nathan maakte aanstalten om te vertrekken. 'Iedereen in dit vertrek zou eventjes beroemd zijn als jij mijn cliënt inrekent. Maar je

kijkt de verkeerde kant uit en stelt de verkeerde vragen.'

'Laten we gaan,' zei Sarah Klein. 'De volgende zaak begint over een minuut.'

Madison was teleurgesteld. Ze hadden Quinn de eed afgenomen en ze hadden er maar weinig aan overgehouden. Ze zouden natuurlijk de auto natrekken en die pieper controleren, maar dat waren kruimeltjes. Vanaf het moment dat hij uit het lijkenhuis was gekomen, was Quinn er klaar voor geweest. Daarna had hij alleen maar een slotgracht gegraven rondom zijn cliënt. Je moest een behoorlijk kille natuur hebben om je daarop te richten vlak nadat je de lichamen van je vrienden en hun kinderen hebt geïdentificeerd. Maar dat is zijn vak, zei Madison tegen zichzelf, en daarom is hij er goed in.

Ze verlieten het gerechtsgebouw via de achteruitgang. Het was tijd om de media erbij te betrekken. John Camerons gezicht zou binnenkort platina winnen.

Ze reden naar het bureau. Brown had inspecteur Fynn op de hoogte gebracht van de uitkomst van de hoorzitting. 'Hoe reageerde Quinn toen hij de lichamen identificeerde?' vroeg Madison onder het rijden.

'Hij was overstuur.'

'Dat lijkt me logisch.' Madison moest de vraag stellen. 'Denk je dat hij loog?'

'Nu?'

'Ja.'

'Vraag je me of Quinn zojuist meineed heeft gepleegd?'

'Ja.'

'Dat denk ik niet. Hij heeft overal op geantwoord, het blijken alleen niet de antwoorden te zijn die we nodig hebben.'

'Precies: hij heeft overal op geantwoord omdat er niets was wat hem kon beschadigen.'

'Zit je iets dwars?'

'Ja en nee. Ik denk niet dat hij loog, maar waarom laat hij zich dagvaarden terwijl hij alles net zo goed bij rechter Martin aan Klein had kunnen vertellen? Het is verspilling van energie en daar is Quinn het type niet voor. Hij had alle juiste antwoorden klaar, hij wilde ons alleen de auto en de pieper geven, en dat was het dan.'

'Denk je dat hij iets heeft achtergehouden?'

'Nee, als hij betrapt zou worden op een regelrechte leugen zou dat een ramp zijn. Klein vroeg wat hij na de identificatie heeft gedaan en hij zei dat hij Cameron belde. Ze vroeg hem waarom en hij zei om iets af te spreken. Dat deden ze bij hem thuis.'

De eerste keer dat ze elkaar hadden ontmoet, had Madison gezien hoe Quinn met een drama omging. Hij had zijn hoofd erbij gehouden en de juiste vragen gesteld; zijn emoties hield hij onder controle. Ze waren vertrokken om hem gelegenheid te geven met Annie Sinclairs familie in Chicago en met zijn collega's te praten en daarna had hij Brown weer ontmoet op het bureau van de patholoog.

In die tussentijd was er iets veranderd. Madison herinnerde zich dat hij hen had ondervraagd over de inbraaktheorie. Quinn was ervan overtuigd geweest dat de moorden gepland waren. Hij kende de misdaadstatistieken in Seattle en in zijn plaats had zij dezelfde conclusie getrokken: de familie Sinclair was uitgekozen als doelwit en geëxecuteerd.

'Heb je trek in koffie?' Browns stem onderbrak haar gedachtegang.

'Nee, ik hoef niets.'

Die executie was vlekkeloos verlopen afgezien van één ding: er was bewijsmateriaal achtergelaten. Bewijsmateriaal waarvan Nathan Quinn niet op de hoogte was op het moment van de identificatie, maar toen hij de dode lichamen van zijn vrienden had gezien, legde hij toch de relatie met Cameron. Hij wist dat de hele ellende op een of andere manier met hem te maken had. Daarna had hij geprobeerd de schade te beperken.

Het punt waarop Madison bleef steken was dat Quinn Cameron het nieuws persoonlijk had willen vertellen. Hij had zich kunnen voorstellen hoe het was om zoiets tussen de reclamespotjes en de sportuitslagen door te horen te krijgen. Op dat moment handelde Quinn als vriend, niet als advocaat. Madison wist zeker dat hij daar niet over had gelogen.

Dus op een bepaald moment was er een knop omgedraaid en

had de juridisch adviseur het overgenomen. Madison sloot haar ogen. Er zijn sommige dingen die je gewoonweg niet over de telefoon vertelt. Ze herinnerde zich het moment op de universiteit toen Rachels moeder gebeld had omdat Rachels vader een auto-ongeluk had gehad en op de intensive care lag.

Madison had al hun gezamenlijke vrienden gebeld. Ze hadden toen nog geen mobieltjes. Na een uur had ze haar eindelijk gelokaliseerd bij een jongen die Neal heette en met wie ze jaren later zou trouwen. Madison wist nog heel goed wat ze tegen Rachel had gezegd: 'Ik kom naar je toe. Vertel hoe ik daar moet komen.' *Vertel hoe ik daar moet komen.*

De twinkelende lichtjes werden vage strepen achter de ruitenwissers. Madison ging rechtop zitten. Dat was het, Quinns enige moment van zwakte dat John Cameron zijn vrijheid had kunnen kosten. Quinn was uit het lijkenhuis gekomen en had hem ogenblikkelijk gebeld. Hij zei: 'Ik kom meteen naar je toe. Vertel hoe ik daar moet komen.' Maar toen hij naar hem toe reed, besefte Quinn dat hij dat niet zou kunnen ontkennen en zichzelf in de nesten aan het werken was. Hij belde Cameron terug en zei dat hij naar zíjn huis moest komen.

Daarna kon hij alleen maar hopen dat de kwestie nooit aan de orde zou komen, maar als dat wel zo was, zoals ook gebeurde omdat Klein niet van gisteren was, dan zou Quinn de vertrouwensrelatie tussen advocaat en cliënt in de strijd werpen, en er zich zelfs voor laten dagvaarden.

Toen hij ze eenmaal in de waan had gebracht dat ze voor elk antwoord moesten vechten, zou hij hun de 'veilige' versie geven en zij zouden denken dat ze een morele overwinning hadden behaald, waar ze helemaal niets mee opschoten.

Klein had niet gevraagd hoe vaak ze elkaar hadden gesproken en Quinn had niet gelogen. De eerste keer had hij vanuit zijn hart gebeld, de tweede keer met de angstaanjagende wetenschap dat hij misschien met een moordenaar sprak.

Ze stonden in het kantoor van inspecteur Fynn. Hij was te kwaad om achter zijn bureau te blijven zitten en leunde tegen de muur. Brown en Madison stonden opzij naast de deur en lieten het midden over aan Sarah Klein die door het kleine vertrek ijsbeerde. De stem van rechter Martin kraakte door de telefoon die op de speaker stond.

'Ik dacht dat we het eens waren toen we elkaar spraken.'

'Edelachtbare, hij staat nog steeds onder ede.'

'Heeft hij meineed gepleegd?'

'Niet echt.'

'Draai er niet omheen. Ja of nee?'

'Nee, maar...'

'Heb je nieuwe bewijzen waarover je twee uur geleden niet beschikte?'

Klein keek naar Madison. Wat ze hadden, kon het best beschreven worden als een vermoeden.

'Nee, edelachtbare. Maar ik zou graag willen uitleggen waarom we onze bedenkingen hebben over Mr. Quinns getuigenis.'

'Miss Klein, als je de verkeerde vragen hebt gesteld, is dat geheel en al aan jezelf te wijten; je krijgt geen herkansing. Laat dit nu maar rusten en vind iemand voor me die ik echt kan aanklagen.'

Rechter Martin hing op. Klein zette de speaker uit.

'Dat ging goed,' zei inspecteur Fynn. Hij pakte zijn jas van de kapstok. 'Ik ga nu naar de briefing. Zorg dat je aan het eind van jullie dienst een nummerplaat van de Explorer voor me hebt of maak dat je wegkomt.'

Hij deed de deur open en er viel een stilte in de grote ruimte. Hij negeerde iedereen en liep weg.

'Het spijt me,' zei Klein.

'Zo is het nu eenmaal,' antwoordde Brown. 'We gaan gewoon door.'

Madison pakte de telefoon en draaide Camerons piepernummer. Hij ging over, er was geen boodschap, alleen een open lijn en een piep.

John Cameron was nu officieel voortvluchtig en had net de lijst van Tien Meestgezochte Criminelen gehaald. Boven hem stond een man die zijn reclasseringsambtenaar had doodgeschoten, na hem kwam een serieverkrachter die zijn werkterrein had in de steden langs de I-5. De briefing verliep zoals voorspeld: de media verslonden het en de avondbladen veranderden hun voorpagina. Er was al een hotline geopend voor tips van het publiek, naast Quinns beloning die bedoeld was voor informatie die zou leiden tot de arrestatie van de moordenaar, niet per se van Cameron. Een subtiel verschil, dacht Madison, dat het grote publiek misschien zou ontgaan.

Op de hoek van Madisons bureau lag een sandwich nog in zijn verpakking. Ze was al een tijdje online, zachtjes tikkend en aantekeningen makend.

De aanvankelijke opwinding die ze had gevoeld nadat ze had uitgepuzzeld hoe Quinn hen te pakken had genomen, had plaatsgemaakt voor een diepe teleurstelling die als een knoop in haar borst zat. 'Weet je hoeveel Ford Explorers er geregistreerd staan in de staat Washington?' vroeg ze aan Brown terwijl ze naar het computerscherm bleef kijken.

Hij had net de telefoon neergelegd. In de eerste drie kwartier nadat ze Camerons foto hadden vrijgegeven, waren er vijfenzeventig telefoontjes binnengekomen via de hotline. De meest veelbelovende werden doorverbonden.

'Het was jouw schuld niet,' zei hij. 'Je hebt de juiste verbanden gelegd.'

'Ja, heel scherp van me. Als ik er tien minuten eerder op was gekomen, hadden we nu zijn huis doorzocht.'

'Misschien, en als de Sinclairs een hond hadden gehad, waren ze nu misschien nog in leven geweest.'

Madison keek hem aan. Soms vond ze hem niet zo sympathiek.

'Je hebt geen tijd om spijt te hebben. We weten nu hoe het zat met Quinn, en dat is een goede zaak,' zei hij. 'Hoeveel?'

'Wat?'

'Explorers?'

'Honderdenzesduizend,' antwoordde ze.

'Oké.'

'We kunnen alle Explorers die niet zwart zijn alvast elimineren, plus die op naam staan van vrouwen of niet-blanke mannen of mannen die ouder zijn dan, zeg, vijftig.'

'Daarmee gaan we verder. Quinn hoorde gisterenmorgen over

de hoorzitting, dus Cameron heeft hem misschien in de laatste vierentwintig uur gedumpt. Als je een auto hebt die je kwijt wilt, dan zet je hem ergens waar hij geen aandacht trekt en waar niemand naar de eigenaar gaat zoeken. Ergens waar het niet vreemd is als de auto een tijd ongebruikt blijft staan.'

'Lang parkeren.'

'We gaan eerst in het centrum en op het vliegveld kijken.'

Een paar uur later stak Dunne zijn hoofd om de deur. 'Hé,' zei hij.

'Hé,' antwoordde Madison.

Ze hadden een kleine televisie met videospeler het vertrek in gereden en Madison zat achter haar bureau omringd door hoge stapels tapes. Er speelde iets op het scherm, een zwart-witopname die niet leek te veranderen. Madison staarde ernaar.

'Wat is dat?'

'Tapes van de bewakingscamera's op het vliegveld. Ik ga terug van de meest recente tot, ik weet niet, tot ik ze allemaal heb gehad.'

Dunne pakte een van Camerons foto's van haar bureau en keek naar het scherm. Mensen kwamen en gingen, met en zonder koffers en tassen, sommige met een hoed op, sommige met een hoed en een sjaal.

'Denk je dat je hem er in die menigte uitpikt?'

'Misschien. Maar eigenlijk hoop ik van niet. Als het hem gelukt is op een vliegtuig te stappen, is het tien keer zo moeilijk hem terug te halen.'

'Je zoekt iemand en je hoopt dat je hem niet vindt.'

'Zoiets, ja.'

Madison hield haar blik op het scherm gericht. Als er niemand te zien was, spoelde ze de tape door tot er weer iemand langsliep.

'Lijkt me leuk,' zei Dunne.

'Reken maar.'

'Wat doe je met de kerst?' vroeg hij haar.

'Dan zit ik hier met een kalkoensandwich in mijn ene hand en de afstandsbediening in de andere. En jij?'

'Ik ga naar mijn familie in Portland.'

Madison spoelde door, stopte even en spoelde verder door.

'Dan mis je al die sneeuw,' zei ze verstrooid.

'Dat komt goed uit,' antwoordde hij. 'Waar is de brigadier?'

Brown zat niet achter zijn bureau. 'Ergens.' Ze keek op. 'Hij trekt wat tips van de hotline na.'

Madison zette de video stil, stond op en rekte zich uit. 'Wat zijn jullie aan het doen?'

'Ik denk dat ze ons strikken voor de hotline. Heb je gehoord van PV?'

'Nee.'

'Ze hebben Tully zover gekregen dat hij toegaf de informatie van een anonieme bron te hebben gekregen en dat hij er niet voor heeft betaald.'

'Geloven ze hem?'

'Als er geen geld in het spel is, blijft er niet veel anders over.'

'Dat is waar.'

Madison ging door met de tapes. Niemand leek ook maar in de verste verte op de man die ze zochten. Uiteindelijk, in het vierde uur, begon ze de verhalen te herkennen: het stel dat ruzie had, de man die voordrong in de incheckrij, het kind dat verdwaalde. Ze zag ook een vrouw die de portemonnee van een andere vrouw probeerde te stelen en gesnapt werd, en een man die een aktetas pikte en niet gesnapt werd.

Ergens tussen het einde van haar dienst en het holst van de nacht kwam Brown binnen en zette een pizzadoos op haar bureau. Ze namen allebei een punt, olijven met ansjovis. Over ansjovis waren Brown en Madison het altijd eens geweest.

De telefoon op Browns bureau ging over en hij nam op. Hij luisterde en schreef toen een nummer op.

'Probeer dit eens,' zei hij en gaf Madison het stukje papier. 'Het is een zwarte Explorer. Op het bonnetje staat dat hij sinds gistermiddag 14.20 uur op Sea-Tac Lang Parkeren staat.'

Hij zag haar gedachten in haar ogen. 'Het betekent niet dat hij hem gesmeerd is. Hij kan hem daar gewoon hebben achtergelaten.'

'Dat hoop ik maar,' zei ze en ging aan het werk op haar computer. Het kostte haar twee minuten om erachter te komen dat de eigenaar van de auto ene Mr. Roger Key uit Bellingham was, een blanke man.

Brown keek mee op het scherm. 'Goede leeftijd, goede huidskleur. Lijkt voor geen meter op hem.'

Roger Key had steil bruin haar en een gezicht dat je meteen weer vergeten was. Brown en Madison bogen zich allebei dichter naar het scherm toe.

'De ogen zijn halfdicht en de mond ziet er anders uit,' zei hij.

'De kin en de kaaklijn verschillen ook. We kunnen het nummer bellen dat we van hem hebben, maar als zijn auto op Lang Parkeren staat, is hij waarschijnlijk niet thuis.'

'Probeer het toch maar.'

Madison belde. De telefoon ging een poosje over, niemand nam op.

'Ga na of hij bij ons bekend is.'

Het kostte haar een minuut. 'Nee,' zei ze. 'Geen strafblad.'

Brown ging achter zijn bureau zitten. 'Ik zet een mannetje op de Explorer terwijl we iemand langs zijn huis sturen.'

'Ik zorg wel voor het bevelschrift,' zei Madison. Rechter Martin was vrij, maar rechter Kramer, ook bekend als Bel-voor-uw-Bevel, had dienst. Een meevaller.

Twintig minuten later ging Browns telefoon. Het was een agent van het korps Bellingham; hij werd doorverbonden vanuit zijn auto.

'Ik sta nu vlak voor het adres,' zei hij. 'Het is een leeg pakhuis. De deur is dichtgetimmerd. Er wonen hier alleen ratten.'

'Oké,' zei Brown nadat hij de hoorn erop had gelegd. 'Wat doe je als je je auto op naam van iemand anders wilt zetten?'

'Vals rijbewijs.'

'Te makkelijk.'

Madison pakte nog een punt pizza uit de doos. 'Twintig dollar, een geboortebewijs, een identificatie en een paar bankafschriften om aan te tonen waar je woont. Om een geboortebewijs te krijgen zoek je in het register naar een overleden kind dat nu even oud zou zijn als jij. Daar betaal je online twaalf dollar voor. Veel te makkelijk.'

Ze tikte een paar woorden in. 'Even iets uitproberen.'

'Wat?'

'Er bestaat iets wat het Overlijdensregister heet. Als Roger Key een aangenomen identiteit is en hij eraan is gekomen via registers van overleden kinderen, dan moet het daarin staan.'

'Jezus, laten we dat hopen.'

Madison wachtte tot het antwoord op het scherm zou verschijnen. De pizza was koud aan het worden en ze wou dat ze er een blikje cola bij had. Er klonk een piep.

'Ik heb hem. Roger Key is overleden toen hij acht jaar oud was.'

'Ik bel de PD-eenheid,' zei Brown, en binnen vijf minuten waren ze op weg.

Twee mannen in het uniform van de luchthavenpolitie liepen heen en weer en stampten met hun voeten om warm te blijven. Toen Brown en Madison kwamen aanrijden, liep een van hen naar hun auto om hun identiteit te controleren terwijl de ander bij de Explorer bleef staan.

Brown bedankte ze allebei en zorgde ervoor dat ze blij waren dat ze geholpen hadden. 'Heeft een van jullie hem aangeraakt?' vroeg hij zonder er veel nadruk op te leggen.

'Ik misschien, toen ik keek of er binnen iets te zien was,' antwoordde er een.

'Oké, de PD-eenheid komt er zo aan. Jouw vingerafdrukken zijn bekend. Bedankt voor jullie oplettendheid.'

De mannen vertrokken.

Madison had handschoenen aangetrokken en hield een grote zaklantaarn in haar rechterhand. De auto zag er vanbuiten smetteloos schoon uit. Ze liep erheen en richtte de lichtstraal op de stoelen. Brown deed hetzelfde aan de andere kant. Ze bewogen zich van de voor- naar de achterkant. De stralen kruisten elkaar en gingen weer uiteen toen ze het zwarte tapijt op de vloer controleerden.

'Niets,' zei ze.

'Niets.'

Brown knipte zijn lantaarn uit.

'We weten nog niet zeker dat hij van hem is,' zei hij zachtjes tegen haar. 'Niet honderd procent zeker.'

'Hij is van hem,' antwoordde Madison.

'Is dat een vermoeden?'

'Ja, ik ben niet te stuiten vandaag.' Ze knielde bij de achterkant en scheen met haar licht onder de auto.

De PD-eenheid kwam eraan en Madison was blij Amy Sorensen te zien die haar jack en haar handschoenen aantrok.

'Sorry dat ik er maandag niet bij was,' zei Sorensen toen ze bij hen kwam staan. 'Mijn blindedarm is er in het weekeinde uitgehaald. Ze dwongen me om in bed te blijven. Verspilling van tijd, als je het mij vraagt. Hoe staat het hier?'

Amy Sorensen was een prachtige vrouw van in de veertig met rood haar. Haar vader was agent geweest, haar man was agent, een van haar twee jongere zussen was rechercheur bij de Zedenpolitie, de andere was net begonnen als agent in burger. De familie was een legende binnen het korps. Ze had een scherpe geest en de schunnigste lach van King County. Madison wist dat ze beide goed kon gebruiken op dit moment.

Nadat ze snel op de hoogte was gebracht, ging ze aan het werk. Haar partner was een jonge agent die Madison al een paar keer had gezien. Ze stelden een paar felle lampen op en liepen heen en weer rondom de Explorer.

'Hij staat hier sinds gistermiddag,' zei Sorensen terwijl ze het asfalt rondom de banden onderzocht. 'Ik zal je zeggen wat we gaan doen. We kijken zo voorzichtig mogelijk naar wat de binnenkant te bieden heeft: ik wil eventuele sporen die we aantreffen niet verpesten. Daarna nemen we de auto mee en inspecteren hem nader.'

Haar partner belde de truck die de Explorer mee zou nemen terwijl Sorensen in minder dan twintig seconden het portier aan de kant van de bestuurder open had.

'Daar ben je behoorlijk goed in,' zei Brown.

'De allerbeste,' antwoordde ze. Ze pakte een van hun lantaarns en scheen ermee rondom en op de stoelen.

'Ruik je het?' vroeg ze. 'Poetsmiddel en dat bloemblaadjesspul dat ze in handstofzuigers stoppen.'

Ze checkte de spiegels en keek onder het stuur. Ze klikte het handschoenenvak open en gluurde erin. Het felle licht scheen in alle hoeken. Het was leeg.

Ze schudde haar hoofd. 'Oké, hoe langer hij hier blijft staan, hoe groter de kans dat hij besmet raakt.'

'Is hij gedumpt?' vroeg Brown.

'Nou en of, en iemand is flink in de weer geweest.'

'Zo schoon dat er geen sporenbewijs is?'

'Dat zullen we nog zien.'

Toen de truck er was, duwden ze de Explorer erin. Nadat ze weggereden waren, bleven Brown en Madison op de lege plek staan waar John Cameron nog maar achttien uur geleden was geweest. Zonder de lantaarns was het er weer kil en donker.

'Ik check de hotline even,' zei Madison en ze klapte haar mobieltje open.

'Wacht even,' zei Brown. Hij stond op maar een meter afstand, met zijn rug naar haar toe, naar de ruwe grond te kijken. 'Ik wil iets met je doornemen.'

'Wat dan?'

'Wat denk je dat we uit de auto kunnen opmaken?' vroeg Brown.

Madison begon gewend te raken aan zijn gewoonte om haar op nieuwe gedachten te brengen door haar een vraag te stellen over iets wat totaal niets te maken had met het vorige onderwerp.

'Sorensen zal vast iets vinden: áls er iets te vinden valt. Hoeveel dichter ons dat bij Cameron zal brengen, weet ik niet, maar alles telt. Hij weet niet dat we zijn valse identiteit hebben ontmaskerd; misschien maakt hij er nogmaals gebruik van. Er zal íéts uit voortkomen.'

'En dat zal ons naar hem toe leiden,' zei hij.

'Vroeg of laat, hoe vroeger, hoe beter.'

'We hebben vier lichamen in het lijkenhuis, met Sanders erbij vijf. We hebben een heleboel *hoe* en *wat*, maar we hebben bijna geen *waarom*. Leg dat eens uit.' Hij zei het alsof het een mathematische kwestie was. Brown leek zich totaal niet bewust van de kou, het late tijdstip en de troosteloze plek waar ze stonden. Madisons ogen deden pijn.

'Dat hebben ze ons op de academie verteld: je krijgt een hoop van het een, je krijgt niks van het ander. De tweede Wet van Murphy. We hebben een motief voor de Sinclairs, maar niet voor Sanders. We hebben het bewijs dat Sinclair hem bestal, maar niet waarom. Hij heeft de drugs en het geld in Sanders' huis laten liggen, maar geen sporen achtergelaten. We hebben genoeg sporen bij de Sinclairs, maar niets om ze mee te vergelijken.'

Madison zag dat Brown iets anders in gedachten had. 'We moeten afstand nemen om het hele plaatje te zien.'

'Hij is ons de hele tijd al twee stappen vóór geweest,' antwoordde ze vinnig. 'Hoeveel meer afstand moeten we nog nemen?'

'Hoe ver ben je op dit moment bereid te gaan om de man te vinden die die kinderen heeft vermoord?'

'Zo ver als nodig is. Wat bedoel je precies?'

'We vinden hem als we zien wat hij ziet.'

'Allemachtig,' hoorde Madison zichzelf zeggen, plotseling het filter tussen hersenen en mond verliezend. 'Hou je iets voor me achter?'

Er viel even een stilte. Madison wist niet wat ze moest zeggen. Ze was even verrast als hij. Toen begon Brown langzaam, als een zeldzaam geologisch verschijnsel, te glimlachen. 'Ik weet er niets meer van dan jij,' zei hij rustig.

Zijn telefoon ging, het was Fynn. Terwijl Brown hem bijpraatte, stapten ze in de auto. Madison keek recht voor zich uit. Ze wist niet precies wat haar volgende woorden zouden zijn. Brown reed snel naar het lab en toen hij zijn telefoon had dichtgeklapt, glimlachte hij nog steeds.

De nachtploeg was aan het werk en had geen oog voor Brown en Madison die door de gangen liepen met hun badge met BEZOEKER erop aan hun jas.

De automaat bood iets te eten en te drinken. Het neonlicht aan het plafond was genadeloos en er ging een golf van moeheid door Madison heen. Ze koos een blikje cola en hoopte dat de cafeïne zou beginnen te werken voor ze staand in slaap zou vallen.

De deur van Sorensens kantoor stond open. Op haar bureau lag een *New York Times*. Brown pakte hem en ging op een bank in de gang zitten, schoof zijn bril omhoog en begon te lezen. Nadat Madison een paar minuten heen en weer had gelopen, keek Brown op. 'Ga je nou zitten, alsjeblieft?'

Ze zaten een poosje zwijgend naast elkaar. Brown sloeg zo nu en dan de pagina om en Madison leunde met gesloten ogen tegen de koele muur achter haar. Het was na elven toen zijn telefoon ging en ze wisten allebei dat het simpelweg geen goed nieuws kon zijn.

Het was een lang gesprek waarbij hij voornamelijk luisterde. Toen hij zijn mobieltje in zijn zak had gestopt, hoorden ze alleen nog het zachte gezoem van de automaat.

'Dat was rechercheur Finch, van Moordzaken in Los Angeles. Ze werden vandaag naar een plaats delict geroepen, het huis van een bekende dealer. Dus ze komen daar en vinden drie lijken: de dealer en twee lijfwachten. Zag eruit als moord. Goed nieuws voor de beschaafde wereld, maar ze moeten de zaak toch oplossen, dus trekken ze vrienden en bekenden na en checken wie hem misschien dood wilde hebben.'

Brown zweeg even.

'De bodyguards zijn gestorven aan bloedverlies uit wonden in de hals en de dealer is met zijn eigen wapen neergeschoten. Door zijn rechteroog. Tijdstip van overlijden ligt ergens op dinsdag. Geen vingerafdrukken. Geen getuigen. Geen bewijssporen tot nu toe. Maar die kerel bleek een collega in Seattle te hebben, Erroll Sanders.'

Hij liet het tot haar doordringen.

'En toen ze nagingen waar hij was...'

'Zoeken ze Cameron in verband met de zaak?' vroeg Madison.

'Ze hebben niets wat hem koppelt aan de dode man, behalve Sanders en de manier waarop de bodyguards gedood waren. Ze e-mailen Kelly de details van het lemmet om dat te vergelijken met het mes waarmee Sanders is vermoord.'

'Het is ergens in de loop van dinsdag gebeurd,' zei Madison.

'Ja.'

'Dat was voordat Sanders werd vermoord.'

Brown knikte. Madison dacht er even over na. Er moest een soort chronologie in deze ellende zitten. 'Cameron is hier zaterdagnacht. Dat wordt bevestigd door het tijdstip van overlijden van de Sinclairs. Hij wacht twee dagen. Maandagmiddag spreekt hij Quinn. Op dinsdag is hij in L.A., voor zaken. In de vroege morgen van woensdag is hij weer hier voor Sanders. Hij praat met Quinn na de eerste hoorzitting en gisteren om 14.20 uur laat hij de Explorer op het vliegveld achter.'

'Drukke week,' zei Brown.

Na een poosje kwam Sorensen tevoorschijn. 'We hebben de gedeeltelijke afdruk van een duim in de kofferbak gevonden. Hij is vaag, alsof er een hele hand zat die is schoongemaakt. En misschien is hij sowieso niet duidelijk genoeg om als bewijs te dienen. De buitenkant en de onderkant zijn smetteloos. Daar waren geen verrassingen.' Ze nam een slok uit een papieren bekertje. 'We hebben een paar haren van de achterbank, maar voor ik je blij maak: ze waren uitgevallen, niet getrokken. Dus geen haarzakje en geen DNA. Op de achterbank lag ook een heel kleine hoeveelheid vezels die katoen of wol kunnen zijn, zwart. Maar het mooiste is dat er een druppel bloed onder het stuur zat. Zou de palm van zijn rechterhand kunnen zijn. We vergelijken het met het DNA van de plaats delict van de Sinclairs. En nu smeek ik jullie: ga naar huis.'

Ze liepen de nacht in. Aan de skyline zag Madison de verlichte vensters in de verlaten kantoren en ze verlangde naar de rit naar huis, alleen in haar auto, de muziek hard genoeg om dwars door haar botten heen te gaan.

Billy Rain was de rest van de woensdag in de garage gebleven, denkend aan Tully's artikel en aan George Pathune die dood op de betonnen vloer van een gevangeniswasserij lag. Eigenlijk was het meer een constante herinnering geweest dan dat hij er plotseling aan dacht. Het was tussen zijn hersenen en zijn handen in komen zitten en hij had zich twee keer gesneden. Iets wat nog nooit was gebeurd. Zijn zwager had het gezien.

'Zorg dat er geen bloed op de bekleding komt,' had hij gezegd.

De dag kroop voorbij en aan het einde van zijn dienst vertrok Billy met de krant strak opgevouwen in zijn jaszak. Hij had een bar nodig waar hij niemand kende en niemand hem kende. Hij vond er een in een zijstraat van Fairview. Een schemerige gelegenheid waar je je nog zaagsel op de vloer kon voorstellen.

Hij dronk zijn eerste glas bier in een zitje in de hoek – de krant lag onaangeraakt naast het bakje pinda's. Hij bestelde nog een bier, nam een slok en sloeg de *Star* open. Hij las Tully's artikel twee keer, en voelde elke keer dezelfde kille angst, maar hij las toch door.

Tegen de tijd dat hij aan zijn derde biertje begon, had hij zichzelf iets beter in de hand. Voldoende om te weten dat hij moest overstappen op gemberbier als hij helder wilde blijven denken.

Hij had niet meer bij die dag stilgestaan sinds hij voorwaardelijk vrij was gekomen. Hij had de herinnering eraan in zijn cel achtergelaten. Niemand wist ervan omdat hij het nooit had verteld. Dat was ook nooit nodig geweest: het lijk van George Pathune was onofficieel toegevoegd aan de kerfstok van een gevangene die Edward Morgan Rabineau heette en al vastzat voor een dubbele moord, en niemand was erg verbaasd dat er nog een derde bij kwam.

Billy Rain ging, veilig in zijn hoekje, even op bezoek bij de gevangeniswasserij op die dag drie jaar geleden en eerlijk gezegd wist hij niet of de man die hij had gezien Rabineau was of niet. Hij kende de man, zeker, maar ze hadden nooit met elkaar gesproken. Ze bewogen zich in andere kringen en binnen de gevangenishiërarchie stonden ze zo ver uiteen als maar mogelijk was voor twee wezens van dezelfde soort. Met op dit moment één groot verschil: Rabineau zat nog steeds in de gevangenis. Dat wist Billy Rain zeker.

In Tully's artikel stond dat de hoofdverdachte iemand was die John Cameron heette. Een naam die hij in lange tijd niet meer had gehoord en eerlijk gezegd gehoopt had nooit meer te horen.

Billy Rain dronk zijn laatste slok gemberbier op. Hij wist ook vrij zeker dat Cameron in de tijd dat Pathune werd vermoord niet in de gevangenis zat. Wat betekende dat Tully zich misschien vergiste.

Hij bestelde iets te eten en at terwijl hij naar het sportnieuws keek. Hij ging naar huis, naar zijn ene kamer met het opklapbed – hij had zichzelf nog niet voldoende bewezen om weer bij zijn gezin te mogen wonen; hij at alleen een paar keer per week bij ze – en keek televisie tot hij in zijn stoel in slaap viel.

Op donderdagmorgen stond het nieuws van Nathan Quinns beloning in alle grote kranten.

24

Het was een strenge winter geweest. Michael en Harry Salinger hadden vele middagen thuis doorgebracht, als gevangenen van de regen, de vroeg invallende duisternis en de stemmingen van hun vader. Ze doorstonden de eerste klas van de middelbare school en verlangden naar de lente en de vrijheid van de zomer.

Op een zaterdagmiddag, toen ze terugkwamen van boodschappen doen, zagen ze hun vader in de keuken op hen staan wachten. Hij had hen nog niet gezien. 'Hij staat te wachten,' fluisterde Michael.

'Ik heb niks gedaan,' zei Harry snel.

'Kom mee,' zei Michael. 'We kunnen het maar beter achter de rug hebben.' Ze liepen de keuken in en zetten de zakken op tafel.

Richard Salinger keek hen aan. 'Hebben jullie zin om naar *Back to the Future* te gaan?'

Ze waren sprakeloos. De film draaide net en iedereen had het erover. Ze stonden in de rij voor de kaartjes en kochten popcorn. De jongens waren nog steeds verbijsterd.

Ze keken naar de film en hoorden hun vader lachen, een exotisch geluid. Na afloop gingen ze pizza eten; ze deelden een grote salami-en-kaaspizza en dronken Cherry Coke. Het restaurant zat vol ouders met kinderen. Het laatste waaraan Harry die avond dacht voor hij in slaap viel was dat het zo moest voelen om net als iedereen te zijn. Richard Salingers goede bui duurde een week. Daarna klonk Michaels 'Ja, meneer' op een keer niet zo pittig als het had moeten klinken en kreeg zijn broer meteen een knal voor zijn hoofd. Het zou grappig zijn geweest als je hier niet hoefde te wonen, zei Michael na afloop.

Ze zaten op het stoepje achter. Het was het eind van een zomerse dag – de hemel boven hen begon paars te verkleuren. De tuin was omzoomd met hoge bomen en niemand kon hen zien. Ze deelden een sigaret, namen om de beurt een trekje en wisten hoeveel elk trekje hun zou kosten als hun vader erachter zou komen.

'We zouden weg kunnen lopen,' zei Michael. 'Dat is niet onmogelijk.'

Ze wisten allebei dat Richard Salinger iedere connectie die hij nog in het politiekorps had, zou gebruiken om ze te vinden. Ze zouden het nog geen vijf minuten uithouden.

Ze begroeven het pakje sigaretten en de lucifers in een plastic zakje onder de wortels van de boom die het verst van het huis af stond. Het peukje ging er ook bij.

Twee dagen later vond Michael de revolver.

Ze waren met een tennisbal aan het gooien terwijl ze de trap af liepen. Michael miste en hij rolde hun vaders kamer in. De jongens keken elkaar aan: het was geen goed idee om zonder een heel goede reden de kamer van hun vader in te gaan, en een weggerolde tennisbal kwam daar niet eens in de buurt. Maar Richard Salinger was er niet en Michael deed de deur zachtjes verder open.

'Hij ligt onder het bed. Pak hem en kom naar buiten,' zei Harry.

Maar Michael bleef in de kamer om zich heen staan kijken. Het bed met de haastig opgetrokken dekens stond in de hoek. Op de stoel ernaast waren een jasje en een overhemd gegooid. De kamer was allang niet meer gelucht en rook naar hoestdrank.

'Schiet op,' riep Harry. Alleen al door de wetenschap dat Michael in hun vaders kamer was, stonden zijn nekharen rechtovereind.

'Oké.' Michael ging op handen en voeten zitten, tilde de overhangende sprei op en keek in het schemerduister. Daar stond een schoenendoos, dichtgebonden met een stuk touw, en tussen die doos en de muur lag de tennisbal. Michael ging plat op zijn buik liggen, probeerde zijn hoofd zo ver mogelijk boven de stoffige vloer te houden en stak zijn hand uit naar de schoenendoos. Hij trok hem naar voren, pakte de bal en kwam weer overeind. Terwijl hij nog op de grond zat, veegde hij met zijn hand de voorkant van zijn witte T-shirt af.

Met zijn voet probeerde hij de schoenendoos weer onder het bed te duwen.

'Waarom duurt het zo lang?'

'Heb jij die ooit gezien?' Michael wees naar de doos.

Harry wierp een blik in de kamer en schudde zijn hoofd.

Michael pakte hem op en voelde hoe zwaar hij was.

In dat huis vol geheimen werd er geen beter bewaard dan de dood van hun moeder. De jongens hadden geen herinnering aan haar. Hun vader vertelde niets en zij stelden geen vragen. Maar onderling spraken ze soms over haar.

Langzaam begon Michael het touw los te maken. Hij wist zelf niet wat hij hoopte te vinden, misschien een stukje papier, misschien een foto.

Harry stond als aan de grond genageld.

Michael legde het touwtje opzij en deed de deksel van de doos. Zijn mond viel open. Hij keek op naar Harry.

'Wat zit erin?'

'Kom hier,' zei Michael, en hij klonk doodernstig.

'Nee.'

'Harry.'

Harry kwam de kamer in en zag hem. De revolver was in een witte zakdoek gewikkeld en ernaast lag een klein doosje met patronen.

Michael zette de doos op de grond tussen hen in. Toen ze klein waren en hun vader nog bij de politie werkte, had hij ze vaak zijn dienstwapen laten zien, vastgeklemd in de holster en ver buiten bereik van hun kleine handjes.

Michael sloeg de punten van de stof terug; zijn vingers raakten het metaal amper. De revolver was glanzend gepoetst.

Na wat een eeuwigheid leek, pakte Michael het wapen bij de kolf. Ze hadden nooit gedacht dat hun vader nog steeds een wapen in huis zou hebben. De sigaretten onder de boom waren kinderspel. Dit ging veel verder, dit was tegen elke regel die ze ooit hadden overtreden.

Harry voelde een ijskoude rilling. 'Doe weg,' zei hij.

Michael stond op. Hij richtte de revolver op het raam, met gestrekte arm en één oog dicht. 'Zo dadelijk,' antwoordde hij.

Harry wist niet waarom hij misselijk van angst was. Ze konden niet gesnapt worden, hun vader zou nog uren wegblijven. Hij zag dat Michael in het magazijn keek; het was leeg. Het ging om het gemak waarmee zijn broer met het wapen omging, hoe hij de kolf in de palm van zijn hand koesterde.

'Doe weg.'

'Zo dadelijk.' Michael hield het hem voor, met de loop naar de grond gericht. 'Wil jij hem vasthouden?'

Harry Salinger pakte de .38 uit zijn broers hand; het gewicht verraste hem. Hij strekte zijn arm en richtte op de dalende zon. Het voelde beter dan goed, het voelde alsof het zo hoorde.

Ze knielden naast elkaar op de grond en legden hem terug in de doos, de stof er voorzichtig omheen vouwend. Michael duwde hem terug naar de plek waar ze hem gevonden hadden. Zonder iets te hoeven zeggen, gingen ze naar de boom en groeven de sigaretten op. Ze namen er allebei een en gingen op het keukenstoepje zitten roken, zo bang en opgewonden als ze nog nooit in hun leven waren geweest.

'Het is niet onmogelijk,' zei Michael zacht.

De rest van de zomer stond in het teken van het wapen. Waarom hun vader het had, waarom hij het verborg en hoe ze die kostbare ontdekking konden gebruiken. In het gezelschap van hun vader hielden ze zich muisstil, maar als er even gelegenheid voor was, gingen ze almaar door over hetzelfde onderwerp.

'Ik denk dat we moeten gaan voor de school weer begint,' zei Michael op een dag toen ze de was aan het opvouwen waren. 'Ik denk niet dat ik het hier nog een winter uithou.'

Harry knikte. Hij was eraan gewend dat Michael het meest aan het woord was. Maar deze keer waren Michaels plannen anders, ze waren specifiek. Hij had data en manieren om de stad uit te komen; hij had het over grote steden waar twee kinderen in konden verdwijnen zodat niemand ze kon vinden. Ergens waar het warm was, waar ze karweitjes konden doen om in leven te blijven. Maar het belangrijkste was dat ze het wapen meenamen. Daarmee zouden ze zo veilig zijn als maar kon. Harry knikte.

Hij begon 's nachts vaker wakker te worden. Dan lag hij in bed te luisteren naar de zachte geluidjes in het huis, en voelde hij zich platgedrukt tussen zijn vader en zijn broers verlangen om weg te lopen.

Het gevoel van het metaal tegen de palm van zijn hand had een koel blauw voor hem opgeroepen en het woord zelf zag Harry met gesloten ogen voor zich – de R die van een dieppaars was dat gloeide tegen een zwarte achtergrond. Het drong zich op of hij dat nu wilde of niet, of hij er klaar voor was of niet.

Op een zondagochtend lag hun vader nog in bed en de dag schitterde met de uitbundigheid van het einde van de zomer. Michael en Harry zaten aan de keukentafel. 'Laten we naar het strand van Mount Baker gaan,' zei Michael.

Ze pakten de bus en hoe verder weg ze van huis kwamen, hoe beter ze zich voelden. Het was het weekend van Labor Day en het strand was vol met gezinnen en spetterende kinderen. De jongens kochten twee flesjes Cherry Coke en gingen aan de rand van het water zitten. Na een poosje stond Harry op. 'Ik ga erin.'

De zon had op zijn schouders gebrand en Lake Washington was zo koel dat hij er bijna duizelig van werd. Hij ging kopje-onder en schudde het water uit zijn haar toen hij weer bovenkwam.

'Het is heerlijk, je moet er ook in komen.' Harry spatte Michael kletsnat met de kom van zijn hand. Ze hielden een watergevecht en zwommen toen onder water tot waar hun voeten de bodem niet meer raakten. Ze kwamen omhoog om naar lucht te happen en peddelden wat rond, terwijl ze stralen water naar elkaar spuugden. Daarna lieten ze zich op hun rug drijven en meevoeren naar waar het water hen maar bracht.

Na een paar uur zwom Harry terug naar de kust. 'Ik blijf er nog even in,' zei Michael, en hij zag de voeten van zijn broer verdwijnen als de staart van een vis, zilver onder het blauw.

Harry ging in het zachte briesje bij hun kleren liggen. Hij viel in slaap en toen hij weer wakker werd, was zijn haar droog en was Michael nog steeds niet terug. Harry krabbelde overeind. De zon stond lager aan de hemel en de meeste mensen waren al vertrokken. Hij keek om zich heen. Het meer was glad en stil en hij stapte het water in, draaide zich om en keek naar de kust, draaide zich toen weer naar het water.

'Alles in orde?' De strandwacht legde zijn hand op de schouder van de jongen en Harry schrok.

De zon was net ondergegaan toen ze Michaels lichaam uit het water haalden.

Harry kon niet ophouden met beven. Hij zat achter in de politiewagen die hem naar huis bracht. De twee agenten waren aardig voor hem, maar hun woorden drongen niet tot hem door. Het ene moment kraakte de politieradio, het volgende bleef het doodstil en parkeerden ze naast de auto van zijn vader. De agenten klopten op de deur. Zijn vader verscheen. De ene agent keek naar zijn voeten en de andere legde zijn hand op de arm van zijn vader. Richard Salinger draaide zich langzaam om en staarde naar de auto.

Een maand later keek Harry vanuit het keukenraam hoe zijn vader ruzie stond te maken met de buurman. Toen de kat van de buurman met een doorgesneden keel werd gevonden, zag niemand de schrammen op Harry's handen en armen. Die dag had zijn vader even geglimlacht. 'Soms gaat het er rechtvaardig aan toe in de wereld, jongen. Denk eraan, niet vaak. Als het gebeurt, moet je ervan genieten.'

In de kelder wikkelde Harry Salinger het metaaldraad twee maal om de glasscherf. Het was een helder stuk glas in de vorm van een waterdruppel en het zou goed gepast hebben aan een kroonluchter. In het juiste licht wierp het kleuren op zijn handen en op een houten kistje op zijn tafel. Michael zou het mooi gevonden hebben.

Het werk was kalmerend. De televisiemonitoren waren gedempt en Salinger hief zijn blik soms even op om te kijken of het nieuws al was begonnen.

Madisons stem, indigoblauw, was nog steeds bevroren op de plaats delict: hij had de stilte in zijn huis gevuld op een manier die hij niet voor mogelijk had gehouden.

… dat hij ze heeft overvallen en dat ze niet wisten wat hun overkwam…

Ze beschreef zijn werk zo gedetailleerd, zo begripvol. Het was bijna intiem. Plannen worden gesmeed en kunnen verworpen worden. Het was tijd om te improviseren, om de dingen te nemen zoals ze kwamen. Wat een zegen was ze toch.

25

Alice Madison deed haar ogen open in het donker. Ze was plotseling wakker en bij bewustzijn. De klok die op het plafond werd geprojecteerd gaf 5.43 uur aan. De telefoon op haar nachtkastje ging over, ze greep hem.

'Hallo.'

'Brown zei dat ik hem metéén moest bellen. Ik heb het geprobeerd, maar ik kon hem niet bereiken. Jij bent de volgende.'

'Sorensen.'

'Goeiemorgen.'

'Geef me even een seconde.' Madison deed de lamp op het nachtkastje aan en zwaaide haar benen over de zijkant van het bed. Ze droeg alleen een T-shirt en door de kou werd ze nog iets wakkerder. De verwarming was nog niet aangesprongen. Ze haalde een paar keer diep adem en probeerde haar hersenen met meer zuurstof aan te sporen.

'Daar ben ik,' zei ze.

Sorensen was geen type voor koetjes en kalfjes.

'De vezels zijn kasjmier, het bloed is van een mens en we hebben een overeenkomst op vijf punten voor de vingerafdruk, wat als bewijs niet voldoende is, maar het gaat per slot om de gedachte.'

Madison probeerde het bij te houden.

'Ben je er nog?' Sorensen klonk niet alsof ze net een dubbele dienst had gedraaid met een vers litteken van een blindedarmoperatie onder haar overall.

'Ik geloof het wel.'

'Want nu gaat het spannend worden. Die afdruk is van Cameron.'

Madison wilde het opschrijven. Haar notitieboekje zat in de zak van haar jas, de jas hing over een stoel in de woonkamer. Ze liep snel.

'We wachten nog op de DNA-resultaten. Vijf punten is veel te weinig om enig gewicht in de schaal te leggen voor de rechter.'

'Weet ik, maar het is toch iets.'

'Jij ziet het van de optimistische kant, hè?'

Madison glimlachte terwijl ze in haar boekje schreef. 'Kasjmier?' zei ze.

'Zwart. Hij heeft tenminste een goede smaak. Zoek iets voor me waarmee ik het kan vergelijken, een trui of misschien een sjaal.'

'Zal ik doen. Bedankt, Sorensen.'

'Oké, geef het door aan Brown. Ik ga nu naar huis om een dutje te doen. Voor de lunch weer terug.'

Het had geen zin om te proberen of ze nog wat kon slapen. Madison zette koffie en onder het wachten trok ze een joggingbroek en een dikke trui aan. Ze nam haar beker mee naar de tuin en warmde haar handen eraan. Omdat er nog geen sprankje daglicht te bekennen viel, was er weinig te zien, maar Madison kende elke boom en elke struik en ze had het gemist om buiten te zijn. Het was zo stil. Ze hoopte dat iets van dat vredige gevoel haar door de dag heen zou helpen.

Het menselijke verkeer op de hoofdterminal van het vliegveld Seattle-Tacoma golfde om hen heen. Madison en Brown controleerden betalingen en data waarop vliegtickets waren gekocht toen Browns telefoon begon te piepen: een jonge agent had taxichauffeurs op het vliegveld van King County ondervraagd en had iets wat ze misschien wilden horen. Madison voelde een druppeltje adrenaline loskomen.

Er was geen passagiersverkeer op Boeing Field, maar ze noteerden toch zo'n achthonderddrieëndertig vliegbewegingen per dag voor zaken- en privévliegtuigen en vliegclubs.

'Zijn rechterhand,' had taxichauffeur George Malden gezegd. 'Ik herinner me de littekens.'

Dinsdagmiddag laat had de taxichauffeur een man met één stuk handbagage opgepikt. Door de foto die agent Jerez hem had laten zien, was er geen belletje gaan rinkelen, maar toen hij over de littekens op de rechterhand van de man begon, kon Malden daarop zweren.

Tijdens de rit naar het vliegveld had Brown het bureau gebeld om te zorgen dat er een tekenaar voorhanden was. Ze lieten Malden de foto nogmaals zien en hij keek naar hen op. 'Als ik zeg dat de man die ik zag op deze man leek maar dan anders, denken jullie zeker dat ik maf ben.'

Brown schudde glimlachend zijn hoofd. 'We hebben deze foto bewerkt met een computer. Wat we hadden, was van twintig jaar geleden.'

'Nou, de ogen kloppen. Maar de man is magerder, zijn kaak is een beetje anders, hij had zo'n kleine baard, een sikje. En het haar was een soort blond, maar het leek geblondeerd, snap je?'

'Laten we binnen even rustig gaan zitten,' zei Brown en Madison voelde dat haar lichaam zich spande. Ze hadden het spoor weer te pakken.

Malden had Cameron afgezet bij de Marriott Residence Inn aan Fairview. Een hotel.

Er waren twee dingen die Madison dwarszaten: waarom zou Cameron naar een hotel gaan? Hij beschikte immers over het huis in Laurelhurst en waarschijnlijk over nog een woning ergens in King County. En dan de hand. Ze vond het vreemd dat Cameron, na zeven doden in vier dagen en met al zijn aandacht voor details, er niet voor had gezorgd dat de chauffeur het ene kenmerk waaraan hij te herkennen was niet zou kunnen zien.

Hij was teruggekomen voor Erroll Sanders, om het werk dat in de vroege zondagmorgen was begonnen met de Sinclairs af te maken. Hij hád handschoenen moeten dragen. Misschien had hij ze niet meegenomen. Misschien was de zon in L.A. te warm geweest en had hij ze vergeten.

Vast. Madison borg die gedachten op bij een paar andere onbeantwoorde vragen die haar van tijd tot tijd plaagden.

De Residence Inn staat aan de rand van Lake Union. Het beschikt over alle faciliteiten die horen bij hotelketens met identieke kamers in gedempte pastelkleuren, maar John Cameron had van geen ervan gebruik gemaakt. Het kostte Brown en Madison minder dan een uur om ondubbelzinnig vast te stellen dat Cameron er dinsdagavond niet had ingecheckt. Niet onder zijn eigen naam noch onder die van Roger Key. Er was tussen dinsdag en woensdag zelfs niemand ingecheckt die voldeed aan zijn beschrijving.

Madison controleerde de computeruitdraaien en Brown sprak met het personeel.

Cameron had misschien iets gedronken in de bar. De barkeeper kon er geen ja of nee op zeggen, en dat was dat. Het verraste Madison eigenlijk niet. Ze was natuurlijk teleurgesteld, maar niet echt geschokt.

Ze liepen het hotel uit, net zoals Cameron vier dagen daarvoor gedaan moest hebben. Dus hij komt aan op het vliegveld in zijn gecharterde vliegtuig, neemt een taxi en laat zich daar afzetten. Hij neemt geen kamer, maar loopt meteen weer naar buiten. En daarna? Madison snoof het briesje op dat uit het meer kwam. Lake Union lag vlak aan de overkant van de weg, donker en kalm. *Verdomme.* Ze wendde zich tot Brown. Ze voelde het in haar botten.

'Hij heeft een boot.'

Brown hield haar blik vast en knikte. 'Ja, en Quinn wilde zorgen dat dat niet bekend werd.'

Chandler's Cove strekte zich voor hen uit, steiger na steiger, meer boten dan ze in de vochtige schemering konden tellen.

'Laten we een wandelingetje gaan maken,' zei Brown.

Een boot was slecht nieuws, en Madison was plotseling kwaad op zichzelf dat ze die mogelijkheid niet eerder had overwogen. Een boot in Seattle betekende dat hij overal naartoe kon zonder ergens te zíjn. Op het water was hij zo goed als onzichtbaar. De aantallen waren meedogenloos: in de buurt van Seattle liggen vele duizenden boten.

Madison keek om zich heen. Er liep amper iemand op de steigers; ze zouden een groot gebrek aan getuigen hebben. De Ford Explorer stond op een andere naam, Roger Key. Dat was waarschijnlijk de standaardwerkwijze van Cameron, wat betekende dat de boot ook onder een heel andere naam geregistreerd kon zijn. Hij had het niet zo lang uitgehouden als hij niet zo voorzichtig was. Hij had waarschijnlijk diverse, goed beschermde identiteiten voor afzonderlijke doeleinden, rijbewijs, boot, eigendommen, vliegtickets. Madison was diep in gedachten toen ze zich realiseerde dat Brown tegen haar sprak.

'Weet jij iets van boten?'

'Ik heb een kajak, als dat telt.'

'Nou ja, laten we het zo zeggen, je moet een ligplaats hebben, er brandstof in gooien, ze onderhouden. Als je er alleen maar aan denkt om met een van deze grote boten een tochtje te gaan maken, ben je al een hoop geld kwijt.' Browns blik gleed over de gladde zeilen en de zwaardere motorboten met hun verzorgde cabines. 'Als Cameron een boot heeft, heeft hij ongetwijfeld een luxe uitvoering en iemand moet hem er ergens mee gezien hebben.'

Madison stak haar handen in de zakken van haar jas en keek naar de purperen hemel. 'We hebben twintig vierkante kilometer water tegen tweehonderd vierkante kilometer land.'

Brown draaide zich naar haar toe, stond op het punt iets te zeggen en veranderde toen van gedachten.

Terug op het bureau deed Madison de ijskast in de recreatieruimte open en inspecteerde de inhoud. Ze had zichzelf vaak ingeprent dat ze iets in haar bureau of in hun geïmproviseerde keukentje moest bewaren voor dit soort gelegenheden.

De ijskast was bijna leeg en kon wel een schoonmaakbeurt gebruiken. Achter op de tweede plank stond nog hetzelfde pak kippensoep als toen Madison bij Moordzaken was gekomen. Daarnaast lag een halve bagel met iets groens erin waarvan Madison maar hoopte dat het sla was. Op de bodem lag een geel, kleverig plasje, misschien frisdrank, misschien soep. De Voedsel en Waren Autoriteit zou het bureau meteen dichtgooien.

Andrew Dunne kwam naast haar staan. Hij had zijn das en het bovenste knoopje losgemaakt. Ze staarden beiden naar de troosteloze leegte. 'Ik hoorde dat jullie last met een boot hebben,' zei hij.

'Jep.'

'Een vriend van me werkt op het registratiekantoor, als dat helpt.'

'Dank je, maar het wordt voornamelijk documenten doorpluizen.'

'Bofkont.'

'Nog iets gehoord van Sea-Tac?'

'Nee. Alleen zat het Kelly niet lekker dat hij niet meegevraagd was naar Boeing Field. Hij kwam meteen terug en rukte de taxichauffeur bijna weg bij de tekenaar.'

Daar kon Madison niet veel op terugzeggen. Per slot had Brown Kelly er niet voor niets buitengelaten.

Dunne duwde de deur van de ijskast met het puntje van zijn wijsvinger dicht. 'Het is gehaktdag bij Jimmy's.'

Jimmy's was een café drie blokken verderop waar veel agenten kwamen. Als ze je kenden, wilden ze wel iets langs komen brengen. Dunne had hun nummer in zijn mobieltje staan. Twintig minuten later arriveerden er zes vrijdagavondspecials.

Madison wilde haar bakje eigenlijk meenemen naar haar bureau waar een bergje uitdraaien van vliegtuigmaatschappijen die op Sea-Tac vlogen en van het Registratiekantoor Pleziervaartuigen lag te wachten. In plaats daarvan ging ze op de rand van Spencers bureau zitten en stelde zich een paar minuten sociaal op. Kelly negeerde haar, Rosario las zijn krant, Dunne en Spencer praatten over tatoeages en Brown zat rustig te eten en de fax te lezen die de politie van Los Angeles hun eerder had gestuurd. Madison nam een hap van het gehakt – het was heerlijk. Haar grootmoeder zou het goedgekeurd hebben.

Na een poosje liep ze terug naar het kantoor dat Brown en zij deelden. Ze had een kop koffie in haar hand en om daar ruimte voor te maken, verplaatste ze een dossier. Het waren haar notities uit de bibliotheek, haar research naar de Hoh River-ontvoering en de achtergrondgegevens over Cameron, Sinclair en Quinn. Madison sloeg de map open en las haar aantekeningen snel door. Sindsdien waren er nog vier doden gevallen.

In de krantenknipsels stonden foto's van David Quinns begrafenis: een van de menigte en een van John Cameron die ze zich niet herinnerde. Hij droeg zijn ene arm in een mitella en met de andere hand griste hij de camera van de hals van een fotograaf. De mannen en vrouwen om hem heen hadden niets gemerkt, behalve Nathan Quinn. Het gezicht van de fotograaf was een flits van verrassing, op dat van Cameron stond pure haat te lezen. De man, die veel groter en zwaarder was dan de jongen, week achteruit. Cameron vertoonde geen spoor van angst; hij had iets over zich dat machtiger was dan hijzelf.

Madison knipperde met haar ogen. Toen ze het dossier had opgepakt, had ze een blik geworpen op een pagina ernaast, ook een
artikel dat ze had uitgeknipt. Het was het verslag van de aanval
op Andrew Riley in de steeg achter de bar. Riley die zo arrogant
was geweest toen hij probeerde foto's te nemen van de lichamen
van de Sinclairs op de plaats delict. Ze herinnerde zich hoe de rechercheur hem had beschreven na de aanval. De angst, de schok.

Brown stond bij de deur met Spencer te praten. Ze keek hem aan
zonder iets te horen. Brown beantwoordde haar blik, terwijl Spencer doorpraatte. Madison keek weer naar Camerons foto in haar
ene hand en het artikel over Riley in haar andere. En plotseling
kwam het idee in haar op, helder en onvermijdelijk en dwingend.

Brown zei nog iets tegen Spencer en liep naar het kantoor. Hij
deed de deur dicht en leunde er tegenaan.

'Cameron heeft Riley aangevallen,' zei ze, nog steeds verbijsterd.

'Ja,' zei Brown alleen.

'"Ja?"'

Hij knikte.

'Omdat hij had geprobeerd zijn dode vrienden te fotograferen.'

Madison viel even stil. Ze hief haar hand op. 'Geef me een minuut.' Haar ogen gingen van het plaatsdelictrapport van de Sinclairs naar de foto's, het uitgewerkte verhoor van Nathan Quinn,
Sorensens onderzoek van de Explorer.

'Verdomme.' Madison sloeg met haar vlakke hand op de muur
achter haar.

'Wíst jij dat?'

'Ja.'

'En dat wilde je mij niet vertellen?'

'Als ik het je had verteld, had je er niets aan gehad. Ik vertrouwde erop dat je er zelf achter zou komen. Als we dit aan Fynn
of wie dan ook moeten verkopen, wil ik me geen zorgen hoeven
maken dat jij het maar half gelooft. Je moest het met je eigen ogen
kunnen zien.'

'En als dat niet was gebeurd?'

'Dan had ik om een nieuwe partner gevraagd.'

Ze wisselden een blik.

'Je moet nu helder verder denken,' zei Brown.

'Oké,' zei ze.

'Oké,' antwoordde hij.

Ze gingen zitten.

Van alle gevolgtrekkingen en consequenties van wat Madison net had ontdekt, was de gedachte die ze bijna niet durfde uit te spreken de allerbelangrijkste. Na alle uren die ze hadden besteed aan het *hoe* en het *waarom*. Ze moest het hardop zeggen.

'Als Cameron Riley strafte voor zijn inbreuk op de waardigheid van zijn vrienden, dan is de logische conclusie dat hij niet verantwoordelijk is voor hun dood.' De woorden voelden vreemd aan in haar mond. 'Als hij dat wel was, zou hij blij zijn geweest met de publiciteit. Dat zou goed gepast hebben bij het arrangement van de plaats delict en de positionering van de lichamen. Hij zou gewild hebben dat iedereen dat zag.'

'Ik geloof niet dat hij het heeft gedaan.'

'Wanneer begon je te twijfelen?'

'Toen Payne ons belde over het glas.'

'Afgelopen dinsdagmorgen tijdens de briefing?'

'Ja.'

'Afgelopen dínsdag?'

'Ik snap wat je bedoelt.'

'Heb je dit tegen niemand anders gezegd?'

'Ik heb erover gesproken met Fred Kamen.'

'Was het glas de laatste druppel?'

'Iets dergelijks. Op dat moment hadden we de gedeeltelijke cheque met de valse handtekening en de haren uit de knoop van de boeien. Dat was te mooi om waar te zijn. Als je naar Camerons eerdere werkwijze kijkt, is de plaats delict van de Sinclairs pathologisch gezien totaal anders.'

'Toch moeten we verklaringen hebben voor al die bewijzen.' Madison hield van bewijzen, ze vertrouwde erop. Het stak haar dat iemand daar misbruik van had gemaakt en dat zij dat nooit had geweten als het toeval en een kop koffie niet tussenbeide waren gekomen.

In haar hoofd vielen de dingen met een klik op hun plaats.

'Als Cameron de Sinclairs niet heeft vermoord, moet iemand anders het gedaan hebben. De dealer uit Los Angeles en Sanders hadden er iets mee te maken en Cameron is daarachter gekomen.'

'Denk je echt dat het hun stijl is?'

'Laten we even teruggaan. Jij begon hier dinsdag over na te denken. Sindsdien hebben we een arrestatiebevel voor Cameron laten uitgaan, hebben we geprobeerd Quinn aan de praat te krijgen, hebben we stapels papieren doorgeploegd met slechts één doel: Cameron vinden. En nu blijkt plotseling dat hij de verkeerde is. Hoe is het in godsnaam mogelijk dat je dat aan niemand hebt verteld?'

'Ik heb er nul bewijs voor, het is een vermoeden. Een veronderstelling die naar mijn idee klopt als een bus. Maar het enige wat we kunnen doen, is beide kanten op werken: het spoor volgen dat de moordenaar heeft uitgezet naar Cameron en tegelijkertijd op zoek gaan naar de moordenaar zelf.'

'Dit is niet op het laatste moment in elkaar geflanst: hij wist waar we naar zouden zoeken en dat heeft hij ons gegeven. Hoe hij de val heeft gezet, vertelt ons veel over hem en de manier waarop hij denkt en wat hij hiermee wil bereiken. En nog iets: Cameron heeft de Sinclairs misschien niet vermoord, maar er zijn drie mannen in L.A. en een in Seattle dood omdat hij dat heeft bepaald. Als de moordenaar dicht genoeg bij Cameron staat, kan hij hem ons op een zilveren schaaltje aanbieden. En daar zeg ik geen nee tegen.'

Dat moest Madison even verwerken.

'Laten we nogmaals naar de Sinclairs kijken,' zei Brown. 'We kunnen beginnen met "wijze van overlijden".'

'De vrouw en de kinderen zijn doodgeschoten, de echtgenoot werd vastgebonden en stierf aan een hartaanval veroorzaakt door inademing van chloroform. We waren tot de conclusie gekomen dat het verschil betekende dat de moordenaar James Sinclair wilde laten weten dat zijn gezin werd afgeslacht. Het was zijn straf omdat hij hem had bestolen.'

'Wat gebeurt er als we Cameron van de plaats delict verwijderen?'

'De moordenaar wilde dat Sinclair als allerlaatste stierf. Daarmee liet hij Cameron weten dat Sinclairs dood langzaam en pijnlijk was en dat hij wist wat er met zijn gezin gebeurde.' Om een of andere reden was het nog erger dan hun eerste conclusie.

'Ja, en het lijkt er niet op dat onze vrienden uit L.A. zoiets zouden doen.'

Madison leunde achterover op haar stoel. '*Dertien dagen* is een waarschuwing aan Cameron, en de moordenaar loopt nog ergens rond.'

Brown knikte. Madison wist dat hij gelijk had en er glibberde iets kouds over haar rug. In de kringen waarin Erroll Sanders zich bewoog, werd wraak snel genomen. Daar kwamen weinig details en veel munitie bij kijken. Dit was iets anders.

Brown pakte het rapport van de PD-eenheid en sloeg het open.

'Vanaf het moment dat Payne zei dat Camerons vingerafdruk op het glas zat, ging het alleen nog om sporen van bewijs. De moordenaar openbaart zich aan ons door middel van bewijsmateriaal. Hij heeft gebruikgemaakt van DNA en vingerafdrukken om een verband te leggen tussen zijn doelwit en de plaats delict en hij heeft valsheid in geschrifte en verduistering gebruikt om een motief te construeren.'

'Is Saltzman klaar met die belastingaangiften?'

'Ja, hij heeft niets gevonden dat erop wees dat Sinclair ooit iets onbehoorlijks heeft gedaan.'

'We hebben de cheque en het geld dat op de rekening werd gezet en er weer werd afgehaald.'

'Hoe makkelijk zou het voor mij zijn om morgen een rekening te openen op een andere naam? Je hebt een tijdje rondgekeken in Sinclairs huis. Wat dacht je toen? Had de man extra geld nodig?'

'Nee.'

'Wat dacht je wel?'

Madison schudde haar hoofd. Al die tijd dat ze naar hun familiefilms had gekeken, had ze een voorgevoel gehad en er geen acht op geslagen. Er kwam plotseling iets bij haar op.

'De boeien. Je zei dat de hoeveelheid bloed en cellen op de boeien niet overeenkwam met de verwondingen van Sinclair, dat er veel meer bloed had moeten zijn gezien de kracht waarmee hij zich had verzet. Dat wierp de vraag op waarom de moordenaar zijn handen opnieuw had vastgebonden.'

'Nu weten we het.'

'Om de haren in de knoop te verwerken. Dat had hij niet kunnen doen toen Sinclair nog leefde en zich verzette.'

Madison begon zich een beeld te vormen van de gestoorde moordenaar. Om hem te vinden moest ze hem begrijpen. Om hem te bestrijden, moest er een beroep worden gedaan op iets anders, iets wat waarschijnlijk niet onderwezen werd op de academie.

Haar mobieltje ging en ze schrok op. Ze keek naar de tijd op het schermpje – het was 22.45 uur. Het nummer was onbekend.

'Hallo.'

'Hallo, spreek ik met rechercheur Madison?'

Volwassen man, ouder dan twintig en jonger dan vijftig jaar, uit de streek.

'Ja, met wie spreek ik?'

'Met Greg Phillips. U heeft een paar dagen geleden met mijn vader Clyde gesproken, in Laurelhurst. Zijn huis staat tegenover dat van John Cameron.'

De oude man met de boodschappentassen.

'Ja, natuurlijk. Is alles in orde met hem?'

'Prima, dank u. U heeft uw kaartje achtergelaten en, nou ja, we hebben net de politie gebeld. Iemand probeerde in te breken in Camerons huis. Mijn vader zei dat ik u ook moest bellen, dat u het misschien wilde weten.'

'Nou en of, bedankt. We komen eraan.'

Madison klapte haar telefoon dicht en stond op. 'Iemand probeert in te breken in Camerons huis.'

Brown greep zijn jas.

26

Ze renden het politiebureau uit. Er was weinig verkeer en ze schoten goed op. De temperatuur was gezakt en iedereen met een beetje verstand was thuisgebleven.

'Wat zei Kamen?' vroeg Madison toen ze eenmaal op 23rd Avenue waren.

'Hij merkte iets op over het gebruik van DNA en vingerafdrukken. Hij zei dat we naar iemand moesten zoeken die op de hoogte was van politiewerk. Wellicht iemand die zich heeft aangemeld voor de academie en is afgewezen, die vaak naar cafés gaat waar veel agenten komen en praatjes aanknoopt. Dat soort dingen.'

'En als hij zich heeft aangemeld voor de academie en niet is afgewezen?'

'Dan hoop ik dat er toentertijd iets uit de psychologische test naar voren is gekomen, wat heel goed mogelijk is, afgaande op wat hij die familie heeft aangedaan. En dit was niet zijn eerste actie; hij heeft tijd gehad om te oefenen.'

'Kunnen we de gegevens van de academie krijgen?'

'Die moeten er morgen zijn. Ik heb Payne gevraagd om het glas nog eens te bekijken, te controleren of het op welke manier dan ook chemisch behandeld is. Sorensen onderzoekt de haren. Dat zou ons kunnen vertellen hoe hij eraan is gekomen en hoe hij ze heeft bewaard.'

Madison was nog steeds een beetje de kluts kwijt. Brown wist precies wat ze voelde. 'Als inspecteur Fynn je op dit moment de vraag zou stellen, wat zeg je dan?'

Ze bolde haar wangen en blies wat lucht uit. 'Ken je die kaarten die eigenlijk uit twee beelden bestaan, alsof je ogen je bedriegen? De moeilijkheid is dat je ze niet tegelijkertijd kunt zien. Als je het ene ziet, verdwijnt het andere, en andersom. Ik weet gewoon dat het Cameron was die Riley aftuigde, maar als ik daarnaar kijk, raak ik het grotere plaatje kwijt.'

Hij knikte.

'We weten nog steeds niet waarom,' ging ze door.

'We hebben het de hele week al over waarom en wat zijn we daarmee opgeschoten? Vandaag stel ik me tevreden met hoe en wie.'

Madison verplaatste haar holster een beetje en leunde achterover. 'Het huis zou bewaakt worden.'

'Niet genoeg mankracht. Ze hebben meer mensen gezet op buurtonderzoek en één keer per uur zou er een politiewagen langsrijden.'

'De kans dat dit een gewone inbraak is, is nogal klein.'

'Het zou een journalist kunnen zijn die iets te dichtbij is gekomen. Inbreken is niet meer wat het geweest is.'

'Je weet dat we het snel aan Fynn moeten vertellen, hè?' zei ze.

'We gaan morgen meteen naar hem toe.'

'Ná zijn eerste kopje koffie.'

'Reken maar.'

Laurelhurst lag er vredig en stil bij. De bewoners waren al naar bed en er hing een lichte mist. Brown sloeg Camerons straat in en remde af. Links en rechts stonden auto's geparkeerd op de opritten.

Eén agent in uniform stond midden op straat tegenover Camerons huis met een zaklantaarn in zijn linkerhand. Hij zag hen aankomen. Brown parkeerde en identificeerde zichzelf en Madison toen ze uitstapten. De straal van de lantaarn streek over hun voeten. Het was vinnig koud.

'Mijn partner en ik hebben de oproep beantwoord. De eigenaars zijn niet thuis.' Agent Mason was lang en pezig en had een alledaags gezicht.

'Dat verwachtten we al,' zei Brown.

'De voordeur en de ramen zitten potdicht, maar mijn partner is achteromgereden voor het geval daar iemand naar buiten komt.' Camerons achtertuin grensde aan een ander huis aan een parallel lopende straat.

Uit de politieradio klonk zo nu en dan gekraak. Plotseling hoorden ze het geluid van brekend glas en ze renden met getrokken wapen de oprit op naar de garage. Achter haar hoorde Madison agent Mason iets in zijn radio roepen.

Het geluid was uit de achtertuin gekomen. De enige manier om daar te komen, was langs de zijkant van het huis, waar veel bomen en struiken stonden en het steeds donkerder werd. 'Ik ga wel eerst,' zei Madison. 'Ik ben er overdag al eens geweest. Het is nogal nauw.'

'Nee, ik ga voorop,' zei Brown. 'Jij dekt me van achteren.' Hij begon al te lopen voor ze iets kon zeggen. Ze ging snel achter hem aan en de agent kwam weer een paar stappen achter haar. In een paar seconden waren ze uit het halflicht van de straat verdwenen.

Madison hield haar linkerarm voor haar gezicht om haar ogen te beschermen tegen de terugzwiepende takken. De grond was hard en droog onder haar voeten. Zo dadelijk zouden ze bij de schutting zijn en dan was er nog maar weinig ruimte om te bewegen. Madison hoorde Brown voor zich.

Plotseling kwam er een luid gekraak uit de radio achter haar. Madison wachtte tot Mason tevoorschijn zou komen.

'Zet je radio zachter,' zei ze rustig maar beslist.

'Sorry,' fluisterde hij.

Madison liep verder, linkerarm omhoog en rechterhand naar beneden, wapen naar de grond gericht. Ze rook de dode kat weer; ze waren er bijna. Ze had goed geluisterd, maar niets gehoord na het brekende glas. Ze zouden het snel genoeg zien; waarschijnlijk de deur met de glazen panelen. Binnen een paar seconden zou ze over de schutting en bij de deur zijn.

Ze rook de kat nu van dichtbij, en nog een andere vage geur. Chloroform. Madison wilde zich omdraaien, maar het was al te laat. Haar rechterhand, met de Glock erin, werd van achteren stevig vastgegrepen. Hij probeerde haar het wapen te ontfutselen. Chloroform, nu dicht bij haar gezicht. Ze voelde zijn lichaam dat haar bijna van de grond tilde en half omdraaide, waarbij haar hoofd tegen de muur sloeg terwijl hij probeerde de doek tegen haar gezicht te drukken.

Nee, dat gaat niet gebeuren. Haal adem, probeer wat lucht te krijgen. Schreeuw. Je moet Brown waarschuwen, moet hem waarschuwen.

Ze schopte hard terug. De doek kwam bij haar gezicht, dat tegen de muur werd gedrukt en ze voelde een warm straaltje over haar wang lopen. Met haar linkerelleboog stootte ze fel naar achteren, zo hard ze maar kon. Hij gaf een schreeuw. Haar rechterarm deed pijn. Hij had de kracht, maar zij had de woede. Chloroform betekende maar één ding, chloroform stond voor vier dode lichamen op het bed.

Als ze één schot kon lossen, zou Brown weten dat hij dekking moest zoeken. Ze zou waarschijnlijk in de muur schieten. Het zou haar een arm kosten. *Kon haar het schelen.* Ze bewoog hem zo ver naar achteren als ze kon en vuurde. Er knapte iets – de pijn voelde witheet aan en de doek drukte op haar gezicht. De man vloekte.

Ze vuurde nogmaals. Het wapen viel op de grond. *Niet ademhalen, adem het niet in.*

Van ver weg hoorde ze Brown naar hen toe rennen. Hij riep haar. Madison, blind in één oog, haar wenkbrauw opengebarsten, bloed over haar hele gezicht en half verdoofd, zocht met haar handen over de grond naar het wapen. 'Zoek dekking.' Haar stem brandde in haar longen.

Drie schoten sneden snel achter elkaar door de nacht. In het donker zag ze de flitsen op anderhalve meter voor zich uit de loop komen. Ze kon niet goed horen omdat haar oren nog tuitten van haar eigen schoten, maar ze voelde geen beweging meer om zich heen. De man was verdwenen.

Ze riep naar Brown en hoorde slechts stilte. Ze legde haar ene hand tegen de muur, volgde die en bleef roepen. Ze vond hem op de grond bij de schutting en zelfs in het vage licht zag ze het bloed glanzen op zijn borst.

Nee. Ze deed waarvoor ze was opgeleid. Ze liet zich op haar knieën naast Brown vallen, zei zijn naam, riep hem terug. Met twee vingers zocht ze naar zijn pols, die heel zwak was. Ze boog zich voo-over om hem te horen ademhalen, een iel geluid dat haar meer angst aanjoeg dan alles wat er die avond was gebeurd. En ze bleef praten, almaar tegen hem praten, terwijl ze de wond dichtdrukte en de sirenes al in de verte jankten. Ze hoopte vurig dat het een ambulance was en dat ze hen tussen de struiken konden vinden.

Binnen enkele minuten waren er twee agenten en een ambulancebroeder bij hen. Vanuit een raam had iemand gezien dat Harry Salinger in zijn uniform de rechercheurs begroette. Toen ze de schoten hoorde, belde de vrouw het alarmnummer en zei dat er op een agent werd geschoten. Daar werd nogal snel op gereageerd.

'Ben je geraakt?'

'Dat geloof ik niet.'

'Kun je lopen?'

'Hij moet zuurstof hebben.'

'Dat weten we.'

De ambulancebroeder deed Brown een masker voor en probeerde Madison terug naar de straat te krijgen, maar ze wilde niet weggaan voor ze Brown op een brancard hadden vastgegespt en naar de ambulance gedragen.

Tegen de tijd dat ze tevoorschijn kwamen, stonden er nog twee politiewagens, met groot licht, en eromheen was zich een menigte aan het vormen. Onder het licht van de straatlantaarns kon Madison Brown eindelijk zien. Hij leek dood. 'Komt het goed met hem?'

'Stap in. Je ziet je partner in het ziekenhuis.'

'Ademt hij nog?'

'Hij ademt nog. Stap nu in.' Het ambulancepersoneel handelde snel en ze wist dat ze niet zouden stoppen voor rood licht. Haar hoofd bonsde en aan de gezichten van de agenten om haar heen las ze af dat ze er zelf ook gehavend uitzag. Ze wendde zich tot een van de twee die het eerst waren aangekomen. 'Sluit deze plek af en laat Sorensen van de PD-eenheid komen, begrepen? Sorensen.'

Ze leunde tegen de wagen omdat rechtop staan moeilijk begon te worden, en toen ze houvast zocht met haar rechterarm was de pijn zo scherp dat ze bijna flauwviel.

Op een of andere manier zag ze kans in de politieauto te stappen en ze reden achter de ambulance aan. 'Gaat het een beetje daar achterin?' vroeg de agent terwijl hij snel door de bochten reed.

'Ja,' zei ze. 'Kun je iets voor me doen?'

'Wat moet er gebeuren?' Ze zag zijn ogen in de achteruitkijkspiegel.

'Vraag de centrale om mijn baas te bellen, inspecteur Fynn van Moordzaken. Hij moet weten wat er is gebeurd.'

'Komt in orde.' Hij sprak een paar woorden door de radio. 'Zijn jullie in een val gelokt?'

Madison rook de chloroform op haar kleren. 'Iets dergelijks.'

Ze voelde aan haar holster en wonderbaarlijk genoeg zat de Glock er nog in, automatisch teruggestopt, met het veiligheidsriempje vastgemaakt. Ze sloot even haar ogen en het volgende wat ze zag en hoorde waren de felle lichten van de Eerste Hulp van het Northwest-ziekenhuis en iemand die iets riep.

'Hoe heet je?'

'Alice Madison. Waar is mijn partner? Hij is een paar minuten vóór mij binnengebracht.'

Ze zat op een brancard. Een dokter in een groene jas scheen met een zaklantaarntje in haar goede oog, het rechter, terwijl een verpleger de snijwond in haar linkerwenkbrauw schoonmaakte. Hij was diep en deed gemeen pijn.

'Even omhoogkijken. Ze zijn met hem bezig, maak je geen zorgen.'

'Met alle respect, maar je zegt niet hoe het met hem is, dus moet ik zelf gaan kijken.'

Grote woorden voor iemand die te duizelig was om te gaan staan, maar ze meende het en dat wist hij.

'Adam, ga jij even,' zei de dokter.

De verpleger liep weg om het te gaan vragen. Op de tafel naast hen lagen Madisons röntgenfoto's. Ze had een schoon hemd gekregen. Haar kleren, riem en wapen waren in een plastic zak gestopt die een paar minuten daarvoor was opgehaald door een agent van de PD-eenheid. Hij was langsgekomen om vuil onder haar nagels weg te halen en te onderzoeken op sporen van bewijs. Het ging allemaal heel snel.

De arts zette de röntgenfoto's vast op een viewer. Madisons hoofd van beide kanten en haar rechterarm.

'Je hoofd is in orde. Je zult het nog wel even voelen, maar dat komt alleen door de chloroform en de klap. Geen permanente schade.' Hij lachte even naar haar en wees. 'Je hebt je pols verstuikt en je spier naar je ellebooggewricht is beschadigd. Ben je rechtshandig?'

'Ja.'

'Hou je spalk erom en til niets op wat zwaarder is dan een kop koffie. Je schouder zal nog een paar dagen pijn doen. Autorijden wordt moeilijk en behoorlijk pijnlijk en ik raad je af het te proberen. Een paar hechtingen in je wenkbrauw zijn genoeg. Het litteken trekt later weg.' Dat zei de dokter altijd omdat patiënten het altijd vroegen. Al zag Madison er niet uit als het type dat het zou vragen.

'Zak diepvrieserwten,' zei hij. 'Dat gaat de zwelling tegen.'

Ze knikte. De verpleger kwam terug. Madison draaide haar hoofd te snel om en de pijnsteek was voldoende om volgende keer voorzichtiger te zijn. 'Hij is stabiel en ze brengen hem naar de operatiekamer. Dokter Taylor behandelt hem.'

'Dokter Taylor is onze beste neurochirurg. Je partner is in goede handen.'

'Hoezo neurochirurg? Brown is in de borstkas geraakt.'

'Er was nog een wond,' zei de dokter, en hij gaf haar een moment om het in zich op te nemen. 'Het ene schot ging recht door hem heen en heeft zijn longen gemist. Dokter Taylor gaat nu aan de slag met de andere wond.'

Madison was blij dat ze zat. Ze knikte.

'Ik geef je even een adempauze. Er komt zo een hulpverpleegkundige voor de hechtingen.'

Ze lieten haar alleen. Madison nam een slok water uit een bekertje. Ze had een pijnstiller gekregen en Fynn was onderweg. Maar het enige wat telde, was dat Brown boven lag.

Het kamertje waarin ze zat, grensde aan de wachtruimte. Het was klein, maar privé. Madison was dankbaar voor die paar momenten alleen. In die kleurloze, functionele ruimte waarin mensen nieuws kregen dat hun leven veranderde, vermande Madison zich en verzamelde ze alle moed en helderheid om te doen wat ze, naar ze wist, moest doen. Ze had niet veel tijd en er was maar één kans om het er goed van af te brengen. Het zou niet lang duren voor inspecteur Fynn er was en hij zou haar willen spreken.

Zo had het niet moeten gaan. Ze hadden hem morgenvroeg alleen in zijn kantoor moeten treffen, Brown voorop en Madison die hem steunde. Maar in plaats daarvan vocht Brown nu voor zijn leven in een treurig vertrek met neonbuizen aan het plafond en moest zij een verstandige man, een goede, betrouwbare agent, ervan overtuigen dat zwart eigenlijk wit was.

De hulpverpleegkundige, een jonge Chinese vrouw, bracht twee hechtingen aan. De snee liep dwars over Madisons linkerwenkbrauw. 'Twee centimeter naar beneden en het had veel erger kunnen zijn,' had de arts gezegd. 'Je hebt geluk gehad.'

Madison nam nog een slokje uit de beker. De verpleegkundige maakte aanstalten om weg te gaan. 'Je moet even hiernaast kijken,' zei ze.

Toen de deur was dichtgezwaaid, zette Madison haar voeten op de grond. Ze nam een paar stappen en het voelde oké, zwak maar niet zo duizelig meer. Ze liep naar de deur en opende hem op een kier. In het plotseling heldere licht leek de wachtruimte een zee van blauw. Politiemannen in uniform, meer dan ze kon tellen, en agenten in burger en rechercheurs uit haar eigen en andere districten, allemaal gekomen om zich ervan te vergewissen of het met twee van hen weer goed zou komen.

Madison liet de deur weer zachtjes dichtvallen en haalde een paar keer diep adem.

Vijf minuten later klopte inspecteur Fynn aan. Madison stond bij de viewer; het licht erboven was aan. Ze zag dat hij haar verwondingen in zich opnam. Hij droeg zijn donkere jas over een coltrui, alsof hij zich snel had aangekleed.

'Madison,' zei hij. De spalk langs haar pols kwam tot het midden van haar hand. Hij stak zijn linker uit en schudde hem één keer.

'Gaat het?'

'Ja. U heeft gehoord van Brown.'

'Hun beste chirurg is met hem bezig. Hij heeft een zus in Vancouver, ik heb haar gebeld. Spencer is ter plekke. Hij gaat het onderzoek leiden.'

'Dat is goed,' zei ze. Madison wist niets over Browns familie. Nog iets waarover ze zich schaamde.

'Wil je niet gaan zitten?' vroeg Fynn.

'Nee, ik blijf liever staan.'

'Oké, vertel me wat er is gebeurd.'

'We zijn op het bureau bezig met de papierwinkel van het vlieg-veld. Ik word gebeld op mijn mobieltje. Een man zegt dat hij de zoon is van Camerons buurman, met wie ik heb gesproken. Ik had hem mijn kaartje gegeven. Hij zegt dat ze net de politie hebben ge-beld omdat iemand probeert in te breken in Camerons huis. Hij dacht dat ik het wilde weten. Maar goed, Brown en ik rijden naar Laurelhurst en als we daar komen, staat er een agent in uniform midden op straat voor het huis.'

'Heb je hem goed kunnen zien?'

'Ja, in het begin. Toen we aan de zijkant van het huis stonden, was het te donker.'

'Heb je genoeg voor een tekenaar?'

'Ja. Blanke man, minstens een meter tachtig tot tweeëntachtig, geen bijzondere kenmerken. Hij stelde zich voor als agent Mason van het bureau Noord. Zei dat zijn partner achterom was gereden naar de straat die parallel liep aan die van Cameron voor het ge-val iemand daar naar buiten rende. De deuren en ramen waren dicht, zei hij. Toen hoorden we het geluid van brekend glas en be-gonnen we te rennen.'

Madison vertelde hem dat Brown voorop ging en over het ge-kraak uit de radio dat haar zo lang ophield dat de man haar en Brown uit elkaar had gedreven. Over de met chloroform door-drenkte doek.

Fynn knikte. Hij had in de voorgaande weken weinig gelegen-heid gehad om te zien wat voor soort rechercheur Madison zou zijn, maar zo had hij er niet achter willen komen. Haar hemd had korte mouwen en haar arm zat tot aan haar pols onder de rood-blauwe kneuzingen. Ze moest alles gegeven hebben wat ze had.

'Ik moet erbij zeggen dat als ik brigadier Brown eerder had kun-nen waarschuwen...'

'Luister, Madison, hoe komt het dat je arm er zo uitziet?'

'Ik heb in de muur geschoten. De aanvaller hield mijn arm ach-ter mijn rug.'

'Dat deed je voor Brown.'

Madison gaf geen antwoord.

'Goed. Je zei dat er drie schoten waren. Brown was al dekking aan het zoeken toen er op hem werd geschoten. Het eerste schot trof hem, het tweede ook, maar het derde miste totaal. Als jij niet geschoten had, zou hij drie keer in zijn hart zijn getroffen en dan hadden we het nu over heel andere dingen gehad.'

Madison reageerde niet. 'De aanvaller gebruikte chloroform,' zei ze. 'Daarmee heeft hij ook James Sinclair verdoofd voor hij zijn gezin vermoordde. En ik durf te wedden dat ballistisch onderzoek zal aantonen dat de patronen van Laurelhurst overeenkomen met die in Blueridge. Het is een .22, hetzelfde wapen als waarmee Annie Sinclair en haar kinderen zijn gedood.'

'Cameron.'

Madison keek naar inspecteur Fynn. Zwart was wit.

'Nee.'

'Denk je niet dat hij je in de val heeft gelokt?'

Madison bleef hem aankijken.

'Ik luister,' zei hij.

In een paar zinnen vatte Madison het onderzoek naar de moord op de Sinclairs samen zoals zij het nu zagen. Ze zette het in de context van de doden in L.A. en de moord op Sanders. Bewijs, motieven, gelegenheden.

'U moet zich nu voorstellen,' zei ze, 'dat afgelopen zaterdag iemand anders het huis van de Sinclairs is binnengeslopen, iemand die ons wilde laten geloven dat Cameron zijn vrienden en hun kinderen had afgeslacht. En hij bewoog zich dicht genoeg in zijn buurt om aan tastbare bewijzen te komen, zoals het glas met vingerafdrukken erop en de haren die hij in de knoop van de boeien verwerkte, nádat Sinclair gestorven was. Hij maakte hem los en bond hem weer vast, wat overeenkomt met het weefsel dat is aangetroffen op de leren strip.'

Inspecteur Fynn trok zijn hoofd een paar centimeter naar achteren, maar hij zei niets.

Madison ging door met het afbreken van hun zaak. Ze stipte elk punt aan dat naar Cameron wees en draaide het om. Alleen al de wetenschap dat dit gesprek plaatsvond, zou Nathan Quinn genoeg houvast geven om het arrestatiebevel aan te vechten.

Toen ze uitgesproken was, bleven ze elkaar zwijgend staan opnemen. 'Ben je gek geworden,' vroeg hij haar.

'Dat dacht ik eerst ook, maar nee, ik geloof het niet. Ik heb het vandaag pas uitgepuzzeld, bij toeval eigenlijk. Brown zag het al een paar dagen geleden.'

'Je zei dat hij "beide kanten op" werkte.'

'Ja. Fred Kamen van de FBI kan dat beamen.'

'Pas op. Ik praat niet met hem of met iemand anders over deze zaak.'

'Meneer...'

'Madison, je hebt zojuist het hele onderzoek in de vuilnisbak gegooid. Het was terecht dat Brown er niet met mij over wilde praten. Jullie hebben niets om je theorie kracht bij te zetten.'

'Behalve dat 't het enige is dat ergens op slaat.'

Fynn ging op de zijkant van de brancard zitten. Hij wist nu wat voor soort rechercheur ze zou worden.

'Ik kan niet met Kamen praten en tegelijkertijd blijven volhouden dat het arrestatiebevel rechtmatig is.' Hij pakte een reepje kauwgum uit zijn zak.

Madison zat naast hem. Ze had bijna geen energie meer en haar benen trilden. Ze wilde meer vertellen, over Brown, over vandaag. In plaats daarvan bleven ze zwijgend zitten en gaf ze Fynn de tijd om de dingen in zijn hoofd uit te werken.

Het daagde haar dat ze geen controle had over hoe hij de zaak ging voortzetten. Het enige waar ze wel controle over had, was wat zij eraan ging doen. Browns Rolodex stond op zijn bureau. Onder de K zou ze daarin Fred Kamens directe nummer vinden. Het was een begin.

'Heb je veel pijn?' vroeg Fynn.

'Ik heb een paar paracetamolletjes gekregen. Het gaat wel.'

'Rechtshandig?' Hij keek naar de hand waarmee ze schoot en die nu half bedekt was door de spalk.

'Ja.' Madison wist niet hoe ze dit moest zeggen zonder op te scheppen, dus zei ze het maar gewoon. 'Maar ik heb ook met links geoefend.'

Fynn glimlachte eventjes.

'Hij had mij ook kunnen neerschieten als hij dat had gewild. Ik stond vlak naast hem.'

'Maar dat deed hij niet. Evengoed ben je een tijdje uitgeschakeld.'

'Meneer...'

'Laat me uitspreken: we gaan het zo doen. Ik neem het Sinclaironderzoek over van Brown, die ontzettend koppig kan zijn. Ik zal het hem morgen persoonlijk vertellen. Spencer doet Laurelhurst; hij is waarschijnlijk op dit moment op weg hierheen. Kelly blijft Sanders doen.'

'En ik?'

'Jij doet even niet mee. Ik kan je niet in het rooster opnemen tot je tenminste enigszins in staat bent een conditietest te doorstaan. Je kunt geen wapen hanteren, je kunt zelfs geen verslag typen.'

Madison deed haar mond open om iets te zeggen.

'Je opereert onder de radar,' vervolgde hij. 'Brown heeft iets in gang gezet en hoe graag ik het ook terzijde zou willen schuiven, dat kan ik niet. Jullie hebben niets, jullie hebben minder dan niets, want jullie zullen niemand vertellen wat je aan het doen bent.'

Madison knikte.

'Je gaat alleen je notities over de zaak uitwerken, een paar telefoontjes plegen, misschien met een paar mensen praten. Zal dat lukken?'

'Ja, meneer.'

'Snap je wat ik je duidelijk wil maken?'

'Ja, meneer.'

'Zeg dat je het begrijpt.'

'Ik begrijp het.'

'De volgende keer dat je officieel met me komt praten, moet je met harde en duidelijke bewijzen komen, want ik blijf naar Cameron zoeken en als ik hem vind, zal ik hem moeten arresteren. En die klootzak zal het me niet makkelijk maken.'

'Ik begrijp het.'

'Goed zo.'

'Dank u.'

Inspecteur Fynn schudde zijn hoofd. 'Er staan wat mensen buiten die hun steun willen betuigen. Ben je er klaar voor?'

Ze kwamen samen de kamer uit en er klonk meteen een gemompel op uit de verzamelde menigte. Veel agenten die Madison kende, veel die ze niet kende. Ze liepen erdoorheen, Fynn voorop, in de richting van de liften naar de eerste etage. Iedereen had een woordje klaar of een knikje of een klopje op de rug. Madison wilde het liefst zo snel mogelijk weg. Wat ze ook mochten denken, ze juichten de grootste vergissing van haar carrière toe.

Brown lag nog in de operatiekamer. Niemand kon ze iets vertellen, behalve dat ze moesten gaan zitten en wachten. Ze vonden een bank met een paar stoelen, een klein hoekje waar ook een lage tafel met tijdschriften stond. Fynn liet zich in een stoel zakken en Madison ging op het randje van een andere stoel zitten, terwijl ze met haar blik elke arts en verpleegster die langskwam volgde.

Het was al na 2 uur toen Spencer en Dunne zich bij hen voegden. Er zat aarde aan hun schoenen.

'Hé,' zei Spencer tegen Madison, 'je hebt hem flink te pakken genomen. De technische jongens hebben een heleboel bewijssporen gevonden. Is er al nieuws?'

'Nog niet.'

'Het moet gebeuren, hoe eerder hoe beter.'

'Laten we het dan nu maar doen.'

'Weet je het zeker?'

Madison vertelde hun zoveel ze kon, terwijl Fynn zwijgend toekeek. Spencer en Dunne vertrokken om 3 uur – er was nog steeds geen nieuws. Madison leunde achterover in haar stoel en telde de grijze vierkante plafondtegels. Ze moest even in slaap zijn gesukkeld, want ze werd met een schok wakker. Er liep een arts op hen af en de klok aan de muur stond op vijf voor zes. Ze stond op.

Dokter Taylor bleek een vrouw van in de vijftig te zijn met kortgeknipt, peper-en-zoutkleurig haar en kleine blauwe ogen.

'Hoe gaat het met hem?'

'Je partner ligt nu in de recoverkamer.'

'Gelukkig.'

'Hij is een hele veerkrachtige man en technisch gesproken was de operatie een succes. We hebben het grootste deel van de schade aan zijn borstkas gerepareerd en, als door een soort wonder, was de kogel niet door de buitenste laag van de hersenen gedrongen. Maar tijdens de operatie is er een hartstilstand opgetreden. Die heeft even geduurd.' Ze liet het op hen inwerken. 'We hebben hem gereanimeerd en hij ligt nu aan de beademing, maar het is nog te vroeg om iets anders te zeggen dan dat we moeten afwachten.'

'Wanneer komt hij weer bij?' vroeg Madison.

'Dat weten we niet. We moeten het per uur bekijken.' Ze keek naar Madison. De snee op haar wenkbrauw stak felrood af tegen haar asgrauwe gezicht. 'Je kunt beter naar huis gaan om wat te gaan slapen. Ik zal een verpleegster laten bellen als er nieuws is.' Ze vertrok.

'Ik blijf hier tot Browns zus er is,' zei Fynn. 'Ik laat je naar huis rijden.' Hij belde met zijn mobieltje en er kwamen een paar agenten in uniform van hun bureau.

'Ik bel je morgenochtend.'

Madison verroerde zich niet.

'Vooruit,' zei hij.

Halfzeven, in de stralen van de koplampen dwarrelden sneeuwvlokken. Achter hen lag Three Oaks nog te slapen. Madison zat op de passagiersplaats van de politiewagen; een van de twee agenten volgde in haar auto.

Ze had gevraagd of ze via het bureau konden rijden om een paar spullen op te halen. Toen ze de deur naar hun kamer opendeed, lag alles erbij zoals ze het zeven uur eerder hadden achtergelaten. De bakjes met afhaaleten stonden nog op hun bureaus. Haar rugzak hing aan de leuning van haar stoel. Ze ritste hem snel open. Overal lagen stapeltjes papieren. Ze pakte de notities uit de bibliotheek en de krantenknipsels en stopte die er samen met een notitieboekje in. Camerons foto van het verjaardagsfeestje van het zoontje van Sinclair was aan de muur geprikt; die nam ze ook mee.

De zwarte Rolodex stond naast de telefoon op Browns bureau. Kamens nummer. Madison bladerde erdoorheen, met haar rugzak om haar goede arm, maar kon het kaartje niet vinden. Haar handen trilden en ze kreeg plotseling een waas voor ogen. Toen greep ze de Rolodex, duwde hem hardhandig in de rugzak en veegde haar ogen af met de rug van haar hand.

Het was de laatste zaterdag voor Kerstmis.

27

Nathan Quinns huis in de wijk Seward Park van Seattle was met veel zorg ingericht door zijn eigenaar, die er nauwelijks in verbleef en de laatste week vrijwel blind was geweest voor het uitzicht op Mercer Island en Lake Washington.

Op de mahoniehouten tafel in zijn studeerkamer lagen, geseald in doorzichtige plastic hoezen, de anonieme kaarten. Quinn verwachtte binnen de komende achtenveertig uur een derde boodschap en zijn intuïtie zei dat het geen verzoek om geld zou zijn.

Dit was geen chantage: het eerste bericht was maandagmorgen bezorgd, vóór de moorden algemeen bekend waren, vóór de zaak op Camerons schouders was gelegd. Om redenen die alleen hemzelf bekend waren, had de moordenaar ervoor gekozen met hem te praten en Quinn geloofde dat iedereen een zwakke plek heeft, dat met iedereen viel te onderhandelen, als je maar wist wat iemand wilde, wat voor die iemand het allerbelangrijkste was.

Het nieuws op KIRO zei dat het 9 uur was. Quinn keek automatisch op zijn horloge. Hij was al twee uur op en had die tijd grotendeels met Tod Hollis aan de telefoon doorgebracht. De privédetective had weinig nieuws sinds ze elkaar de vorige avond voor het laatst hadden gesproken. Het telefoontje van die ochtend ging over de aanval op de rechercheurs en wat hij van zijn contacten bij de politie had kunnen loskrijgen.

Quinn had geluisterd toen Hollis hem over Brown en Madison vertelde. Op elk journaal waren beelden van het Northwest-ziekenhuis te zien en ze hadden zelfs een opname van Madison, onzichtbaar achter het glas van een politieauto. Hetzelfde soort kwaad dat zijn leven was binnengedrongen, had waarschijnlijk ook het hunne gekruist.

Hij zat aan de brede keukentafel de *Los Angeles Times* te lezen, een goedgeïnformeerd stuk over de moord op een lokale drugdealer en zijn twee bodyguards. Quinns ogen scanden het artikel op de naam die hij, naar hij wist, zou vinden en daar stond hij, in de laatste alinea, zijn meest teruggetrokken levende cliënt.

De telefoon ging en hij nam op. 'Hallo.'

'Spreek ik met Nathan Quinn?'

Een onbekende stem. 'Ja. Met wie spreek ik?'

'Je krijgt mijn naam als ik hem wil noemen.'

Quinn legde de hoorn zachtjes terug op de haak. Hij wachtte. Vijf seconden later ging de telefoon weer over.

'Wat denk je wel dat je doet?'

'Met wie spreek ik?'

Een lange stilte, verkeer in de verte. Een munttelefoon, dacht Quinn, niet op straat maar misschien in een winkel.

'Mijn naam doet er niet toe.' De arrogantie was verdwenen. 'Je hebt een beloning uitgeloofd voor informatie over die moorden.' Het was geen vraag, maar een vaststelling.

'Dan moet je niet dit nummer bellen. Ik kan je het juiste nummer geven.'

'Ik bel de politie niet.'

'Zij screenen de telefoontjes en controleren de bellers.'

'Ze hebben ook een arrestatiebevel uitgevaardigd voor je cliënt en wat ík heb, willen zij niet, echt waar niet.'

'Wat heb je dan?'

'Iets wat gunstig is voor de verdediging.'

'Ik luister.'

'We moeten iets afspreken. Ik wil er niet door de telefoon over praten.'

'Misschien moet je me nu toch iets geven, anders spreken we helemaal niet af.'

'Oké, stel dat ik kan bewijzen dat degene die het gezin heeft vermoord al eerder een moord heeft begaan. Stel dat ik je kan vertellen waar en wanneer.'

'Dat zou een gesprek waard zijn.'

'Van jou wil ik twee dingen: allereerst de garantie dat mijn naam nooit bekend wordt gemaakt. Ten tweede: zodra de politie de aanklacht tegen jouw cliënt intrekt, krijg ik het geld. Is dat duidelijk?'

'Kristalhelder.'

'Pier 52, de veerboot naar Bainbridge Island, vandaag om drie uur. Kom te voet, ga niet met de auto. Loop naar het bovendek. Ik vind je wel.'

Quinn wilde de instructies herhalen, maar de man had al neergelegd.

Hij stond op het punt om Camerons nieuwe piepernummer te bellen. Zijn blik viel op de *Los Angeles Times* en Quinn legde de hoorn weer neer. Hij had geen idee meer waar Cameron was; hij wist alleen zeker waar hij was geweest.

In het centrum van Seattle stond Billy Rain, naast een munttelefoon, te rillen in het bleke ochtendlicht.

Nathan Quinn liep een paar uur heen en weer in huis, vond niets te doen wat zijn aandacht langer dan vijftien seconden kon vasthouden en ging naar kantoor. Hij parkeerde zijn auto in de ondergrondse garage en nam de lift naar de achtste verdieping. Toen hij uitstapte, zwaaide hij even naar de bewaker die zijn bewegingen op de videocamera volgde.

De kantoren waren verlaten. Hij zette het alarm uit en ging naar binnen, knipte de lichten aan en liep naar zijn kantoor.

Het was Carl Doyle gelukt om alles de afgelopen week goed te laten verlopen. Op zijn bureau had hij een klein stapeltje dossiers achtergelaten waar Quinn naar moest kijken. Er bestond nog een wereld waarin die dossiers ertoe deden, en tijdstippen waarop hij in de rechtszaal moest zijn en beslissingen van rechters. Quinn ging zitten en sloeg het eerste dossier open.

Hij werkte de stapel door, blij met de afleiding, maar nog blijer toen het tijd was om te vertrekken. Hij liet de auto in de garage staan en liep door Pike Street naar 2nd Avenue en linksaf Seneca op naar het water. Het was te koud voor sneeuw; de hemel en het water waren van dezelfde kleur grijs.

Nathan Quinn liep de pont op, ongewapend en alleen, in de wetenschap dat hij waarschijnlijk al gesignaleerd was en werd gevolgd. Hij vond het prima; hij hoopte dat de man die hij zou ontmoeten, wist wat hij zich op de hals haalde.

Hij keek om zich heen. Het was een grote veerboot die een paar honderd auto's vervoerde en minstens een paar duizend passagiers. Vandaag was het rustig. De tocht naar Bainbridge Island duurde vijfendertig minuten. Tegen de tijd dat de boot in beweging kwam, had Quinn een kop thee besteld en een plekje op het bovendek gevonden, bij het raam.

Het was er warm en het rook er naar opgewarmd eten. Een paar banken verderop zat een oud echtpaar, vijf meter links van hem een vrouw alleen en een gezin van vier personen. Quinn zat met zijn rug tegen de muur. Hij dronk zijn thee en er ontging hem niets.

Hij zag de lange man aankomen en schatte hem in zoals hij een potentieel jurylid tijdens een proces zou evalueren. Achter in de dertig, begin veertig misschien, rimpeltjes rondom de ogen. Hij droeg een rood Gore-Tex jack, een spijkerbroek en werklaarzen. Kort haar, gladgeschoren. De handen waren te ruw voor een kantoorbaan, maar de man had iets elegants over zich. Hij liet zich op de bank tegenover Quinn glijden, met een tafel tussen hen in.

'Billy Rain,' zei hij.

'Nathan Quinn.'

'Ja.'

'Laten we tot zaken komen.'

'Oké.'

Rain had lichtblauwe ogen; hij keek uit het raampje. Zijn vingers trommelden zachtjes op de tafel. Zijn handen, zag Quinn, waren angstvallig schoongeboend.

'We zijn het erover eens dat mijn naam erbuiten blijft.'

'Geen probleem.'

'En dat andere...'

'Mr. Rain, ik wil niets liever dan dat je gelijk hebt wat deze kwestie betreft.'

'Ik weet dat ik goed zit. Drieënhalf jaar geleden. In het noorden.'

'McCoy.'

'Ik moest drie tot vijf jaar zitten in de Bones.'

De McCoy-gevangenis werd door iedereen de Bones genoemd. Dat was waarschijnlijk begonnen met een *Star Trek*-fan die er een straf moest uitzitten, maar niemand wist dat zeker.

'Ik zag daar iets wat sterk...' hij aarzelde even, 'overeenkwam met wat er met dat gezin is gebeurd.'

Billy Rain keek even snel over Quinns schouder.

'Er werd een kerel vermoord in de wasserij. De man die het gedaan had, liet hem geboeid achter, handen op de buik, met een blinddoek om. En hij tekende...' Billy Rain maakte een kruis op zijn voorhoofd. 'Met bloed.'

Nathan Quinn knikte. Een gevangenismoord.

'Je was er getuige van.'

'Ik zag het. Ik stond op niet meer dan drie meter afstand.'

Quinn zag al waar dit naartoe ging. 'Maar je hebt het tegen niemand gezegd.'

Rain keek hem even aan. 'Heb jij ooit gezeten? Ooit omringd geweest door allemaal criminelen?'

'Nee.'

'Dan beantwoord ik die vraag als het zover is.'

'Wat gebeurde er nadat ze het lichaam hadden gevonden?'

'De moord werd toegeschreven aan een crimineel die Edward Morgan Rabineau heette. Die zat toch al levenslang vast voor twee moorden. Ik weet niet wat voor bewijzen ze hadden. Ik zag niets toen ik... toen ik langs het lichaam liep. Maar goed, Ted Rabineau zit nog steeds vast. Naar ik aanneem voor altijd.'

Billy Rain wilde dat Quinn iets zou zeggen. Het zwijgen van de man had iets verontrustends.

'Laten we even gaan lopen,' zei Quinn en hij stond op. De rest van het gesprek voerde hij liever buiten.

Ze sloegen hun kraag op en leunden over de reling. Bainbridge Island kwam snel naderbij.

'Vertel me alles wat je je ervan herinnert,' zei hij tegen Billy Rain, en Billy vertelde het.

Het was snel en efficiënt verlopen, geen sprake van een ongeluk. De man had de blinddoek en de boeien voor de handen al klaar gehad. Dat was op zichzelf ongebruikelijk: als je in de gevangenis iemand vermoordt, dan steek je een mes tussen de schouderbladen of in het zachte weefsel onder het borstbeen. En daarna loop je weg.

'Wie was het slachtoffer?'

'Een brandstichter die George Pathune heette. Jonge kerel, zat er misschien pas drie maanden.'

'En de man die je bij hem zag, was Ted Rabineau?'

Billy Rain keek naar het water. In zijn gedachten had hij telkens weer geprobeerd het gezicht van de man op te roepen. Het had

maar een paar seconden geduurd en angst had de details grotendeels uitgewist.

'Ik weet het niet,' zei hij. 'En als mijn leven ervan af zou hangen,
zou ik het nog steeds niet weten. Misschien was Rabineau groter
en zwaarder. Bovendien is hij niet het soort man die je normaal gesproken aan zou kijken, als je begrijpt wat ik bedoel. Ik weet niet
eens of ik hem nog zou herkennen.'

'Natuurlijk wel.'

'Misschien.'

'Waarom zou Rabineau die man dood willen hebben?'

'Geen idee.'

'Was de man die je zag dan níét Rabineau?'

'Ik weet het niet. Ik weet hoe het lichaam eruitzag toen hij er
klaar mee was. Als je cliënt het niet heeft gedaan en Rabineau ook
niet, dan was het een ander.'

John Cameron had nog nooit een gevangenis vanbinnen gezien
en Edward Morgan Rabineau had er al vele jaren geen meer vanbuiten gezien. Dat was een spoor, op z'n minst een glimp van een
spoor.

'Waarom ben je er niet mee naar de politie gegaan?'

'Ze zouden toch niet geluisterd hebben. Ze willen jouw man gewoon pakken. Ik ben trouwens voorwaardelijk vrij. Ik denk niet
dat ze heel hard zullen lopen als ik ze iets vertel.'

'Ik snap het. Waar zat je voor?'

Billy Rain haalde zijn schouders op. 'Welke keer bedoel je?'

De veerboot was er bijna.

'Je moet weten,' zei Billy Rain, 'dat mijn advocaat maandag een
schriftelijke verklaring van mij zal ontvangen. Als me iets over-
komt, of als jij onder onze financiële afspraken uit probeert te komen, dan neemt hij maatregelen.'

'Jij moet weten,' antwoordde Quinn, 'dat ik geloof dat je me de
waarheid hebt verteld, maar als ik er ooit achterkom dat je voor
geld tegen me hebt gelogen of iets hebt achtergehouden dat had
kunnen helpen, dan ruïneer ik je.'

Billy Rain knikte. 'Als we elkaar maar begrijpen.'

'Beslist.'

Billy Rain was blij dat hij van de veerboot kon stappen; zijn handen trilden. Nathan Quinn zag hoe de golven tegen de romp sloegen. *Now the summer's in its prime with the flowers sweetly bloomin'.*

Nathan Quinn liep terug naar binnen, bestelde nog een kop thee en ging weer op dezelfde bank zitten. Een moord in de gevangenis. Het kon kloppen; de details zouden nooit de krant hebben gehaald. Niemand zou het verband hebben gelegd tussen die moord en de slachting van een gezin in een rijke buitenwijk.

Het verband. Blinddoeken en leren strips en een met bloed getekend kruis op het voorhoofd. Quinn nam een slok van zijn thee en wilde dat hij er een scheut bourbon in had gedaan, een flinke scheut.

Tod Hollis zou erachteraan gaan. Ze moesten zo veel mogelijk te weten zien te komen over de moord op George Pathune. Het verslag van het onderzoek moest nog in het gevangenisarchief liggen.

Quinn belde Hollis' nummer en vertelde hem over Billy Rain.

'Ik zeg je maar meteen dat ze liever hun minst nuttige lichaamsdelen afhakken dan ons de verslagen te laten zien.'

'Dat weet ik, maar we moeten het proberen. Hoeveel kans hebben we?'

'Er is iemand met wie ik informeel een praatje kan maken. Hij is me iets schuldig. Billy Rain – ik zal zijn strafblad bekijken. Denk je dat hij eerlijk was?'

'Ik denk dat hij zo bang was door wat hij heeft gezien dat hij niet had gebeld als er geen geld bij kwam kijken.'

'Je denkt dat iemand Rabineau erin heeft geluisd.'

'Ja.'

'Dezelfde die Cameron erin heeft geluisd.'

Even hoorde Hollis alleen de open lijn en een stem over de luidspreker van de veerboot.

'Ja,' zei Quinn.

'Ga je hem dit vertellen?'

'Tod...'

'Ik lees de kranten, meer zeg ik niet.'

'Ik snap het. Laat je het me weten als je iets weet?'

'Ja.'

Ze hingen op.

Er waren massa's dingen waarover Nathan Quinn en John Cameron nooit hadden gesproken en nooit zouden spreken. Dat waren de grenzen die een heel lange tijd geleden waren getrokken. Als Quinn de laatste paar jaar oprecht had geloofd dat de dingen veranderd waren en dat die regels niet meer golden, dan waren drie mannen in L.A. en één in Seattle het bewijs van het tegendeel. Het was tijd om die grenzen te verleggen. Hij belde een nummer op zijn mobieltje, toetste een code in en hing op. Twee minuten later ging zijn telefoon.

'We moeten praten,' zei hij.

De zon was al onder toen Quinn thuiskwam. Soms kon hij het urenlang vergeten en dan kwam plotseling weer in hem op dat Jimmy dood was, en Annie en John en David. Allemaal dood nu, voor hen zou er nooit meer iets gebeuren. Het voelde als een trap in zijn maag en op die momenten begreep Nathan Quinn alles over woede en de God van het Oude Testament. Maar zo leidde hij zijn leven niet. Zijn huis lag in een dure wijk en hij deed zijn werk volgens een stelsel van regels, gebonden aan de wet en er tevens door beschermd, en toch waren ze dood en geen enkel vonnis van een rechter kon ze terughalen.

Hij stak de sleutel in het slot, ging naar binnen en liep naar de keuken. Hij zette de zak met boodschappen op tafel, haalde er een fles Johnnie Walker Black Label uit en schroefde de dop eraf.

'Doe je mee?' vroeg hij.

'Dank je,' antwoordde John Cameron.

De jaloezieën waren dicht en de poel van licht op de tafel was de enige heldere plek in het vertrek. John Cameron zat op de leren bank in de hoek. Toen Quinn twee glazen uit een kastje pakte, stond hij op en liep naar zijn vriend toe. Hij droeg een zwarte coltrui op een donkerbruine broek; zijn haar had weer de normale kleur en het sikje was verdwenen.

Quinn schonk met gulle hand. Cameron pakte een van de glazen en de littekens op zijn hand glinsterden in het licht. Quinn merkte ze meestal niet meer op, maar vanavond zag hij ze bleek afsteken tegen zijn huid.

Quinns huis was altijd een van de weinige plekken ter wereld geweest waar Cameron zich volledig op zijn gemak voelde. Ze gingen aan de tafel zitten, want dat waren ze zo gewend en de stilte was niet ongemakkelijk.

'Hoe was je dag?' vroeg Cameron, terwijl hij een slokje nam.

Quinn glimlachte. Boven de rand van het glas waren Camerons ogen een paar tinten donkerder dan barnsteen.

De laatste keer dat ze aan deze tafel hadden gezeten, had Quinn hem verteld dat hun vrienden vermoord waren. Ze hieven hun glazen en dronken ze leeg. Cameron schonk nogmaals in.

'Ik heb een getuige van een moord die veel overeenkomsten vertoont,' zei Quinn.

Cameron knikte langzaam.

'De McCoy-gevangenis. Drieënhalf jaar geleden. Ze hebben hem in de schoenen geschoven van een gevangene die levenslang had en nog vastzit, maar de getuige heeft zijn twijfels.'

'Ex-gevangene?'

'Ja. Hij heeft het nooit aangegeven.'

'Hoe heet hij?'

'Billy Rain.'

'Billy Rain.'

'Hebben jullie elkaar ooit ontmoet?'

'Nee, maar ik weet wie het is.'

'Hij las over de beloning en kwam toen met het verhaal. Hij dacht, terecht, dat ik in deze zaak sneller actie zou ondernemen dan de politie.'

'Liegt hij niet?'

'Ik denk het niet.'

'Oké.'

'Hollis trekt het na.'

'Hollis?'

'We doen alles wat er gedaan moet worden.'

Er viel even een stilte.

'Vertel eens over die moord.'

Quinn vertelde hem alles. Cameron luisterde. Geen van beiden raakte zijn glas aan.

'Hij zat in een gevangenis op één uur afstand hiervandaan,' zei Cameron toen Quinn was uitgesproken.

'De rechercheurs zullen VICAP wel geraadpleegd hebben, en daarom hebben ze niets gevonden. Een moord in een gevangenis, waarin de schuldige al vastzit, komt niet in de database terecht. Wij begrenzen de mogelijkheden al naargelang het soort misdaad waarvoor onze man in de bak heeft gezeten. Hoe oud hij volgens ons is, wanneer hij voorwaardelijk vrij is gekomen. We vinden hem wel.'

'Ik zou Hollis graag willen spreken.'

'Dat dacht ik niet.'

'Nathan...'

'We gaan ermee naar de rechter om te zorgen dat ze de zaak tegen jou laten vallen. Dat is mijn prioriteit.'

'Ik snap het. Weet je waarom hij Jimmy te pakken nam?'

Quinn gaf geen antwoord.

'Om mijn aandacht te trekken.' Cameron zweeg even. 'Weet je waarom hij achter de rechercheurs aan ging?'

Quinn gaf geen antwoord.

'Om ze een moordwapen te geven. Ik ben er vrij zeker van dat de technische jongens de patronen op dit moment al vergelijken met die ze in Jimmy's huis hebben gevonden. En dan heb ik zomaar een agent neergeschoten, wellicht met de dood als gevolg, en een andere aangevallen. Ga dáár maar mee naar de rechter.' Cameron nam een slok. 'Ik denk dat je een poosje de stad uit moet gaan.'

'Nee.'

'De man die ik zo graag wil ontmoeten, zal achter jou aan gaan. We weten niet wat er gebeurt als de dertien dagen voorbij zijn.'

'Hij heeft me nog niet verteld wat hij wil. Er komt vast nog een vervolg op die kaarten.'

'Mag ik ze zien?'

Quinn pakte ze en legde ze tussen hen in op tafel.

Cameron raakte het plastic niet aan. Hij volgde de contouren van het papier en de getypte letters, een voor een. Zijn ogen hielden ze vast. Hij praatte zachtjes terwijl hij naar de kaarten keek. 'Ik denk dat je een poosje de stad uit moet gaan.'

'Ik ben niet in gevaar.'

'Dat was Jimmy ook niet.'

'Nee.'

'Hij wil dat je híér blijft, Nathan. Hij wil dat hij je in de gaten kan blijven houden.'

'Ik waag het erop.'

'Dat is niet voldoende.'

'Het moet voldoende zijn.'

Cameron wist dat hij niet hoefde te proberen hem op andere gedachten te brengen. Hij stond op. 'Wil je iets eten?'

Toen hij heet genoeg was, legde Cameron twee biefstukken in de zware pan, anderhalve minuut aan elke kant, nog rood van binnen.

'Wie neemt de zaak over?' vroeg Cameron aan Quinn.

'Mike Fynn, Moordzaken. Hij is de commandant van de twee die zijn aangevallen.'

'Ken je hem?'

'Nee. Ik heb alleen te maken gehad met de rechercheurs.'

'Ik heb de vrouw gezien, weet je dat? In het huis van Jimmy.'

'Rechercheur Madison. Wanneer?'

'Dinsdagavond laat. Ik ben langsgegaan bij het huis.'

Quinn legde zijn vork en mes neer. 'Jij bent lángsgegaan bij het huis? Terwijl elke agent in de staat Washington jouw foto op zijn dashboard heeft liggen?'

'Ja, en dat zou jij ook gedaan hebben.'

'Ben je binnen geweest?'

'Ja.'

'Wat deed ze?'

'Ze zat naar hun filmpjes te kijken.'

'Waarom?'

'Ze was op zoek naar foto's.'

'Van jou?'

'Ja.'

'Heeft ze die gevonden?'

'Niets dat van nut is.'

'Dinsdagavond laat,' zei Quinn. 'Waar was je dinsdag?'

Cameron veegde zijn mond af met de servet van wit linnen. 'Ik was in L.A.'

'Dat weet ik.'

'Wat wil je weten?'

'Is er iets wat ik moet weten?'

'Ik heb heerlijke sushi gegeten en het was prachtig weer.'

'Wat heb je gedaan in L.A.?'

'Doe dit jezelf niet aan.'

'Wat heb je gedaan?'

'Het is niet beleefd om tijdens het diner over zaken te praten. Daar was mijn moeder heel duidelijk in.'

'Wat heb je gedaan?'

'Ik heb drie mannen vermoord. De bodyguards zaten in de tuin naar een soap te kijken op zo'n kleine, draagbare televisie. De dealer was binnen. Hij zei alleen dat hij iedereen die een vriend van mij onder de grond stopte de hand zou schudden. Ik zou zelfverdediging kunnen aanvoeren, maar in wezen moesten ze gewoon dood.'

Quinn bleef hem aankijken. 'En Erroll Sanders?'

'Erroll. Erroll hield van zwarte formica tafels en witte hoogpolige tapijten. Erroll was een preventieve aanval, voor het geval hij een misplaatst gevoel van loyaliteit jegens zijn baas had ontwikkeld.'

Cameron vouwde de servet op en legde hem op tafel. Hij stond op. 'Controleer de ramen en zet het alarm aan. Het was goed je te zien, zoals altijd, en bedankt voor het eten.'

John Cameron liep de voordeur uit; het slot klikte achter hem dicht. Na een paar minuten hoorde Nathan Quinn in de verte een auto starten en wegrijden. Het kon Cameron zijn geweest, het kon hem ook niet zijn geweest.

Op de eerste dag van je rechtenstudie leren ze je dat je nooit maar dan ook nooit aan je cliënt vraagt of hij schuldig is of niet. Dat beïnvloedt je verdediging en je zou jezelf kunnen laten verleiden tot meineed. Quinn hoopte dat zijn cliënt aan het eind van de maand nog in leven was; meineed was de minste van zijn zorgen.

Hij bracht de borden naar de gootsteen en spoelde koud water over het bloederige sap.

'Nathan?'

Zo'n twintig jaar geleden was Nathan Quinns kantoor op het OM van King County een klein hokje. Er lagen stapels dossiers op zijn bureau en de boeken pasten amper op de planken. Hij was hulpofficier van justitie en ondanks de schijn van het tegendeel was er een soort van orde in de bergen papieren die elke vierkante centimeter bedekten. Hij was nooit een dossier kwijtgeraakt, had nooit een zaak verloren.

Hij keek op. John Cameron, achttien jaar oud, stond in de deuropening. Quinn keek op zijn horloge; de ochtend was razendsnel voorbijgegaan. Hij stond op en pakte het jasje dat over de leuning van zijn stoel hing. 'Ik ben uitgehongerd, kom mee.'

Om de paar weken lunchten ze samen. Jack kwam naar het gerechtsgebouw en dan gingen ze in de buurt een hapje eten. De afgelopen twee maanden was de jongen somberder geworden. Quinn wist dat het geen zin had om er direct naar te vragen. Als hij ergens over wilde praten, dan deed hij het wel.

Ze lieten zich in het hoekzitje van een broodjeszaak op 2nd Avenue glijden, een ouderwetse gelegenheid die nog nooit had gehoord van de aanhoudende strijd tegen cholesterol. Ze bestelden allebei een broodje pekelvlees.

'Hoe gaan de colleges?' vroeg Quinn.

Jack rolde met zijn ogen. Hij was in de herfst begonnen op de universiteit van Washington en het was geen onmiddellijk succes.

'Ik heb de kaartjes,' zei hij en liet de ijsblokjes in zijn glas tinkelen.

'Dat meen je niet.'

'Eerste rij. Pa z'n mannetje wist er op een of andere manier aan te komen.'

'Jack!'

'Ik weet het.' Ze hadden al weken naar de wedstrijd uitgekeken, maar wisten niet zeker of ze kaartjes konden krijgen.

'Ben je nog steeds bezig met die moord?' vroeg Jack.

Quinn keek op. 'Ja.'

Binnenkort zou het proces beginnen tegen een eenentwintigjarige vrouw die haar vriend had doodgeschoten. Ze was jarenlang door haar ouders mishandeld, ging het huis uit, werd verliefd op iemand die amper door kon gaan voor een mens en op een avond, nadat ze samen naar het nieuws hadden gekeken, had ze zijn revolver uit de la gepakt en hem drie keer in de borst geschoten. De buren hadden daarvoor geen geluiden gehoord en ze had toegegeven dat ze die avond geen ruzie hadden gehad. De blauwe plekken op haar armen waren geel aan het verkleuren en ze zei dat ze er gewoon genoeg van had gehad.

De advocaat, betaald door een liefdadigheidsinstelling die opkwam voor mishandelde vrouwen, had geprobeerd om er doodslag van te maken, maar gezien het feit dat haar vermeende aanvaller op het moment dat ze hem doodschoot lag te slapen, had dat weinig indruk gemaakt.

'De zaak komt over een paar weken voor,' zei Quinn.

'Moeilijk geval?'

'Ja en nee. Ze heeft de man doodgeschoten, dat betwist niemand. De verdediging zal aanvoeren dat ze getergd was door jarenlange mishandelingen. Wij gaan aanvoeren dat het geen zelfverdediging was omdat ze gewoon weg had kunnen lopen.'

'Maar dat deed ze niet.'

'Ze heeft hem doodgeschoten toen hij sliep.'

'Wat gebeurt er met haar?'

Nathan Quinn veegde zijn handen af met het papieren servetje. Het was niet de eerste keer dat hij dit soort gesprekken voerde met Jack, over eerlijkheid en gerechtigheid en zo nu en dan over het gebrek eraan.

'Ze zal een flinke straf krijgen.'

'Ga je de doodstraf eisen?'

'Nee, er zijn verzachtende omstandigheden.'

'Onder welke omstandigheden zou je de doodstraf eisen?' Cameron nam een hap van zijn broodje.

'Vanwaar die plotselinge belangstelling?'

De jongen haalde zijn schouders op, maar zijn blik bleef op Quinn gericht.

'Nou, als het om een moord met voorbedachten rade gaat, als er een duidelijke opzet was om te doden of zwaar lichamelijk letsel toe te brengen. Of als het gebeurde tijdens een gevaarlijk misdrijf, zoals roof of brandstichting.'

Of *ontvoering*. Het woord bleef even tussen hen in hangen, onuitgesproken.

'En als je niet genoeg bewijs had voor een veroordeling?'

'Waar hebben we het nu over?'

'Wat je zou doen als je niet eens genoeg bewijs had om de vrouw aan te klagen, maar wél wist dat ze het had gedaan?'

'Dan begin je opnieuw te zoeken naar het bewijs dat je nodig hebt.'

'Maar soms vind je dat niet.'

'Soms vind je het niet.'

'Wat zou je dan gedaan hebben?'

'In dit geval?'

'Ja.'

Cameron pakte zijn glas op. Quinn wist niet waar ze nu precies over spraken.

'Ik weet het niet,' zei hij, en hij meende het. 'Soms krijg je het gewoon niet voor elkaar, hoe hard je ook aan een zaak werkt.'

'En een verklaring van een ooggetuige?'

'In theorie?'

'In theorie.'

'Zonder bewijzen?'

'Ja.'

'Dat zou heel moeilijk zijn. Een goede advocaat zou de getuige helemaal afbranden.'

Cameron knikte.

'Maar wij zijn de *good guys*. Wij staan aan de goede kant en we sluiten degenen die aan de verkeerde kant staan op. Dat is zo ongeveer mijn functiebeschrijving. Heb je dat allemaal in de kranten gelezen?'

'Ja.'

'Als je wilt zien hoe die dingen in zijn werk gaan, dan kun je wel eens komen kijken.'

Cameron glimlachte even. 'Dank je. Uit wat er in de krant stond, leek het gewoon of er een redelijke grond was voor wat ze heeft gedaan.'

'*Redelijke grond?* Dat is mooi uitgedrukt, maar ze had weg kunnen lopen, en daar gaat het om. Ze had een van de vele telefoonnummers kunnen bellen voor slachtoffers van huiselijk geweld. Ze hoefde hem niet te vermoorden.'

'Misschien dacht ze dat dat wel moest.'

'Wat haar in het leven is overkomen, is een tragedie, en het is ook een tragedie dat die man dood is. Maar nee, het ene valt niet weg tegen het andere.'

'Daar geloof je in, hè?'

Quinn dronk zijn glas leeg. In hun gesprekken had hij Jack nooit als een kind behandeld, al was hij er wel een. 'Waar hebben we het nu over?'

'Hoe noem je dat? Een *gerechtvaardigde moord?*'

'Dat is iets anders.'

'Waarom?'

'Juridisch gezien is een door de rechter bevolen executie een "gerechtvaardigde moord". Al het andere is gewoon moord.'

'Een "door de rechter bevolen" executie.'

'Ja.'

Cameron glimlachte.

'Hoe kom je hierop?' vroeg Quinn.

'Dat weet ik niet.'

'Natuurlijk wel.'

'Ik weet het niet.' Cameron haalde zijn schouders op.

'Oké.'

Toen ze de zaak uit liepen, zette Cameron de kraag van zijn jas op. Aan zee regende het licht, maar hoger in de bergen zou er sneeuw vallen, een flinke laag op de harde grond.

Minder dan achtenveertig uur later zou Nathan Quinn hem op borgtocht vrij krijgen uit een politiecel.

28

Alice Madison werd wakker op de bank. Aan het licht zag ze dat het halverwege de morgen was. Een paar seconden lang was alles in orde; toen herinnerde ze het zich.

De telefoon lag op tafel. Ze strekte een been uit vanonder de sprei en probeerde rechtop te gaan staan. Elke spier in haar lichaam deed pijn. Ze stak haar hand uit naar de telefoon en haalde hem naar zich toe. Toen ze het ziekenhuis belde, werd ze doorverbonden met dr. Taylor. Er was geen nieuws. Ze hadden Brown, zoals verwacht, verplaatst naar de intensive care, maar hij lag nog aan de beademing. Alleen familieleden mochten hem bezoeken, zei ze ten slotte, uitzonderingen werden niet gemaakt. *Gesnopen*, dacht Madison.

Ze liep langzaam naar de keuken, pakte een fles water uit de ijskast en dronk hem ter plekke half leeg. Nadat ze koffie had gezet, maakte ze de spalk los en ging een kwartier onder een hete douche staan. Nadat ze zich had afgedroogd, ging ze naakt voor de grote spiegel van haar slaapkamerkast staan. Ze keek naar de kneuzingen op haar armen en rug. Die stelden niet veel voor; ze voelde al dat de warmte op haar huid haar goed had gedaan.

Ze testte haar rechterarm: de elleboog deed pijn, dat viel niet te ontkennen, maar hij was gelukkig niet gebroken. Die snee, tja, die had geen praktische nadelen. Hij was alleen irritant.

Uit het vriesvak groef ze een zak diepvrieserwten op. Die modelleerde ze om haar pols en bond er een theedoek omheen. Ze pakte haar rugzak en legde hem op tafel. Dit zou haar nieuwe kantoor worden.

Ze belde Spencers mobieltje. Hij nam meteen op.

'Met Madison.'

'Hoe gaat het met je?'

'Goed. Nog nieuws?'

'Blijf even hangen.' Hij had zijn hand over de telefoon gelegd en zei iets tegen iemand anders.

'We zijn in het lab,' ging hij door. 'Er stond een glazen paneel achter in de tuin. Zo kon hij het glas laten breken op het moment dat hij dat wilde.'

'Dat hoorden we dus toen we daar aankwamen.'

'Precies. Er zaten vezels van het uniform op jouw kleren en op de struiken bij de schutting. Maar er staat nog niets vast. Ze hebben nog maar een paar uur op de plaats delict kunnen werken.'

'Oké.'

'En nog iets. We hebben eerst de patronen laten checken.'

Madison wist wat zijn volgende woorden zouden zijn.

'Ze komen overeen met de patronen in Blueridge: het was hetzelfde wapen als waarmee de Sinclairs zijn doodgeschoten.'

Er viel even een stilte en Madison besefte dat ze geacht werd iets te zeggen.

'Verdomme,' zei ze, en haar stem klonk zelfs haarzelf vreemd in de oren. Als ze tegenover elkaar hadden gestaan, had Spencer het geweten, maar een slechte verbinding verbergt vele zonden.

'Je hebt met John Cameron gebakkeleid,' zei hij.

'Nou, dat is beslist iets om over na te denken.'

'Gaat het een beetje?'

'Ik ben alleen wat uit mijn doen.' Plotseling wilde ze snel een eind maken aan het gesprek. Voor ze het wist, moest ze nog tegen hem liegen.

'Ik bel je later nog. Doe rustig aan en zorg goed voor jezelf,' zei Spencer.

'Zal ik doen.'

Madison hing op. Dit ging niet werken. Ze mocht het niet aan Spencer vertellen, maar hij behandelde de schietpartij; hij had het recht om het te weten.

Inspecteur Fynn nam vrijwel meteen op.

'Met Madison. Ik heb net met Spencer gesproken. Ze weten al dat de patronen overeenkomen. Ik moet het hem vertellen.'

'Hoe gaat het met je, Madison?'

'Goed, maar Spencer hoort het te weten.'

'Heb je het ziekenhuis al gebeld?'

'Ja, ik ga er later naartoe.'

'Ze laten alleen de familie bij hem.'

'Dat weet ik. Meneer...'

'Madison, is er iets veranderd tussen gisteravond en vandaag?'

'Nee, maar we kunnen Spencer de zaak niet laten onderzoeken zonder alle feiten. Hij denkt dat Cameron Brown heeft neergeschoten en ik geloof dat niet.'

'Zijn de feiten veranderd sinds gisteravond? Kun je me nog iets anders vertellen behalve een veronderstelling binnen een vermoeden verpakt in een sprong in het duister?'

'Nee.'

'Laat Spencer het dan doen met de feiten die hij heeft.'

Het bleef lang stil aan de lijn. De papieren op tafel en al haar notities waren nietige munitie en de kracht van haar logica was afgenomen.

'Oké, maar ík mag die invalshoek wel natrekken, toch?'

'Je bent met ziekteverlof. Wat je doet met je tijd is aan jou.'

'Oké.'

'Maar wát je ook doet, doe het snel.'

'Zeker, meneer.'

Nou, buitengewoon hartelijk bedankt. Ze zou het niet aan Spencer vertellen. Nog niet. Toch zou het er binnenkort wel van moeten komen, en als Fynn haar dan terug zou zetten naar Verkeer, dan kon het haar niets schelen, vandaag niet.

De telefoon ging en haar 'hallo' was misschien ietsje beslister dan normaal.

'Alice?'

Rachels stem, gezond verstand in een wereld die naar de verdommenis ging.

'Hé...'

'O, lieverd, ik heb het op het nieuws gehoord en ik wilde je bellen, maar ik wilde je niet wakker maken. En ik dacht dat ik misschien gewoon langs moest komen om te kijken hoe het met je ging en mezelf erin laten met de reservesleutels. Maar het laatste wat je wilt is dat er iemand binnenkomt terwijl je slaapt.'

'Ik heb alleen wat blauwe plekken, echt waar.'

'Hoe gaat het met je partner?'

'Niet goed.'

'Wat erg. Zal ik langskomen?'

'Ik zit ergens middenin en daarna ga ik naar het ziekenhuis. Je hoeft je echt geen zorgen te maken.'

'Ben je aan het werk?'

'Ik lees alleen wat documenten door.'

Rachel was niet alleen haar vriendin, ze had ook een jarenlange ervaring met slachtoffers van trauma en PTSS.

'Hoe was het?'

'Snel, het ging heel snel. Het begon en was weer voorbij.'

'Je bespreekt het toch met me als je dat wilt, hè?'

'Ja.'

'Je moet rust nemen. Kom later een hapje bij me eten.'

'Dank je, dat zal ik doen.'

'Luister, Tommy heeft ons erover horen praten en denkt dat je een verkeersongeluk hebt gehad. Ik laat hem maar in de waan.'

'Dat vind ik prima.'

'Schat, zorg goed voor jezelf vandaag.'

'Maak je geen zorgen.'

'Neem een taxi naar het ziekenhuis. Niet je eigen auto.'

'Maak je geen zorgen.'

Haar koffie was koud geworden en toen Madison de keuken in liep om opnieuw in te schenken, besefte ze dat ze enorme honger had. De ijskast zag er bijna net zo troosteloos uit als die op het politiebureau, minus de gezondheidsrisico's. Ze vond drie eieren die nog binnen de uiterste datum vielen en maakte een roerei. Ze schoof de eieren op een bord en droeg het eten naar de tafel met een verse kop koffie en een bagel.

Het was laat genoeg in Virginia om Fred Kamen op zijn privé-nummer te bellen, als ze dat kon vinden. Madison keek onder de K in Browns Rolodex. Daar stond het niet. Het verraste haar niet dat het ook niet onder de F stond.

Laten we bij het begin beginnen. Ze begon de kaarten om te draaien en hoewel de eerste een A was, zag ze dat de tweede een F was en de derde een T. Het waren de nummers die Brown het vaakst gebruikte. Kamen stond op het vijfde kaartje.

Ze had minder dan vierentwintig uur gehad om weer op verhaal te komen. Dat was niet veel, maar het moest genoeg zijn. In haar hoofd nam ze iedere dag vanaf maandag door: wat ze gedaan hadden, wat ze ontdekt hadden, met wie ze hadden gesproken.

Ze toetste het nummer in. De telefoon ging ontzettend lang over, daarna een zacht klikje en Madison bereidde zich al voor om een boodschap achter te laten.

'Hallo?' Het was een mannenstem.

'Hallo. Met Alice Madison, rechercheur bij Moordzaken in Seattle. Kan ik Fred Kamen spreken?'

Even stilte. 'Ik weet wie je bent. Blijf aan de lijn, ik neem op in mijn werkkamer.'

Weer een klik. Dertig seconden later kwam de stem weer aan de lijn. Hij klonk meer als een academicus uit Boston dan als een FBI-man van de oostkust en was dieper dan Madison zich herinnerde van de colleges.

'Ik zag het op het nieuws. Hoe gaat het met hem?'

'Niet goed. Ze hebben hem naar de intensive care gebracht na de operatie, maar hij ligt nog aan de beademing en ze laten niet veel los. We moeten wachten tot hij bij bewustzijn komt om te weten... we moeten gewoon wachten.'

'Hoe ben jij eronder?'

'Met mij gaat het goed. Ik bel omdat Brown en ik, voor we in de val werden gelokt, een gesprek hadden. Het onderwerp van het gesprek was de man die John Cameron laat opdraaien voor de moord op de Sinclairs.'

'Ik snap het.'

'Ik geloof dat de man die Brown heeft neergeschoten ook de moordenaar van de Sinclairs is en ik moet weten wat jullie over die kwestie hebben besproken.'

'Heb je het tegen inspecteur Fynn gezegd?'

'Ja. Ik mag er onderzoek naar doen, want technisch gesproken ben ik met ziekteverlof. Maar hij gaat er nog steeds van uit dat Cameron de dader is. Zonder tastbaar bewijs kan hij de sporen niet zomaar opzijschuiven.'

'Daarom aarzelde Brown om het hem een paar dagen geleden te vertellen.'

'Ik heb met Brown gepraat over het spoor dat de moordenaar heeft achtergelaten. Hij zei dat het weliswaar naar Cameron leidde, maar dat we het ook terug kunnen volgen en dan leidt het ons naar hém.'

'Ja. Hij wil zijn doelwit in alle mogelijke opzichten ruïneren. Maar de manier waarop heeft meer te maken met zijn eigen obsessies en omstandigheden.'

'We krijgen een lijst van mensen die zijn afgewezen voor de academie.'

'Heel goed. En nog iets, het is belangrijk dat je Cameron gaat beschouwen als een slachtoffer. Je moet bedenken hoe hij is uitgekozen, hoe die persoon wist op welke punten hij kwetsbaar is, hoe hij de bewijzen tegen hem gebruikte. Bij elke misdaad moet je uitpuzzelen hoe het slachtoffer uit de menigte is geplukt. Dit is een ongebruikelijke situatie, waarop echter dezelfde regel van toepassing is.'

'Dat is nogal een ander perspectief.'

'Ik weet het.'

'Deze man gaat grondig te werk. Hij moet dit al maandenlang hebben gepland. Hij aarzelde niet om twee agenten aan te vallen. Ik denk dat hij zoiets al eerder heeft gedaan. Dit niveau van – ik wilde bijna zeggen "competentie" – bereik je niet als je je vaardigheden niet hebt geoefend.'

'Dat ben ik met je eens. Het zou me niet verbazen als hij moeite had gedaan om Cameron te evenaren.'

'De man die ons aanviel, was tussen de vijfendertig en de veertig, misschien begin veertig. Hij was heel kalm, beheerst, er was niets vreemds aan hem toen we hem op straat zagen. Hij wachtte ons gewoon op.'

Er viel even een stilte. 'Heb jij zijn telefoontje aangenomen?'

'Ja, de buurman had allebei onze kaartjes. De moordenaar moet ons daar hebben gezien.'

'En hij belde jou.'

'Ja, en ik heb ons recht naar hem toe geleid.'

'Nee, hij belde jou en hij schoot op Brown. Hij had hem kunnen bellen en jullie allebei kunnen neerschieten. Klopt het als ik zeg dat hij de mogelijkheid had om jou neer te schieten?'

'Ja.'

'Hij maakte een keus. Deze man doet niets wat hij niet heeft gepland en in zijn hoofd heeft gerepeteerd. Jij leeft nog omdat hij je liet leven.'

'Ik weet het.'

'Wordt je huis bewaakt door de politie?'

'Ik denk niet dat ik dat nodig heb. U zei het zelf: hij had me al kunnen neerschieten.'

'Ik bedoel dat het me niet zou verbazen als hij langs je huis zou rijden, want dat zie je bij veel van die obsessieve, zorgvuldige types, gewoon om te zien of je auto op de oprit staat, hoe het met je verwondingen is.'

'Ja, dat is mogelijk,' zei Madison misschien ietsje te snel. 'Ik zal mijn ogen openhouden.'

'Dat is goed. Luister, als je ergens moet beginnen, zou ik met Cameron beginnen.'

'Ja, ik zou graag even met hem willen babbelen.'

'Dat geloof ik meteen.'

'Dank u, Mr. Kamen, ik stel dit erg op prijs.'

'Je kunt me ieder moment bellen. Heb je mijn mobiele nummer?'

'Ja.'

'Maak er gebruik van.'

In de slaapkamer maakte ze de kluis open en haalde het wapen tevoorschijn dat ze buiten dienst droeg, een korte .45 die ze kon dragen zonder dat iemand het zag. Ze liet het in een holster glijden die plat achter haar linkerheup lag, deed de spalk weer om en trok een zwarte trui en een blazer aan. De voering van het jasje viel losjes over het leer.

Ze controleerde de ramen, zette het alarm aan en deed de deur op slot. De lucht was helder en fris en Madison rook het water achter de bomen. Ze stond op het punt in haar auto te stappen toen ze de politiewagen zachtjes hoorde remmen.

Agent Giordano stapte uit. 'Heb je een lift nodig?'

'Nee, dank je.'

'Ga je toevallig naar het ziekenhuis?'

'Ja.'

'Het is geen enkele moeite om je af te zetten. Dan krijgt die arm wat rust.'

Ze kon zelf rijden, met moeite, of ze kon de hulp accepteren en er dankbaar om zijn.

Ze ging achter in de patrouillewagen zitten en toen ze bij het Northwest-ziekenhuis kwamen, bedankte ze beide agenten en ze wisten dat zij het meende.

Beneden waren twee agenten neergezet. Madison nam de lift naar de intensive care. Toen ze daar aankwam, wilde ze net bij de zuster achter de balie gaan informeren, maar zag toen de agent aan het eind van de gang staan.

Er kwam een vrouw het vertrek uit. Toen die zich omdraaide, herkende Madison haar ogen en het rossige haar.

'Ik ben Alice Madison.'

'Kevins partner.'

'Ja.'

'Ellen McCormick.'

'Hoe gaat het met hem?'

'Stabiel, maar het zou er beter uitzien als hij zelf zou gaan ademen.'

Ellen McCormick was achter in de veertig en droeg een wit T-shirt onder een chic marineblauw pakje. Ze had een directe manier van doen en haar antwoord was duidelijk geweest. 'Ik ben arts,' ging ze door. 'Wat op dit moment zowel een zegen als een vloek is.'

'Dat snap ik.'

'Ik wilde net koffie gaan drinken. Hou je me gezelschap?'

'Natuurlijk.'

Ellen McCormick wendde zich tot de agent. 'Ik ben over vijf minuten terug.'

'We laten niemand binnen, mevrouw.'

Ze stapten samen in de lift en toen ze alleen waren, zei de vrouw: 'Jullie zijn in de val gelokt.'

'Ja. Heeft inspecteur Fynn je de details verteld?'

'Ja.' Ze keek even snel naar Madisons verwondingen.

'Hoe lang werk je al bij Moordzaken?'

'Waarom vraag je dat?'

'Je bent jonger dan ik had verwacht. Ik probeer erachter te komen of je genoeg ervaring hebt om achter de schutter aan te gaan.'

'Ik waardeer je eerlijkheid.'

Ellen McCormick had donkere kringen onder haar ogen en een kille woede in haar stem.

'Je baas heeft me verteld dat iedereen op zoek is naar de man en dat hij gepakt zal worden. Ooit, vele jaren geleden, is Kevins partner doodgeschoten bij een inbraakpoging. De schutter ontkwam, maar mijn broer kreeg hem drie dagen later te pakken. Hij heeft hem met geen vinger aangeraakt; voor zover ik weet zit de klootzak nog steeds vast. Het maakt me niet uit wat je met hem doet als je hem gevonden hebt, maar ik wil zeker weten dat je doorgaat tot het zover is. Want dat zou mijn broer voor jou hebben gedaan.'

'Dat weet ik,' zei Madison.

'Ik wil dat je er persoonlijk op toeziet dat alles wordt gedaan wat gedaan moet worden. Kun je me dat beloven?'

Madison knikte.

'Je werkte nog niet lang met hem, hè?'

'Lang genoeg om te weten wat voor soort man hij is.'

Ellen McCormick glimlachte. 'Zou je Kevin willen zien?'

Madison duwde de deur heel zachtjes open en liep naar binnen. Hij zwaaide geluidloos achter haar dicht. Ellen McCormick was buiten gebleven.

Er waren monitoren en slangen en ze hoorde het ritmische gesis van de machine die voor hem ademde, en in het midden van dat alles lag Brown op bed alsof hij sliep.

Ze ging langzaam naar hem toe en bleef respectvol op een afstandje. Hij was nog steeds Brown en de structuur en de grenzen van hun relatie waren de afgelopen vierentwintig uur niet veranderd.

Het enige aan hem wat kleur had, was het bleekrode haar dat zichtbaar was tussen de snoeren van het beademingsapparaat door.

Het voelde vreemd om daar te staan, wetend hoe gereserveerd en lichtelijk formeel hij was. Hij zou het een vreselijk idee hebben gevonden dat mensen hem zo zouden zien liggen.

Madison stak haar handen diep in de zakken van haar blazer. Ze had geen pijnstillers genomen, maar als er een pil bestond tegen wat ze nu voelde, dan was zij daar niet van op de hoogte.

Ze begon tegen hem te praten omdat het haar aanwezigheid rechtvaardigde. 'Ik heb vanochtend met Kamen gesproken. Hij was heel behulpzaam en gaf me wat ideeën, dingen om achteraan te gaan. De baas vindt het goed dat ik dit stilletjes en omzichtig doe, maar zoals je al dacht, blijft hij Cameron als verdachte zien.'

Ze deed een stap naar voren. 'Spencer is nu verantwoordelijk. Ik mag hem niets vertellen en ik weet niet of ik me daaraan kan houden. Hij moet de kans krijgen om zelf te beslissen, vind ik. Jezus, ik wou dat ik begreep waarom dit allemaal is gebeurd.'

Zijn bril lag op het nachtkastje naast een glas water. Er lag een schaduw van een baard op zijn wangen, donkerder dan zijn haar, met grijs erin.

'De patronen komen overeen met die van de Sinclair-moorden,' ging ze door. 'Het was hetzelfde wapen. De schutter gebruikte de .22 waarmee hij de kinderen heeft doodgeschoten. Ik haal zo de stukken op waar je de academie om had gevraagd en ik ga achter Sorensen aan.'

Ze was nu dichtbij genoeg om hem aan te raken. Ze bleef stilletjes staan. Ze hoefde geen beloften te doen en er was niets te zeggen dat hij niet al wist. Even legde ze haar goede hand naast de zijne op het witte laken. 'Tot morgen,' zei ze.

Browns zus stond aan de andere kant van de wachtruimte met een arts te praten. Hun blikken ontmoetten elkaar. Toen de liftdeuren zich sloten, keek Ellen McCormick haar nog steeds aan.

Er stonden taxi's te wachten bij de hoofdingang van het ziekenhuis. Madison stapte in en gaf de man het adres van het politiebureau. Ze waren een paar minuten onderweg toen de chauffeur opschrok van haar stem. 'Stop hier.'

'Wat...'

'Zou u alstublieft willen stoppen?'

'Wat is er dan?'

'Nu, alstublieft.'

De chauffeur stopte. Madison stapte uit en gaf over. Naast hen raceten de auto's voorbij. Ze huiverde en haar maag deed pijn.

'Ik zou u terug moeten brengen naar het ziekenhuis. Ik geloof niet dat u al beter bent.'

'Het spijt me, het is zo over,' zei ze met haar hoofd nog naar beneden, wachtend tot de golven misselijkheid zouden ophouden.

Toen ze ging staan zag de chauffeur de leren holster en het wapen dat erin zat.

'U bent die agente van de tv.' Hij leunde op zijn portier met zijn armen over elkaar, alsof ze daar stilstonden om van het uitzicht te genieten. 'U zou een tijdje vrij moeten nemen. U ziet er niet best uit.'

'Ja, dank u.'

Toen ze op haar bestemming waren, gaf ze hem een grote fooi omdat ze bijna in zijn taxi had overgegeven.

Madison bleef minder dan vijf minuten op het bureau. Ze pakte haar post uit haar vakje: twee brieven die haar herinnerden aan de data waarop ze de komende weken in de rechtszaal moest verschijnen, en een grote envelop gericht aan Brown, hopelijk met de stukken van de academie erin waarom hij had gevraagd.

Ze liep een paar blokken en voelde haar maag een beetje tot rust komen. Toen het begon te regenen, ging ze een coffeeshop binnen. Van vermoeidheid kon ze zich niet meer concentreren. Cafeïne zou helpen, even tenminste. Ze ging op een kruk bij het raam zitten en nam een paar slokjes. Het was er vol winkelende mensen en toeristen; niemand schonk enige aandacht aan haar.

Madison scheurde de envelop open. Er zat een lijst met namen in die terugging tot jaren geleden. Details stonden er niet bij; de redenen van de afwijzing waren vertrouwelijk. Maar als een van die namen ook maar de geringste relatie met Cameron had, was het de moeite waard ze na te pluizen.

Madison keek de lijst vluchtig door; het moesten er meer dan tweehonderd zijn.

Ze dronk haar koffie op en ging naar buiten. Haar gedachten waren al elders toen ze met gebogen hoofd snel door de menigte liep.

Onder de grond, in het donker, met haar linkerhand uitgestrekt voor zich, schoot Alice Madison drie keer snel op het doelwit. Ze keek ingespannen naar de concentrische cirkels die haar geleerd hadden hoe ze moest schieten. De binnenste was het midden van iemands borst; stap een halve meter naar voren en je mikt op het hoofd.

Ze haalde langzaam de trekker over. De schok trok als een elektrisch geknetter door haar arm. Ze liet de .45 zakken en zette de bril af. Het resultaat was goed, maar niet goed genoeg. Ze bewoog de vingers die bijna bedekt waren door de spalk, verplaatste het wapen naar de rechterhand en wilde de arm voor zich uitstrekken. De pijn was niet ondraaglijk, maar op die manier zou ze het doelwit zeker niet raken. Ze haalde diep adem, strekte de linkerarm uit en vuurde bij het uitademen. En nog een keer. En nog een keer.

De man was lang. Madison herinnerde zich zijn stem in de stille straat toen ze samen met Brown uit de auto stapte. Agent Mason, had hij gezegd. Iets groter dan een meter tachtig. Pezig, met een alledaags gezicht. Zijn haar kon Madison zich niet herinneren; hij had een pet gedragen. Zou ze hem herkennen als ze hem weer zag?

Adem in en schiet bij het uitademen. Laat het wapen zakken en nog een keer.

Madison had de hinderlaag gedetailleerd gerapporteerd, maar had er zelf niet uitgebreid bij stilgestaan. Terwijl ze haar wapen leegschoot in het doelwit moest ze er even om lachen dat ze er juist nu aan terugdacht. *Ik moet dit onthouden voor de therapiesessie,* bedacht ze. Ze was verplicht er een bij te wonen voor ze weer aan het werk ging; het was een formaliteit.

Madison drukte op de schakelaar om het doelwit terug te halen en te vervangen door een nieuw. Het kwam naar haar toe – wat er nog van over was – en ze legde het opzij. Ze drukte weer op de schakelaar en er gleed een ongebruikt doelwit in positie op twaalf meter afstand. Toen laadde ze de .45 opnieuw terwijl ze hem tegen de palm van haar rechterhand liet rusten.

Het eerste schot voelde goed. Het maakte een net gaatje midden in het doelwit. Maar: een dag te laat en een dollar te weinig, zei haar grootvader altijd.

Het zou moeilijk zijn om de man uit een rijtje van vijf te pikken, maar één ding wist ze zeker: het was niet Cameron geweest; het alledaagse gezicht met de kleine mond en de rechte neus was niet dat van Cameron.

De technische jongens mochten zeggen dat de .22 die tegen Brown was gebruikt drie leden van de familie Sinclair had gedood, daar kon ze niets tegen inbrengen, maar zij kon Cameron niet identificeren als de schutter, sterker, ze kon hem zelfs vrijspreken. Het was beslist een gesprek met Spencer waard.

Inspecteur Fynn zou daar natuurlijk niet blij mee zijn. Hij had haar gevraagd haar gedachten voor zich te houden, Quinn geen munitie te verschaffen om de integriteit van het arrestatiebevel aan te vechten, en dat had ze nog geen vierentwintig uur volgehouden.

Madison verving het kapotte doelwit, waarvan het middenstuk vrijwel verdwenen was.

Haar lichaam herinnerde zich het snelle, plotselinge gevecht. Tijdens de opleiding bereidden ze je voor op het ergste. Maar ze konden je geen idee geven van de angst en de schok als je lichamelijk wordt aangevallen. Was ze bang geweest? *Goddomme, nou*, dacht Madison. Had het haar verhinderd te denken en te reageren? Madison liet de .45 zakken. *Dat kan ik aan Brown vragen als ik weer bij hem op bezoek ga.*

Toen ze klaar was, lag er een stapeltje aan flarden geschoten doelwitten naast haar en trilde haar linkerhand van vermoeidheid. Madison deed haar oorbeschermers en bril af en toen ze zich omdraaide, zag ze J.B. Norton, haar schietinstructeur, tegen de muur achter haar leunen. Het was een welkome aanblik. Hij was een rustige man die eruitzag als een bibliothecaris en vele generaties politieagenten had geïnstrueerd.

'J.B.'

'Ze zeiden dat je hier was en ik wilde je een cadeautje geven.' Hij gooide het naar haar toe en zij ving het op: een knijpbal om haar linkerhand te trainen. Madison lachte.

'Dank je, die heb ik nodig.'

Hij vroeg haar niet hoe het gegaan was, maar pakte de doelwitten op en bestudeerde ze een voor een.

'We zien je hier niet zo vaak meer,' zei hij zonder haar aan te kijken.

'Dat weet ik, sorry. De laatste paar weken zijn heel druk geweest.'

'Hoor eens, Madison, ik wilde alleen maar zeggen dat je kunt schieten als het moet, met je rechterhand of niet.' Hij pakte het laatste doelwit met twee vingers op; de binnenste cirkel was er bijna helemaal uit geschoten. 'En je gebruikt je gezonde verstand, in tegenstelling tot sommige cowboys die ik hier wel eens zie. Heb je je wapen ooit op een mens gericht en de trekker overgehaald?'

'Nee.'

'Veel agenten doen dat nooit, maar wie weet. Als het nodig is, mik dan op het midden van de borstkas. Dan zakt hij in elkaar voor hij jou hetzelfde kan aandoen.'

Onder haar trui gingen haar nekharen rechtop staan. Het was een vreselijk idee. Ze knikte en Norton vertrok.

Madison pakte haar spullen bij elkaar en liep naar de uitgang. Haar handen roken naar buskruit toen ze het nummer van het politiebureau intoetste.

Inspecteur Fynn bleef altijd staan tijdens gesprekken die zijn geduld op de proef stelden. Nu stond hij ook.

'Zeg dat nog eens,' zei hij.

'Ik ga het aan Spencer vertellen,' antwoordde Madison. 'De beschrijving van onze schutter, de man die zichzelf agent Mason noemde, pleit Cameron vrij. Spencer hoort dat te weten.'

'Kon je het nog geen vierentwintig uur voor je houden?'

'Ik had het hem gisteravond in het ziekenhuis moeten vertellen. Het was fout om het niet te doen.'

'Je bedoelt dat ík fout zat.'

'Ík zat fout. Mijn beschrijving van de aanvaller was op zijn best vaag, maar ik kan u met zekerheid zeggen wie hij niet was.'

Inspecteur Fynn wist dat Madison het uit beleefdheid en respect eerst aan hem kwam zeggen. Maar op dat moment zou hij liever te maken hebben met een idioot zonder manieren die deed wat hem werd opgedragen.

'Weet je zeker dat je dit wilt?' vroeg hij haar met zijn hand op de deurknop. Er lag iets grimmigs in zijn toon, wat 'consequenties' betekende.

'Ja.'

'Ik kan je niet fysiek tegenhouden om met hen te praten, maar ik kan en zal ook alles doen wat ik kan om te voorkomen dat je dit onderzoek in gevaar brengt. Begrijp je dat?'

'Ja.'

'Oké.' Hij deed de deur open en riep: 'Spencer, Dunne, hier komen, nu.'

Spencer en Dunne hadden al twee dagen niet geslapen: ze waren net een paar uur thuis toen ze weer naar de plek van de hinderlaag werden geroepen. Ze zagen er moe en suffig uit, maar ze werden snel wakker van Fynns sombere gezicht. Spencer was de eerstverantwoordelijke en Dunne was zijn partner; als de een iets wist, wist de ander het ook.

'Madison heeft iets te zeggen. Misschien moet je er even bij gaan zitten.' Fynn sloeg zijn armen over elkaar en leunde tegen de dichte deur.

Spencer en Dunne keken elkaar aan. Madison begon te praten; ze hield het simpel en snel. Toen ze klaar was, zei niemand iets.

Dunne streek met zijn handen over zijn gezicht. 'Verdomme,' zei hij na een poosje.

Spencers reactie was lastiger te peilen. Zijn blik bleef op Madison gericht. 'Je hebt hier absoluut geen bewijs voor?'

'Nee, daar zit ik nog achteraan.'

'Je doet je best om je eigen zaak te ontmantelen?'

'Ik weet dat de man die Brown heeft neergeschoten niet Cameron was.'

'Je hebt hem amper gezien. Je beschreef hem als "een alledaags gezicht, geen bijzondere kenmerken". Je weet niet zeker dat hij het niet was. De man verandert elke dag van de week van uiterlijk, dat weet je. En hoe zit het met de foto op zijn rijbewijs?'

'Ik heb dagenlang naar zijn foto gekeken. Echt, het was iemand anders.'

Fynn zei geen woord.

'En Brown was het met dit hele verhaal eens?' kwam Dunne tussenbeide.

'Beslist.'

Fynn ging in het midden van het vertrek staan. 'Hij "onderzocht" het; we weten niet wat hij er nu over gezegd zou hebben.

Hij zou tot de conclusie kunnen zijn gekomen dat er niet genoeg bewijs was voor deze invalshoek. Eerlijk gezegd is er geen énkel bewijs om dit te ondersteunen.'

Madison deed haar mond open om hem te onderbreken.

'Laat me uitpraten. Misschien was hij erop teruggekomen. Dat weet je niet, Madison.'

'Nou en of. Hij stond op het punt om zelf naar u toe te gaan.'

'Maar dat heeft hij niet gedaan.' Fynn zuchtte. 'Ik heb nogmaals naar het dossier gekeken. Ik heb elk woord tien keer overgelezen en ik zie niet eens het begin van een soort twijfel. Madison, je hebt de afgelopen vierentwintig uur iets vreselijks meegemaakt. Kan het niet zijn dat je hieraan vasthoudt uit loyaliteit jegens Brown? Hij is een prima agent, hij checkte elke mogelijkheid, zoals hij geacht werd te doen, maar inmiddels zou hij het achter zich hebben gelaten.'

'Wat bedoelt u precies?'

'Je bent aangevallen en je partner is neergeschoten en je oordeelsvermogen heeft een knauw gekregen. Je voelt je schuldig omdat je denkt dat je hem niet beschermd hebt en je houdt vast aan iets wat hij zei en wat hij vandaag waarschijnlijk al teruggenomen zou hebben.'

'Denkt u dat ik dit doe omdat ik gestrest ben?'

'Het zou niet de eerste keer zijn dat zoiets voorkomt.'

'Met alle respect, meneer, maar dat is onzin.'

'Je bent met ziekteverlof. Ik stel voor dat je naar huis gaat en rust neemt.'

'En dan is alles beter?'

'Je zou ook nog even na kunnen denken over de houding die je aanneemt.'

Spencer en Dunne stonden als aan de grond genageld. Fynn draaide zich naar hen om: 'Ik wil even met rechercheur Madison praten, onder vier ogen.' Ze vertrokken.

Madison liet haar kin zakken en bereidde zich voor op de strijd.

'Hoe lang?' vroeg hij.

'Wat bedoelt u?'

'Hoe lang denk je dat het duurt voor dit gesprek op het hele bureau bekend is?'

Ze schudde haar hoofd.

'Niet lang,' ging hij door. 'Het betekent dat je niet terug mag keren voor je geëvalueerd bent door een PTSS-expert. En dat zal geen formaliteit zijn.'

'Dat is gewoon...'

Fynn hief zijn hand op. 'Het betekent dat alles wat je nu zegt of doet niet door Quinn kan worden gebruikt om het arrestatiebevel aan te vechten.'

Madison hield midden in haar zin op.

'En dat is geen cadeautje,' ging Fynn door, 'want het wordt vermeld in je staat van dienst.'

'Dat kan me niet schelen.'

'Dat dacht ik al.'

Toen ze het vertrek uit liep, draaide ze zich naar hem om: 'Brown zou niet van gedachten zijn veranderd.'

'Ga naar huis,' zei hij, niet onvriendelijk.

Spencer stond haar op te wachten. Hij gebaarde dat ze hem moest volgen en ze gingen naar de recreatieruimte. Spencer was een kalme denker; als Madison nog enige hoop had iemand te kunnen overtuigen, dan was hij dat.

'Geloof je dit echt?' vroeg hij.

Madison voelde zich plotseling uitgeput. 'Hij heeft de strip opnieuw geknoopt zodat hij de haren erin kon stoppen die wij vervolgens moesten vinden.'

'Maar je weet niet waarom.'

'Nee.'

Ze stonden even zonder iets te zeggen naast elkaar. Spencer deed de ijskast open, haalde er een klein pakje sap uit en drukte het rietje door het gaatje. Het was iets wat een kind zou drinken. Hij stond te overwegen of hij haar iets zou vertellen of het achter zou houden.

'We volgen een aanwijzing van de havenpolitie,' zei hij. 'Je had gelijk wat die boot betreft.'

Madison was blij dat te horen en tegelijkertijd betreurde ze het. 'Ik heb tijd nodig om dingen uit te zoeken.'

'Ik weet niet hoe lang je krijgt.'

'Wat kun je me vertellen over die aanwijzing?'

Hij schudde zijn hoofd. 'Ik geloof niet dat het een goed idee is om jou nu iets te vertellen. Ga naar huis en doe wat je moet doen. We zullen zien wie het eerste resultaat boekt.'

Buiten had de zon er de brui aan gegeven en de lucht was wit van de sneeuw. Madison pakte een taxi. Ze haalde haar telefoon tevoorschijn, belde een nummer en leunde met gesloten ogen achterover.

'Rachel, het spijt me, maar ik ben vanavond geen goed gezelschap. Ik kom een andere keer wel langs. Evengoed bedankt.'

'Ik breng wel iets als je wilt. Dan kan Tommy je nog even zien.'

Rachel bracht lasagne in een ovenschaal. Ze trokken twee blikjes bier open en terwijl Rachel bezig was met de magnetron inspecteerde Tommy haar verwondingen. Hij was een pientere zesjarige en wist alles af van schaafwonden en kapotte knieën.

Hij legde zijn vinger op een hechting in Madisons wenkbrauw. 'Doet dat pijn?'

'Niet echt.' Eigenlijk begon het net te zeuren.

Zachtjes draaide hij haar arm om en bekeek de spalk. Hij raakte haar vingers aan om zich ervan te verzekeren dat ze nog werkten en deed een stap achteruit. 'Het ziet er niet zo slecht uit,' zei hij.

'Dank je,' antwoordde ze.

'Heb je 'Blackbird' gezongen?'

Sinds hij een baby was, had Rachel na elke snee en schaafwond 'Blackbird' van The Beatles voor hem gezongen. Magische genezing.

'Jazeker,' zei ze.

'Hielp het?'

'Nou en of.'

Hij was maar één jaar jonger dan de jongste Sinclair, David. Een week geleden zat David te eten met zijn ouders en broer. Over een paar uur zou een man zijn slaapkamer binnenlopen en hem door zijn hoofd schieten terwijl hij sliep.

Rachel en Tommy vertrokken. Madison omhelsde de jongen stevig voor ze hem zijn riem omdeed op de achterbank. Ze was blij dat ze het buskruit van haar handen had gewassen en zich had verkleed. Hij rook naar koekjes.

Madison wachtte tot hun auto de weg was opgereden. Weer binnen liep ze naar de slaapkamer en haalde de holster en de .45 uit de kluis. Ze voelde zich sterker na het eten, en rusteloos.

Het huis van de Sinclairs was verlaten. De politiewagen die daar eerder die week was geposteerd, had andere taken toegewezen gekregen. Toen Madison zich herinnerde dat ze de sleutels nog steeds had, wist ze dat ze terug moest gaan.

Het was rustig in de buurt en het was maar een klein stukje lopen. Ze stak de sleutel in het slot en liet zichzelf binnen. In de gang bleef ze staan en keek om zich heen. Er was niets veranderd sinds de laatste keer dat ze hier was geweest, alleen was haar eigen wereld op zijn kop gezet. Het huis van de Sinclairs was een klok die een week geleden stil was blijven staan.

Kamen had gezegd dat ze Cameron als slachtoffer moest zien. Als Madison zou begrijpen waarom hij was uitgekozen, zou ze een stap dichter bij de moordenaar zijn. Gegeven het feit dat Cameron zelf niet beschikbaar was, moest ze het met de Sinclairs doen.

Madison ademde in om sneller te wennen aan de geur. Zeven dagen na dato rook die oud en onaangenaam, net naar genoeg om een afleiding te vormen. Ze zou naar boven gaan – ze wist dat dat moest – maar niet meteen: de bovenverdieping had alles met hun dood te maken en Madison hoopte iets over hun leven te weten te komen. Als zij gekozen waren om te boeten voor iets wat Cameron had gedaan, moesten hun pad en dat van de moordenaar elkaar ergens hebben gekruist.

Madison ging op de bank zitten. Hij was comfortabel en ze zonk erin weg. Ze voelde de afgelopen vierentwintig uur in haar botten en in haar hoofd nam ze het gesprek met Kamen weer door. Voor de derde keer herinnerde ze zichzelf eraan dat ze moest proberen Sorensen in het lab te bereiken.

Madison nam zich voor haar ogen maar voor één minuutje te sluiten. Eén minuut en dan zou ze ze weer opendoen. Eén minuut.

Ze viel in slaap, een diepe slaap die wel iets weg had van de dood zelf, zonder dromen of bewegingen of geluiden. Ze had in haar eigen huis kunnen liggen, op haar eigen bank.

Ze werd wakker van een stroom koude lucht. Tenminste, dat dacht ze aanvankelijk. Haar ogen gingen knipperend open toen de koele geur van de nacht buiten over haar wang streek. Toen hoorde ze het slot van de openslaande deuren dichtklikken en de haartjes op haar armen gingen rechtop staan.

Ze lag als bevroren op de bank en haar adem stokte in haar keel. Ze voelde iemand in de kamer meer dan ze hem hoorde: een levend mens achter de hoge rugleuning van de bank die haar evenmin kon zien als zij hem.

Zo'n meter achter haar was beweging – misschien iemand die een paar stappen zette. Madison probeerde haar stijve spieren te ontspannen, maar zelfs haar stilte maakte geluid, een gegons van haar bloed in haar oren dat bijna al het andere overstemde.

Ze was veilig waar ze lag. Ze was in het voordeel, gewapend en klaar voor de strijd. Het maakte niet uit dat het wapen achter haar tegen de bank gedrukt lag. Wees stil en luister. De persoon bewoog zich niet. Hij – Madison besloot willekeurig dat het een man was – stond zo'n twee meter achter haar. Al haar zintuigen zeiden haar dat de man daar stond rond te kijken.

Ze knipperde met haar ogen – zachte klikjes in het holst van de nacht, in een huis waar zich vreselijke dingen hadden afgespeeld. Slechts twee mannen in de hele wereld hadden reden om daar te zijn. Die wetenschap boorde zich plotseling in haar: agent Mason zou zo dicht bij haar kunnen staan dat ze hem kon aanraken of, als ze geluk had, John Cameron, vermeend moordenaar van negen mensen.

Toen begon de man weg te lopen, zo zacht als een gefluister. Eerst was hij in de gang en van daaruit liep hij naar de keuken.

Madison durfde zich weer te verroeren. De adrenaline deed pijn in haar borst en ze was blij dat ze de vloer onder haar voeten voelde toen ze zich van de bank liet glijden. Met één beweging vond haar hand de .45 en schoof de veiligheidspal eraf.

Een lichtstraal danste op het plafond in de gang, viel op het alarm bij de deur.

Madison leunde naar voren vanachter de armleuning, met het wapen op de vloer gericht: de man, donkere kleren, donker haar, bestudeerde het alarm met zijn rug naar haar toe. Hij had een kleine zaklantaarn in zijn ene hand, zijn linker, en zijn andere hand lag op het alarm. Geen wapens, tenminste voor zover zij kon zien. Als ze hem nu te grazen nam, nu hij onvoorbereid en ongewapend was, kon ze hem binnen enkele seconden op de vloer hebben.

Madison kneep haar ogen tot spleetjes. Het was moeilijk om iets te zien in het halfduister. Wat was de man aan het doen? Laat ook maar, ze kon het hem later vragen, als hij eenmaal met de handboeien om achter in een politiewagen zat. Nu, het moest nu. Ze moest het doen voor hij zich omdraaide.

Madison ging rechtop staan en zei op duidelijke, niet mis te verstane toon: 'Politie. Verroer je niet.'

De man vertrok geen spier. Madison kwam tevoorschijn vanachter de bank, haar linkerarm uitgestrekt, haar ogen op het midden van de rug van de man gericht. 'Doe precies wat ik zeg, dan gebeurt er niets. Begrijp je dat?'

De man gaf geen antwoord. Hij bleef met zijn rug naar Madison toe staan, zijn handen een stukje in de hoogte, alsof hij het verkozen had zich niet meer te bewegen.

Madison vond met haar rechterhand het knopje van het bovenlicht in de gang. Ze deed het aan.

'Begrijp je dat?' herhaalde ze langzaam en duidelijk.

De man gaf geen antwoord. Hij stond op ten minste drie meter afstand en er kwamen twee gedachten op bij Madison. De eerste was dat het de vorige keer niet zo best was afgelopen voor de thuisclub toen ze agent Mason persoonlijk had ontmoet. En de tweede was dat John Cameron dichtbij genoeg was geweest om Erroll Sanders' keel door te snijden en dat Sanders het mes waarschijnlijk niet eens had gezien voor het hem de das omdeed.

Tegen wie ze nu ook sprak, het was het verstandigst om op een beleefde afstand te blijven. 'Oké, je bent geen prater. Dat maakt me niet uit. Ik wil dat je het volgende doet en het is niet facultatief. Ik weet dat je me kunt horen...'

Het was een man met donker haar en brede schouders. Handschoenen, hij droeg zwartleren handschoenen. Madison ging iets meer opzij van hem staan, maar ze kon zijn gezicht nog niet zien.

'… en dat je me begrijpt. Ik wil dat je je handen op je hoofd legt en op je knieën gaat zitten. Doe het of je komt hier niet in één stuk uit.'

Haar stem klonk vast, haar hand was doodstil. De man bewoog zich niet.

Madison dacht razendsnel terug aan het moment dat ze uit de auto stapten, de agent die haar en Brown begroette en toen samen met hen naar het huis liep. Aan het beeld dat ze van hem had, van zijn grootte en lichaamsvorm, voor de aanval.

Nou, vooruit dan maar, dacht Madison. 'John Cameron, wat ik…'

Het was het eerste teken van leven, een amper waarneembare reactie toen ze zijn naam uitsprak. Toen, in de stilte van de nacht, kwam de ijskast in de keuken rommelend en zoemend tot leven en werd Madison zo afgeleid dat ze een fractie van een seconde de andere kant op keek. En weg was hij.

'Hé!' Madison had nog nooit iemand zo snel zien bewegen. Voor ze het wist, was hij de trap op en moest ze kiezen om hem óf in de rug te schieten óf achterna te gaan. Ze ging hem achterna.

Ze had niet eens tijd om te vloeken. Hij rende naar de grote slaapkamer en ze moest daar zien te komen vóór hij bij het raam was en over het grasveld kon ontsnappen.

Madison was al halverwege de trap toen ze besefte dat ze hem nooit van haar leven kon inhalen, en áls dat al lukte, kon ze niet uit het raam klimmen vanwege haar arm. Ze draaide zich om en rende weer naar beneden: als ze hem dan niet te pakken kon krijgen, zou ze hem aan het andere einde opwachten.

Ze snelde de woonkamer in, gleed over de houten vloer en botste tegen de openslaande deuren. Ze greep de klink en draaide hem om. Verdomme. Ze zaten op slot en de sleutels waren nergens te bekennen. Zonder na te denken deed Madison een paar passen achteruit, nam de .45 in haar rechterhand en wierp zich met haar linkerschouder tegen de deuren terwijl ze haar gezicht in de holte van haar arm hield. Ze knalde erdoorheen en kwam op haar zij op de patio terecht in een bed van glasscherven.

Op hetzelfde moment sprong John Cameron op de grond en veranderde in een snel bewegende schaduw in de duisternis. Madison krabbelde op en ging hem achterna. Het grasveld was aan twee kanten omringd door bomen en liep aan de derde kant schuin af naar het water. Ze rende achter de vage gestalte aan het eind van het gazon aan. Ze hoorde hem met twee voeten op het kiezelstrand eronder terechtkomen. *Als hij een wapen heeft, heeft hij dat inmiddels gepakt.*

Madison kwam aan het eind van de tuin en keek over de rand. Geen beweging, geen geluid. Het strand was leeg. Het was misschien zo'n tien meter naar het water. Rechts lag een steiger en daaraan lag een roeibootje op de golven te dobberen.

Wiens boot is dat? Hadden de Sinclairs een boot?

Madison leunde verder voorover. De lucht sneed in haar longen en de grond onder haar buik was ijskoud. Eerst zag ze het vaag, twee donkere vormen, de steiger en de boot, die langzaam uiteengingen, weer samenkwamen en daarna iets verder uiteengingen.

Hij zit in de boot.

Madison zag hem beslist langs de steiger bewegen. Ze kon het touw waarmee de boot aan een paal vastzat niet zien. Te donker en te ver weg, en hij zou best een wapen kunnen hebben.

Madison haalde diep adem door haar mond. Ze kneep haar ogen even dicht, nam een sprong en kwam hard op het strand terecht. Er ging een waarschuwende pijnscheut door haar arm.

De boot was nu bijna weg van de steiger. Madison kwam overeind en net toen ze de eerste stap zette, hoorde ze achter zich het onmiskenbare geluid van een tak die afbrak. Ze draaide zich snel om, met haar wapen in de hand, ondanks zichzelf huiverend in de nachtlucht. Ze hield haar adem in en luisterde.

Uit haar ooghoek zag ze de boot, kennelijk zonder enige haast, verderop dobberen. *Het had van alles kunnen zijn.*

Als ze nu rende, haalde ze het nog. Madison bleef staan. Het had inderdaad van alles kunnen zijn, dacht ze, maar dat was het niet. Ergens rechts boven haar streek iets langs de bomen. Madison draaide zich om en zag de boot wegglijden.

Goed geprobeerd, dacht ze. Hij moest weer naar boven zijn geklommen nadat hij de boot had losgemaakt en zich hebben verstopt tussen de bomen. Madison keek om zich heen. Een eind verderop stond een wankele ladder. Het zou te lang duren om die te halen. Ze stopte de .45 in de holster. Hij wist het, die klootzak wist van haar arm.

Ze ging een paar passen achteruit om een aanloop te nemen en sprong. Haar linkerhand vond houvast aan de bovenkant. Ze zwaaide haar been omhoog en opzij, greep met haar rechterhand een steen vast en hees zich op. Ze wist dat de pijn een halve seconde later zou volgen, en dat gebeurde ook, erger dan ze zich had voorgesteld.

Madison keek recht voor zich uit naar de dennenbomen en stapte in het duister. De stammen stonden maar een eindje uit elkaar en er filterde een minimum aan licht doorheen. Ze liep langzaam en voorzichtig op de dunne laag bevroren sneeuw, en bij elke stap knapten er twijgjes en takken onder haar voeten. Hoeveel tijd was er verstreken sinds ze hem voor het laatst had gehoord? Seconden, minuten. Ze moest proberen helder te denken; de hand met het wapen erin trilde.

Ze kon hem niet horen. Ze kon amper verder kijken dan een meter, maar ze zou hem wel moeten kunnen horen. Hij kon niet naar de andere kant of al helemaal naar de straat zijn gelopen. Als zij hem niet kon horen, dan betekende dat dat hij ook stilstond.

Er gleed een druppel zweet tussen haar schouderbladen naar beneden. Het enige wat ze hoorde, was het geklots van het water op het kiezelstrand. Diep in de duisternis links van haar bewoog iets. Een zacht gekraak in de sneeuw. Iets, iemand liep daar rond in het donker. Ze begon naar het geluid toe te bewegen. Hij was daar, dat moest wel. De vraag was alleen waarom hij daar nog stééds was. Met zijn behendigheid moest hij een uitweg hebben kunnen vinden.

In het huis was zij in het voordeel geweest, slechts kort, moest ze toegeven, maar zij had hem verrast. Nu was ze zo blind als een vleermuis, wachtend op het minste of geringste geluidje. Voor het eerst realiseerde Madison zich dat ze niet wist wat ze met hem gedaan zou hebben als ze hem wel te pakken had gekregen. Een ontnuchterende gedachte – haar hart ging er sneller van bonzen: ze kon hem niet aanhouden. Als ze hem arresteerde, zou het allemaal voorbij zijn. Als ze hem in de boeien sloegen, kon zelfs Nathan

Quinn ze niet meer los krijgen. Cameron was de enige levende connectie met de moordenaar. Als ze hem aanhield, als het haar lukte hem aan te houden, zouden ze het nooit weten.

Ze herinnerde zich Browns woorden op de parkeerplaats van het vliegveld, nadat ze de Explorer hadden gevonden, en haar bitse antwoord. Ze had toen van niets geweten, niets begrepen. *Wat ben je bereid te doen?*

Ze zag een kleine open plek voor zich. Het bladerdak boven haar opende zich zodat ze weer vormen kon onderscheiden. Ze liep die richting uit zonder zich te bekommeren om het geritsel van kleren of takken die afbraken. Haar voetstappen klonken luid toen ze de wirwar van wortels en struiken achter zich liet en onder een stuk heldere hemel ging staan, als een perfect doelwit. *Denk aan Sanders*, zei een zacht stemmetje binnen in haar. Terwijl ze daar stond, telde Madison in haar hoofd tot zestig. *Ik hoop dat je kijkt, klootzak.*

Dichtbij klapte een vogel in een boom met zijn vleugels. Toen ze vond dat ze hem genoeg tijd had gegeven om te volgen, hief ze haar .45 hoog boven haar hoofd. Er weerkaatste iets van licht tegen de loop. Het gewicht van het wapen voelde vertrouwd en welkom in haar hand. *Eerste dag op Moordzaken, veel handjes schudden, veel ken-je-die-en-dies. Fynn die haar aan iedereen voorstelde en Brown voor het laatst bewaarde. Ze hadden elkaar niet de hand geschud.* Het ijle stemmetje begon weer tegen haar te praten: *Als het nodig is, mik dan op het midden van de borstkas. Dan zakt hij in elkaar voor hij jou hetzelfde aan kan doen.*

Madison stak de .45 weer in de holster en maakte het leren riempje vast. Daarna draaide ze zich met zijwaarts uitgestrekte armen om, helemaal in de rondte, met haar wapen in de holster.

Er lagen stukjes glas op haar schouders. John Cameron zag hoe ze het licht weerkaatsten terwijl zij ongewapend onder de blote hemel stond. Dat was niet wat hij had verwacht, in het geheel niet. Hij deed een stap in haar richting.

'We moeten praten,' zei ze, en haar stem klonk kalmer dan ze zich voelde.

De lege stilte na haar woorden stond Madison totaal niet aan, alsof haar hartslag de enige in het bos was. Niets bewoog. Misschien had hij toch kans gezien te ontsnappen, was hij allang verdwenen en ver weg. Toch wachtte ze.

Cameron had haar onmiddellijk herkend toen ze in het huis tegen hem had gesproken. Zij was de vrouw die de vorige keer de filmpjes en de foto's had zitten bekijken. Degene die de vorige nacht was aangevallen.

Hij had de kranten gelezen: hij wist dat zij moest denken dat hij haar partner had neergeschoten, en hij was niet van plan haar dichterbij te laten komen. Hij had de voorkant gecheckt voor hij naar binnen ging, geen auto's, de vrouw moest naar het huis zijn gelopen. En ze was in slááp gevallen, jezus christus. Maar Cameron was bovenal kwaad geweest op zichzelf.

Hij stond op een paar meter afstand van haar en nam haar op. Hij voelde het lemmet van zijn mes plat tegen zijn been aan liggen.

Madison wachtte. Als hij zich niet bewoog, dan deed zij het ook niet. Als hij haar taxeerde en zich afvroeg hoe geduldig ze nog zou zijn, hoe lang ze de kou nog kon verdragen, dan zou het wel eens lang kunnen duren. Ze staarde in de duisternis, hij staarde terug.

Cameron had genoten van haar crash door de tuindeuren en van de achtervolging. De boot was maar een afleidingsmanoeuvre geweest: hij wilde haar tussen de bomen hebben, hij wilde haar goed in zich op kunnen nemen. Vierentwintig uur geleden was ze dicht bij de enige persoon geweest die hij dolgraag wilde ontmoeten. Ze hadden beslist een paar dingen te bespreken.

Het was lang geleden dat John Cameron in de buurt van een agent was geweest. Madison hield haar hand weg bij de holster. 'Heb je enig idee hoe makkelijk het was geweest om je in je rug te schieten?' vroeg ze. 'Wat zijn de kansen dat je nu een wapen op zak hebt? Iedereen denkt dat je mijn partner hebt neergeschoten. Denk je dat ze erg hun best hadden gedaan om een moord uit zelfverdediging te onderzoeken? Ik zou waarschijnlijk een medaille hebben gekregen.'

Ze liet haar woorden tussen hen in vallen.

'En de man die jouw vrienden heeft vermoord, zou vrijuit gaan.'

Madison veegde haar voorhoofd af, het zweet voelde ijskoud aan op haar huid. Ze wist niet of ze hem zover zou kunnen krijgen om iets te zeggen, ze wist niet of ze over vijf minuten nog rechtop zou staan.

'Geen pokernachten meer, geen verjaardagspartijtjes. Ik heb ze in het lijkenhuis gezien, Cameron, de kinderen. En Quinn is de volgende, dat moet je toch weten.'

Als die moorddadige etterbak nu niet meteen naar voren stapt...

Er kwamen luide stemmen vanuit het huis het grasveld op. Madison schrok ervan en draaide zich om. Ze riepen naar elkaar, drie, misschien vier mannen. Het moesten agenten zijn die langs-kwamen op patrouille. Een behulpzame buur moest ze hebben ge-beld toen hij glas hoorde breken.

Hartelijk bedankt. Mooi dat hij zich nu niet zou laten zien. Mooi niet.

Madison aarzelde; de stemmen kwamen dichterbij.

Cameron had de agenten ook gehoord. Hij was geen centimeter van zijn plaats gekomen. Hij wist dat hij weg kon komen, zelfs als ze met zijn vijven het bosje hadden uitgekamd. Als het erop aan-kwam, zou hij er gewoon voor moeten zórgen dat hij wegkwam. Dat was geen probleem. De rechercheur had nog geen kik gege-ven.

Madison had het gevoel dat ze aan haar laatste beetje adrenali-ne was toegekomen. Wat zou er gebeuren als ze de agenten zou waarschuwen? Op dat moment begon het te sneeuwen. Madison keek omhoog; er dwarrelden vlokken op de grond. *Ik moet niet goed bij mijn hoofd zijn.*

'We moeten praten,' zei ze kalm, en ze begon in de richting van het gazon te lopen. Toen ze daar was, trof ze drie mannen en een vrouw aan die met getrokken wapens op haar afliepen.

Ze had haar penning al tevoorschijn gehaald en hield die voor zich. 'Politie,' zei ze op luide toon. Ze verdrongen zich om haar heen.

Ze draaide zich nog één keer om naar de plek waar ze vandaan was gekomen en slechts enkele seconden later hoorde ze in de straat een motor starten. Goed gedaan, dacht ze. Brown had hem vast uit zijn tent kunnen lokken.

Een halfuur later arriveerden Kelly en Rosario. Natuurlijk, dacht Madison, het hadden ook Spencer en Dunne kunnen zijn, maar nee hoor. Kelly zag er chagrijnig uit: het Sanders-onderzoek had nog niets tastbaars opgeleverd en geduld was niet zijn sterkste punt.

Ze had het verhaal al aan een van de agenten verteld en nam het nu weer met hen door. Ze liet ze precies zien wat waar was gebeurd en liep met hen naar de steiger.

In de gang van het huis was een onderzoeker van de PD-eenheid op zoek naar vingerafdrukken op het alarm.

'Was je in slaap gevallen?' snoof Kelly.

'Ja.' Dat viel niet te ontkennen en Madison had geen zin erover te liegen.

'Je had de sleutels nog,' ging hij door, 'ondanks het feit dat je met ziekteverlof was.'

'Ja, ik realiseerde me dat ze nog in de zak van een jasje zaten dat thuis hing.'

'Die had je morgenochtend meteen terug willen brengen,' zei Rosario zonder een spoortje van sarcasme.

'Natuurlijk,' antwoordde Madison.

'Zie je nou?' zei hij tegen zijn partner. Kelly negeerde hem.

'Wat hoopte je hier te vinden? We hebben dit huis met een luizenkam doorzocht.'

'Ik weet het niet. Misschien iets wat ik de eerste keer over het hoofd had gezien.'

'Doe een beetje kalm aan. Haar partner ligt op de intensive care en ze moest toch íéts doen.' Rosario lachte naar Kelly. 'Ik weet zeker dat jij hetzelfde voor mij zou doen.'

'Niet per se. Heb je zijn gezicht helemaal niet gezien?'

'Nee.'

'En je hebt geen idee wie hij was?'

'Nee.'

'Maar je moest hem door glazen deuren heen achternazitten?'

'Ja.'

Ze gaf hun een beschrijving. Een nauwkeurige, maar wel een die op een kwart van de bevolking van toepassing kon zijn. Kelly schreef het allemaal op. Madison zag dat hij stond te popelen om ruzie te gaan maken en daar schrok ze zelf ook niet voor terug. Vroeg of laat zou er een confrontatie komen. Dat had weinig te maken met Kelly en alles met haar positie binnen het politiebureau.

Kelly mocht haar niet. Dat was meteen duidelijk geweest en Madison dacht eigenlijk niet dat het met haar vrouw-zijn of iets dergelijks te maken had. Hij mocht haar gewoon niet. Hij glimlachte strak en wilde net iets gaan zeggen toen Rosario tussenbeide kwam.

'Je zei dat de man handschoenen droeg?'

'Ja.'

Madison en Kelly bleven elkaar aankijken.

'Dus geen vingerafdrukken,' ging Rosario door.

'Ik denk het niet.'

'Okiedokie.'

'Hoe gaat het met de Sanders-zaak?' vroeg Madison aan Kelly.

'We werken eraan,' antwoordde Rosario.

Het betekende dat ze nul sporen hadden afgezien van Camerons vingerafdruk op de as van de auto en dat ze hem niet in verband konden brengen met de plaats delict.

Kelly stak een sigaar op. 'Er wordt gezegd dat je niet meer achter Cameron aan durft te gaan.'

'Hoe bedoel je?'

'Dat je de schrik te pakken hebt gekregen na gisteravond en nu met allerlei geschifte theorieën komt. Hoe lang ben je nu bij Moordzaken? Een maand? Je bent als groentje de fout ingegaan: de druk werd te groot en je kon je partner niet meer beschermen.'

Madison deed een stap naar voren en in een onverwacht moment van helderheid wist ze dat ze op het punt stond zich te laten gaan.

'Nou?' zei Kelly terwijl hij haar recht aankeek.

Het zou zo heerlijk zijn geweest hem uit te schelden, om het hem betaald te zetten na vier weken zijn hondse gedrag en de stank van goedkope sigaren die in zijn kleren hing te hebben getolereerd.

Iedereen was opgehouden met waar hij mee bezig was. Het moest nu gebeuren en Madison sprak op zachte toon omdat ze wist dat ze niet hoefde te schreeuwen.

'Weet je, van alle vreselijke dingen die deze week zijn gebeurd, haal jij nog niet eens de top tien. Jij zit ergens tussen "ik ben vergeten bij de stomerij langs te gaan" en "ik moet eigenlijk tanken" in. Jij bent gewoon een klier en het kan me niets schelen wat jij denkt. Zijn we hier nu klaar?'

Kelly knipperde met zijn ogen. Rosario schoot hem te hulp. 'Ik heb het idee dat we er zo wel zijn,' mompelde hij.

'Tuurlijk.'

'Kelly?'

Kelly knikte.

'Oké dan, jongens en meisjes, dit was het.' Hij sloeg zijn partner op de schouder. 'Kom mee.' Kelly verroerde zich niet. Rosario pakte hem bij zijn arm. 'Kom mee.'

Madison wilde dat ze allemaal weggingen zodat zij nog één keer een rondje kon maken. De agenten hadden planken getimmerd voor de vernielde deur.

'We zetten je wel even af,' zei Rosario.

'Nee, dank je. Ik loop liever.'

'Het is vier uur in de morgen.'

'Geen punt.'

'Breng je de sleutels morgen langs?'

'Natuurlijk.'

Hij dempte zijn stem. 'Zorg dat je wat slaap krijgt. We kennen elkaar niet zo goed, maar ik wed dat je normaal gesproken niet groen ziet.'

Iedereen vertrok en toen stond Madison alleen in het lege huis. Ze wist niet of ze het liefst een glaasje bourbon nam om de dag te beëindigen of een kop koffie om hem te beginnen. Ze liep van de ene kamer naar de andere en liet haar hersens registreren wat haar ogen zagen.

Gezien de toestand waarin ze verkeerde, was lopen beter dan samen met Kelly in een auto stappen, al moest Madison tegen de tijd dat ze thuis was haar kleren met trillende handen uittrekken en zichzelf onder een hete douche zetten. De woede die door haar heen stroomde, had niets met Kelly te maken. Hij was alleen ruis. Dat moest ze blijven bedenken.

Madison bleef onder de straal staan tot het water koud werd. In haar witte badjas en met haar konijnenpantoffels aan liep ze naar de keuken. Ze schonk een glas melk in, schudde een paar pijnstillers in de kom van haar hand en sloeg ze met één teug naar binnen. Ze viel moeiteloos in slaap.

29

John Cameron reed in zijn donkergroene Grand Cherokee Jeep op de maximumsnelheid Three Oaks uit. Om vier uur zondagochtend zou het fijn zijn geweest om het gaspedaal diep in te drukken, maar er lag sneeuw en er reden politiewagens rond met zijn foto op het dashboard geplakt. In sommige onverwachte opzichten was het al een goede nacht geweest; hij was niet van plan om risico's te nemen.

Hij was naar Blueridge gegaan om te zoeken naar een verband tussen Jimmy en diens gezin en de man die hun leven had beëindigd, de man die zijn vak kennelijk in de gevangenis was begonnen. In plaats daarvan had hij iets totaal anders gevonden wat mogelijk even nuttig was. Hij keek op de klok; de cijfers gloeiden lichtgroen op. Het was te vroeg en te laat om Nathan te bellen. Hij was hem nog minstens drie uur slaap verschuldigd.

Cameron begreep waarom Nathan liever niet wilde dat hij met Hollis praatte. Ze wisten allebei dat zodra de detective met een naam kwam, de levensverwachting van die persoon drastisch zou dalen. Quinn pakte de dingen op zijn eigen manier aan, maar Cameron ook.

Er staat een huis in de wijk Admiral, boven Alki, bijna op de top van Duwamish Head, een bescheiden woning met drie slaapkamers, op eigen terrein, omringd door dezelfde bomen als elk ander huis in de straat, beschermd door eenzelfde gietijzeren hek. In zeven jaar is er geen enkel levend wezen over de drempel gestapt behalve de eigenaar: de dag dat de werklui klaar waren met de nieuwe houten vloeren was de laatste dag dat er iemand anders dan John Cameron door die vertrekken had gelopen.

Cameron opende het hek met een afstandsbediening en reed de auto de garage aan de zijkant van het huis in. Het lag ver genoeg van de straat om een gevoel van privacy te geven. Cameron liep de woonkamer in en bleef even staan. Eén kant bestond geheel uit glas: het water zwart en stil en daarachter een handjevol flikkerende lichtjes, het centrum van Seattle, aan de andere kant van Elliott Bay.

Hij had een bungalow in Westwood, Los Angeles, en een appartement in New York, maar dit was de plek waar hij altijd naar terugkwam: een eenvoudig gemeubileerd huis, gekocht op naam van iemand anders. Niemand, zelfs Nathan Quinn niet, wist ervan, en niets in het huis stond in verband met enig ander deel van zijn leven, geen snippertje papier met zijn naam erop, geen enkele familiefoto.

Vele jaren lang had hij in een volmaakt evenwicht geleefd; de fragmenten kwamen dicht genoeg bij een geheel, maar raakten elkaar net niet helemaal. Cameron schonk zichzelf een bourbon in en ging in een diepe, leren fauteuil tegenover de glazen wand zitten. Hij nam een slokje en voelde de warmte door zijn borst stromen. Het systeem had gewerkt, tot zeven dagen geleden.

Cameron was kalm en kon helder nadenken. Dat privilege had een hoge prijs gehad. Hij had het geweten in Los Angeles, hij had het geweten toen hij de keel van Erroll Sanders doorsneed en een abrupt eind aan zijn leven maakte. Er was een moment in L.A. waarop hij had beseft dat de dealer niet verantwoordelijk was voor Jimmy's dood, en toch was hij doorgegaan.

Hij nam weer een slokje en hoopte dat er nooit een tijd zou komen dat hij er tegen zichzelf over zou liegen: Sanders was gestorven omdat hij gewoon dood moest en omdat Cameron wist dat hij ervan zou genieten. Zo simpel lag het.

Eerder die nacht, toen hij Jimmy's huis binnen was gegaan, had één onbewaakt moment van verdriet hem bijna zijn vrijheid gekost, misschien zelfs zijn leven. Eén haarscherpe herinnering, James en Annie die hem het huis lieten zien dat ze net gekocht hadden, toen hun kinderen nog niet waren geboren en hun levens zich nog uitstrekten tot in de stralende eeuwigheid. Cameron leegde het glas. Hij was afgeleid en nu wist hij niet eens meer zeker of het geen mengeling van andere herinneringen was geweest, áls het al was gebeurd.

Hij stond op om nogmaals in te schenken, maar liep in plaats daarvan naar het koffiezetapparaat. Hij kon de situatie rechtstreeks benaderen of hij kon zich verweren en gaan rationaliseren en er een strik omheen doen, maar dat zou er niets aan veranderen: hoe voorzichtig hij ook was geweest, toch had híj de moordenaar naar hen toe geleid, híj had hem in hun leven genood. Zeven dagen geleden had iets hem naar huis gevolgd.

Cameron schonk de koffie in en nam het kopje mee naar zijn stoel bij het raam. Rechercheur Madison had hem verrast en dat gebeurde niet vaak. Ze was slim genoeg geweest om op een afstandje te blijven, hoewel ze hem als een terriër had gevolgd en ermee zou zijn doorgegaan als de agenten niet waren verschenen. Ze had haar wapen opgeborgen, een goede aanpak, hij had genoten van dat moment. Maar evengoed was ze rechercheur bij Moordzaken en daar lagen haar prioriteiten. Wilde ze naam maken bij de politie? Wellicht. Wilde ze de moordenaar vinden? Heel waarschijnlijk. Wilde ze de klootzak die haar partner in coma had geschoten te pakken krijgen? Beslist. Daar kon hij op rekenen. Vreemd genoeg had hij haar geloofd toen ze zei dat ze wist dat hij het niet had gedaan. Dus de vraag was eigenlijk heel eenvoudig: wat zou hij gedaan hebben als de agenten geen einde hadden gemaakt aan hun feestje? Tja, wat?

Rechercheur Madison wist niets van de brandstichter die vermoord was in de gevangenis, maar ze moest wel íéts weten. Het was een gesprek waard en hij hoopte om harentwille dat ze die .45 veilig in haar holster zou laten zitten als ze elkaar weer ontmoetten.

Hij keek op zijn horloge, pas ietsje over vijven. Hij wilde met Nathan praten; hij wilde dat die zo snel mogelijk de stad uitging. Er was iets in de houding van rechercheur Madison; ze had er zo vastbesloten uitgezien op die kleine open plek. Voor hem was ze niet bang; zij zat achter iets heel anders aan en dat wisten ze allebei.

Cameron zat te wachten tot het licht werd. Iedereen die hij ooit had ontmoet, was zonder uitzondering bezeten van een verlangen naar macht of naar geld, en hij had zonder uitzondering nooit in zijn leven iets gedaan om het een of het ander te bemachtigen. Toch werd de man die James en zijn gezin had vermoord niet gedreven door die begeerten: aan zijn drijfveren, vermoedde Cameron, lagen duisterder motieven ten grondslag.

Dan hebben we iets gemeen. Cameron keek naar de littekens op de rug van zijn rechterhand.

30

De achttienjarige John Cameron zat tegenover Nathan Quinn in het hoekzitje van de broodjeszaak aan 2nd Avenue. Het was er bedompt en druk, en de serveersters moesten de bestellingen boven het lawaai uit naar de kok schreeuwen. Ze aten hun broodjes pekelvlees; Quinn praatte en Cameron luisterde. Hij sprak over gerechtigheid en het juridische systeem en de moordzaak waar hij mee bezig was, en Cameron was een goede luisteraar. Om eerlijk te zijn was John Cameron die dag niet in de stemming om te praten. Hij leunde achterover op de roodleren bank en keek naar zijn vriend.

Nathan Quinns broer, David, was iets langer dan vijf jaar dood; de familie was erg aangedaan en iedereen was zo goed als ze konden doorgegaan met hun leven, maar het zou nooit meer helemaal hetzelfde worden. Quinn stond altijd klaar voor hem en James, en misschien had het hemzelf ook een beetje geholpen. Daarvóór waren ze alleen de vrienden van zijn jongere broertje; daarna waren ze een levende herinnering aan wat David had kunnen doen, wat hij had kunnen worden als hij was blijven leven.

Cameron knikte op de juiste momenten en Quinn praatte door. Nathan Quinn was een officier van justitie die zich had verzoend met het feit dat het lichaam van zijn broer nooit zou worden gevonden en dat de mannen die verantwoordelijk waren voor zijn dood nooit berecht zouden worden.

Het was geen gemoedsrust; het was elke van God gegeven dag weer een strijd om een eerlijk en fatsoenlijk leven te leiden en te zorgen dat de woede niet de overhand kreeg. Tot kortgeleden had Cameron nooit goed begrepen hoe moeilijk die strijd kon zijn, maar nu lagen de zaken anders.

Op de dag af zes weken geleden had John Cameron met een biertje voor zich in een bar in Eastlake gezeten, toen er een man naar de bar liep en de barkeeper aan zijn hoofd begon te zeuren over iets wat Cameron niet boven de muziek uit kon horen. De bar zelf was een armzalige, bedompte buurtkroeg waar nogal ontspannen werd omgegaan met minimumleeftijden.

Het was een rustige avond en de barkeeper was glazen aan het spoelen en drogen. De klant – eind veertig met een hoop spieren die nu slap aan zijn een meter tachtig lange lijf hingen – liep met de barkeeper mee en kwam telkens dichter bij de kruk waarop Cameron zat. De barman knikte en probeerde duidelijk onder het gesprek uit te komen, maar de klant hield niet op en Cameron realiseerde zich dat hij hem eerder had ontmoet; hij zag er niet bekend uit, maar zijn stem klonk wel bekend, zoals hij maar door bleef razen.

Misschien kwam hij wel eens in het restaurant, hoewel hij iets onaangenaams over zich had en niet het type leek met wie zijn vader bevriend zou zijn. Toch had hij dat getier eerder gehoord.

Dwing me niet om dit te doen.

Zijn nekharen stonden al rechtop toen zijn hersenen ze inhaalden.

Dwing me niet om dit te doen, etterbak die je bent.

Voor hij wist wat hij deed, legde hij zijn linkerhand op de rug van zijn rechter, en voor het eerst in jaren voelde hij het koude lemmet weer tegen zijn huid. De man kwam almaar dichterbij en Cameron keek in zijn glas terwijl hij een slok bier terug voelde komen. Hij slikte het weer door en probeerde te gaan staan, maar zijn benen deden het niet. De man was nu misschien op anderhalve meter afstand en Cameron kon niets anders doen dan blijven zitten en zichzelf dwingen om adem te blijven halen. Op een zeker moment keek hij weer op, omdat het vreemd had geleken als hij dat niet had gedaan. De man leunde met één elleboog op de bar. De barkeeper schonk hem opnieuw in en vulde een bakje pinda's. De man wendde zich tot Cameron alsof die mee had gedaan aan het gesprek.

'Dit is toch niet te geloven?' zei hij op aangename toon. Daarna schudde hij zijn hoofd, pakte zijn glas, bourbon zonder ijs, en de pinda's en ging terug naar zijn tafeltje. Cameron wachtte tot hij weer kon opstaan. Hij legde een bankbiljet op de bar, liet een flinke fooi voor de barkeeper achter en verliet de zaak, hoewel zijn benen hem amper konden dragen.

Buiten liep hij zo'n tien meter naar een verlaten steegje waar hij, dubbelgevouwen met zijn handen op zijn knieën, overgaf tussen twee afvalcontainers. Daarna keerde hij terug naar zijn auto en bleef daar een poosje in zitten, met zijn hoofd achterover en zijn trillende handen op het stuur. Hij twijfelde er niet aan, geen moment. Soms gingen er een paar weken voorbij zonder dat hij eraan dacht en dan kwam het een maandlang elke dag weer terug. Niet langer dan een paar seconden, maar dat was genoeg.

28 augustus 1985. Hij was twaalf, bijna dertien en ze waren aan het vissen in Jackson Pond. David had drie sigaretten van zijn vader gepikt en ze rookten ze op met hun voeten in het koele water. Hun fietsen hadden ze op de grond gegooid. Ze bespraken of ze hun T-shirts zouden uittrekken en dan door een miljoen muggen gebeten zouden worden, of ze aan zouden houden en stikken van de hitte. Jimmy had zijn hoofd onder water gehouden en ermee geschud als een hond. David had gezegd dat zijn lelijke kop de vissen zou afschrikken. Hij slierde een dun gouden kettinkje waaraan een kleine penning van de heilige Nicolaas hing over het wateroppervlak. Dat werkte beter dan aas, zei hij. De ketting was een cadeau van de Schotse familie van zijn vader, die het feit dat zijn moeder joods was nog geen goede reden vond om de jongen de bescherming van de patroonheilige van de Heilige Zielen te ontzeggen. De ketting glinsterde in het water, de vissen bleven weg.

Het was een prachtige dag en school lag nog in de verre toekomst. Toen verscheen het blauwe busje op het pad en werd alles vaag.

John Cameron kwam achter in het busje weer bij, geblinddoekt, zijn handen en voeten knellend geboeid. Hij dacht dat hij sliep en droomde, een gruwelijke droom. Toen botste hij tegen iemand aan die naast hem op de vloer lag en viel weer flauw.

De volgende keer hoorde hij van dichtbij fluisterende mannenstemmen en bleef hij iets langer bij bewustzijn. Het was zo heet onder de blinddoek dat hij amper adem kon krijgen en het rook afschuwelijk, naar een of ander chemisch schoonmaakmiddel. Zijn hemd kleefde aan zijn lichaam, zijn hoofd begon te bonken. Hij wist dat ze groot gevaar liepen. Hij wilde iets roepen naar de anderen, maar bleef gedesoriënteerd en stijf van angst liggen tot het busje hobbelend tot stilstand kwam.

De blinddoek zat strak om zijn gezicht en hij kon niets zien. Hij voelde dat iemand die groot en sterk was hem van de groezelige mat op de bodem van het busje naar buiten tilde. De lucht was fris en het was er erg stil; ze moesten ergens buiten de stad zijn. De mannen, drie, misschien vier, gingen snel te werk en zeiden weinig.

Hij werd tegen een boom gedrukt en met een touw om zijn schouders en dijen vastgebonden. Het gras voelde koel aan onder zijn voeten en hij herinnerde zich dat ze hun schoenen hadden uitgedaan bij de vijver; die moesten daar nog staan. Links van hem hoorde hij een geritsel van kleren en beweging, David en Jimmy. Wat gebeurde er? Ze waren gekidnapt. Daar had hij in de kranten over gelezen. Vorig jaar had iemand een jongen in Spokane meegenomen en hem na een paar dagen teruggestuurd. Was dat het? Er hing een zware stilte om hen heen. Hij snoof sigarettenrook op en hoorde de vering in het busje een beetje kraken toen de mannen erin gingen zitten. Hoe helderder zijn hoofd werd, hoe drukkender het gevoel van angst, alsof er iemand op zijn borst knielde.

Een hele tijd lang zei niemand een woord. Toen begon er een man te praten: 'Jongens, ik wil dat jullie goed naar me luisteren. Zeg ja.'

Niemand zei iets.

'Zeg ja.'

'Ja,' hoorde John twee stemmen zwakjes zeggen, net als hijzelf.

'Dit is een boodschap voor jullie papa's. Ik wil dat jullie hem onthouden. De boodschap is: het is niet persoonlijk, het is zakelijk. Begrepen? Herhaal het.'

'Het is niet persoonlijk, het is zakelijk.'

Hij hoorde David en Jimmy en deed zijn mond open, maar er kwam niets uit.

'Nog een keer.'

'Het is niet persoonlijk, het is zakelijk.'

'Hé, kleintje. Je hebt me toch gehoord? Wil je naar huis?'

John knikte. De man stond dicht bij hem en rook naar tabak en augustuszweet. Zijn stem klonk zo vals en gemeen dat John bijna blij was dat hij hem niet kon zien. Wat voor soort gezicht zou bij zo'n stem horen?

'Vooruit, lieverd, zeg het.'

John herhaalde de woorden heel zacht.

'Harder.'

John brulde nu.

'Zo, die heeft flinke longen,' gniffelde iemand.

John zoog diepe teugen lucht naar binnen en probeerde niet te snikken. Dat genoegen zou hij ze niet gunnen.

'Vooruit, jongen. Laat horen.'

John schreeuwde de woorden nog een keer.

'Goed zo. Oké, zo dadelijk laten we jullie naar huis gaan, maar ik wil één ding duidelijk maken: als jullie dit ooit aan de politie vertellen, kom ik terug en neem ik jullie mee. Als jullie dit ooit ook maar aan íémand vertellen, kom ik terug en neem ik jullie mee. En ik zal je vader en moeder ook kwaad doen. Begrepen? Jullie hebben niets gezien en jullie hebben niets gehoord. Geef de boodschap alleen door aan jullie papa's en iedereen blijft leven. Begrepen?'

'Ja.'

Nu wisten ze dat het om het restaurant ging. De volwassenen spraken niet over zaken als zij erbij waren, maar dat moest het zijn.

'Eens zien of je het nog harder kan, watje.' John voelde iets scherps in zijn arm snijden.

'Wat doe je nou in godsnaam?' De stem van één man op een paar meter afstand.

'Hou je kop. Dwing me niet om dit te doen, jongen. Laat horen.'

John gaf een gil toen het mes weer in zijn arm sneed.

'Hé.'

'Ga in het busje zitten en hou je kop, verdomme,' zei de man kalm.

'Toe nou, we moeten hier weg.'

'Wat doen jullie?' Dat was Davids stem.

'Laat dat jong met rust. Kom mee.'

'Dwing me niet om dit te doen, ettertje. Laat horen.'

John schreeuwde de woorden zo hard hij kon. Hij dacht aan de kikvorsen die ze op school moesten ontleden; sommige kinderen stonden te trappelen om te beginnen. *Hij is vast ook zo en ik ga dood*, en even voelde het alsof die paniek hem uit zijn lichaam de dood in zou persen.

'Hou op!' Davids stem.

'Wat zei je?' De man liep van hem weg.

'Hij is nog maar een kind. We zullen doen wat u wilt, maar hou op hem pijn te doen.' Davids stem klonk buiten adem en van angst iets hoger dan normaal.

'Als je heelhuids thuis wilt komen, dan moet je nu meteen je mond houden.'

Het gebeurde sneller dan hij ooit voor mogelijk had gehouden. David ademde gejaagd; hij zei niets. John had ooit een kind gezien dat een astma-aanval had. Zo klonk David ook, maar dan erger.

'Wat is er aan de hand?' De stem van een andere man.

'Hij ademt niet meer. Snij hem los.' Weer een andere man.

'Laat hem staan. Het komt wel goed.'

'Hij krijgt geen adem, doe iets.'

Ze spraken door elkaar heen en daaronder dat vreselijke gesnak naar adem.

'Shit, we moeten iets doen.'

'Als je hem aanraakt, hak ik je hand eraf.'

'Het gaat niet goed met hem.'

'Dat zien wij ook wel, debiel. Snij hem los.'

'Nee.'

De andere mannen durfden niet tegen hem in te gaan. Ze stonden daar maar terwijl de ademhaling zwak en oppervlakkig werd. John spitste zijn oren.

'Dave?'

'Dave?' Jimmy's stem.

Cameron trok aan de touwen en boog zich zo ver naar voren als maar kon, maar plotseling kon hij David niet meer horen. Hij kon niets meer horen.

'Dave?'

Een vreselijk lange stilte. Ergens boven hem het geritsel van de boom waaraan hij vastgebonden was.

'We zijn hier wel klaar,' zei de man ten slotte.

'Wat is er gebeurd?' Jimmy's stem.

Ze hoorden dat iemand touwen begon door te snijden. 'Dit hadden we niet afgesproken.'

'Doe het nou maar.'

'Wat doen we met hem?'

'Hij gaat met ons mee.'

'Wat moeten we doen?'

'Hou je kop en start het busje.'

'Dit hadden we niet...'

'Hou verdomme je kop en start het busje.'

John Cameron kon niets zeggen, niet bewegen, niet nadenken. De duisternis voor hem draaide rond en kwam dichter op hem af. Hij ving de bittere geur van sigarettenrook op en voelde de man naast hem staan.

'Jullie weten wat we gezegd hebben.'

'Hoe is het met David? Wat is er gebeurd?'

'Jij en je vriend zeggen geen woord, tegen niemand. Niet tegen de politie, niet tegen je vader, niemand.'

'Wat hebben jullie met hem gedaan?'

'Niet tegen de politie, niet tegen je vader, niemand.'

'Wat hebben jullie met hem gedaan?' Johns stem brak.

'Misschien moet ik ervoor zorgen dat jullie het je goed herinneren.'

John voelde het lemmet op zijn huid en de schroeiende pijn en hij viel flauw. De stemmen volgden hem het duister in. 'Wat nu?'

Toen hij even later bijkwam, had hij een stekende pijn in zijn armen, gloeiden zijn handen en was hij doordrenkt van het zweet.

'Jimmy?'

'Ik ben hier.'

'Waar zijn ze?'

'Ze zijn weg.'

'Is alles goed met je?'

'Ik geloof het wel. En met jou?'

'Mijn armen doen pijn.'

'Ik geloof dat ze David meegenomen hebben.'

Ze konden zich er geen van beiden toe brengen om het te zeggen.

Na een poosje fluisterde Jimmy: 'Denk je dat ze terugkomen?'

'Ik weet het niet. Misschien.'

Het was een vreselijk idee, dat de mannen terug zouden komen, maar als dat niet gebeurde, wie zou hen dan vinden en zocht iemand wel naar ze?

'Ik ga proberen om los te komen, Jimmy. Probeer jij het ook. We moeten vluchten voor ze terugkomen.'

Door zijn hoofd op en neer tegen de schors te wrijven, kreeg John de blinddoek een beetje los. Na een uur gleed hij van zijn gezicht en bleef als een cowboyhalsdoek om zijn nek hangen. Hij sperde zijn ogen open en knipperde het gruis weg: ze stonden in een bos en het was donker aan het worden. Ze hadden geen flauw idee waar ze waren en niemand wist dat ze daar waren.

John keek om zich heen; er was geen weg, geen pad, niets. Hij snapte niet hoe ze hier waren gekomen. Hij keek omhoog. De boom waaraan hij was vastgebonden, leek enorm, van het soort waarvan je de ringen moest tellen als ze hem omzaagden. Voor de rest stond er alleen hoog gras, varens en nog meer varens, zo ver je kon kijken, wat niet erg ver was omdat het al begon te schemeren. Toen keek hij omlaag en verloor het laatste beetje moed dat hij nog in zich had: hij zat onder het bloed. Het vormde al een korst op de kapotgesneden stof van zijn T-shirt en op zijn huid. Hij kon amper meer de kleur van de mouwen zien. Hij zoog zijn adem in en Jimmy keek zijn kant op en vroeg met nieuwe paniek in zijn stem: 'Wat is er?'

John keek naar zijn handen, die donker en glibberig waren, en voelde de tranen komen. Hij kon gerust huilen, Jimmy zag het toch niet. Het kwam niet door de pijn. Hij was helemaal verdoofd, maar alles in hem wilde er plotseling uit. Hij bewoog zijn vingers een beetje en die deden het nog. De doordringende pijn kwam in vlagen.

'Niks, alles is oké,' zei hij, en hij begon te draaien en te kronkelen om het touw rond zijn schouders losser te maken. Zijn gezicht was nat en hij perste zijn lippen op elkaar.

Toen het avond werd, waren ze nog steeds bezig. Jimmy boekte weinig vooruitgang en had zelfs zijn blinddoek nog niet af gekregen. Tegen de tijd dat het pikkedonker was, namen ze aan dat de mannen misschien niet terug zouden komen. Ze zouden zichzelf moeten bevrijden of voor altijd vermist blijven. En de jongens praatten, onophoudelijk, over alles behalve over waar ze waren en wat hun was overkomen. Ze praatten de hele nacht door omdat ze dachten dat het lawaai wilde dieren zou afschrikken en boven-al omdat de stem van de ander het enige bewijs was dat ze nog leefden.

Het was een warme augustusnacht. Ze hadden het wel een beet-je koud, maar het was uit te houden. Ze konden er zelfs grapjes over maken toen Jimmy moest plassen en zei dat hij niet snapte hoe het er zo heet uit kon komen terwijl zijn ding bevroren was. Ze gaven geen van beiden toe dat ze in hun broek hadden geplast toen de mannen er nog waren. De nacht ging langzaam voorbij. Kleine wolkjes insecten zoemden rondom hun gezicht en soms was het even stil als de een in slaap viel en de ander een paar mi-nuten min of meer de wacht hield voor hij zijn vriend weer wak-ker schreeuwde.

Op een bepaald moment kronkelde John onder het touw rond zijn schouders uit. Het was slechts een kleine zege, maar het voel-de geweldig. Toch was hij zo zwak dat hij bijna blij was dat zijn benen aan de boom waren gebonden, anders was hij plat op zijn gezicht gevallen. Hij had honger en dorst en over de kilte van de nacht werden geen grappen meer gemaakt. Jimmy viel telkens lan-ger in slaap en John bleef tegen hem praten tot hij zich weer ver-roerde.

Het was al licht geworden toen hij helemaal los was. Hij had het touw om zijn polsen doorgebeten; die waren zo koud dat hij geen gevoel meer in zijn armen en handen had. Zijn blote voeten gle-den er makkelijk uit en hij kwam op zijn knieën terecht, met zijn handen plat op de grond, zo hard trillend dat het leek alsof hij op-nieuw moest leren lopen. Hij greep een handjevol bedauwd gras en wreef ermee over zijn voorhoofd en wangen. Toen struikelde hij naar de slapende Jimmy en legde een hand op zijn schouder.

'Hé.'

'Hou vol. Ik maak eerst je blinddoek los.'

Zijn vingers waren zo koud dat hij de knoop niet open kreeg. In plaats daarvan trok hij de blinddoek voorzichtig over zijn hoofd en gooide hem in de struiken. Het eerste licht gloeide door de ochtendmist en de jongens keken elkaar aan. Jimmy's ogen gingen naar de donkere vegen op Johns shirt en hij deed zijn mond open.

'Het valt wel mee,' zei John snel, maar eerlijk gezegd was hij zo licht in zijn hoofd dat het moeilijk was om helder na te denken. Allereerst moest hij Jimmy losmaken. Maar het lukte hem niet – de touwen zaten nog strak en ze gaven niet mee. John was al een uur bezig en nog waren ze maar op een paar plaatsen licht gerafeld.

'Je moet hulp gaan halen,' zei Jimmy.

'Ik laat je hier niet achter.'

'Je laat me niet achter, je gaat hulp halen. Iemand moet naar ons op zoek zijn. Ik bedoel, jouw moeder gaat al uit haar dak als je vijf minuten te laat bent voor het eten, toch?'

'Klopt.' John lachte zwakjes.

'Ga maar gauw.'

'Oké.'

John keek waar het zonlicht vandaan kwam. Dat was een goede plek om te beginnen. Hij liep weg door de struiken en draaide zich nog één keer om voor hij een dal in ging. Jimmy's hoofd rustte tegen de boom en zijn ogen waren al dicht. John begon te rennen.

Iets meer dan vijf jaar later zat John Cameron in zijn auto. Nu wist hij precies hoe de man die hem zijn littekens had bezorgd eruitzag. De man had hem gezien, hij had verdomme met hem gepraat en hem niet herkend, hem niet eens nader bekeken hoewel de lucht rondom hem zinderde van zijn angst.

De deur van de bar ging open en weer dicht. John ging achterover zitten in zijn stoel. In de achteruitkijkspiegel liep de man langzaam weg. Het sleuteltje zat al in het contact, hij hoefde het alleen maar om te draaien en weg te rijden. De man was bijna bij de hoek, nog een paar seconden en hij zou uit zijn leven verdwijnen. Dat kon John niet laten gebeuren, deze keer niet.

Hij stak het sleuteltje snel in zijn zak, liet zich uit de auto glijden en deed het portier zachtjes dicht. Hij zag hem nog steeds; misschien liep hij naar huis. Hij kon niets anders doen – Cameron stak de weg over en volgde hem.

Hij bleef op een flinke afstand. De straten waren verlaten – naast hen lag alleen een blok armoedige huizen van twee verdiepingen. Tien minuten later bleef de man staan, stak zijn sleutel in een roodgeverfde, afbladderende deur naast een wasserette en even later lichtten er twee vensters op en werden de gordijnen dichtgetrokken.

John Cameron liep langzaam langs de rode deur, dichtbij genoeg om te zien dat er twee deurbellen waren, allebei zonder naam ernaast. Hij kwam bij de hoek, stak de weg over en keerde terug. Al die tijd had hij zijn ogen niet van de ramen afgehouden. Er was geen beweging meer te zien geweest; de man was gaan slapen. John Cameron bleef aan het eind van het blok staan en deed net of hij door een tralieluik naar de etalage van een pandjeshuis keek. Hij kon nu gaan, maar hij aarzelde nog. Ten slotte liep hij terug naar zijn auto en reed naar huis; zijn ouders sliepen en zijn moeder had een stuk taart voor hem in de ijskast achtergelaten.

Hij was nog steeds verbijsterd en geschokt en, als hij eerlijk was, een beetje opgetogen over de hele avond. Hij at het stuk chocoladetaart bij de gootsteen op. Hij had geen honger, maar de taart smaakte naar alles wat goed en bestendig was in zijn leven.

Zijn gedachten buitelden over elkaar heen en hij probeerde zijn gezonde verstand te bewaren. Hij moest Nathan bellen, hij moest het hem vertellen. In zijn nachtmerries, in de afschuwelijke dromen die hij had nadat ze waren gered, was er altijd maar één man. De anderen waren verdwenen; zij speelden een kleine, onbelangrijke rol. Hij was degene die verantwoordelijk was voor de anderen. Hij had hun verboden David te helpen, en vanwege hem was David gestorven.

In de chaos van het onderzoek, waarin de twee voornaamste getuigen weinig zeiden dat van enig nut was, was er maar één ding zeker: David Quinn leed aan een milde vorm van aritmie, een hartkwaal die zijn hartslag beïnvloedde. Hij had er zo nu en dan medicijnen tegen genomen en men verwachtte dat hij een normaal leven zou kunnen leiden, maar toen zijn ouders vernamen wat de jongens hadden gehoord, wisten ze meteen wat dat betekende: hun zoon was dood.

John Cameron ging de woonkamer in en schonk zichzelf een klein glaasje Johnnie Walker in, uit de fles van zijn vader. Dat had hij nooit eerder gedaan, maar daar was het dan ook de avond naar. Hij ging aan de keukentafel zitten en zijn gedachten keerden terug naar de plek waar nachtmerries vandaan komen.

Ze hadden erover gepraat, Jimmy en hij, voor ze een verklaring aflegden, maar slechts één keer. Nog maanden erna waren ze doodsbang dat de mannen terug zouden komen om hun en hun ouders iets aan te doen. Het was niet moeilijk geweest om te liegen, om tegen de agenten te zeggen dat ze de gezichten van de mannen nooit hadden gezien en hun stemmen niet herkenden. Ze waren meegenomen vanaf Jackson Pond, verdoofd, ergens naartoe gebracht in een busje. Toen ze geblinddoekt bijkwamen in het bos waren ze vastgebonden, en daarna had David een aanval gekregen. Niemand had ze verteld waarom ze daar waren, niemand had ook maar iets gezegd.

In de loop der jaren waren er allerlei theorieën geweest. Nu wist John Cameron, met de wijsheid van de late tienerjaren, dat het een verkeerd afgelopen poging tot afpersing was geweest.

Hij keek naar de telefoon aan de muur naast de deur. Het zou hem precies tien seconden kosten om Nathan te bellen en het hem te vertellen, maar dan? Hij zou zorgen dat de man opgepakt en formeel geïdentificeerd werd. Ze zouden hem aanklagen, in een cel stoppen en de sleutel weggooien. John had al die tijd dat Quinn op het OM werkte zijn oren opengehouden. Hij wist hoe het ging en plotseling besefte hij dat ze geen kans maakten. Hij was de enige getuige die hem kon identificeren. Hij betwijfelde of Jimmy dat kon en wat voor zaak hadden ze dan? De advocaat van de tegenpartij, al was het een pro-Deoadvocaat die honderd zaken per dag moest doen, zou meteen gehakt maken van zijn getuigenis. De man zou nooit aangeklaagd worden, hij zou vrijuit gaan.

John Cameron waste het glas af en zette het in het droogrek. Hij wist waar de man woonde, hij wist waar hij zijn biertje dronk. Dat was meer dan hij drie uur geleden had geweten.

Hij ging naar bed en op een of andere manier lukte het hem de volgende morgen twee uur Engelse literatuur en een uur Introductie tot de filosofie uit te zitten.

Toen het tijd was, reed hij naar Eastlake, parkeerde op dezelfde plaats en zette de motor uit. Hij was weer bang. Nou en? De man wist niet wie hij was; hij hoefde alleen maar op zijn kruk te gaan zitten en zijn cola op te drinken. Hij had tevoren besloten dat hij broodnuchter moest zijn, al zou alcohol hem wel moediger maken. Angst was gewoon een normale, dierlijke reactie, zei hij tegen zichzelf. Hij liep naar binnen, zag de man achter zijn tafeltje achterin zitten en stond op het punt zich om te draaien en weg te gaan, maar ging in plaats daarvan aan de bar zitten en bestelde iets.

Even later kwam de man bij de bar staan om een praatje met de barkeeper te maken. Hij herkende John van de avond tevoren en knikte naar hem; Cameron knikte terug. Zijn blik volgde hem terwijl hij terugliep naar zijn tafeltje en in John Camerons wereld begon iets te kantelen.

In de maand daarna kwam hij misschien zo'n drie keer per week langs en meestal was de man er ook, en elke keer nam zijn angst iets af. De barkeeper was een aardige kerel die zich verveelde achter de bar en praatjes aanknoopte met wie er maar in de zaak was. Soms was dat Cameron. Op een avond vroeg John hem hoe de man heette, omdat hij hem deed denken aan iemand die zijn vader vroeger had gekend. De man heette Timothy Gilman, hij werkte in de haven en had een tijd in de gevangenis gezeten wegens verduistering.

'Werkelijk?' zei Cameron, maar bij zichzelf dacht hij dat de man veroordeeld moest zijn wegens geweldpleging: niets aan hem deed aan fraude denken, maar alles aan 'Ik ga je te grazen nemen en niet zo'n beetje ook'.

Op een zaterdagavond waren ze allemaal in het restaurant voor de verjaardag van Jimmy's vader. De groep vrienden en familie zat in de privékamer. Er werd luid gejuicht toen de taart met de aangestoken kaarsjes werd binnengebracht.

Camerons huid tintelde. Hij kon zich nergens op concentreren. Hij wist dat Nathan Quinn hem zou hebben geloofd, maar Nathan en zijn familie hadden de dood van David al bijna niet overleefd. Dit keer zouden ze eraan onderdoor gaan.

Jaren geleden waren ze hetzelfde vertrek binnengelopen. De muren waren nog maar half geschilderd; de feestelijke opening zou een week later plaatsvinden. De volwassenen hadden niet gezien dat John achter een kartonnen doos met een borstel zat te spelen.

'Ik heb begrepen dat zoiets eerder is gebeurd, maar niemand heeft ons nog benaderd en we weten niet of dat ooit zal gebeuren,' zei zijn vader.

'Het is gewoon iets waarvan we ons bewust moeten zijn,' antwoordde Davids vader. 'Er kan iemand komen aankloppen. Dit is een nieuwe zaak en er zijn mensen die ons als een makkelijk doelwit zouden kunnen zien.'

'Bedoel je dat we zomaar protectiegeld moeten betalen aan wie er maar langskomt?'

'Nee. Ik bedoel dat we niet weten of we iemand tegen de haren in strijken. Hopelijk laten ze ons met rust.'

'En zo niet?'

'Dat zien we wel als het zover is. Áls het zover komt,' antwoordde Davids vader.

Op een middag in augustus was het zover.

Net toen zijn vader opstond om een toost uit te brengen, vroeg John Cameron zich af hoe bevredigend het zou zijn om Gilman mee te nemen naar het bos en wat hij tegen hem zou zeggen als hij dat voor elkaar zou krijgen. Op de rustige avonden in de bar had hij vaak met dat idee gespeeld; ze zouden beslist veel te bespreken hebben. De angst was niet helemaal verdwenen, en er was ook nog iets anders, iets wat hij niet helemaal kon benoemen.

Zijn blik ontmoette die van Jimmy aan de andere kant van de tafel; Cameron pakte zijn glas. Van alle dingen die hij ooit in zijn leven zou doen, zou wat hij nu ging doen het enige zijn waarvan hij nooit spijt zou krijgen. En wat er ook van kwam, hij zou altijd met het eindresultaat kunnen leven. Als dat hem ietsje minder menselijk maakte dan zij waren, dacht Cameron terwijl hij het vertrek rondkeek, dan was dat gewoon de prijs van het zakendoen.

Het was precies zes weken geleden dat John Cameron Timothy Gilman voor het eerst had gezien. Hij had met Nathan Quinn geluncht in de broodjeszaak op 2nd Avenue waar ze altijd naartoe gingen, en had de middag gebruikt om de laatste details van zijn speciale project te regelen.

Toen hij de bar in liep, ging zijn blik automatisch naar de tafels waaraan Gilman en enkele van zijn vrienden altijd zaten. Hij was er. Cameron nam plaats op een kruk en bestelde koffie met een glaasje bourbon. Er zaten twee mannen bij Gilman, een magere met een tatoeage op de rug van zijn hand en een lange Scandinavisch ogende kerel. Cameron wilde ze geen van beiden leren kennen.

Hij stopte een munt in de telefoon in de hoek en belde Nathan Quinn thuis. Toen hij de stem van zijn vriend hoorde terwijl hij naar Gilman keek, hield zijn hand op met trillen en kwam zijn hart tot bedaren. Minuten later had hij zich niet meer kunnen herinneren waarover ze gepraat hadden, misschien over de wedstrijd, misschien over iets anders.

Hij wisselde wat futiele opmerkingen uit met de barkeeper om te laten merken dat het een normale avond was, dronk zijn glas leeg en vertrok, misschien ietsje eerder dan gewoonlijk, maar niet zoveel vroeger dat het iemand zou opvallen.

Het begon net te sneeuwen toen hij naar buiten kwam. De koffie en de bourbon hadden elkaar zo'n beetje geneutraliseerd en hij verwelkomde de scherpe, schone lucht. John Cameron had speciaal voor die avond nieuwe kleren gekocht. Niets speciaals, gewoon iets wat warm was en wat hij na afloop zonder berouw kon verbranden.

De straten waren verlaten, zoals te voorspellen was. Hij keek op zijn horloge; het was 22.20 uur. Zijn auto stond al op zijn plaats, in de steeg tegenover Gilmans huis. Er was geen licht in de steeg; binnen een paar stappen was het er pikkedonker. Cameron leunde met over elkaar geslagen armen op zijn auto. Iemand die tien meter verder op de stoep stond, zou hem niet gezien hebben, en dat kwam hem prima uit. Gilman was een gewoontedier, maar hij was ook groot, en had een lichaamsbouw die overeenkwam met zijn temperament. Cameron wachtte. Zijn hart bonkte, maar zijn hoofd was helder. Hij hoefde dit niet te doen, hij kon er zonder schande of spijt van afzien, en als zijn handen trilden in de handschoenen, dan kwam dat evenzeer van de kou als door de zenuwen.

Hij dacht niet aan zijn familie of zijn vrienden, hij dacht niet aan

David. Hij concentreerde zich op de straat voor hem, de dunne laag sneeuw die tegen de ochtend al verdwenen zou zijn, de auto's in de verte op Eastlake Avenue, een klein beestje dat achter hem door de steeg schoot.

Cameron hoorde Gilman al voor hij hem zag. De man verscheen om de hoek; Cameron trok zijn zwarte bivakmuts naar beneden. Hij liet hem tot aan de deur met de afbladderende rode verf lopen; hij zag dat hij de sleutel uit zijn zak haalde. Hij overbrugde de afstand tussen hen in enkele seconden, de met staal verzwaarde handschoen al in zijn rechterhand. Hij raakte hem hard op zijn achterhoofd en Gilman zakte zonder een geluid te maken in elkaar. Cameron stond, snel ademend in de bivakmuts, over hem heen gebogen. Er was verder niemand te zien. Hij moest snel handelen.

Hij rolde Gilman op zijn borst en bond zijn polsen stevig vast met een stuk plastic touw, van het soort waaraan je was te drogen hangt, drie gekleurde strengen, blauw, rood en wit. Zijn voeten bond hij op dezelfde manier vast, snel en zorgvuldig. Hij had een zwarte plastic zak meegenomen, deed die om zijn hoofd en maakte hem losjes om de nek vast. Het laatste wat hij wilde, was dat de man meteen zou stikken.

Cameron keek op. Nog steeds niemand. Hij reed de auto achteruit door de steeg, stopte dicht bij Gilman, opende de kofferbak en greep de man onder zijn oksels. Hij tilde hem op en schoof hem naar binnen, ervoor zorgend dat zijn handen en voeten niet naar buiten staken, en deed de kofferbak zachtjes dicht. Hij speurde de straat af, de stoepen, de vensters. Niets te zien. John Cameron stapte in de auto en reed de stad uit naar Mount Rainier National Park.

31

'**W**akker worden.'

Timothy Gilman opende zijn ogen. Hij zat met zijn benen recht voor zich en zijn rug tegen een boom. Zijn handen waren opnieuw geboeid en rustten op zijn buik. Hij was gedesoriënteerd en had gruwelijke pijn in zijn hoofd. Hij probeerde onhandig om zijn benen onder zich te trekken en op te staan.

'Niet doen.'

Om zijn nek spande iets en werd weer losser. Hij had sowieso niet kunnen opstaan. Hij liet zich weer vallen.

'Wat betekent dit?' mompelde hij.

'Heb je dorst?'

'Wat?'

'Er staat een fles water naast je.'

Zijn mond was droog en hij was dorstig genoeg om het te riskeren. Hij tastte naar de fles, schroefde hem open en nam een flinke teug. Misschien zou dat hem wat tijd geven om te begrijpen wat dit in godsnaam voorstelde. Hij nam nog een klein slokje en daarna nog een. Hij keek om zich heen en moest zijn ogen tot spleetjes knijpen om alles scherp te kunnen zien.

Het enige licht kwam van de koplampen van een auto die op een paar meter afstand stond geparkeerd. De stralen sneden door de open plek en verdwenen tussen de dennen. Op zo'n drie meter voor hem zat een man op zijn hurken. Hij was tenger gebouwd en zijn gezicht werd bedekt door een zwarte bivakmuts. Dat was een goed teken, dacht Gilman. Het betekende dat de man niet herkend wilde worden, wat weer betekende dat hij van plan was hem ooit te laten gaan, wat een grote fout zou zijn.

Een stuk van hetzelfde touw waarmee hij was vastgebonden, was om de linkerhand van de man gewonden. Gilman volgde het met zijn ogen. Het ging recht omhoog de boom in waartegen hij leunde, wikkelde zich een keer rond de zware tak en kwam weer naar beneden om te eindigen in de strop om zijn eigen nek. Die zat slap genoeg om hem gelegenheid te geven zijn hoofd te draaien, maar zo strak dat hij het er niet uit kon krijgen.

Zijn ogen gingen terug naar de hurkende man. Die zag er veel tengerder uit dan hij, maar als hij zijn volle gewicht gebruikte, zou het hem misschien lukken hem zittend op te hangen.

Er kriebelde iets in zijn keel en zijn stem klonk als een laag geschraap. 'Je bent er geweest,' zei Gilman.

John Cameron stond op. Hij pakte het stuk loshangend touw en wikkelde het om zijn onderarm totdat het niet meer slap hing. Zijn hart bonkte bijna uit zijn borst en met de bivakmuts op ging zijn ademhaling sneller dan hem lief was, maar daar zaten ze nu, met zijn tweeën, en de stem die uit zijn mond kwam, was amper de zijne.

'Dat dacht ik niet. Niet vanavond,' zei hij.

'Is dit een grap?'

'Nee.'

'Want mijn kont bevriest bijna.' Gilman schoof heen en weer op de grond. 'En ik breek je nek als je me niet snel vertelt wat dit moet voorstellen.'

John Cameron had dit moment zo vaak in gedachten gerepeteerd dat hij de woorden uit zijn hoofd kende, wat hij zou zeggen, wat hij zou doen. Maar toen hij voor Gilman stond, zijn leven aan het eind van een touw in handen had, voelde alles verkeerd en zinloos aan. Hij deed zijn mond open en er kwam niets uit. Hij stikte in die muts.

'Wat wil je?'

Terwijl hij met zijn linkerhand het touw stevig vasthield, deed John Cameron met de rechter zijn bivakmuts af en stopte die in de zak van het jack.

Gilman leunde voorover om hem beter te kunnen zien. 'Krijg nou...'

Omdat het touw te slap ging hangen, ging Cameron weer op zijn hurken zitten. Zo konden ze elkaar in de ogen kijken en hij wachtte tot Gilman zich weer onder controle had.

'Jij bent die jongen uit de bar.' Gilman kon het niet geloven; hij werd gegijzeld door een jongen. Hij trok zijn benen weer onder zich en wilde opstaan.

'Blijf zitten.' Cameron gaf een harde ruk aan het touw en Gilman viel op de grond. Hij staarde naar de tengere gestalte die hij bijna kon aanraken. 'Ben je krankzinnig?' kraste hij.

'Ik heet John Cameron.'

'John, het kan me geen reet schelen hoe jij heet. Ben je helemaal geschift geworden?'

'Wellicht. Maar dat doet er nu niet toe.' Misschien was het stom geweest om de muts af te doen, maar het voelde stukken beter.

'Ik heet John Cameron,' zei hij. 'Ik heb heel lang naar je gezocht.'

Gilman was eerder verbijsterd dan bang. De naam van de jongen klonk bekend, maar zei hem nog steeds niets. Zijn stem sneed als een mes door de lucht. 'Wat wil je?'

'Ik wil weten wie jou betaald heeft om ons te ontvoeren. Ik wil weten wat er met David is gebeurd.'

Gilman knipperde met zijn ogen. 'Wat?'

Cameron trok zijn handschoen uit, stopte hem in zijn zak, keek terloops naar zijn rechterhand en boog zijn vingers. Er was licht genoeg om te zorgen dat Gilman het zag.

'Ik wil weten wie jou betaald heeft om ons te ontvoeren. Ik wil weten wat er met David is gebeurd.'

De uitdrukking op Gilmans gezicht veranderde maar langzaam. Hij leunde achterover tegen de boom. Zijn ogen stonden hard, zijn adem kwam wit en hijgend uit zijn mond en zijn handen balden zich tot vuisten. Hij herinnerde het zich.

'Ik maak je helemaal kapot,' fluisterde hij.

'Dat heb je al eens geprobeerd,' zei Cameron bedaard. De oude angst was niet ver weg, maar het was een onverwachte opluchting om eindelijk oog in oog te staan met de man. 'Vertel me over David.'

'En dan?'

'Dan laat ik je gaan.'

'Dat denk ik niet. Je hebt me niet hierheen gebracht voor een gesprekje.'

'Als ik je kwaad had willen doen, dan had ik dat al honderd keer gekund, op die avonden dat je alleen uit de bar naar huis liep. Zoals vanavond. Als ik je dood wilde hebben, dan was je nu dood.'

De woorden voelden vreemd aan in zijn mond; Cameron besefte dat hij niet loog.

'Hoe heb je me gevonden?'

'Bij toeval. Ik was een paar keer in de bar geweest en op een avond hoorde ik je stem.'

'En dat riep herinneringen op, neem ik aan. Trouwens, hoe gaat het met je hand?'

'Heel goed. Wat is er met David gebeurd?'

De man schudde zijn hoofd. 'Dat jong was al dood toen we hem lossneden.'

Cameron voelde zich bevriezen. Hij wist niet of het door de woorden van de man of door de kille nachtlucht kwam. 'Hij heette David Quinn.'

'Vast,' zei Gilman. 'Als je wilt weten waar we hem hebben begraven, zul je me los moeten maken. Wil je dat niet weten?' Hij stak zijn polsen uit.

'Natuurlijk,' zei Cameron, maar hij bewoog zich niet.

'Het was een ongeluk. Dat moet je weten; hij was ziek. Het was niet onze schuld.'

'Je had hem kunnen helpen.'

'Hoe weet je dat we dat niet hebben geprobeerd? Je had een blinddoek voor.'

Cameron wikkelde het touw nog een keer om zijn arm en greep het steviger vast.

'Wil je weten wie ons ervoor betaalde? Dat kan ik je vertellen. Ik kan je ook naar ze toe brengen.' Gilman draaide zijn hoofd naar links en naar rechts. 'Maar dan moet je me eerst bevrijden van dit ding.'

Stilte. Er bewoog niets om hen heen.

'Natuurlijk,' zei Cameron zachtjes.

'Natuurlijk,' antwoordde Gilman. Hij begon overeind te komen. Cameron liet hem tot halverwege komen en gaf toen plotseling met twee handen en bijna zijn hele gewicht een ruk aan het touw. Gilman hijgde en probeerde het vast te grijpen. 'Af,' siste Cameron hem toe.

Gilman zakte achterover, met de strop nog steeds strak om zijn hals, zijn hoofd een beetje naar opzij, zijn voeten zoekend naar de grond.

'Waar is David?'

'Niet op een plek waar jij hem kunt vinden.'

Cameron trok het touw strakker aan. 'Waar is hij?'

Gilman stond op zijn tenen. Hij had nog maar een beetje lucht over in zijn longen.

'In het water. We hebben hem in het water gegooid.'

'Waar?'

'Maakt dat uit?'

Cameron zette zich schrap en trok.

'In de Hoh, we hebben hem in de rivier gegooid.'

'Wie heeft je betaald?'

'Dat weet ik niet.'

'Lieg me niet voor.'

'We kregen het geld contant toegestuurd. We hebben de klant nooit ontmoet.'

Camerons bloed begon sneller te stromen. Hij had het touw nog langer vast kunnen blijven houden, maar alles wat Gilman zei, zou toch een leugen zijn. Hij moest zijn zere armen dwingen om te bewegen. Hij liet het touw wat verslappen en ze probeerden allebei om weer op adem te komen.

Gilman keek naar Cameron. De jongen had meer lef dan hij had gedacht, maar hij was toch maar een jongen. Vijf jaar ouder nu, maar nog een kind. Gilman klapte dubbel en begon hard te hoesten, terwijl hij de strop om zijn hals losser probeerde te maken, alsof hij geen adem kon krijgen. Hoe ironisch, dacht Cameron, en gaf hem wat ruimte. Gilman boog zich nog verder voorover en mat vanuit zijn ooghoek de afstand tussen hen beiden. Drieënhalve meter.

De jongen was niet gewapend, hij had niets in zijn handen. Als hij een pistool of een mes in zijn zak had, zou hij dat moeten pakken. Al hoestend struikelde Gilman naar voren en voelde dat de jongen het touw liet verslappen. Hij was geen moordenaar. Misschien wilde hij dat wel zijn, maar hij was het niet. En ondanks zijn geboeide handen zou de jongen wensen dat hij dood was tegen de tijd dat Gilman met hem had afgerekend. Drie meter.

John Cameron bleef staan waar hij stond. Het touw wikkelde zich langzaam van zijn arm. Hij wist dat Gilman dichterbij kwam, maar hij was niet van plan het aan te trekken nu de man bijna stikte. 'Ga terug,' zei hij.

Hoe verder hij uit de buurt van de boom was, wist Gilman, hoe moeilijker het voor de jongen zou zijn om hem met een ruk aan het touw terug te dwingen. Hij hield zijn hoofd gebogen, kwam al hoestend weer een stukje verder en hief zijn hand op als om zich te verontschuldigen. Cameron deed een stap naar achteren en gaf hem nog steeds de ruimte. Jezus, wat een stom joch.

Gilman keek op en zag Cameron weer een stap terug doen. Nu hield hij het einde van het touw in zijn hand. Daarmee zou hij hem niet tegenhouden.

Nu.

Gilman ging rechtop staan, greep de strop met beide handen en liep naar voren. John Cameron opende zijn hand en het touw vloog weg. Hun ogen ontmoetten elkaar en ze bleven elkaar aankijken. De jongen gaf geen krimp.

Nu hij plotseling vrij was, vloog Gilman grommend op hem af. 'Je bent er geweest.'

De jongen deinsde achteruit toen de man op hem af sprong en de aarde uiteen week: Gilmans voet kwam op een besneeuwde laag bladeren en takken terecht en hij voelde dat de leegte zich onder hem opende, maar kon niet meer terug. Hij viel erin terwijl hij schoppend naar steun zocht en zijn handen naar houvast graaiden. Hij jammerde toen hij in het gat viel en schreeuwde toen de pennen zijn borst en zijn benen doorboorden. Daarna volgde een zware stilte, van het soort dat Cameron maar één keer eerder in zijn leven had gehoord.

Met trillende benen liep John Cameron terug naar de auto, waar hij een zaklantaarn van de achterbank pakte. Hij boog zich over de rand van het gat en knipte hem aan. Gilman lag met zijn gezicht naar beneden, doodstil. Er was weinig bloed. Hij liet de straal over het lichaam glijden. Hij moest ogenblikkelijk zijn gestorven.

John Cameron zette zich schrap, maar er gebeurde niets toen de stroom adrenaline wegebde. Hij was kalm en zijn hand beefde nauwelijks. Hij wist niet wat hij moest voelen toen hij bij de kuil stond. Zeven dagen had het hem gekost om hem te graven; hij had hem bijna uit de harde aarde moeten klauwen. Ja, hij had hem graag helemaal naar de hel zien vallen. In zijn hart, als hij daar diep genoeg in durfde kijken, hoopte Cameron dat hij een soort vrede zou vinden, maar misschien kwam dat later. Voorlopig was het afgelopen, het was voorbij, Gilman was dood.

Toen hij takken en bladeren begon te verzamelen om het gat te vullen vroeg hij zich af of het wel goed was dat hij zo had genoten van het moment vlak voor Gilman zou vallen. Hij bedekte het lichaam en spande zich in om de aarde weer terug te scheppen in de kuil. Timothy Gilmans lichaam had een graf; dat was meer dan David had gehad. Hij kreeg het warm van het harde werken terwijl om hem heen lichte sneeuw viel.

Toen hij terugreed naar de stad stopte hij bij een drankwinkel en maakte gebruik van zijn valse identiteitsbewijs, en tegen de tijd dat het licht werd, zou Nathan Quinn zorgen dat hij op borgtocht vrijkwam uit de cel op het politiebureau.

32

Harry Salinger ging met een vinger over zijn ribbenkast; hij volgde de donkere omtrek van de blauwe plek die hij had overgehouden aan de ontmoeting met Madison op vrijdagavond. Gefascineerd door het rood en het paars stond hij met zijn blote borstkas voor de grote spiegel in zijn slaapkamer, een spartaanse kamer waarin vrijwel geen kleur was te bekennen.

Daar was het, het contactpunt. Hij voelde haar woede er bijna uit stralen. Het was een vurige plek, wat hij logisch vond want de letter v was paars, net als zijn kneuzing. Toen hij zachtjes op een rib duwde, kromp hij ineen van de scherpe pijn. Maar iets van haar spirit was tijdens de worsteling in hem overgegaan; hij voelde hun band en verwelkomde die: in haar huis in Three Oaks keek zij misschien ook naar de sporen die hij op haar had achtergelaten. Ze zou ze goed kunnen zien, maar toch zou de betekenis ervan haar ontgaan.

Harry Salinger strekte zijn armen naar opzij uit en het licht viel op de lange, dunne littekens die overal op zijn borst en rug stonden geëtst. Littekens uit de gevangenis, toegebracht met wat er maar voorhanden was terwijl iemand hem vasthield; de littekens herinnerden hem aan waar hij vandaan kwam en waar hij naartoe ging, als zijn eigen persoonlijke landkaart van de hel. Hij herinnerde zich elke snee en wie hem die had bezorgd. Zijn grauwe huid liet hem niet één dag van die achtenveertig maanden vergeten.

Salinger trok een schoon, wit overhemd aan en ging terug naar de kelder. Aan de muur had hij vergrotingen gehangen van de foto's die hij aan Fred Tully van de *Star* had gegeven. Zij hadden het balletje over Cameron in de media aan het rollen gebracht, maar, belangrijker nog: hij vond het werkelijk goede foto's en hij was er erg trots op. Vooral de zwart-witfoto waarop James Sinclair nog leefde en zich verzette. Hij zou er misschien geen prijs mee winnen, maar hij keek er graag naar.

Op het werkblad had hij de .22 gelegd die hij had gebruikt om Annie Sinclair, haar kinderen en rechercheur Kevin Brown mee neer te schieten. Er was een bureaulamp op gericht en het metaal zong in het licht. Salinger had er die dag lang over gedaan om hem te poetsen; de herinneringen aan de flits uit de loop brachten hem in verrukking.

Hij verplaatste zijn stoel zodat hij het object in de hoek van de kelder kon zien. Het had zich vanuit zijn hoofd omgezet in de schetsen aan de muur en nu, hoe ongelooflijk het ook is, stond het daar. De glasscherven op de metalen tralies vingen het licht, maar het waren de stalen messen die de kooi zijn bestaansreden gaven. Salinger was dankbaar. Hij had verwacht dat het aan zijn doel zou beantwoorden, maar in nog geen miljoen jaar had hij gedacht dat het zo mooi zou worden.

Hij zette een van de monitoren aan en drukte op de *play*-knop van de afstandsbediening: in het duister van de avond waren de vensters van Alice Madison helder verlicht. De voordeur ging open en de zoomfunctie werd ingeschakeld. Die liet drie mensen in de deuropening zien. Madisons snee boven haar oog en de spalk aan haar pols waren duidelijk zichtbaar en onwillekeurig wreef Salinger over de zij waar ze hem geraakt had. Madison zei de vrouw gedag en omhelsde het kind stevig. Hij zette de video stil; Madison knuffelde de jongen: dat zei Salinger alles wat hij moest weten.

33

Zondagmorgen, vroeg genoeg om eten te bestellen en het ontbijt te noemen. Amy Sorensen liep het restaurant binnen en keek of ze Madison zag. Die zat met een kop koffie en een notitieboekje opengeslagen voor zich aan de bar. Ze droeg een zwarte spijkerbroek en een zwarte coltrui, waardoor ze een bleke indruk maakte, maar haar ogen stonden helder en ze glimlachte toen ze Sorensen zag.

Ze verhuisden naar een zitje en bestelden. Sorensens nachtdienst was net afgelopen toen ze Madison belde en haar wekte uit haar korte slaap, want wat zij moesten bespreken, diende onder vier ogen te gebeuren. Madison was blij met de gelegenheid om het huis uit te kunnen.

Sorensen nam haar eens goed op. 'Mooie hechtingen,' zei ze. 'Twee centimeter lager en je had voor piraat kunnen spelen.'

Madison lachte. Ze voelde zich zo'n tien jaar ouder dan de vorige keer dat ze elkaar hadden ontmoet. Toen vervaagde de glimlach. 'Brown wordt nog beademd.'

'Ik weet het. Ik heb het ziekenhuis al gebeld.'

Ze hoefden er verder niets meer over te zeggen. Ze waren allebei op de man gesteld en hij lag te vechten voor zijn leven. De serveerster bracht hun bestelling: wentelteefjes en bacon voor Madison en een fruitsalade voor Sorensen.

Gisteren heb ik Cameron ontmoet. Leuke man, goede hardloper. Madison nam een hap van haar wentelteefje; alles smaakte naar karton. Ze mocht Sorensen graag en haar mening was voor haar van groot belang, maar wat ze wilde gaan zeggen, zou een wig tussen hen kunnen drijven waar hun vriendschap misschien nooit volledig van zou herstellen. Voor een rechercheur van de PD-afdeling is forensisch bewijs altijd heilig en Madison stond op het punt dat in mootjes te hakken.

'Ik heb gehoord over je gesprek met Fynn.' Sorensen was nooit goed geweest in gekeuvel. 'Iedereen had het erover en er is heel wat afgeluld over dat jij had gezegd dat het bewijs *gecorrumpeerd* was.' Het woord op zich klonk al onaangenaam. 'Ik ben hier om jouw kant te horen en me ervan te verzekeren dat je goddomme niet totaal geschift bent geworden. En trouwens: het bloed in de Explorer komt overeen met de haren in de knoop van Sinclairs boeien.'

Madison had Sorensen nog nooit horen vloeken. Op haar kernachtige toon klonk het alsof iemand met zijn vuist een raam aan diggelen sloeg. Het lag simpel: als de zaak tegen Cameron voor zou komen, zou Sorensen op de bres staan voor Moordzaken.

'Ik wil niet de hele geschiedenis van het universum vanaf de oerknal, geef me alleen de hoofdpunten.'

'Oké,' antwoordde Madison. 'Over de haren in de knoop die Brown je gevraagd heeft te onderzoeken: ik zal je vertellen wat je hebt gevonden en van daaruit gaan we verder.'

'Kom maar op.'

Madison leunde achterover in haar stoel. 'Lijm.'

Sorensen keek op van haar fruitsalade en Madison wist dat ze haar aandacht had. 'Je hebt sporen van resten van een kleefstof gevonden, misschien van het soort dat je gewoon op plakband vindt. En ook een heel kleine hoeveelheid schoonmaakmiddel, bleekwater, dat je in elk keukenkastje kunt aantreffen. Heel weinig maar, geconcentreerd in het uiteinde van de haar, niet aan de kant waar het DNA zit.' Ze pauzeerde even. 'Hoe breng ik het er tot nu toe van af?'

Sorensen had de proeven zelf nog maar twee uur geleden afgerond en niemand anders had toegang gehad tot de resultaten. Ze nam een slokje water terwijl ze Madison bleef aankijken. 'Tot dusverre zit je goed. De haren waren gewassen in een lichte oplossing van water en bleekmiddel nadat ze in contact waren gekomen met de kleefstof.'

Madison liet de lucht uit haar opgebolde wangen ontsnappen. 'Uitstekend, daar hoopte ik al op.'

'Ik moet zeggen dat je het wel heel goed hebt geraden. Hoe ben je op lijm en bleekmiddel gekomen? Geen van beide stoffen was aanwezig in de onmiddellijke nabijheid van de plaats delict of de lichamen van de slachtoffers.'

'Ik heb nooit gezegd dat het bewijs gecorrumpeerd was, zoals jij hebt gehoord. Wat ik zei, wat ik denk, is dat iemand het bewijs heeft gemanipuleerd.'

'Meteen ophouden: je weet dat Quinn zijn geluk niet op zal kunnen als ik onder ede verhoord word over dit gesprek.'

'Als ik een dollar kreeg voor elke keer dat ik dat de afgelopen zesendertig uur heb gehoord...'

'Vind je dit soms grappig?'

'Nog niet, maar dat wordt het wel. Ga het zelf maar na, elk voorwerp dat we hebben meegenomen van de plaats delict en waar Camerons DNA of vingerafdrukken op zitten, had in het huis kunnen zijn gelegd. We hebben geen vingerafdrukken gevonden op de lichamen, op het meubilair, op de werkvlakken in de keuken. Niets op voorwerpen die niet meegenomen konden zijn, zoals een nachtkastje; alles wat we hebben, past in één zak. Maar toch zou hij zijn handschoenen hebben uitgedaan om een glas op te pakken en het daar hebben laten staan zodat wij het vonden.'

'Soms is een sigaar gewoon een sigaar.'

'Deze keer niet.'

Sorensen was niet zo makkelijk te overtuigen. 'Hoe kwam jij op lijm en bleekmiddel?'

'Stroop je mouw op.'

'Waarom?'

'Doe het nou maar.'

Sorensen rolde met haar ogen en deed de mouw van haar flanellen blouse omhoog. Madison legde haar hand op Sorensens blote onderarm. Ze boog zich voorover alsof ze iets wilde zeggen en stootte met haar andere hand tegen de hoge plastic beker. Er kwam wat water op het tafelblad terecht. Ze depten het allebei op met papieren servetjes.

Madison pakte haar vork en prikte er een reepje bacon aan. 'Voor elkaar.'

'Wat is voor elkaar?'

Madison hief haar hand op. Om haar twee middelste vingers zaten twee smalle, doorzichtige reepjes plakband, als de namaakringen van een kind, en daarop kleefden een paar fijne, blonde haartjes van Sorensens arm. 'De lijm is afkomstig van het plakband, met het bleekmiddel probeerde hij de lijm eraf te wassen zonder het haarzakje en het DNA te beschadigen.'

Sorensen trok haar mouw naar beneden.

'Voelde je het plakband?' vroeg Madison.

'Ik voelde wel iets, maar als dat het enige probleem is, moet je alleen voor genoeg afleiding zorgen en het is gepiept.'

'Dat denk ik ook.'

Sorensen schudde haar hoofd. 'Goede truc. Denk je dat het standhoudt voor de rechter?'

'Heb ik je iets gegeven om over na te denken?'

'Je hebt me geen motief gegeven.'

Daar kon ze onmogelijk omheen. 'Dat heb ik nog niet. In mijn hoofd voer ik al twee dagen hetzelfde gesprek. Soms denk ik dat ik gek ben geworden.'

'Ben je er zo sterk van overtuigd dat je je carrière ervan laat afhangen?'

'Ik ben op zoek naar de man die Brown heeft neergeschoten en dat is niet Cameron.'

'En de experts zeggen van wel.'

'Die zeggen dat het dezelfde .22 is als waarmee de Sinclairs zijn doodgeschoten: we hebben geen wapen, we hebben Camerons vingerafdrukken op het wapen niet en we hebben geen positieve kruitsporentest die bewijst dat hij met het wapen heeft geschoten.'

'Cameron is een moordenaar,' zei Sorensen zachtjes.

'Ik heb nooit gezegd dat dat niet zo is,' antwoordde Madison.

Een minuut of twee zwegen ze allebei. Ze aten hun laatste restjes op en dronken hun koffie.

'We zijn vanochtend gebeld,' zei Sorensen. 'Ik weet niet waarom ik je dit vertel, want het houdt geen enkel verband met de zaak. Een privédetective belde ons heel vroeg – en op een zondag – om te vragen of we een dossier hebben van een moord die een paar jaar geleden in de Bones heeft plaatsgevonden. De naam van het slachtoffer was George Pathune, en toevallig viel de gevangenis toentertijd niet onder onze jurisdictie, dus het was jammer van zijn kwartje. Maar de naam van die detective is Tod Hollis. We zijn elkaar eerder tegengekomen en zijn belangrijkste cliënt is Quinn, Locke & Partners, voornamelijk Nathan Quinn. Ik dacht dat je dat wel zou willen weten.'

'Geen enkel verband met deze zaak?'

'Jij bent de vrouw met de slimme ideeën.'

'Quinn laat een privédetective een moord in de gevangenis napluizen?'

'Daar lijkt het op.'

'Waarom?'

'Dat mag jij zeggen.'

Om hen heen was het drukker geworden en sommige klanten keken over hun schouder naar Madison.

'Dank je, en dat meen ik,' zei Madison.

'Ik heb nog niet besloten of ik je wel of niet succes zal wensen,' gaf Sorensen toe.

Madison trok haar jasje aan. 'Kijk er nog eens naar, meer vraag ik niet.'

Ze stonden voor de deur van Browns kamer. 'Ik heb mensen zien terugkomen die er veel slechter uitzagen,' zei Fynn tegen Madison en wellicht ook tegen zichzelf. 'Er staan journalisten buiten. Die storten zich zo op je.'

'Ik heb niets tegen ze te zeggen.'

'Dat heeft ze nog nooit tegengehouden. Trouwens, ik kan de sleutels van het Sinclair-huis toch aan het eind van de dag verwachten?'

'Komt voor elkaar.'

'Dat dacht ik al. Moet iemand je auto voor je ophalen?'

'Nee, dank u. Ik ga maar.' Ze draaide zich al om. 'Hoe vergaat het Spencer en Dunne?'

Fynn wist niet dat Spencer haar had verteld van de aanwijzing over Camerons boot. 'Ze zijn bezig,' antwoordde hij, waarmee hij niets onthulde behalve de afstand die er tussen hen bestond.

'Goed zo,' zei Madison en ze voelde zich plotseling diep ongelukkig. Ze zouden geen van beiden nog iets zeggen, over niets.

Madison nam de lift naar beneden. Toen ze door de gang liep, ging er links van haar een deur open waar een zuster uit kwam. De prikkelende geur van chloroform trof haar pal in haar gezicht en ze bleef plotseling stilstaan. Haar lichaam herkende het: de geur van de man die hen had proberen te vermoorden. Ze keek om zich heen, niemand lette op haar. Het koude zweet brak haar uit en haar hart begon razendsnel te bonken. *Wat krijgen we nou?* Ze kon amper adem krijgen. Een paar passen voor haar stond een bankje. Ze ging erop zitten en hield haar hoofd tussen haar knieën omdat ze zwarte vlekken voor haar ogen zag.

'Voelt u zich wel goed?' Madison keek op; de zuster stond naast haar. Ze was in de twintig, Japans-Amerikaans en knap. Door haar inktzwarte haar dat ze in een paardenstaart droeg, liep een felblauwe streep.

'Ik moet even tot mezelf komen.'

'Wilt u een glas water?'

'Dat haal ik zelf wel.'

'Blijf zitten waar u zit.'

Ze kwam terug met een papieren bekertje. 'Wat is er gebeurd?'

'Niks, ik werd gewoon een beetje duizelig.'

De zuster keek naar haar snee en blauwe plekken. 'Wilt u dat er een dokter naar u kijkt?'

'Nee, dat is niet nodig. Bedankt.'

Tien minuten later begonnen de camera's te flitsen toen ze de glazen voordeur uitging. Met haar hoofd naar beneden liep ze snel naar haar auto. Bij een kiosk op 6th Avenue kocht ze alle zondagskranten die ze maar kon vinden en reed naar huis. Ze dacht aan George Pathune en hoe zijn moord in de zaak paste, en voor ze het wist, draaide ze haar oprit in.

Ze legde de stapel kranten op de tafel in de woonkamer en trok de gordijnen open. Alice Madison had in haar hele leven nog nooit een paniekaanval gehad. Wat er in het ziekenhuis was gebeurd, was een soort posttraumatische-stressreactie, meer niet. Ze hoefde zich er niet over op te winden; iedereen die is aangevallen, maakt het in meer of mindere mate mee. Het was te verwachten.

Madison had een graad in de psychologie en kon er makkelijk een rationele verklaring voor vinden, maar wat haar het meest dwarszat, was de scheut van angst die door haar heen was gegaan toen ze de chloroform rook.

Madison had licht om zich heen nodig. Ze deed alle lampen aan, zette een pot koffie en ging met de *Times* in de keuken zitten. Op de voorpagina een foto van een ongelooflijk jonge Brown uit zijn uniformtijd naast een kiekje van de Sinclairs, alle slachtoffers neergeschoten met hetzelfde wapen en door dezelfde man, John Cameron. Zijn arrestatiefoto stond ook op de voorpagina, samen met een paar schetsen die ze op het vliegveld Sea-Tac aan de mensen hadden getoond.

Tot nu toe was hij heel voorzichtig geweest en had hij veel geluk gehad, maar nu hij zoveel aandacht kreeg, wist Madison niet hoe lang hij het nog vol zou houden. Wat één ding betreft had Fynn gelijk: als ze Cameron zouden inrekenen, zou het er niet zacht aan toegaan.

De eettafel was bedekt met alle notities en papieren en schetsen die ze van het bureau had mee kunnen nemen. Ergens tussen al die informatie lagen de details verborgen waarmee ze achter de identiteit van de moordenaar kon komen. *George Pathune*. Madison keek op haar horloge – op dit tijdstip zou haar contact in de Bones zitten lunchen met haar kinderen.

'Arnelle? Met Alice Madison, sorry dat ik je op zondag bel.'

'Ik heb je op het nieuws gezien. Is alles goed met je?'

'Het gaat best.'

'En je partner?'

'Die ligt nog op de intensive care.'

'Ik kon het amper geloven toen ik hoorde wat er was gebeurd.'

'Arnelle, ik zal meteen ter zake komen. Ik moet je om een gunst vragen. Ik wil een dossier inzien over de moord op een gevangene die George Pathune heette. Het is zo'n twee tot drie jaar geleden gebeurd.'

Er viel een stilte aan de lijn.

'Wijlen George Pathune wordt plotseling nogal populair.'

'Ben je er al over gebeld?'

'Drie uur geleden vroeg een privédetective naar hem.'

'Wat heb je hem verteld?'

'Ik zei: "Ik weet niet hoe je aan mijn privénummer komt, maar je kunt me op kantoor bereiken. Daar ben ik tussen negen en vijf, van maandag tot en met vrijdag."'

Hollis zou hebben aangeboden haar tijd te compenseren en zij had het afgewezen. 'Goed zo.'

'Heeft het Pathune-dossier iets te maken met het feit dat jij en je partner zijn aangevallen?'

'Waarschijnlijk wel,' antwoordde Madison.

'Luister, geef me een paar uur. Ik zal je naam achterlaten bij de beveiliging.'

'Arnelle...'

'Ja, ja, tot later.'

Madison stond op. Ze had een flinke rit voor de boeg. Als Quinn op zoek was naar het dossier was het beslist de moeite waard om erachter te komen waarom. Ze schonk iets van de koffie die over was in een chromen reisbeker en controleerde of haar mobieltje opgeladen was. Ze was al bijna de deur uit toen ze eraan dacht dat Fynn de sleutels van het huis van de Sinclairs terug wilde. Ze had nog geen kans gehad ze te kopiëren. Nou ja, ze kon altijd weer door de tuindeuren springen als het nodig was.

Buiten had de vroege duisternis de kleuren vervaagd en een dun laagje sneeuw verzachtte de lijnen van haar auto. De motor startte meteen. Madison groef een paar pijnstillers op uit de zak van haar jasje en slikte ze door met een slok koffie. Het was tijd om uit te vinden hoe er een einde was gekomen aan het verdorven leven van George Pathune.

Madison gaf de sleutels aan de brigadier van dienst en liep terug naar de auto die met draaiende motor voor de deur stond. Sorensen had haar gevraagd of ze haar carrière zou laten afhangen van iets dat weinig meer was dan giswerk. Het grappige was dat ze politiewerk nooit als een carrière had beschouwd. Een week geleden had ze alleen maar willen leren van haar partner om goed werk te leveren in haar nieuwe functie. Het deed haar denken aan de oude Chinese vervloeking: 'Dat je moge leven in interessante tijden.'

Ze reed noordwaarts over de I-5. De wegen waren bijna verlaten, maar door het slechte weer kon ze niet hard rijden en er gingen regelmatig golven van pijn door haar rechterarm. In gedachten probeerde ze een tijdlijn van gebeurtenissen op te stellen die eindigde bij de Sinclairs en terugging naar een punt waarop de paden van de moordenaar en Cameron elkaar hadden gekruist. Ergens op die lijn zou George Pathune kunnen opduiken.

Madison was ervan overtuigd dat de moordenaar tijd nodig had gehad om het allemaal uit te werken. Hij moest de vingerafdrukken en de fysieke bewijzen bemachtigen die hen naar Cameron zouden leiden. Hij moest de bankrekening openen en er bedragen opzetten en afhalen, transacties waardoor James Sinclair verdacht kon worden van verduistering.

Voor dat alles was geduld nodig en een passie voor detail. Met een bittere smaak in haar mond bedacht Madison dat ze nog maar vijf dagen te gaan hadden. Het Ding dat kruisen had getekend met het bloed van de Sinclair-kinderen was nog niet klaar.

Sorensens resultaten leken te bevestigen dat hij zich grondig had voorbereid en heel vertrouwd was met de forensische technieken van de politie. Madison had de lijst van mensen die waren afgewezen voor de politieacademie doorgenomen. Hij ging jaren terug en ze had niets om hem mee te vergelijken; het had net zo goed het telefoonboek van Seattle kunnen zijn.

Hollis had Sorensen gebeld, al lag de gevangenis toentertijd niet binnen hun jurisdictie. Er bestond een kleine kans dat Hollis dat had geweten. Hij was niet geïnteresseerd in het leven van de man of in de misdaad waardoor hij in de gevangenis terecht was gekomen, alleen in hoe hij gestorven was.

Madison reed het complex van de McCoy-gevangenis op. Het rees op van de parkeerplaats in een combinatie van hoge hekken van draadgaas, torens en muren binnen muren. Er waren verschillende afdelingen waarin diverse veiligheidsniveaus golden: sommige van de ongeveer tweeduizend gevangenen mochten buiten werken, iets verbouwen of in elkaar zetten en cursussen volgen. Anderen hadden tijdens hun hele verblijf met niemand anders contact dan met de gevangenisdirecteur.

Madison was gewend aan gevangenissen. In de loop der jaren had ze beslist haar steentje bijgedragen om hun bevolking te laten toenemen. Ze rekte zich uit en haalde diep adem; haar arm deed verdomd veel pijn.

Vijfentwintig minuten later was Madison, zittend in haar auto, de pagina's aan het lezen die Arnelle voor haar had gekopieerd. Ze nam ze snel door, ging met haar vinger langs de regels en vervloekte het flauwe licht boven haar en de vage inkt. Toen ze klaar was, had ze een droge mond gekregen en scheurde ze als een razende de parkeerplaats af.

Poulsbo in Kitsap County. Op zondagmiddag gaan de winkels vroeg dicht: de weekendtoeristen waren al vertrokken en de mooie hoofdstraat met zijn Noors-Amerikaanse bakkerijen en kruidenierswinkels was verlaten. Strengen knipperlichtjes die zorgvuldig rondom de etalages en de kale takken van de bomen bij de jachthaven waren gewikkeld, huiverden aan en uit. De zeven pieren waren voor driekwart vol en de boten dobberden op en neer.

Een busje van het elektriciteitsbedrijf van Kitsap County reed de kade op en stopte bij het kantoor van de havenmeester. Twee mannen in de officiële grijs-rode overalls stapten uit. Een van hen haalde een sleutel uit zijn zak waarmee hij een zwarte, metalen doos openmaakte die aan de achterkant van het kleine, stenen gebouw hing – tien seconden later waren de hele jachthaven en de straat erlangs in duisternis gehuld. Ze sloten de doos af en liepen terug naar het busje waarin een mobieltje overging. Na een kort gesprek vloekte een van de mannen luidruchtig en sloeg zijn portier dicht. De andere zette de motor aan en ze reden weg.

Twee straten verderop stopte het busje, om de hoek bij het trottoir en de mannen stapten uit. De grootste van de twee keek de ander aan en zei: 'Een beetje overdreven misschien.'

Zijn kameraad rolde met zijn ogen. Hij ritste zijn overall open en stapte eruit. Eronder droeg hij een zwart uniform en een kogelwerend vest. Op de achterkant stond in grote, gele letters: SPECIALE EENHEID.

'Kom mee,' zei hij. Van de vloer van het busje pakte hij twee geweren en gaf er een aan zijn collega, die ook een uniform van de Speciale Eenheid droeg. De lange man zette zijn oortelefoon aan en een gestage stroom van stemmen kwam knetterend tot leven. Hij klikte zijn nachtzichtbril vast en de wereld gloeide heldergroen op. Sneeuwvlokken dwarrelden als zwarte spikkels naar de grond.

Madison schoot zuidwaarts over de I-5, zich vaag bewust van een snelheidslimiet die overschreden werd. Logisch dat Quinn geïnteresseerd was in hoe Pathune was gestorven: toen een cipier zijn lichaam vond, was hij geblinddoekt, zijn handen waren op zijn buik vastgebonden en boven de blinddoek was in bloed een kruis getekend, uitgelopen over zijn huid, maar nog steeds heel goed zichtbaar. In het rapport van de lijkschouwer stond dat zijn nek was gebroken en er een afgescheurd stuk spijkerstof in zijn rechterhand was gevonden. De stof bleek afkomstig van het hemd van een gevangene die Edward Morgan Rabineau heette; tot een paar minuten eerder was hij aan het werk geweest in de wasserij en wat tijd betreft was het mogelijk dat hij de moord had begaan.

Er was geen proces van gekomen, maar de directeur had elke keer dat hij voorwaardelijk vrij zou kunnen komen een onderonsje met de raad gehad en Rabineau zou de gevangenis niet snel verlaten. Hij zat nog steeds vast, binnen de muren van wat toepasselijk de Intensieve Behandeling-eenheid heette. Ook de Sinclairs waren geblinddoekt gevonden, met geboeide handen en een netjes in hun eigen bloed getekend kruis.

Het zou een onwaarschijnlijke coïncidentie zijn als de overeenkomstige omstandigheden het werk van twee verschillende mannen was: van de twee verdachten zat Rabineau nog steeds in de gevangenis en Cameron was daar nooit geweest, wat betekende dat ze geen van beiden alle twee de moorden hadden kunnen plegen.

Degene die de dood van Pathune had onderzocht, had geen reden om aan het bewijs te twijfelen, al was het alleen maar een stukje stof, maar er werd nooit een motief gevonden. Maar Madison had een heleboel redenen voor twijfel. De moord gaf haar een bepaald tijdsbestek: de moordenaar had ten tijde van de dood van Pathune in de gevangenis gezeten en ze durfde erom te wedden dat hij kort daarna was vrijgelaten. Rabineau moest gek zijn geworden van de wetenschap dat iemand hem erin had geluisd en in de gevangenis wordt snel en heftig wraak genomen.

Als hij zich ooit had ingeschreven voor de politieacademie, dan moest dat zijn geweest voor hij in de gevangenis belandde. Niemand is zo stom om zich in te schrijven als hij een strafblad heeft, en deze man was misschien wel geschift, maar niet stom.

Plotseling herinnerde Madison zich de avond van de hinderlaag, de man die zichzelf agent Mason noemde, die gekleed was als politieman en de juiste taal sprak. Ze was er zeker van dat hij zich had opgegeven voor de politieacademie; hij wilde er zo graag bij horen. Madison zag voor zich hoe hij zichzelf in de spiegel bekeek terwijl hij zijn uniform dichtknoopte, denkend aan Brown en aan haar en hoe hij hen naar die bomen zou lokken om daar te doen wat hij diep in zijn hart, dat al zo lang dood was, wilde doen.

Ze deed het raampje omlaag en liet de frisse lucht over haar gezicht strijken. Ze vermoedde dat het hem een goed gevoel had gegeven om Brown neer te schieten terwijl hij zelf voor agent speelde; op die manier had het juist geleken, bijna legaal.

George Pathune. De moordenaar moest een spoor van zichzelf hebben achtergelaten op het lichaam van zijn slachtoffer, maar de rechercheurs hadden het afgescheurde stuk stof terug kunnen voeren naar Rabineau. Ze vroeg zich af of Sorensen nog verder zou hebben gekeken en herinnerde zich haar sceptische houding in het restaurant.

Madison kon maar weinig doen om Sorensens vertrouwen in het bewijs aan het wankelen te brengen. Ze had haar lepel kunnen oppakken, met haar vingerafdrukken en DNA erop, en kunnen laten zien hoe makkelijk het was geweest om... en op dat moment had Madison geluk dat de weg voor haar recht en verlaten was, want even zag ze niets anders dan de moordenaar die het glas oppakte met Camerons vingerafdrukken erop, het glas dat de politie in Sinclairs keuken had gevonden, het glas oppakte van de tafel waarop Cameron het had neergezet *omdat die klootzak in het restaurant werkte.*

Met één hand aan het stuur zocht ze met de andere in de binnenzak van haar jasje naar haar mobieltje. Madison hield haar ogen op de weg gericht en belde op het gevoel het nummer van het politiebureau. Ze kreeg Jenner, de brigadier van dienst, aan de lijn. 'Met Madison, mag ik de inspecteur spreken?'

'Die is niet in zijn kantoor.'

'Oké, dan probeer ik zijn mobieltje.'

'Hij is op stap met de rechercheurs. Ze zijn allemaal weg.'

'Hoe bedoel je?'

'Ik kan je beter doorverbinden.'

'Jenner?' Madison hield de telefoon dicht tegen haar oor, maar de ruisende stilte op de lijn duurde eeuwen. *Brown.* Er was iets met Brown gebeurd en ze waren allemaal naar het ziekenhuis. Brown was dood.

Madison, die als een speer door de nacht reed, wachtte op de stem die haar zou vertellen dat hij gestorven was: zolang niemand het zou zeggen, leefde Brown nog, zolang niemand het zou zeggen. Madison wachtte in haar eentje in die verschrikkelijke stilte en een paar seconden later hoorde ze de stem van Andrew Dunne.

'Madison?' Overal om hem heen klonken stemmen.

'Andy? Wat is er aan de hand?'

'We hebben hem.' Zijn stem zakte zo nu en dan weg.

'Wat?'

'We hebben Cameron gevonden; de boot ligt in de jachthaven van Poulsbo. Ik zie hem van hieruit liggen.'

Madison moest snel weer tot zichzelf zien te komen en nadenken. Ze voelde de opluchting als een warme golf door zich heen gaan.

'Is hij op de boot?' Ze wist niet zeker of ze blij zou zijn met welk antwoord hij ook gaf.

'Ja. Hij is ongeveer een uur geleden gespot.'

Snel praten.

'Andy, is Fynn bij je? Ik moet hem spreken.'

'Hij heeft het nogal druk.'

'Ik moet hem meteen spreken.'

'Hij is bij de assistent-korpschef, de baas van de speciale eenheid, de sheriff van Kitsap County en de korpschef van Poulsbo. Hij heeft zijn handen vol en we staan op het punt om hem te omsingelen. Vertel het mij maar en dan geef ik het door.'

'Is de speciale eenheid er ook?' vroeg ze.

'Iederéén is er. We hebben de jachthaven plus twee blokken eromheen afgesloten.'

'Verbind me door met Fynn.'

Iets in haar stem drong door tot Dunne. 'Wat is er gebeurd?'

'Twee jaar geleden is er in de Bones iemand vermoord op dezelfde manier als de Sinclairs. Verbind me nu door met Fynn.'

'Dat kan niet.'

Madison wist niet of hij de moord of Fynn bedoelde. 'Andy?'

Stilte.

'Andy?'

Radiogekraak.

'Madison, ik bel je terug.'

'Nee.'

Hij had opgehangen.

Ze stonden op het punt binnen te vallen; het zou nog maar een paar seconden duren. Madison greep het stuur zo stevig vast dat zelfs haar goede hand pijn deed. Ze kende alle agenten van de speciale eenheid, allemaal prima lui. Ze waren goed getraind en deden hun werk zorgvuldig opdat iedereen uiteindelijk levend terug naar huis kon gaan. En daar was Cameron, en zij wisten niet beter of hij had een van hun mensen neergeschoten. Madison rolde het raampje helemaal naar beneden. Over een paar minuten zou er iemand doodgaan, aan welke kant dan ook. Dat maakte niet uit, iemand zou sterven. Ze dachten dat ze de man die Brown had neergeschoten gevonden hadden en hij zou zich nooit levend laten pakken.

Binnenkort, dacht Madison, zouden ze Cameron arresteren voor Sanders en voor de moorden op de dealers in L.A., maar niet zo. Want op deze manier zou de moordenaar winnen.

Madison pakte haar telefoon weer. Ze herinnerde zich het nummer van alle keren dat ze het, dagen daarvoor, had gebeld.

'Hallo.'

Zijn stem klonk zacht en dichtbij en Madison vroeg zichzelf af wat ze in godsnaam aan het doen was.

'Mr. Quinn, je spreekt met rechercheur Madison.'

'Madison.'

'Quinn. Tod Hollis werkt voor jou. Jij hebt hem gezegd dat hij Sorensen moest bellen, in de wetenschap dat ik daar op de een of andere manier achter zou komen. Cameron heeft jou gebeld, hij heeft je verteld dat we elkaar gisteravond hebben ontmoet, hij heeft je verteld wat ik zei en Hollis moet geweten hebben dat het niet onder Sorensens jurisdictie viel.' Ze haalde even adem. 'Je hebt me Pathune aangereikt, nietwaar?'

'Misschien.'

'Je had gelijk. Ik denk dat het dezelfde man was en die zullen we vinden. Maar we hebben tijd nodig en die hebben we niet. Vertrouwt Cameron jou?'

'Hoe bedoel je?'

'Als hij dit goed aanpakt, blijft hij in leven. Als hij ook maar een van hen iets aandoet, kunnen jij en ik hem niet meer behoeden.'

Madison stelde zich de boot voor, het speciale eenheid-team dat klaarstond om de steiger te bestormen, auto's zonder kentekens waarachter agenten dekking zochten en sluipschutters op de daken van de mooie huizen.

'En?'

'Jij kunt ervoor zorgen dat hij er levend van afkomt, maar dan moet je Cameron zeggen dat hij zich moet overgeven.'

'Wat?'

'Als hij een van hen kwaad doet, schiet ik hem persoonlijk neer, dat zweer ik je.' Madison hoopte dat ze levens zou redden door wat ze nu ging zeggen. 'De moordenaar werkte in het restaurant. Zeg tegen Cameron dat hij zich moet overgeven en van de boot af moet komen.'

De verbinding werd verbroken en Madison liet de telefoon op de stoel naast haar vallen. Ze reed langs Everett en de Snohomish, een lint van zwart water dat amper te zien was door de sneeuw heen. In Poulsbo moest het ook sneeuwen. Ze kon erheen rijden, een veerboot naar Winslow nemen en binnen twee uur ter plekke zijn. Maar dan was het allemaal al voorbij. Wat er ook ging gebeuren, zou al zijn gebeurd. Tot hoever ben je bereid te gaan, had Brown haar ooit gevraagd. Madison voelde de traan over haar wang glijden en veegde hem weg met haar manchet.

'Waar wachten we nog op?' vroeg rechercheur Tony Rosario aan niemand in het bijzonder. Hij stond achter een busje van het elektriciteitsbedrijf van Kitsap County dat op de parkeerplaats van de jachthaven van Poulsbo stond en wreef zijn in handschoenen gestoken handen tegen elkaar. Rosario droeg een marineblauw windjack over zijn jas met op de achterkant POLITIE; daaronder sneed het kogelwerende vest in zijn oksels.

'De havenpolitie is er nog niet. Ze hadden een noodgeval waar ze eerst naartoe moesten,' zei Dunne. Hij stond naast Rosario en richtte zijn nachtkijker op de E-steiger tegenover het kantoor van de havenmeester. Kelly kwam dichter bij Dunne staan. Hij keek omhoog. Op het dak van de Scandinavische kruidenierswinkel zou een sluipschutter de derde boot in het vizier houden, de boot waarop het licht in de cabine aan was. Kelly kon de schutter niet zien, maar hij wist dat hij er was.

Iedereen stond op zijn plek: een tiental agenten van de speciale eenheid hield de ruimte tussen de steiger en het land onder schot, klaar om op het teken in actie te komen. De baas had besloten geen onderhandelaar in te zetten. Ze konden hem beter snel grijpen voor hij nog een agent zou neerschieten. Inspecteur Fynn stond met de andere chefs aan het eind van steiger D, achter een stenen gebouwtje dat er net zo uitzag als het kantoor van de havenmeester. De actie viel onder zijn verantwoordelijkheid, maar technisch gesproken had de commissaris van Poulsbo de touwtjes in handen: ze hadden allen hun positie ingenomen toen de agenten de elektriciteit in het blok hadden afgesloten en sindsdien was er weinig meer gezegd – vier sombere mannen van middelbare leeftijd die met hun voeten stampten om warm te blijven.

De zeventien agenten van het politiekorps van Poulsbo hadden toegekeken toen de speciale eenheid arriveerde; een paar van hen hadden halfhartig iets gebromd over territorium en jurisdictie, maar iedereen herinnerde zich de lijken op de *Nostromo* die vanuit hun eigen haven was vertrokken, en ze hielden al snel hun mond.

De commandant van de speciale eenheid, Marty Karlsson, had zijn team van tevoren geïnstrueerd. 'Camerons boot is de derde vanaf het eind van de steiger – we moeten links en rechts zo'n vierentwintig boten passeren voor we bij de zijne zijn. Ik weet dat we hem in de smiezen houden in de hut, maar als ik zie dat jullie een boot oversteken die je niet eerst hebt gecontroleerd, schop ik je persoonlijk het ijskoude water in.' Overal werd geknikt en instemmend gemompeld. 'De man is een schoft; hij is snel en behendig. Als je hem maar even de kans geeft, schiet hij je neer. Toon geen medelijden – als hij de dag niet in één stuk wil eindigen, dan hoeft dat ook niet.'

De gordijntjes in de hut van de sierlijke boot gingen een paar

keer heen en weer alsof iemand er vlak langs liep, en elke keer dat
dat gebeurde, hielden vijfendertig tot de tanden toe gewapende
mannen en vrouwen hun adem in.

'Hoe lang nog?' vroeg Fynn aan commissaris Rogers.

Rogers stak drie vingers op. Er waren stemmen te horen door
zijn koptelefoon; de patrouilleboot was er bijna.

Op een paar meter afstand wendde Dunne zich tot Spencer met
de radio in zijn hand. 'Madison belde daarnet,' zei hij. 'Ze wilde
Fynn spreken.'

'Waarom?'

'Ze had iets ontdekt.'

'Heb je gezegd dat we hem bijna hebben?'

Dunne knikte.

'Waar is mijn partner, verdomme?' Kelly draaide zich om.

'Hij moest even,' zei Dunne.

'Wat moest hij even?'

'Hij moest nodig.'

Schaduwen bewogen zich snel over steiger E. Er klonken stemmen en geknetter in Spencers oortelefoon. 'Ze vallen binnen,' zei
hij.

Tony Rosario was nijdig dat de openbare toiletten afgesloten waren tijdens de actie. Het was echt te koud om stil te blijven staan
met drie grote bekers koffie in zijn buik en Kelly werkte op zijn zenuwen. Ze hadden hun auto uit het zicht geparkeerd bij een container in een steegje achter de kade. De container lag nog steeds
binnen het blok dat in het duister was gehuld en hij dacht dat hij
zich daar wel even kon terugtrekken zonder te ver uit de buurt te
gaan. Hij lachte in zichzelf – het was zo donker dat hij nog voorzichtig moest zijn om niet per ongeluk op hun eigen auto te pissen.

Hij vond de weg makkelijker dan hij had gedacht en na een paar
minuten stond hij tussen hun Ford en de container. Hij trok zijn
handschoenen uit en ritste zijn gulp open en, godallemachtig, wat
was het koud buiten.

Toen hij de hommel hoorde, drong het eerst niet tot hem door,
en hij ritste zijn gulp dicht toen hij weer zoemde: plotseling wist

Rosario heel zeker dat er in december geen hommels zijn en dat het een pieper was die net een meter achter hem was afgegaan.

Hij draaide zich half om toen iemand hem bij zijn haar greep en zijn hoofd tegen de stenen muur voor hem sloeg. Zijn neus brak meteen en de pijn was zo intens dat hij bijna flauwviel. Daarna ging alles heel langzaam: de grond kwam omhoog en hij probeerde zijn wapen te pakken, maar zijn hersenen konden de hand niet snel genoeg laten bewegen. *Jezus, niet op deze manier, niet als een idioot.* Hij voelde de kolf onder zijn vingers.

De stem sprak zacht, dicht bij zijn oor. 'Blijf liggen.'

Iemand klopte op zijn zakken. Rosario probeerde door de warme stroom van vocht heen te ademen. Zijn ogen traanden.

'Rustig blijven liggen.' Het gefluister van een man en een hand die zachtjes tegen zijn rug duwde.

Toen was hij verdwenen en Rosario hervond genoeg evenwicht om met behulp van de muur op te staan. Hij leunde ertegenaan en keek om zich heen – hij was alleen.

Bij een wegversperring drie straten verderop hielden motoragenten van Kitsap County de donkergroene Cherokee Jeep aan. De chauffeur liet zijn penning van het politiekorps van Seattle zien.

'Hoe gaat het daar?' vroeg agent Carey aan de man, in de richting van de jachthaven knikkend; hij had de operatie graag van dichterbij willen meemaken om erover te kunnen vertellen.

'We hebben hem ingesloten,' antwoordde John Cameron. 'Die komt vanavond niet ver meer.' Hij zwaaide naar de agenten toen hij doorreed. De verwarming in de auto stond op zijn allerhoogst en hij was blij dat hij donkere kleren droeg over zijn rubberen duikpak, blij dat agent Carey niet had gezien dat ze kletsnat waren en blij dat hij zich meteen toen de speciale eenheid de elektriciteit had afgesloten in het zwarte water had laten zakken, dat zo koud was dat hij amper adem kon halen. Camerons hand trilde toen hij het schuifje van de verwarming lager zette en pakte zijn pieper. Het was Quinns nummer.

Cameron stuurde nu met één hand, met de andere maakte hij de riempjes los van de waterdichte rugzak op de stoel naast hem. Hij toetste het nummer moeizaam in; zijn vingers waren pijnlijk en stijf doordat het bloed erin terugstroomde. 'Nathan?'

'Jack. Waar ben je?' Quinns stem klonk beheerst, maar Cameron hoorde de spanning erin.

'Onderweg.'

'De politie houdt de boot in de gaten. Ga niet terug.'

'Ik kom net ván de boot.'

Een lange stilte terwijl Quinn nadacht over de implicaties van wat Cameron net had gezegd. 'Alles goed met je?'

'Prima. Hoe wist je dat ze de boot hadden gevonden?'

'Maakt dat iets uit?'

'Nou ja,' glimlachte Cameron, 'je timing was perfect.'

'Jack, ik weet het omdat rechercheur Madison het me heeft verteld.' Quinn liet even een stilte vallen. 'Ze bevestigde dat die man in de gevangenis hoogstwaarschijnlijk door dezelfde man is gedood. Ze is zijn naam op het spoor.'

'Hoe wist ze van die moord in de gevangenis?'

'Iemand van de PD-afdeling heeft haar verteld dat Hollis aan het rondsnuffelen was. En Jack...'

'Wat?'

'Hoe ben je van die boot afgekomen?'

'Ik heb een zwemtochtje in het donker gemaakt. Dat kan ik je niet aanbevelen.'

'Dat vraag ik niet.'

'Ik weet wat je me vraagt en het antwoord is nee.'

'Oké, waar ben je nu?'

'Weet je zeker dat je dat wilt weten?'

Quinns stem klonk killer dan de donkere zee. 'Krijg de klere, Jack.'

Maar Cameron had al spijt van zijn woorden zodra ze over zijn lippen waren gekomen. 'Naar huis, ik ga naar huis.'

Quinn stond in de keuken, met zijn mobieltje in zijn hand. Hij had Cameron niet verteld dat de moordenaar in het restaurant werkte en hij wist niet meer waar Camerons huis was. In zijn andere hand hield hij de bandrecorder die hij had gebruikt sinds Billy Rain hem had gebeld, met daarop Madisons stem die hem vertelde dat zijn cliënt ieder moment gearresteerd kon worden. Hij haalde het bandje eruit en draaide het om in zijn vingers. Het was compleet toeval geweest, maar hier had hij het: haar carrière en haar toekomst gevat in een klein stukje plastic.

Rosario zag kans terug te lopen naar de jachthaven; de voorkant van zijn jas was rood doordrenkt. Tegen de tijd dat hij er was, waren de schijnwerpers aangegaan die tot in elk hoekje van de haven doordrongen. Agenten van de speciale eenheid sprongen van de ene boot op de andere en doorzochten iedere centimeter met de lichten op hun geweren. Rosario, wankel en buiten adem, liep op inspecteur Fynn af. Die werd net op de hoogte gebracht door een brigadier van de speciale eenheid. Ze draaiden zich allebei om toen hij op hen afliep.

'Dokter,' schreeuwde Fynn toen Rosario in elkaar zakte.

'Het spijt me,' kraste hij.

Binnen enkele seconden organiseerden Fynn en de sheriff via de radio wegversperringen over het hele schiereiland. Het was alsof de jachthaven plotseling overvallen was door een enorme windvlaag die de menigte uiteen had gejaagd: de PD-afdeling was op weg om Camerons boot te doorzoeken, maar voor alle anderen was de lol eraf. In hun hart wisten ze dat hun prooi er allang vandoor was.

Kelly stond op een afstandje te kijken terwijl een ambulancebroeder Rosario's neus verzorgde en het bloeden probeerde te stelpen. Zijn partner had zich zijn wapen laten afpakken en kon niet met zekerheid zeggen door wie. Een stemidentificatie in de rechtszaal was even nuttig geweest als tegen de wind in pissen. Kelly was kwaad en gekwetst, alsof Rosario hem persoonlijk te schande had gemaakt; waarom had hij er zo nodig in zijn eentje op uit moeten gaan? Hun blikken ontmoetten elkaar en Rosario keek de andere kant op. Kelly liep naar hem toe en liet zich met een plof naast hem op de grond zakken. 'Het had erger kunnen zijn,' zei hij.

'Hoe dan?' antwoordde Rosario.

'Ik had tegen een lijkzak kunnen praten.'

Inspecteur Fynn ondervroeg persoonlijk de jonge agent Carey, die zenuwachtig en overstuur was. Dit was niet het verhaal dat hij had willen vertellen.

Het mobieltje ging over en Madison griste het van de stoel naast haar.

'Met Andy.'

'Wat gebeurt er?'

'Hij is ervandoor.'

'Hoe?'

'Toen de speciale eenheid eenmaal bij de boot was, was het al te laat. Hij moet overboord zijn gesprongen. Ik weet niet wanneer, de boot is urenlang in de gaten gehouden. Maar goed, hij heeft ze voor de gek gehouden, want toen ze binnendrongen, waren de lichten aan en bleek dat de gordijnen aan het wapperen werden gebracht door een ventilator. We hebben de boot doorzocht, maar niets gevonden. Nu wachten we op de PD-afdeling.' Hij zweeg even. 'En Rosario is van achteren aangevallen terwijl hij aan het pissen was.'

'Wat?'

'De speciale eenheid stond op het punt binnen te vallen. Tony liep terug naar de steeg waar ze de auto hadden geparkeerd omdat de politie van Poulsbo alle toiletten in de jachthaven hadden afgesloten, en net toen hij klaar was, werd hij tegen een stenen muur gesmeten. Hij heeft een gebroken neus en zijn oog ziet er ook niet best uit. Maar erger nog: zijn wapen en penning zijn afgepakt.'

'Cameron.'

'Dat wist hij niet zeker, maar er komen hier bijna geen gewelddadige misdaden voor. Hoe groot is de kans dat er nog iemand anders rondloopt die er geen been in ziet om agenten aan te vallen?'

'Is hij verder in orde?'

'Hij was aan het pissen, Madison. Ik denk dat hij zich knap ellendig voelt. En de volgende keer dat Cameron iemand neerschiet met zíjn wapen, wordt dat er vast niet beter op.'

'Nee, inderdaad.' Het was een geringe troost dat Cameron al van de boot af was geweest voor zij Quinn had gebeld; Rosario's neus was nog steeds gebroken en zijn wapen was nog steeds weg. 'Kan ik Fynn even spreken?' vroeg Madison aan Dunne.

'Hij is er niet; hij is de agenten aan het ondervragen die Cameron hebben laten passeren bij de wegversperring, en hij is knap nijdig, dus tenzij je hem iets positiefs te vertellen hebt, en dan bedoel ik een echte opsteker, zou ik hem nog maar een paar uur met rust laten.'

Madison kon die tijd goed gebruiken om haar punt beter te formuleren en meer details te weten te komen; ze hingen op. Ze vond het erg dat Rosario gewond was, zoveel was zeker, maar in haar hart wist ze dat het allemaal stukken erger had kunnen eindigen en alleen daarvoor al was ze dankbaar. Ze haalde koffie op Mercer Street en pleegde haar volgende telefoontje.

Nathan Quinn nam meteen op.

'Je cliënt heeft een agent aangevallen,' zei ze.

'Leeft die nog?'

'Ja.'

'Dan is het voor ons allebei een goede dag.'

Ze zweeg even. 'Ik wil weten wie er allemaal bij The Rock hebben gewerkt. Moet ik een bevelschrift aanvragen?'

Madison hoopte dat Quinn het even niet zo nauw zou nemen met de wet omdat de situatie zo dringend was.

'Met wat je nu hebt, krijg je de rechter niet eens te spreken.'

Madison rolde met haar ogen.

'Laten we afspreken in het restaurant,' zei Quinn. 'Hoe snel kun je daar zijn?'

Dertien minuten later reden ze tegelijkertijd de lege parkeerplaats op. Het voelde vreemd om op de stoep van het duistere restaurant te staan terwijl hij de deur openmaakte. Ze hadden geen van beiden 'hallo' gezegd.

Quinn zette het alarm uit en knipte een lamp aan. Madison stapte in het licht en voor het eerst zag hij haar gezicht, de diepe snee met de hechtingen erin, de blauwe plekken, en in haar ogen iets dat er vier dagen eerder niet was geweest. Hij wendde zijn blik niet af.

Madison had een hekel gehad aan Quinn vanaf het moment dat hij had besloten om Cameron te beschermen; hij had in zijn onschuld geloofd ondanks alles wat zij ertegen in konden brengen en hij bleek gelijk te hebben gehad. Dat maakte hem er voor Madison niet sympathieker op; op zijn manier was hij even gevaarlijk als Cameron en alles wat hij aanbood, was een geschenk waarmee heel behoedzaam moest worden omgegaan. Ze was blij dat er geen hartelijkheid of sympathie in zijn ogen lag. Ze beantwoordde zijn blik – ze bevonden zich op onbekend terrein.

'Stel dat we hier vanavond een naam vinden,' zei hij. 'Met alle respect, maar luisteren ze dan naar jou?'

'Als ik het kan onderbouwen wel.'

'En als ze niet naar je luisteren?' Hij gaf haar geen tijd om antwoord te geven en liep weg. Madison wist dat hij probeerde niet te denken aan alle keren dat hij had zitten kletsen met een van de obers of een keukenhulpje. Als de moordenaar bij The Rock had gewerkt, had Quinn hem ontmoet, hem gekend, met hem gepraat.

Hun voetstappen echoden in de grote zaal, waarin de tafels klaarstonden met hun borden en witte linnen servetten, een spookachtig gezicht in het weinige licht dat door de grote ramen naar binnen viel.

Hij opende de deur van het kantoor van de manager. 'Waarom doet hij dit?' Hij zei het op neutrale toon, alsof het een van de vele zaken was die hij behandelde.

'Dat weet ik nog niet. Als we erachter komen wíé, dan weten we waaróm.'

Dagen geleden, uren geleden, was ze in dat kantoor geweest met Brown, en hadden ze over pokernachten en messen gepraat. Het was er koud en de lucht rook muf. Quinn trok metalen archiefkasten open en zijn vingers doorzochten indexkaarten. 'De laatste dertig maanden?' vroeg hij.

'Ja.'

Madison had geen lijst van gevangenen die in de weken na Pathunes dood voorwaardelijk vrij waren gekomen, maar die kon ze morgen ophalen. De datum waarop hij was gestorven, was een goed uitgangspunt.

Quinn zuchtte. 'Ze staan in alfabetische volgorde. We moeten ze allemaal controleren.'

'Bedankt, maar ik maak kopieën en kijk ze zelf na. Ik heb je hulp niet nodig.'

'Nee, je ziet er inderdaad uit alsof alles in orde is. Laten we naar de keuken gaan.'

Madison aarzelde. 'Als ik vind wat ik zoek, welke garantie heb ik dan dat jij die informatie niet doorgeeft aan je cliënt?'

'Het woord van een eerlijke advocaat,' antwoordde Quinn zonder een spoor van sarcasme. 'Of je kunt terugkomen als je ooit een rechter vindt die bereid is een gerechtelijk bevel te tekenen.'

Ze pakten allebei een stapel dossiers, verhuisden naar de keuken en spreidden ze uit op het smetteloze, stalen werkblad in het midden van het vertrek. Ze begonnen eerst alle vrouwen te elimineren, waardoor het aantal al met een derde afnam. Hij pakte een dossier op en sloeg het open; zij deed hetzelfde.

'Heb je hem hierover verteld?'

'Hoe bedoel je?'

Quinn wist precies wat ze bedoelde.

'Cameron.'

'Vraag je me naar mijn communicatie met mijn cliënt?'

'Ik vraag of je voor- of nadat je hem gezegd hebt dat hij als een speer van die boot af moest gaan toevallig hebt opgemerkt dat de moordenaar hier heeft gewerkt.'

'Dat onderwerp is niet ter sprake gekomen.'

'Nee?'

'Nee.'

Dertig maanden is een lange tijd in het leven van een druk restaurant met fulltime en parttime werkkrachten. Elk dossier bevatte cv's en details van het sollicitatiegesprek die niet per se in de meest handige volgorde stonden.

Ze scanden de pagina's, keken naar wat ze moesten weten en legden ze op de stapel Afgekeurd; voorlopig was er nog geen tweede stapel.

'Hoe wist je dat hij het niet heeft gedaan?' Quinn hield zijn blik op de papieren gericht.

'Ik las over een fotograaf die in elkaar was geslagen en ik herinnerde me een foto die ik zag van Cameron in zijn jeugd.' Madison realiseerde zich te laat dat ze het over de begrafenis van Quinns broer had. Ze keek op. 'Sorry,' voegde ze er snel aan toe.

Quinn negeerde het. 'Ga door.'

'Ik denk dat Cameron afgelopen maandag, ergens nadat jullie elkaar hadden gesproken, Andrew Riley heeft afgetuigd omdat hij de lichamen van James Sinclair en zijn gezin had proberen te fotograferen. Dat deed me denken aan wat er eerder was gebeurd.'

'Is dat alles?'

'Ja.'

'Heeft dat je op andere gedachten gebracht?'

'Ja.'

'Dan verbaast het me niet dat je baas er niet in meeging.'

'Hoopte je dat ik een of ander geheim bewijsstuk had?'

'Ik hoopte dat je inmiddels iets meer had dan een vermoeden.'

'Dat hopen we allebei.'

'Wat voor man was het?'

'Wie?'

'De man die je partner heeft neergeschoten.'

'Hij is sterk en snel en vastbesloten. Hij deed zich met gemak voor als politieman en had er geen moeite mee om een agent neer te schieten.'

Madison schoof Quinn een dossier toe. 'Dicky Boyd,' zei ze. 'In de gevangenis ten tijde van Pathunes dood. Hij is hier acht maanden geleden in de keuken komen werken en heeft afgelopen juni ontslag genomen. Herinner jij je hem?'

'Boyd. Ja, maar ik geloof niet dat we ooit met elkaar hebben gepraat.'

'Hoe ziet hij eruit?' Madison haalde zich even de als agent verklede man voor de geest die hen had opgewacht bij Camerons huis.

'Ongeveer 1.80 meter, donker haar, met de bouw van een zwaargewicht. Waar heeft hij voor gezeten?'

'Fraude. En de man die Brown heeft neergeschoten, was veel lichter.'

'Van fraude naar moord is een grote stap.'

'Kun je je nog details van hem herinneren?'

'Niets.'

Madison legde het dossier van Boyd opzij en ze gingen verder met de stapel op tafel. Een uur later hadden ze nog twee namen van ex-gevangenen, Owen Burke en Paul Telling.

'Is dat alles?' vroeg Madison toen ze haar laatste dossier op de stapel Afgekeurd legde.

'Dat is alles.'

'Burke is van Chinese afkomst en Telling is een meter vijfenzestig groot. Ze zijn allebei veroordeeld wegens dealen en lijken geen van beiden op de man die ik heb ontmoet.'

Madison was er zo van overtuigd geweest dat ze de naam in die keuken zou vinden dat het niet eens bij haar was opgekomen dat ze er misschien naast zat. Nathan Quinn liep naar een van de ijskasten, haalde er twee flesjes water uit en gaf er een aan Madison.

'Bedankt. Ik neem ze nog een keer door, we moeten iets over het hoofd hebben gezien,' zei ze.

'Misschien niet.' Hij pakte de hoorn van de telefoon aan de muur. 'Donny, met Quinn.'

Donny O'Keefe, dacht Madison; de chef-kok van The Rock was een van de vaste deelnemers aan de pokernachten. Hij had hun vissoep aangeboden. Madison stond op en rekte zich uit en deed een paar passen in de lange, smalle keuken om zich voor te bereiden op de tweede ronde.

'Donny, ik heb een paar namen voor me. Ik zoek een man die in jouw keuken heeft gewerkt toen hij net uit de gevangenis kwam. Hij moet hier zo'n tweeënhalf jaar geleden zijn begonnen.' Quinn keek naar Madison. 'Lengte een meter tachtig, slank postuur. Ik heb Boyd, Burke en Telling, maar die voldoen niet.'

Quinn luisterde even. 'Nee, ik kan je niet vertellen waarom. Dank je, ik bel je morgen.' Hij legde de hoorn op de haak.

'Wat zei hij?'

Quinn stond met zijn ene hand nog op de telefoon.

'Wat zei hij?'

'Hij zei: "Wat denk je van Salinger?"'

Madison knipperde met haar ogen. 'Wie is Salinger? Ik heb geen dossier van Salinger gezien.'

'Nee,' antwoordde Quinn. 'Harry Salinger werkte hier tot een paar maanden geleden en toen hij vertrok, moet hij zijn dossier hebben meegenomen.'

'Harry Salinger.'

Het gaf een goed gevoel om de man bij zijn naam te kunnen noemen. Madison haalde diep adem en klapte haar mobieltje open. 'Met rechercheur Madison, Moordzaken. Ik wil een naam natrekken. Salinger, Harry. Ik blijf wachten.'

Er verstreken dertig seconden. Madison kon niet blijven zitten of stilstaan. Quinn wachtte met gesloten ogen.

'Ik ben er nog,' zei Madison in haar telefoon. Ze ging rechterop zitten en krabbelde iets in haar boekje. 'Ja, data graag.' Ze keek naar Quinn en knikte. 'En het adres. Geweldig, bedankt.' Madison hing op. 'Salinger is drie dagen nadat Pathune is vermoord vrijgelaten. Hij zat vast wegens mishandeling.' Madison klapte haar notitieboekje dicht.

'Er moeten nu een aantal dingen gebeuren,' zei ze. 'Eén: ik moet kunnen aantonen dat Salinger op de plaats delict was. Twee: ik moet Klein en het OM zien te overtuigen. Drie, en dat is het belangrijkst: jij moet zorgen dat je cliënt zich een paar uur gedeisd houdt. Je kunt hem toch wel vastbinden op een stoel?'

Madison begon haar spullen te verzamelen. 'En je kunt hem, mag hem, de naam niet geven.'

'Hoe ga je aantonen dat Salinger op de plaats delict was?'

'Cameron heeft een agent aangevallen en dat gaat niet zomaar weg. Ik schuif het voorlopig alleen even opzij. Het is het verschil tussen vier aanklachten wegens moord in plaats van acht. Ik zou niet graag willen dat je de champagne al opentrekt.'

'Salinger,' zei Quinn beslist.

'Ik weet het niet. Klein wil vast niet luisteren. Hij heeft een spoor van broodkruimeltjes achtergelaten en hij is heel zorgvuldig geweest: alle vingerafdrukken die zijn gevonden waren van de slachtoffers, behalve die op het glas en dát kwam uit deze keuken hier. Hoe langer ik erover nadenk, hoe meer ik het gevoel krijg dat hij eerder in het huis van de Sinclairs is geweest. Hij is niet het type om zomaar naar binnen te gaan. Kun jij je een gelegenheid herinneren waarbij hij daar is geweest?'

'Een paar maanden geleden hebben ze thuis een feestje gegeven. Ik weet dat James glazen van het restaurant heeft geleend. Misschien heeft iemand van het personeel de kratten gebracht, iemand moet ze weer opgepikt hebben. Dat is een mogelijkheid.'

Madison schreef een paar telefoonnummers van de lijst van werknemers over. Mensen die dag in dag uit samenwerkten, moesten iets weten.

'Herinner jij je hem?'

Hij dacht er even over na. 'Nee,' zei hij, en Madison dacht dat hij daar blij om was. De herinnering aan de moordenaar die dicht bij hem stond, met de kinderen praatte, zou bijna niet te verdragen zijn.

'Bedankt hiervoor,' zei Madison, verlegen en al bijna de deur uit. 'Het heeft erg geholpen.'

'Ik heb je stem op de band,' onderbrak Quinn haar.

'Wat?'

'Ik heb je stem opgenomen toen je me waarschuwde dat Cameron van die boot af moest.'

Madison draaide zich om en keek hem aan, en hoopte dat ze onbezorgd zou kijken en klinken. 'Hoe?'

'Bij toeval. Ik neem bijna als vanzelfsprekend telefoongesprekken op. Ik verwachtte niet dat jij zou bellen, ik verwachtte niet dat jij me de perfecte reden zou geven om naar rechter Martin te stappen en de zaak te seponeren.'

'En ga je dat doen?'

'Zou elke redelijke advocaat dat niet doen?'

'Waarschijnlijk.' Madison dacht er even over na. 'Maar die tape verandert niets. Ze proberen me al in diskrediet te brengen sinds ik het aan mijn baas heb verteld. Ze zullen het aan posttraumatische stress wijten. Ik zou het niet kunnen verkroppen dat mijn partner werd neergeschoten en dat ik hem niet heb kunnen beschermen. Ze kunnen het zo voorstellen als ze willen, maar mijn woorden of mijn daden zullen hun zaak niet verpesten. Ze wisten dat je zou proberen om mij te gebruiken om het bevelschrift aan te vechten.'

'Ze wisten niet dat je me zou bellen en de arrestatie zou dwarsbomen. Zouden ze dat ook aan posttraumatische stress wijten? Je werkt minder dan vijf weken bij Moordzaken, je hebt een veelbelovende toekomst. Hoe aardig zouden ze je nu nog vinden, denk je?'

'Wat wil je van me, Quinn?'

'Vertel me waarom ik vanavond niet naar de rechter zou moeten stappen.'

'Ik ben niet in de stemming om je om speciale gunsten te vragen.'

'Zelfs niet om je carrière te redden?'

'Nog in geen duizend jaar. Ik mag mijn penning kwijtraken, maar jij verliest de enige die gelooft dat je cliënt onschuldig is. Ga daar maar mee naar de rechter.'

'Ik heb Salingers naam.'

'Dat is niet voldoende.'

Quinn glimlachte, maar er lag geen vreugde in, alleen het smeulende vuur van een gedachte die Madison niet kon doorgronden.

'Niets is ooit voldoende, maar we doen wat we kunnen met wat we hebben.'

'Dat ben ik met je eens. Gebruik die tape of gebruik hem niet, mij kan het niet schelen.'

'Het kan je wel schelen,' zei Quinn. 'Niet je baan, maar wel of je er geschikt voor bent. Dat kan je heel veel schelen.'

Op dat moment wist Madison precies hoe gevaarlijk Quinn kon zijn. Ze zou liever Fynn bellen en het hem zelf vertellen.

'Deze naam heeft je wat tijd gegeven. Gebruik die goed, want morgen zal ik hoe dan ook dat bevelschrift laten intrekken. En nog iets.' Quinns stem kwam nauwelijks boven een gefluister uit. 'Wees niet zo stom om je baas te bellen en hem alles over jouw telefoontje te vertellen. Ik zie dat je in de verleiding bent. Niet doen. Denk na over wat je het ergste vindt: het feit dat ik dat bandje heb of Harry Salinger die zich voorbereidt om definitief af te rekenen met je partner.'

Madison probeerde de woede uit haar stem te houden. 'Ik zal doen wat ik moet doen. Als ik geen penning heb, zal het misschien wat langer duren, maar het zal me niet tegenhouden.'

'Dat had ik ook nooit gedacht,' antwoordde Quinn bedaard terwijl het geluid van haar voetstappen al wegstierf in de grote eetzaal.

Alice Madison zat in haar auto. De motor draaide en de raampjes besloegen. Ze kon haar woede wel hanteren, maar ze kon zich geen zorgen over de toekomst veroorloven. *Als ik geen penning heb.* Quinn had haar naar de dossiers van de werknemers laten kijken om een naam te vinden waarmee hij naar de rechter kon gaan; dat was de enige reden waarom hij met haar had afgesproken. Nou, hij had gekregen wat hij wilde, fijn voor hem. Maar zij ook, en het enige wat ze betreurde, was dat ze het niet aan Brown kon vertellen.

Maar nu moest ze aan het werk. Als ze hem had opgespoord, wilde ze in zijn ogen kijken, de ogen van de man die bijna haar partner had vermoord. Zo had ze, minder dan een week geleden, ook over Cameron gedacht. *En kijk eens hoe dat is gelopen*, dacht ze. Salingers politiefoto zou vast goed lijken, maar ze ging liever nog niet terug naar het bureau. Ze zou het moeten doen met de foto op zijn rijbewijs en ze wist hoe ze daaraan moest komen.

Ze reed naar de uitgang van de parkeerplaats: als ze rechts afsloeg, ging ze op weg naar huis; als ze links afsloeg, kon ze even snel een bezoekje brengen aan Harry Salinger.

Nathan Quinn deed de deur van het restaurant achter zich op slot. Hij liep de kille nacht in en zag Madisons auto bij de uitgang van de parkeerplaats staan. Er was geen verkeer, maar de auto reed niet weg. De richtingaanwijzer gaf aan dat ze rechts af wilde slaan. Quinn duwde zijn handen diep in zijn zakken. Hij wist waar Madison woonde en hij wist aan welke andere plek ze dacht. De weg was in beide richtingen verlaten en de auto bleef staan waar hij stond. Quinn bleef staan kijken tot de linker richtingaanwijzer plotseling begon te knipperen en Madisons auto snel wegreed.

Hij wist dat ze naar het 'laatst bekende adres' reed en was blij dat het dat van Salinger was en niet dat van Jack, dit keer tenminste. Hij zou niet altijd zo'n geluk hebben. Ze wist zich goed staande te houden, en misschien zou ze Salinger zelfs vinden voor Jack hem vond. Daarna zou ze achter zijn vriend aan gaan en dat zou de dingen voor alle betrokkenen een stuk spannender maken.

Ze zou alleen even snel naar het huis kijken om zich een idee van hem te vormen, verder niets. Het was het adres waarop hij had gewoond voor hij na zijn vrijlating in het reclasseringscentrum was geplaatst. Het weer was opgeknapt en er was weinig verkeer op zondagavond.

Het was Salinger, ze wist het. Ze dacht aan de plaats delict, de lichamen op het bed en het gewicht van zijn lichaam dat met haar vocht. Ze begon rustiger adem te halen; ze zou per slot van rekening nog niet bij hem langsgaan. Als ze dat zou doen, zou ze niet kloppen, dan zou ze de deur openschoppen met een arrestatiebevel in haar ene hand en haar wapen in haar andere.

Ze hadden Salingers adres ten tijde van zijn arrestatie. De kans dat hij daar nog steeds woonde, was ongeveer even groot als dat ze zijn dossier in het restaurant zouden hebben gevonden.

De rit was maar kort. Het was een adres in Ballard in de buurt van Sunset Hill. In de straat stonden voornamelijk vrijstaande eengezinswoningen. Madison had haar auto kunnen parkeren en erheen kunnen lopen, maar Salinger wist hoe ze eruitzag en in het recente verleden was het geluk niet vaak aan haar kant geweest. Ze wilde niet gezien worden voor ze klaar was om zich aan hem te laten zien.

Ze had zich geen zorgen hoeven maken: het was het meest haveloze huis in het blok, duidelijk dichtgetimmerd en leeg. Op een bord van een makelaar stond dat het te koop was. Madison prentte het telefoonnummer in haar hoofd. Ze reed langzaam voorbij. In een van de ramen beneden zat geen glas meer. Er was een piepklein voortuintje dat vol onkruid stond en het hek was afgesloten met een hangslot. De brievenbus zat stampvol folders en een grote sticker van het elektriciteitsbedrijf van Seattle liet iedereen weten dat de elektriciteit was afgesloten.

Harry woont hier niet meer, dacht Madison. De makelaar had gewerkt voor een projectontwikkelaar die twee maanden daarvoor failliet was gegaan. Hij had geen idee wie Harry Salinger was en eerlijk gezegd kon hem dat ook niet schelen.

Ze was moe, hongerig en geïrriteerd: ze zou gaan werken, eten en misschien even gaan slapen als haar dat lukte. Verder was alles rozengeur en maneschijn.

Een uur later zat Madison achter haar laptop met een kop koffie en een knetterend vuur in de haard. Er is weinig dat je niet kunt vinden met de juiste software en een positieve instelling. Het kostte haar maar een paar minuten voor ze de gegevens op Salingers rijbewijs binnen had.

Zijn foto verscheen in de linkerbovenhoek van haar scherm en Madison leunde achterover in haar stoel en bekeek zijn smalle gezicht. Natuurlijk was de foto van lang geleden, maar het waren onmiskenbaar de lichte ogen van de man in het politie-uniform die hen had staan opwachten. Ze zou hem zonder aarzelen hebben aangewezen in een rijtje 'verdachten'. Maar Salinger zou nooit de binnenkant van een politiebureau zien als ze hem niet in verband kon brengen met de plaats delict. Ze zou hem vast wel kunnen vinden, maar ze maakte zich meer zorgen over de vraag of ze de zaak tegen hem wel rond kon krijgen. Hij zou beslist in de stad blijven; hij zat vast aan Seattle door zijn eigen woede en de pathologie van het plan dat hij had bedacht: hij was nog niet klaar en hij bleef zitten waar hij zat.

Toen ze besefte dat ze al minutenlang naar dezelfde regel in de lijst van de politieacademie zat te kijken, stond ze op en nam een paar pijnstillers met de restjes van Rachels lasagne.

Harry Salinger was gearresteerd op verdenking van mishandeling. Madison wist dat dat vaak het eerste misdrijf is voor iemand overgaat tot ernstiger zaken. Even na middernacht vond ze zijn naam op de lijst: Harry Salinger was twee dagen voor hij het misdrijf beging waarvoor hij naar de gevangenis werd gestuurd en in het leven van George Pathune terechtkwam, officieel afgewezen voor de academie. Madison stond zichzelf een miniem glimlachje toe: daar had ze tenminste gelijk in gehad. De wetenschap dat de verschrikkingen die de Sinclairs te verduren hadden gehad, waren gepleegd door iemand die ernaar had gestreefd om 'te beschermen en te dienen' bezorgde haar een kil gevoel.

Het dossier vermeldde geen specifieke reden waarom Salinger was afgewezen. Misschien was hij niet door de psychologische test gekomen, misschien was hij fysiek ongeschikt geweest. Madison hoopte op het eerste.

34

Harry Salinger veegde zijn handen af aan een doek. Hij was geen geduldige man, maar God wist dat hij zijn best had gedaan met wat hem was gegeven. Hij kon de eindstreep al zien, die lag binnen handbereik, en de omvang van zijn prestatie benam hem bijna de adem. Dit had hij zeven jaar geleden nooit kunnen voorzien, toen hij op een barkruk zat met de afwijzing van de politie-academie die een gat in zijn zak brandde.

Hij had zich opgegeven omdat dat het enige was wat hij altijd had gewild en omdat het zijn vader plezier zou hebben gedaan, als die nog geleefd had. Soms vermengden de redenen zich tot een doffe pijn. De brief was die ochtend gekomen en daarmee was alles tot een eind gekomen.

Zeven jaar geleden zat hij aan die bar te drinken terwijl de mensen en de tijd om hem heen voorbij golfden. Toen iemand hem bij de schouder pakte, draaide hij zich om en zag dat het donker was en er niemand meer in de bar was behalve de barkeeper en die man. Zijn stem klonk als houtskool en hij kon de woorden niet verstaan. Hij wist niet meer wie de eerste klap uitdeelde, maar hij liet zich meeslepen door zijn woede.

De vechtpartij duurde maar kort en tegen de tijd dat de politie kwam, lag de barkeeper met zijn gezicht naar beneden op de houten vloer op een bed van glasscherven. De andere man verzette zich toen ze hem de handboeien omdeden, Salinger ging gewillig mee. Hij had de barkeeper niet eens aangeraakt.

Ze hadden hen samen met hun advocaten in een kamer gezet die naar bleekwater rook en toen was het voor het eerst tot Salinger doorgedrongen dat hij serieus in de problemen zat. Het bewijs was niet overtuigend, had de officier van justitie gezegd, ze zouden de barkeeper allebei met de kapotgeslagen fles geraakt kunnen hebben.

Hij had de overall aan die ze hem hadden gegeven. Zijn pro-Deoadvocaat had geen tijd gehad om kleren voor hem op te halen. De andere man had zich geschoren en droeg het pak dat zijn advocaat voor hem had meegenomen. Het zag er duur uit, maar niet zo duur als het kostuum dat de advocaat zelf droeg. Die had zich voorgesteld als Peter Hansen van Quinn Locke en zag eruit alsof hij op weg was naar zijn eerste miljoen dollar. Zijn pro-Deo-advocaat zag eruit alsof hij de week daarvoor was afgestudeerd. Salinger wist dat hij in de nesten zat, maar hoe diep en hoe zwart het water was, had hij zich niet kunnen voorstellen.

Nu vouwde Salinger de doek op en legde hem opzij. *Geduld.* Hij had zijn uiterste best moeten doen om de verleiding te weerstaan zondagmiddag naar Poulsbo te gaan en met eigen ogen het resultaat te zien van zijn anonieme tip over Cameron. Hij wist al sinds oktober van de boot en had het juiste moment afgewacht om het de politie van Seattle in de schoot te werpen. Hij had het 's ochtends vroeg meteen willen checken en had zich onder de toeristen bij de Scandinavische winkels gemengd: daar lag de boot, tussen de twinkelende lichtjes en de kale bomen.

In zijn kelder wachtte Harry Salinger langer dan hij dacht dat hij kon verdragen; zijn monitoren stonden allemaal afgesteld op lokale tv-stations. Op een bepaald moment zou het nieuws beginnen en dan zou hij te horen krijgen dat John Cameron weer iemand had vermoord toen hij werd aangehouden door een team van de speciale eenheid. Hij had er geen moment aan getwijfeld dat Cameron zou ontsnappen. Hij wilde alleen dat hij daarbij een spoor van politielijken zou achterlaten, als nog meer nagels aan zijn doodskist.

Het nieuws begon. De verslaggever stond bij het met linten afgezette gebied zodat de politiewagens met zwaailichten in beeld zouden komen. Salinger leunde voorover in zijn stoel. Er ging een golf van teleurstelling door hem heen en hij verborg zijn gezicht in zijn handen. Hij wilde niet in tranen uitbarsten, maar zijn frustratie was onmetelijk.

Hij dwong zich om langzamer te ademen en sloot zijn ogen. Op de tast vond hij de afstandsbediening en hij zette het ergerlijke verslag zachter. Het was een tegenslag, maar hij moest positief blijven. Hij had alles wat hij de volgende paar dagen nodig had al gepakt en een paar dagen waren voldoende. Hij legde zijn hand op het kleine houten kistje dat het afgelopen halfjaar op zijn tafel had gestaan. Alleen die aanraking gaf hem al genoeg troost.

Het busje stond klaar met een volle tank, zijn werkstuk was ontmanteld en stond veilig achter de kisten onder een geruite deken. Hij had zichzelf getimed: het kostte hem tweeënveertig minuten om het ter plekke op te stellen.

In zijn keuken maakte Harry Salinger twee boterhammen klaar, hardgekookte eieren met mayonaise op witbrood. Zijn plannen waren flexibel en hij kon ze aanpassen als dat nodig was. Hij had een koptelefoon op en Madisons opgenomen stem hield hem gezelschap. Hij kon zelfs de kracht opbrengen om te glimlachen.

35

Maandagmorgen, 6.30 uur. Billy Rain was met een schok wakker geworden. Hij had niet goed geslapen; slapen was iets wat alle andere mensen ter wereld leken te kunnen, maar hij niet. Hij had sinds zijn jeugd niet meer goed geslapen en afgelopen nacht was geen uitzondering. Nathan Quinn en de gestage berichtgeving over de moorden in Blueridge hadden zijn slaappatroon er niet beter op gemaakt.

Nadat hij uit het café thuis was gekomen, had hij zichzelf bedwelmd met een paar slaappillen om tenminste een paar uur van die gezegende duisternis te genieten. Hij werd suf en dorstig wakker. Het vage licht in zijn donkere eenkamerappartement was afkomstig van een gele neonreclame die aan de buitenkant van het gebouw knipperde.

Hij had een pak melk in de ijskast staan. Zijn een meter negentig lange gestalte kon in drie stappen door de kamer zijn. Hij stak één been uit bed en zijn voet raakte de tegelvloer.

'Blijf liggen,' zei de stem en Billy Rain kreeg een stomp tegen zijn borstkas. Hij bleef liggen.

'Ik heb dertig dollar, geen creditcards. Mijn portefeuille ligt op de ladekast. Pak hem maar en vertrek.'

Hij kon iemand horen, maar niet zien. De persoon stond op uit zijn leunstoel – Billy hoorde de veren kraken – liep naar de ladekast in de hoek en knipte de lamp aan.

'O, fuck,' fluisterde Billy Rain toen John Cameron weer in de leunstoel ging zitten.

'Billy Rain,' zei Cameron.

Billy knikte en ging met kloppend hard rechtop zitten terwijl hij de dekens om zich heen trok. Hij had Quinn niet moeten bellen. Kon hem die beloning schelen, hij had zich er niet mee moeten bemoeien.

'Weet je wie ik ben?'

Billy knikte.

'Ik wil graag dat je mij vertelt wat je aan Quinn hebt verteld. Alles wat je je herinnert, alles wat je weet. Lukt dat?'

Billy knikte.

'Wil je een glas water?' vroeg Cameron.

'Oké.'

'Blijf liggen, ik haal het wel. Je doet het prima. Ontspan je en doe geen domme dingen.'

Cameron pakte een schoon glas van het aanrecht en vulde het met water uit de kraan. Hij zette het glas op het nachtkastje en liep weer naar de stoel. Billy dronk het in één teug leeg.

'Moet ik je vertellen wat er gebeurt als je me voorliegt?'

'Nee.'

'Goed zo. Begin bij het begin en vertel me alles.'

'Wil je weten wat ik gezien heb?'

'Alles.'

'Oké.' Billy haalde diep adem en begon. John Cameron luisterde terwijl hij zijn ogen op hem gericht hield. Hij hoorde de woorden niet alleen, maar absorbeerde ze.

Billy Rain was ietsje kalmer geworden. Jarenlang waren alle details van die dag een haakje geweest dat vastzat in zijn huid. Nu kwam alles eruit.

'Je doet het goed,' zei Cameron. 'Je zei dat het in de wasserij gebeurde. Werkte je daar gewoonlijk?'

'Ja, het was mijn tweede maand daar. Het maakte deel uit van het rehabilitatieprogramma, een wisseldienst. Je leert een vak en dan krijg je een baan als je vrijkomt.'

'Zat iedereen in diezelfde wisseldienst? Ik bedoel Rabineau en de man die vermoord werd?'

'Ja, het was een groep gevangenen uit mijn blok. Vóór de wasserij werkten we in de keuken.'

'De keuken,' zei Cameron.

'Vier maanden lang afwassen.'

Cameron zag eruit alsof hij even was afgehaakt en Billy Rain vond de stilte onverdraaglijk. Hij vervolgde: 'Voor sommigen werkt het, die krijgen een baan in een restaurant of zo. Voor mij werkte het niet.'

'Nee,' zei Cameron terwijl hij plotseling opstond. 'Jij werkt in de garage van je zwager.'

Billy vond het niet prettig dat hij dat wist. Cameron liep naar de deur.

'Is dat alles?' vroeg Billy. 'Meer niet?'

'Je mag je portefeuille houden,' antwoordde John Cameron en weg was hij. De deur viel langzaam achter hem dicht en Billy Rain, die snel zijn bed uitkwam, deed hem zachtjes op slot en leunde er met zijn rug tegenaan.

John Cameron keek om zich heen. De smalle gang was leeg en de vier andere deuren waren allemaal gesloten. Hij liep het gebouw uit en sloeg links af de steeg erachter in. Hij belde een nummer dat hij uit zijn hoofd kende.

'Donny? Met Jack.'

Donny O'Keefe nam een slok koffie. 'Ik dacht al dat je zou bellen,' zei hij. 'Heb je Nathan gesproken?'

Cameron dacht aan hun laatste gesprek en besefte dat Quinn het sinds gisteravond geweten had. 'Vertel me precies wat je hem hebt verteld. Ik moet het van jou horen.' Dat was niet helemaal waar en beide mannen wisten het.

O'Keefe deed wat hem werd gevraagd omdat Harry Salinger in zíjn keuken had gewerkt en hij het niet had gezien, tot gisteravond niet, en nu was hij ondanks zichzelf blij dat Cameron had gebeld.

Cameron reed naar huis. Hij had zich na Poulsbo van de Jeep ontdaan omdat hij, geheel terecht, aannam dat het hele politiekorps van Seattle achter de man zou aanzitten die rechercheur Rosario tegen een muur had gesmeten en door de politieafzetting was gekomen. De rode GMC pick-up stond stand-by. Hij was een beetje gehavend en versleten. Achterin stonden een paar kratten met bouwgereedschap, bedekt met een zeil voor het geval iemand een kijkje wilde nemen. Op de zijkant stond in witte letters TIMMER-BEDRIJF SCOTT SEATTLE.

Cameron was gesteld geweest op de Jeep en hij vond het jammer dat hij hem weg moest doen. Het was de tweede auto waar hij zich die week van moest ontdoen, maar aan de Explorer was hij veel minder gehecht.

Hij had besloten dat hij niet aan Salinger zou denken tot hij thuis was, tot hij al zijn aandacht kon besteden aan hoe hij hem moest opsporen en vermoorden. Hij kon het zich niet veroorloven afgeleid te worden zolang hij bij de verkeerslichten stond te wachten naast een politiewagen, waarvan de chauffeur een ongeschoren, gebruind gezicht zag onder een verschoten Seahawks-petje.

Het licht sprong op groen en de politieauto sloeg rechts af. Cameron bereikte zijn huis zonder verdere problemen. Hij schonk zich een glas sinaasappelsap in en belde Quinn.

'Ik heb Billy Rain gesproken,' zei hij en wist dat Quinn zich voorbereidde op slecht nieuws.

'O ja?'

'Ja, hij heeft me verteld over het rehabilitatieprogramma waarin ze nieuwe vaardigheden leren voor als ze vrijkomen, zoals werken in een keuken.'

'Ja.' Quinn had geaarzeld, maar dat had geen zin meer.

'Ik heb net Donny gebeld,' ging Cameron door.

'Ik wou dat je dat niet had gedaan.'

'Harry Salinger. We moeten hem tientallen keren hebben gezien.'

'Ik weet het.' Sinds gisteravond had hij aan weinig anders meer gedacht.

'Misschien kunnen we vanavond samen eten om de zaak te bespreken.'

'Hier?'

'Ja.'

'Oké. Vandaag moet je je gedeisd houden. Rechercheur Madison doet haar best om je arrestatiebevel te laten intrekken en die kerel op te sporen.' *Die kerel.* 'Het is bijna voorbij. Ga niet naar buiten, praat met niemand, doe niets.'

'Oké.'

'Jack?'

'Wat?'

'Ken jij hem?'

'Nee, ik heb geen idee wie hij is.'

'Ik bel je als ik nieuws heb.'

'Je bedoelt zoals gisteravond, toen je achter zijn naam was gekomen?'

'Het spijt me, maar zo moet het nu eenmaal.'

'Nee, het spijt je niet. Je bent mijn advocaat, je beschermde me. En daar ben je heel goed in. Tot later.'

Ze hingen op en wisten allebei dat ze zojuist leugens hadden uitgewisseld. Quinn zou hem nooit vertellen waar hij Salinger kon vinden en Cameron zou nooit opgeven voor hij hem gevonden had.

Cameron liet zijn bad vollopen en nam een paar paracetamolletjes. Hij had het al koud sinds zijn onverwachte zwemtochtje van gisteravond. Hij kleedde zich uit, maakte zijn enkelholster los, haalde het wapen eruit en legde het op een opgevouwen handdoek op de grond bij het bad. Het hete water voelde heerlijk.

Hij gleed erin en ging zo lang hij kon verdragen kopje-onder. Hij kende Harry Salinger niet, had hem nooit ontmoet voor hij in het restaurant kwam werken, had zijn naam voor vanochtend door niemand horen noemen. De eerste keer dat hij de man ooit had gezien, moest die een kelneruniform hebben gedragen of het witte jasje van een keukenhulp. Hij kon het zich werkelijk niet herinneren. Harry Salinger was het zwarte gat waar alles in verdween en Cameron kwam weer boven water om adem te halen.

Hij zou hem vinden – per slot had hij Billy Rain ook snel gevonden. Salinger zou alleen ietsje meer tijd kosten, en als ze oog in oog kwamen te staan, zou hij zijn antwoord krijgen en Salinger zou daar snel en afdoende voor worden beloond. Meer medelijden kon Cameron niet voor hem opbrengen en hij zou enorm van dat moment genieten.

36

Maandagochtend. Madison schrok wakker uit een diepe slaap, draaide zich om, wilde de wekker uitzetten en merkte dat ze niet in bed lag, maar nog steeds op de bank, en dat haar telefoon lag te rinkelen op de salontafel. Ze stak haar hand ernaar uit.

'Madison.'

'Met Quinn.'

Het was voldoende om helemaal wakker te worden. 'Wat is er gebeurd?'

'Ik heb net Jack gesproken. Hij weet het. Je hebt niet veel tijd.'

Shit. Het was slecht nieuws, het was verschrikkelijk nieuws: Cameron zou snel toeslaan. Hij hoefde, anders dan zij, geen rekening te houden met juridische details.

'Wat heb je gedaan?'

'Ik heb het hem niet verteld, als dat je vraag is. Wanneer ga je met Klein praten?'

'Ik ga na of Salingers DNA uit zijn strafblad overeenkomt met iets wat in het huis van de Sinclairs is gevonden. Daarna, en pas daarna, bel ik Klein. Ga desnoods boven op je cliënt zitten, want vandaag zal elke agent die hem ziet hem meteen neerschieten.'

'Prima, maar doe het snel.'

Na de afgelopen week was er nog maar weinig over van Madisons aangeboren bereidwilligheid; ze voelde woede in zich opkomen. 'Kent hij hem?'

'Nee.'

'Hoe is Cameron erachter gekomen?'

'Hij heeft het uitgepuzzeld, net als jij. Doe je werk, dan kunnen we allemaal naar huis.'

Het was te vroeg op de dag en Madison had nog niet eens een kop koffie gehad. Ze stond op en de woorden vlogen haar mond uit. 'Als jij 's ochtends wakker wordt, is je eerste gedachte "Hoe kan ik zorgen dat mijn cliënt vandaag weer eens niet gepakt wordt". Dat is je werk. En dan hoop je maar dat hij niet weer iemand zal vermoorden. Vertel me niet hoe ik mijn werk moet doen. Je kunt jezelf voor de gek houden en denken dat je de wet dient, dat je altijd de waarheid spreekt. Maar jij verschuilt je gewoon achter de kleine lettertjes en hoopt er het beste van, als een ordinaire tweedehandsautohandelaar in een net pak.'

Ze schrok zelf van haar harde woorden en viel stil. Quinn gaf een paar seconden lang geen antwoord. Madison deed haar ogen dicht. 'Goed gezegd en raak. Dat zal ik onthouden, rechercheur,' zei hij, en zijn stem klonk onverwacht zacht.

Madison wilde iets zeggen, maar hij had opgehangen en ze voelde zich plotseling ellendig. Ze nam een hete douche en bleef eronder staan tot al haar snijwonden en blauwe plekken lang genoeg pijn hadden gedaan. Alles bij elkaar genomen zou het heel goed haar laatste dag als politieagent kunnen zijn. Ze was zich aan het afdrogen toen de telefoon in haar slaapkamer ging.

'Rechercheur Madison? Met Ellen McCormick.' *Browns zus.* Madison had geen tijd om meteen het ergste te veronderstellen. 'Ik bel om te zeggen dat ze hem hebben losgekoppeld van de machine en dat hij nu zelf ademhaalt.'

Madison glimlachte breed en ze kon zich de laatste keer dat die lach zoveel betekende niet meer herinneren. 'Dat is geweldig nieuws,' zei ze, al beschreef dat nauwelijks hoe ze zich voelde.

'Zeker. Hoe gaat het met jou?'

Het trof Madison dat het een beetje vreemd was dat Browns zus haar zelf belde in plaats van het aan een van de rechercheurs in het ziekenhuis over te laten.

'Goed, gegeven de omstandigheden. Als ik vragen mag: hoe ben jij eronder?'

'Ik vraag me af wat er gaande is. Ik heb gisteravond naar het nieuws gekeken. Ze hadden hem bijna en hij is ontsnapt en ik maak me zorgen dat die...' Ze zocht naar het juiste woord, maar kon het niet vinden. '... die man hem weer iets zal willen aandoen.'

Madison wilde dat ze open kaart met haar kon spelen; misschien zou dat over een paar uur mogelijk zijn. 'Ik denk niet dat Brown zich zorgen hoeft te maken over de man naar wie ze gisteren op zoek waren. Hij is voortvluchtig; hij is niet van plan om zich in een ziekenhuis vol agenten klem te laten zetten.' Madison was er vrij zeker van dat het zowel op Cameron als op Salinger van toepassing was.

Ze nam haar koffie mee naar het terras en belde Sorensen. 'Amy, met Madison. Heb je een minuut?'

'Ik ben een glazen ruitje in elkaar aan het passen dat in zo'n miljard scherven is gevallen, voor het onwaarschijnlijke geval dat er een vingerafdruk op staat. Meer dan een minuut heb ik niet.'

'Ik zal het snel vertellen. De naam van de vermoorde gevangene die je me gisteren gaf, heeft ergens toe geleid. Het lichaam van de man lag in dezelfde houding als de Sinclairs, tot het in hun eigen bloed getekende kruis toe. Toentertijd zat John Cameron niet in de gevangenis, maar iemand anders wel, een man die een paar dagen na de moord voorwaardelijk vrij werd gelaten en is gaan werken in het restaurant waarvan Cameron de eigenaar is, samen met Quinn en Sinclair. Kun je me nog volgen?'

'Ja.'

'Oké. Zijn er op de plaats delict van de Sinclairs sporen gevonden die niet van de slachtoffers of van Cameron afkomstig waren? En onder sporen versta ik alles: haar, huidcellen, vezels, alles wat opzij is gelegd omdat we het toentertijd niet nodig hadden.'

Een vingerafdruk was onmogelijk: Salinger was een ex-gevangene. Als hij ergens in de buurt van de slachtoffers een gedeeltelijke afdruk had achtergelaten, zou die meteen geïdentificeerd zijn.

'Er is een enorme hoeveelheid monsters verzameld en die zijn niet allemaal verwerkt.'

'Hij moet iets hebben achtergelaten.'

Sorensen zweeg even. 'Er lag een kleine hoeveelheid talkpoeder op de vloer van de badkamer,' zei ze. 'Het was van hetzelfde merk als het poeder dat in het kastje van de Sinclairs stond, dus er ging geen belletje rinkelen.'

Talkpoeder.

'Amy, talkpoeder wordt voor latex handschoenen gebruikt en hij moest zijn bebloede handschoenen uittrekken en een paar schone aandoen toen hij de haren in de knoop van de boeien plantte.'

'We hebben er nog iets anders bij gevonden, een heel kleine hoeveelheid gestold bloed.'

'Een korstje?'

'Zo ziet het eruit.'

'Test dat, en geef het voorrang.'

'We hebben duizenden...'

'Het is zíjn bloed. Hij heeft in de gevangenis gezeten, we hebben zijn DNA. Test het zo snel je kunt.'

'Oké, ik laat het je weten.'

Het was een frisse, heldere morgen; op zo'n dertig meter afstand gleden een paar kajaks door het water. Madison had graag haar eigen kajak uit de garage gehaald om een paar uur niets anders te horen dan het geluid van de peddel die door de golven sneed. Buiten kon ze makkelijker ademhalen.

Harry Salinger, die een tweelingbroer had die jong gestorven was. Zijn vader was politieagent, zijn moeder stierf aan een toevallige overdosis medicijnen.

Even voelde Madison een golf van misselijkheid opkomen. Zij maakte evenzeer deel uit van zijn fantasie als Cameron en Quinn, anders zou ze nu naast Brown liggen. Hij had nooit de bedoeling gehad om haar meer kwaad te doen dan tijdens hun gevecht was gebeurd. Het was zijn manier om haar op de proef te stellen, ietsje dichterbij te komen, iets meer intimiteit te scheppen, en Brown was de ongenode gast geweest. *Dertien dagen.* Madison huiverde. Salinger wilde meer. Hij had genoten van de verschrikkingen in het huis van de Sinclairs, zeker, maar de echte reden voor de moord moest een andere zijn.

Ze had zich dik aangekleed tegen de kou, maar het weer was aan het omslaan en op sommige plekken op het grasveld kon ze de aarde zien onder de dunne laag sneeuw. De lucht was diepblauw en Madison wilde dat ze de schoonheid weer kon voelen, de kleuren van de aarde en het water waarvoor ze na de universiteit weer terug was gegaan naar Seattle.

Salinger had zijn straf voor mishandeling uitgezeten; hoe was dat daarna uitgelopen op de moord op George Pathune in de gevangenis en daarna op de Sinclairs? Naar het zich liet aanzien, was de eerste geen zelfverdediging geweest. Pathune was een pyromaan die zich maar net staande wist te houden in de gevangenis; de Sinclairs maakten deel uit van een veel groter plan om Cameron te gronde te richten, en Brown en zijzelf bevonden zich ergens op dezelfde tekentafel, vlak naast Cameron, nu ze erover nadacht.

Net toen ze opstond om weer naar binnen te gaan, hoorde ze de bel en maakte een sprongetje. Madison verwachtte geen bezoek. Ze zette haar kop koffie neer, maakte het riempje van haar holster los en liep naar de voordeur. Haar linkerhand rustte op de kolf van haar wapen toen ze door het kijkgaatje gluurde.

De man stond op drie meter afstand en zag er onmiskenbaar uit als een ex-politieman, een die misschien zelfs in het leger had gezeten. Hij hield een bruine envelop in zijn rechterhand en Madison vermoedde dat de zware jas gemakkelijk een schouderholster kon verbergen. *Privédetective.*

Madison deed de deur van het slot.

'Rechercheur Madison, Tod Hollis,' zei hij, en liet haar zijn detectivepenning zien. 'Ik heb iets voor je van Nathan Quinn.'

Ze stonden in de woonkamer en Madison wist dat Hollis ieder detail in zich opnam, de tafel waarop haar notities en schetsen van de plaats delict lagen, de papieren die ze mee had kunnen smokkelen uit het politiebureau en, vooral, de geprinte foto van Salingers rijbewijs.

Hij kwam meteen ter zake. 'Ik doe onderzoek naar de zwarte pick-uptruck die is waargenomen op de oprit van de Sinclairs in de nacht van de moorden.'

Madison moest even nadenken. 'Ja, een buurman zag hem staan en dat was de basis voor het arrestatiebevel dat vorige week is uitgevaardigd voor Cameron.'

'Misschien zou je hier even naar willen kijken,' zei hij en overhandigde haar de envelop.

Madison maakte hem open en haalde er een bundeltje papieren uit waarop als briefhoofd ALAMO stond. Het was het huurcontract voor een zwarte pick-uptruck vanaf drie dagen voor de moord op de Sinclairs tot de maandag daarna, de dag waarop de lichamen gevonden waren. De naam op het contract was Peter Welsh, de foto op de kopie van het rijbewijs was die van Harry Salinger. Madison keek op.

'Het duurde even voor ik alle autoverhuurbedrijven in de buurt had nagetrokken en eerlijk gezegd had ik geen vergelijkingsmateriaal tot we een naam hadden. Hij had voor valse papieren gezorgd en de pick-uptruck voor een week gehuurd, een beetje modder op de nummerplaat gesmeerd voor het geval jullie getuige scherpe ogen had en dat was dat. En dan maar hopen dat iemand hem zou zien.'

'Hoe lang ben je daarmee bezig geweest?'

'Ik ben begonnen met zoeken meteen nadat het arrestatiebevel was uitgevaardigd.'

'Het is de Alamo op Sea-Tac.'

'Hij heeft waarschijnlijk gedacht dat het daar druk genoeg was en dat niemand veel aandacht aan hem zou schenken.'

'Als de pick-uptruck nadien aan niemand anders is verhuurd, zou de PD-eenheid hem kunnen napluizen, al heeft hij hem waarschijnlijk zelf schoongemaakt.'

'De truck is niet meer verhuurd.'

'Hoe weet je dat?'

'Omdat ik een aardig bedragje heb betaald aan de jongens daar om me te bellen als iemand dat zou willen, en tot nu toe is dat niet gebeurd.'

'Ze kunnen hem niet eeuwig vasthouden. Ik moet nu met mijn baas gaan praten.'

Hollis maakte aanstalten om te vertrekken.

'Ik weet dat je naar hem op zoek bent en ik ben hier heel dankbaar om.' Ze hield de papieren omhoog. 'Maar vergeet niet wat hij is: probeer niet om contact te leggen, zorg dat hij je niet ziet.' Ze gaf hem een kaartje met haar mobiele nummer.

Zijn hand lag al op de deurknop toen ze eraan dacht. 'Heb je in het politiekorps van Seattle gezeten?'

Hollis draaide zich om. 'Een poosje.'

Madison had een flits van de holster onder de jas gezien.

'Zijn vader was een politieman, in uniform denk ik. Heb je hem ooit ontmoet?'

Hollis dacht er even over na. 'Niet dat ik weet. Maar hij moet heel trots zijn op zijn zoon.'

Madison ging tien minuten na Hollis het huis uit. Ze piepte Sorensen op, liet een boodschap achter op haar antwoordapparaat en belde toen het bureau om er zeker van te zijn dat inspecteur Fynn aanwezig was. Sarah Kleins voicemail liet haar weten dat ze tot vier uur 's middags in de rechtszaal was. Madison keek op haar horloge. Ze wilde dat Klein erbij was als ze met de anderen praatte. Ze probeerde haar op haar mobieltje te bereiken.

'Met Madison,' zei ze toen Klein opnam. Het klonk alsof ze nog steeds in het gerechtsgebouw was met al die luide stemmen om haar heen.

'Ik was blij te horen dat je je uiterste best hebt gedaan.'

'Dank je. Brown is van de beademing af.'

'Weet ik, nieuwtjes doen hier snel de ronde en het is eindelijk eens goed nieuws.'

'Ik ben op weg naar het bureau. Ik ga met Fynn praten en jij zou er ook bij moeten zijn.'

'Madison, ik heb je naam al doorgestreept op mijn lijstje kerstkaarten.'

'Ik zal je de korte versie geven: de pick-uptruck waarop het arrestatiebevel voor Cameron was gebaseerd, is met een vals identiteitsbewijs gehuurd door de man die Brown heeft neergeschoten. Hij heeft al eerder een moord gepleegd en het slachtoffer net zo neergelegd als de Sinclairs; hij is met hen en met Cameron in contact gekomen door zijn baan. Hij heet Harry Salinger.'

Madison hoorde dat Klein wegliep uit het lawaai om een rustig plekje te vinden.

'Kun je aantonen dat hij op de plaats delict is geweest?'

'De PD-eenheid werkt eraan; ze hebben zijn DNA. Dat heeft hij op de plaats delict achtergelaten toen hij zijn handschoenen uittrok.'

'Heb je een motief?'

'Nog niet.'

'En hoe zit het met Cameron?'

'Die is onschuldig.'

'Relatief gesproken.'

'Meer kan ik je vandaag niet melden, ben ik bang.'

'Ik zie je daar.'

Madison racete noordwaarts over de 509. Ze reed op de automatische piloot en was zich nauwelijks bewust van het forenzenverkeer: sinds de laatste keer dat ze Fynn had gesproken, had ze met opzet hun voornaamste verdachte gewaarschuwd dat een tiental gewapende agenten op weg was naar zijn boot. Toevallig was Cameron toen al vertrokken en Rosario kon daarop zweren, maar het bleef verraad.

Ze vond het moeilijk te bevatten dat ze ooit had gedacht dat ze de juiste beslissing nam, en toch zouden ze misschien amper vierentwintig uur later Camerons arrestatiebevel intrekken en er een uitvaardigen voor Salinger. Hoe zou ze zich gevoeld hebben als agenten hun leven hadden verloren bij het vangen van een slang die de volgende morgen weer vrij werd gelaten?

Ze wilde dat ze er met Brown over kon praten. Uiteindelijk lag het heel eenvoudig: geen enkele agent zou haar meer als partner willen hebben als ze het wisten, haar baas zou haar met alle plezier uitleveren aan Professionele Verantwoordelijkheid en haar toekomst bij de politie zou in nanoseconden geteld kunnen worden. Nou ja, dacht Madison, dat moet je ervoor over hebben, en ze miste bijna haar afslag.

De deur van het kantoor van inspecteur Fynn stond op een kier. Het was Madison gelukt het te bereiken zonder iemand tegen te komen. Ze had de stemmen van Spencer en Dunne in de recreatieruimte gehoord en Kelly was, godzijdank, nergens te bekennen. Ze klopte en wachtte.

'Binnen.'

Fynn zat achter zijn bureau. Hij zag eruit of hij drie uur op de bank in de hoek had geslapen en nog steeds dezelfde kleren als gisteren aanhad. Hij had naar een zwart-witscherm gekeken dat ze op een stalen trolley naar binnen hadden gereden. Hij had het op pauze gezet.

'Ik wilde je net bellen,' zei hij zonder verdere introducties. 'Kijk hier eens naar.' Hij drukte op *play*.

'Wat is het?'

'Kijk nou maar.'

Voor zover Madison kon zien, was het een video van een beveiligingscamera; een of andere receptiebalie, een vrouw die erachter zat, de telefoon opnam en een paar woorden zei. Ze legde weer neer en nam een slok uit een beker op haar bureau.

'Waar kijk ik naar?'

'Wacht.'

Er kwamen twee mannen tegelijkertijd binnen. De eerste tekende een gastenboek en verdween uit beeld, de andere overhandigde de vrouw een envelop en vertrok daarna weer, nadat hij de camera één goede opname van zijn gezicht had laten maken. Fynn zette de video stil.

'Ken je hem?'

De beeldkwaliteit was slecht, maar Madison knikte. 'Waar is dit opgenomen?' vroeg ze.

'Wie is hij?'

'Hij heet Harry Salinger,' zei ze. Fynn leunde achterover in zijn stoel. 'Het is een opname van de receptie van de *Washington Star*. PV is vanaf het begin achter het lek naar de journalist aangegaan. Eerst dachten ze dat het een agent was, daarna kregen ze Tully eindelijk zover dat hij hun vertelde hoe hij aan alle details was gekomen. De etterbak had een foto gekregen die door iemand persoonlijk afgeleverd bleek te zijn. PV dacht dat we wel wilden weten wie dat was.' Fynn gooide een foto in een doorzichtig plastic hoesje over zijn bureau. 'We hebben hem laten vergroten. Kijk eens naar de tijd op de wekker naast het bed.'

Madisons ogen gleden over de vermoorde lichamen naar de klok die op 2.15 uur stond: de foto moest enkele minuten nadat James Sinclair was gestorven zijn genomen. Madison zocht naar een stoel en ging zitten.

'Begin bij het begin,' zei Fynn, en dat deed ze.

Twintig minuten later riep hij Spencer en Dunne naar zijn kantoor. Madison voelde hoe ze naar haar keken toen ze binnenkwamen. Fynn deed de deur achter hen dicht.

De tijdlijn begon met Salingers afwijzing door de politieacademie; twee dagen daarna werd hij gearresteerd en veroordeeld. Terwijl hij in de gevangenis zat, werd er een medegevangene vermoord en precies zo neergelegd als later de Sinclairs. Na zijn voorwaardelijke vrijlating had hij een baan gekregen bij The Rock waar hij in contact was gekomen met John Cameron, de familie Sinclair en Nathan Quinn. Hij diende er zijn proeftijd uit en nam toen ontslag. Enkele dagen voor de moord op de Sinclairs huurde hij een Ford pick-uptruck identiek aan die van Cameron onder het pseudoniem Peter Welsh.

Toen de moorden ontdekt waren, zorgde hij ervoor dat de *Washington Star* een foto van de plaats delict ontving en genoeg informatie kreeg over Cameron om hem schuldig te verklaren. Dat waren onbetwiste feiten.

'En de bewijzen op de plaats delict?' vroeg Spencer.

'Hij heeft alles wat hij nodig had verzameld toen hij in het restaurant werkte: een glas met Camerons vingerafdrukken en de haren die hij in de knoop van het touw om Sinclairs polsen heeft gestopt.'

'Is dit de man die Brown heeft neergeschoten?' vroeg Dunne.

'Ja.'

'Weet je dat zeker?'

'Ik weet niet waarom of wat hij wil, maar ik weet dat hij het was.'

'Het wapen waarmee Brown is neergeschoten, is hetzelfde als waarmee de Sinclairs zijn vermoord. Dat is voldoende om hem op te pakken.'

'Klein is op weg hierheen.'

'En hoe zit het met dat *dertien dagen*?'

'We hebben nog steeds even weinig tijd als voorheen. Vandaag is het maandag, dertien dagen geeft ons nog tot vrijdag.' Fynn wendde zich tot Madison. 'Zoek uit of die datum iets speciaals betekent voor Salinger, een verjaardag, een begrafenis, alles wat kan helpen om te anticiperen op wat hij van plan is.'

Spencer en Dunne zeiden niet veel; ze moesten zich aanpassen aan een totaal andere invalshoek en ze hadden vragen die pas in de loop der tijd beantwoord zouden worden.

'Ik wil allereerst dat er een foto van Salinger in het ziekenhuis wordt verspreid en ik wil dat de agenten die Brown bewaken hem aan de binnenkant van hun ogen plakken,' zei Fynn.

'En Erroll Sanders?' vroeg Spencer aan Madison.

'Cameron heeft Sanders vermoord.'

'Als wraak voor de Sinclairs?'

'Nee, hij had er gewoon zin in. Wist Rosario nog iets bruikbaars te vertellen?'

'Nee, hij heeft niets gezien en de PD-eenheid heeft niets gevonden.'

'Iets anders,' zei Fynn. 'Cameron is op de hoogte en we mogen verwachten dat hij actief op zoek is naar Salinger.'

Dunne rolde met zijn ogen. 'Hoe weet je dat hij het weet?' vroeg hij aan Madison.

'Dat heeft Quinn me verteld.'

'Heb je contact gehad met Quinn?'

'Ja, zijn detective ontdekte dat Salinger die pick-uptruck heeft gehuurd en Quinn heeft me inzage gegeven in de personeelsdossiers van het restaurant waardoor we achter Salingers naam zijn gekomen.'

Fynn keek Madison onderzoekend aan. 'Is dat gisteravond gebeurd?' vroeg hij.

'Ja.'

'Hoe is Cameron erachter gekomen?'

'Hij heeft het zelf uitgepuzzeld, net als ik.'

'Heeft Quinn het hem niet verteld?'

'Nee, dat denk ik niet.'

Fynn stond op. 'Goed, ik wil dat die auto binnenstebuiten wordt gekeerd. Onze man is nog steeds in de stad. Hij moet leven, slapen, boodschappen doen, benzine tanken. Hij weet niet dat we naar hem op zoek zijn en dat ga ik hem ook niet vertellen: we zitten nog steeds achter Cameron aan en zijn plan loopt op rolletjes. Klein mag met Quinn gaan praten, maar niemand zegt een woord tegen de pers.'

Spencer en Dunne vertrokken om voorbereidingen te treffen. 'Ik heb het gevoel alsof ik iemand anders z'n tandenborstel heb gebruikt,' mompelde Dunne in zichzelf.

Salinger stond nog bevroren op het scherm.

'Madison,' zei Fynn. 'Officieel ben je nog met ziekteverlof. Met die hand ben je tot niets in staat. Je bent een heel eind opgeschoten met de technische experts. Als Sorensen nog iets ontdekt, kun je erachteraan gaan. Maar daar blijft het bij. En je moet met een therapeut gaan praten.'

'Waarover?'

'De valstrik, de schietpartij.'

'Kan dat een paar dagen wachten?'

'Hoe sneller, hoe beter.'

Madison knikte.

'Je hebt Quinn zover gekregen dat hij je heeft geholpen zonder het arrestatiebevel aan te vechten,' zei hij. 'Dat was goed werk.'

Madison zei niets; ze wist dat er nog meer zou komen.

'Hij heeft gedaan wat het beste was voor zijn cliënt, anders had hij je zo laten vallen,' ging hij door.

'Ongetwijfeld.'

'Je hoeft het niet uit te leggen. Ik heb je in een hoek gedrukt en jij hebt gedaan wat je moest doen. Trouwens...' Fynn pakte een geprint vel papier uit een dossier, maakte er een prop van en gooide die in de prullenmand. 'Dat was het rapport over je "problematische" gedrag na de aanval.'

Dat betekende dat er niets op haar conduitestaat zou komen te staan over het in gevaar brengen van het onderzoek; beter nog, er zou geen gedwongen evaluatie door een psycholoog volgen.

'Nu moet ik de baas bellen om het goede nieuws te verspreiden,' zei Fynn.

Madison liet hem zijn werk doen. In de twee uur daarna zag ze hoe het nieuws zich door het politiebureau verspreidde en de vreselijke misdaad nog erger werd dan iemand voor mogelijk had gehouden. Het idee dat er een man rondliep die John Cameron in de val had laten lopen, twee van hun eigen mensen in een hindernis had gelokt en nu afwachtte tot hij iemand anders z'n leven kon ruïneren, was bijna onverdraaglijk.

Ze zat aan haar bureau toen Sarah Klein eraan kwam. 'Rechter Martin wil iedereen erbij hebben als ze het arrestatiebevel voor Salinger tekent,' zei ze.

Madison keek op. 'Iedereen?'

'Iedereen.'

'Waarom?'

'Omdat ze het recht heeft.'

37

De stilte in de kamer van rechter Martin vulde het vertrek en drukte op het kleine groepje dat zich er verzameld had. Spencer en Dunne zaten naast elkaar achterin, inspecteur Fynn en Sarah Klein vooraan bij het bureau. Madison stond ergens opzij. De hand in haar zak omklemde haar mobieltje. In gedachten dwong ze Sorensen om terug te bellen met de resultaten van de DNA-test. Ze wachtten allemaal tot de rechter, met haar vulpen al in de hand, de aanvraag voor het bevel had doorgelezen.

Ergens links van Madison, uit de buurt van de anderen, had Nathan Quinn ze met z'n allen binnen zien lopen. Op zijn gezicht waren geen emoties te zien toen de rechter aanstalten maakte het bevel voor John Cameron in te trekken. Madison had zich even schuldig gevoeld toen ze zich haar woordenwisseling van eerder op die dag herinnerde. Ze had het meteen onderdrukt en zichzelf eraan herinnerd dat de man de middelen bezat – misschien zaten ze zelfs in zijn koffertje van Italiaans leer – om haar weg te jagen van de enige plek waar ze altijd had willen zijn, nu ze niet langer de enige andere persoon op aarde was die in de onschuld van zijn cliënt geloofde. Quinn leek zich totaal niet bewust te zijn van haar aanwezigheid of die van wie ook.

'Een minder grootmoedig man zou zich misschien even verkneukelen, Nathan,' zei rechter Martin toen ze het bevel ondertekende. 'Gezien het feit dat we afgelopen donderdag allemaal bereid waren om de vertrouwensrelatie tussen advocaat en cliënt overboord te gooien.'

Sarah Klein was zo fatsoenlijk om op dat moment niet naar haar luxeueze designschoenen te kijken. 'Met wat ik toen wist, zou ik vandaag hetzelfde doen, edelachtbare,' zei ze.

'Met wat je had, zou je hetzelfde resultaat hebben behaald, Miss Klein,' antwoordde de rechter. 'Inspecteur, hoe groot is de kans dat je Mr. Salinger met meer succes opspoort dan Mr. Cameron?'

'We zijn net begonnen met zoeken, edelachtbare. Zijn laatst bekende adres staat leeg sinds hij naar de gevangenis is gegaan. Nadat zijn proeftijd voorbij was, heeft hij zich schuilgehouden. Hij heeft geen familie en geen banden met de stad. We weten niet eens zeker of hij nog steeds in de staat Washington is.'

'Hij is nog hier,' zei Nathan Quinn. 'Iemand heeft je getipt over de boot, en dat was niet de vvv van Kitsap County.'

'Het was een anonieme tip op de hotline vanaf een openbare telefoon in de haven van Poulsbo,' vervolgde Fynn. 'Er hangen geen beveiligingscamera's in die buurt. Agenten van het korps Poulsbo gaan de winkels in de buurt af, maar ik verwacht er niet al te veel van. Hij heeft lang de tijd gehad om dit te plannen, dus de kans op slordigheden is klein.'

'Wat is onze beste kans?' Rechter Martin schroefde de dop op de vulpen.

'Zo veel mogelijk informatie verspreiden. We hangen Salingers gezicht overal op, van Seattle tot aan Florida. We bouwen een profiel op en blijven zoeken tot we hem hebben. Dit is pas een paar uur oud – we kennen de man nog amper.'

'Je zou blij moeten zijn, Nathan. Je cliënt is nu nog maar de op één na meest gezochte man.' Quinn gaf geen antwoord.

'Zijn we verder klaar?' Rechter Martin overhandigde het bevel voor Salingers arrestatie aan Fynn.

Madisons mobieltje begon te trillen en ze nam op. 'Ja. Dank je. Daar zijn we nu.' Madison klapte haar telefoon weer dicht. 'De kleine hoeveelheid gestold bloed die op de plaats delict van de Sinclairs is gevonden, komt overeen met de genetische kenmerken van het DNA dat we van Salinger hebben. Hij is er geweest. Hij heeft ze doodgeschoten, hij heeft Brown neergeschoten met dezelfde .22.' Het was een begin. Het groepje ging aan de slag.

'Rechercheur Madison, Nathan, ik wil jullie graag even spreken.' De rechter wachtte tot ze alleen waren. 'Ik weet niet helemaal zeker of ik de opeenvolging van gebeurtenissen die Harry Salingers naam onder onze aandacht heeft gebracht goed begrijp, maar mijn intuïtie zegt me dat er een aantal gesprekken en acties heeft plaatsgevonden waarvan jouw bazen in het geheel niet op de hoogte waren, rechercheur. En jij, Nathan, hebt alles gedaan wat in je macht lag om dat onderzoek vooruit te helpen. Nu ben ik helemaal voor deze geforceerde en ongewenste – als we het zo mogen noemen – samenwerking als die leidt tot de arrestatie van een gezochte crimineel. Maar als ook maar iets wat jullie onder mijn verantwoordelijkheid doen me dwingt om de zaak van het OM te seponeren omdat jouw partner op de intensive care ligt en jíj een cliënt hebt met bloed aan zijn handen, dan zou ik in jullie plaats naar een andere staat verhuizen, of misschien nog liever naar de andere kant van het land.'

Rechter Martin trok haar marineblauwe jas aan en sloeg een zijden sjaal om haar hals. Het lichtblauwe Hermès-patroon deed niets om het staal in haar stem te verzachten. 'Dat is alles. Een prettige avond nog.'

Alice Madison en Nathan Quinn liepen de kamer uit. Het lukte hun om in de lift naar beneden geen woord tegen elkaar te zeggen en pas toen ze bij de hoofdingang kwamen, wendde Madison zich tot Quinn. 'Heb ik gelijk als ik aanneem dat Cameron je al gevraagd heeft om een tijdje de stad uit te gaan?'

'Dat zou kunnen.'

'Het is een goede raad. Over een paar uur zal Salingers gezicht overal te zien zijn. Hij wil Cameron nog steeds te pakken nemen en jij bent intiem genoeg met hem om evenveel gevaar te lopen als de Sinclairs liepen. Dat *dertien dagen* zou wel eens verkort kunnen worden tot dertien uur als hij zich opgejaagd en onder druk gezet voelt. En neem maar van mij aan dat hij zich opgejaagd en onder druk gezet zal voelen.'

'Je weet niet wat hij wil.'

'Hij wil Cameron te gronde richten en dat is hem bijna gelukt.'

Nathan Quinn dacht aan de cijfers op het zware, crèmekleurige papier: 25885.

'Ik wou dat het zo eenvoudig was,' antwoordde hij. 'Ik was niet degene achter wie hij vorige week is aan gegaan. Jij bent evenzeer een doelwit als ik.'

'Ik leef nog omdat hij dat wilde. Ik zeg dit niet zomaar; hij had ons allebei kunnen neerschieten als hij dat had gewild. Hij zal niet meer achter mij aan komen, wat ook de redenen en zijn plannen mogen zijn. Jij bent de enige op deze aarde die kennelijk in staat is om contact te leggen met John Cameron en dat is de enige die misschien een idee heeft waarom dit allemaal gebeurt. Ik moet hem spreken en jij moet hem dat zeggen.'

Quinn had donkere kringen onder zijn ogen en in het felle licht van het gebouw kon Madison goed zien hoe bleek hij was.

'Je bent heel openhartig, rechercheur. Je gedachten schijnen gewoon naar buiten te stromen zonder veel aandacht voor juistheid of omstandigheden. Als ik jou met John Cameron in één kamer zet, wat zijn dan de kansen dat jij iets zult zeggen, hij iets zal zeggen, waarna er plotseling vijftien andere openstaande zaken van hier tot aan L.A. in het geding komen? Hoeveel mensen zullen ieder woord in jouw verslag lezen, zich verdiepen in de details, zoeken naar bekentenissen en ieder stukje informatie dat ze maar kunnen vinden? En jij, ben jij daar zelf ook niet naar op zoek?'

'Er komt geen verslag. Ik maak aantekeningen en die zijn alleen voor mij bestemd. De plek mag jij zelf bepalen en je mag me fouilleren om te controleren dat ik geen microfoontje draag. Ik ben alleen geïnteresseerd in Salinger en de moorden op de Sinclairs en het neerschieten van mijn partner. De rest bewaren we tot een andere dag. Ik zeg niet dat ik andere zaken niet naar beste kunnen zal onderzoeken en hem met alle mogelijkheden die ik heb zal proberen op te sporen, als het zover komt. Maar op dit moment gaat het me hierom: Salinger en de Sinclairs en mijn partner. De rest zijn mijn zaken niet, niet nu.'

'Weet je wel wat je me vraagt?'

'Ik vraag je om me te vertrouwen, terwijl we dit doen in de naam van mensen om wie jij gaf en in de naam van een man met wie ik graag van plek zou ruilen.'

'Hoeveel kost het je om mij dit te vragen, deze kleine gunst, gezien de recente geschiedenis van onze kennismaking?' vroeg Quinn.

'Meer dan je ooit zult weten,' gaf Madison toe, omdat het te laat was om terughoudend te zijn.

'Dat geloof ik graag.'

'We hebben weinig tijd; dit moet zo snel mogelijk gebeuren.'

'En daarom vraag je me om een ruilhandeltje te drijven met de toekomst van mijn cliënt en mijn vertrouwen te stellen in iemand aan wier carrière ik met één telefoontje een eind kan maken, iemand die minachting heeft voor wat ik doe en hoe ik dat doe.'

Daar had Madison geen antwoord op. Ze beantwoordde zijn vurige blik zolang hij haar bleef aankijken. De dingen die ze gezegd had, zouden niet teruggenomen worden, en een excuus zou smakeloos en onoprecht zijn. Aan de andere kant: wat hij met de tape zou doen, was iets waar ze niet te lang over na durfde te denken.

'Mijn aanbod blijft staan, zelfs met die wetenschap. Zie maar wat je ermee doet.'

Madison wist heel goed dat ze gewogen werd aan de hand van factoren die ze onmogelijk kon bevatten. Ze was zich bewust van andere mensen die langs hen liepen, voetstappen op de marmeren vloeren en stemmen en flarden van gesprekken. Maar Quinn bleef haar nog steeds aankijken.

'Jij hebt me George Pathune gegeven. Je wist dat ik zou doen wat ik moest doen. Laat het me afmaken,' zei ze.

'Ik zal erover nadenken.'

'Geen verslag, geen microfoon, en jij mag voor chaperonne spelen.'

'Ik had niet anders verwacht.'

'Dertien dagen. Beslist niet meer, waarschijnlijk veel minder.'

Toen wendde hij zijn blik af en ze werd zich plotseling bewust van de ijzige tocht die door de open deuren kwam.

'Ik zal erover nadenken,' zei hij.

Quinn liep de vroege avond in, terwijl zijn jas om hem heen fladderde. Madison was buiten adem, alsof ze heel erg hard had gerend. Ze hoopte dat ze genoeg had gedaan, genoeg had gezegd, genoeg had doorgezet. Ze kon onmogelijk voorspellen wat Quinn zou doen en ze moest zich erop voorbereiden om door te gaan zonder een onderhoud met zijn dierbare cliënt te hebben gehad. Ze voelde zich lomp, als een stuk gereedschap dat te bot was om een karwei te klaren dat een subtiele aanpak en een vaardige hand vereiste.

Krijg de pest, dacht ze. Inderdaad het kortste gebed ter wereld. Madison kneep haar ogen dicht toen ze naar buiten liep, tegen de bitterkoude wind in.

Inspecteur Fynn wenkte Madison zijn kantoor binnen. Hij deed de deur dicht en trok zijn jasje aan.

'Ik ben op weg naar de persconferentie. Heerlijke klus. Wat wilde de rechter tegen jou en Quinn zeggen?'

'Ze vroeg zich af waarom Quinn het arrestatiebevel niet meteen had aangevochten. Ze dacht dat er misschien een soort quid pro quo tussen ons speelde en wilde ons inpeperen dat ze ons zou villen als zij de zaak van het OM tegen Salinger nietig moest verklaren – vanwege iets wat ik voor Brown had gedaan of Cameron voor de Sinclairs. De boodschap kwam luid en duidelijk over.'

'Misschien moet je het op de palm van je hand laten tatoeëren en het ieder uur nalezen.'

'Ik geloof dat ik het wel begrepen heb.'

'Goed zo. De patholoog belde, maar ik heb geen tijd om terug te bellen. Wil jij even contact opnemen met dr. Fellman?'

Fynn was al bijna de deur uit. 'Inspecteur, ik heb Quinn gevraagd om een ontmoeting met Cameron te regelen. Hij zou iets kunnen weten, wat dan ook, dat kan helpen.'

'Wat zei hij?'

'Hij zou erover nadenken.'

'Wat zeg jíj?'

'Ik weet het werkelijk niet. Quinn is...' Madison deed haar best om het juiste woord te vinden. '... onvoorspelbaar. Hij vindt een ontmoeting geen goed idee, maar misschien snapt hij dat het zinvol kan zijn als Salinger daardoor wordt opgepakt vóór hij zijn cliënt iets kan aandoen, of andersom.'

'Waarom zou Cameron met jou waar dan ook over willen praten?'

'Ik heb een robbertje gevochten met Salinger. Daar wil Cameron vast graag over horen.'

Fynn dacht er even over na. 'Je denkt niet dat het ervan komt, hè?'

'Nee, net als die kalveren die op het ijs dansen,' antwoordde Madison. 'Ik laat weten wat Fellman heeft gezegd.'

Achter haar bureau keek Madison een paar minuten naar Browns lege stoel en opgeruimde werkplek; toen vermande ze zich. Ze maakte zich geen illusies; als de ontmoeting doorging, had Brown met John Cameron moeten praten. Hij zat al jaren bij Moordzaken, zij vijf weken. Ze zou contact opnemen met Fellman en daarna Fred Kamen op Quantico bellen: in het hoogst onwaarschijnlijke geval dat Quinn zou toestemmen en als, nog onwaarschijnlijker, Cameron zou toestemmen in een ontmoeting met iemand die hem door glazen tuindeuren heen achterna had gezeten, dan moest ze er terdege op voorbereid zijn. *Zeker, maar hoe bereid je je voor op een ontmoeting met een vermeende moordenaar van tien mensen?* Ze belde uit haar hoofd het nummer van de lijkschouwer.

'Ik moet je iets laten zien. Wat is je e-mailadres?' Dr. Fellman klonk alsof hij een heel lange dag had gehad. Madison gaf hem het adres.

'Ik moet je eerst iets vragen,' ging hij door. 'Zit je achter je bureau, in een besloten ruimte? Zijn er geen gewone burgers in de buurt?'

'Het is hier heel privé. Om die reden zitten we hier.' Er begon een kil gevoel in Madison op te komen. 'Waarom vraagt u dat?'

'De agent die het tweede lijk heeft gevonden, moest ter plekke overgeven. Ik heb je eerder tijdens autopsies gezien, maar dit mag iemand niet zomaar onvoorbereid onder ogen komen.'

'Oké.'

'Ik stuur je twee sets foto's. Ik licht je in als je de files opent.'

'Ik heb ze.' Madisons hand bleef heel eventjes boven de toets hangen. Er zou weer een hele nieuwe hel voor haar opengaan. Ze drukte op de toets en opende het bestand.

Madison leunde achterover in haar stoel en knipperde één keer, langzaam, met haar ogen.

'Waar...' Haar stem stokte. 'Waar kijk ik nu naar?' *Zeg alsjeblieft dat het geen mens is.*

'Ongeïdentificeerde verzameling menselijke resten. De eerste van twee. Allebei in de afgelopen drie weken in Pierce County gevonden.'

Madison nam een slok van het flesje water in haar tas; het was lauw.

'Is hij of zij aangevallen door een dier?'

'Dat zouden we wel willen. Wat zie je?'

'Zware schade aan het weefsel, diepe snijwonden over het hele lichaam, vooral in de borst. De wonden zijn diep en lopen in de lengterichting. Het bloedverlies moet dodelijk zijn geweest en ook de interne organen moeten zijn aangetast.'

'Dat is de minst beschadigde van de lichamen. Maak het andere document maar open.'

Dat deed Madison. Toen ze een poosje niets had gezegd, klonk Fellmans stem alsof hij van heel ver kwam.

'Madison.'

'Ik ben er nog.'

'Je kijkt nu naar de tweede verzameling ongeïdentificeerde menselijke resten. Eigenlijk is deze anonieme man eerder gevonden, maar hij is na de tweede gestorven. Beide mannen zijn ergens in de afgelopen vijf weken vermoord; ze zijn buiten achtergelaten en als het zomer was geweest, zouden de verwondingen bijna onmogelijk te herkennen zijn geweest omdat de lichamen waren aangevreten door insecten. Het koude weer heeft nu eens een keer in ons voordeel gewerkt.'

'Wat heeft dit gedaan?'

'De lijkschouwer van Pierce County hield het op een aanval van een dier tot het tweede lichaam werd gevonden en hij besefte dat het verwondingspatroon op beide lijken identiek was. Het eerste slachtoffer had een heel specifiek patroon van snijwonden, maar hij is gestorven aan een kogelwond in zijn hoofd. Het tweede slachtoffer vertoont hetzelfde patroon, behalve dat zijn wonden veel langer zijn en hij ook andere heeft die bij het eerste lijk niet zijn aangetroffen. Hij is gestorven aan shock en bloedverlies. Madison...'

'Ik ben er nog.'

'Een mens zou die verwondingen niet zo getrouw kunnen kopiëren. Iemand heeft iets geconstrueerd dat ze veroorzaakt, een of ander mechanisme, en degene die daarin is opgesloten, is gedwongen om vooruit te lopen. Daardoor worden die wonden toegebracht. Waarschijnlijk door messen van staal.'

'Wat bedoelt u met *vooruitlopen?*'

'Vanwege de diepte en de schuinte van de wonden denken we

dat de mannen gedwongen werden om door dat ding heen te gaan. Ze moesten erdoorheen kruipen terwijl iemand een pistool tegen hun hoofd hield. Niemand zou zoiets uit eigen vrije wil doen. En daarom lopen de snijwonden in de lengterichting over het lichaam. De eerste die stierf, gaf het op en werd beloond met een kogel door zijn slaap; de tweede kwam verder, maar de schade was te groot en hij is aan zijn wonden overleden.'

Madisons ogen gleden over de foto's om te proberen zich er een beeld van te vormen; daarna hield ze op om het te proberen.

'Is het een kist, een soort kooi?'

'Misschien. Het is nog steeds voornamelijk giswerk.'

Het slijmerige, koude gevoel in haar binnenste spande zich aan.

'Dokter, waarom heeft de lijkschouwer van Pierce County u gebeld?'

Hij aarzelde slechts even, maar Madison wist het al voor hij het zei.

'In elk lichaam zat een scherf glas in een van de borstwonden, dicht bij het hart. Die kan daar niet toevallig terecht zijn gekomen en niet op dezelfde plek in beide mannen. Het glas komt overeen met het soort glas waarop we Camerons vingerafdruk in de keuken van de Sinclairs hebben aangetroffen. Het is afkomstig van eenzelfde soort beker. De eerste anonieme man is doodgeschoten met een .22. Er zijn geen hulzen gevonden ter vergelijking, maar het zou het wapen kunnen zijn waarmee James Sinclair en Brown zijn neergeschoten.'

Salinger.

'Staan de mannen niet op de lokale lijst van vermiste personen?' Madison merkte dat ze het vroeg terwijl haar hersenen nog bezig waren te absorberen wat ze zag. Haar stem klonk vast terwijl haar gedachten stotterden.

'Nee, waarschijnlijk daklozen. Die heeft hij ergens ongemerkt opgepikt en bovendien zouden ze toch niet als vermist zijn opgegeven door iemand die hen kende.'

'Dank u, dokter.'

Madison klikte op de documenten en de foto's verdwenen. Ze schrok op van Spencers klopje op de deur. 'De persconferentie is goed verlopen. Fynn is op de terugweg; Salinger is overal op het nieuws…'

'Haal Dunne alsjeblieft,' onderbrak Madison hem. 'Ik moet je iets vertellen. Jullie allebei. Ik moet het meteen vertellen.'

De rit naar huis was onaangenaam geweest: haar arm werkte niet mee en Madison had besloten geen pijnstillers te nemen voordat ze met Kamen had gesproken.

Daarvoor had ze Dunne en Spencer uitgelegd wat dr. Fellman haar had verteld. Ze had haar uiterste best gedaan om te beschrijven wat ze zouden gaan zien en ze hadden geluisterd zonder haar te onderbreken. Misschien zou haar beschrijving voldoende zijn om de schok van de foto's te verzachten. Waarschijnlijk niet.

Madison had op het icoontje geklikt en de documenten geopend. Geen van beide mannen had enig geluid gemaakt. Na een heel lange tijd stond Dunne op. 'Oké.'

Niemand had het gezegd, maar iedereen dacht het. *Dertien dagen.* Waar ze nu naar keken, waren foto's van de repetities.

Eenmaal thuis stak Madison de haard aan en genoot even van de helende warmte. Ze hoopte dat Kamen in de stemming was voor lugubere onderwerpen, want iets anders had ze niet te bieden.

'Mr. Kamen, het spijt me dat ik zo laat bel.'

'Ik zei dag of nacht en dat meende ik.' Kamen klonk alsof hij nog op kantoor zat; het moest bijna middernacht zijn in Virginia. 'Ik heb het nieuws gezien. Het was een goede dag voor je.'

'Ja en nee.'

Ze vertelde hem over hun korte zege wat betreft het arrestatiebevel voor Salinger en de verschrikking van de anonieme mannen uit Pierce County.

'Ik zou de foto's graag willen zien als dat mogelijk is.'

'Dank u, alles wat u eruit op kunt maken, zou welkom zijn.'

'Denk je dat die mannen in verband staan met dat *dertien dagen*?'

'Ja,' antwoordde ze.

'Het zou kunnen.'

'De slachtoffers maakten geen deel uit van het verhaal dat Salinger aan die journalist, Tully, vertelde. Hij wilde ze als zijn eigen werk aanmerken, vandaar die glasscherf bij het hart. Maar het waren toevallige slachtoffers, instrumenten om zijn belangrijkste doel te bereiken. Er zouden er meer kunnen zijn die we nog niet hebben gevonden.'

'Tot nog toe klinkt het logisch.'

'Ik heb Nathan Quinn gevraagd om Cameron een boodschap door te geven. Ik moet met hem praten, en al is er maar een heel kleine kans dat ze ermee akkoord gaan, ik moet toch voorbereid zijn.'

'Zei Quinn niet meteen nee?'

'Nee, hij zei dat hij erover na zou denken. Wat, neem ik aan, beschouwd mag worden als een gedeeltelijke overwinning, behalve dat we geen tijd hebben voor gedeeltelijke overwinningen, zoals de ontdekkingen van vandaag hebben aangetoond. Cameron is – nou, om eerlijk te zijn weet ik niet wat of wie hij is of hoe hij een direct gesprek over welk onderwerp dan ook zal aanpakken. Wat ik over hem persoonlijk weet, zou ik op de achterkant van een heel klein postzegeltje kunnen schrijven. Maar hij volgt al jarenlang bepaalde patronen en slaagt er ongelooflijk goed in om zijn leven in waterdichte compartimenten op te delen. Als hij met me wil praten, dan is dat alleen omdat hij nieuwsgierig is naar Salinger en mijn ontmoeting met hem vorige week.'

'Wat wil je van hem weten?'

'Hij is de reden dat Salinger met dit alles is begonnen. Salinger heeft de illusie gewekt dat Sinclair schuldig was aan verduistering. Hij heeft ervoor gezorgd dat Cameron verdacht werd van de moorden op mensen die eigenlijk zijn enige familie waren. Als ik Cameron zou ontmoeten, zou ik zoveel meer te weten komen over de man die hem te gronde probeert te richten.'

'Ben je bang voor hem?'

De vraag verraste haar, maar haar eigen antwoord niet. 'Nee, het zou strikt gesproken niet de eerste keer zijn dat we elkaar tegenkomen: vorige week waren we op een avond beiden tegelijkertijd op de plaats delict van de Sinclairs. Ik ben hem gevolgd en we eindigden in een bosje vlak bij het huis. Toen heb ik geprobeerd met hem te praten. Ik wist dat hij onschuldig was en ik heb mijn wapen weggelegd. Als hij me kwaad had willen doen, had hij toen de kans gehad.'

Kamen zweeg.

'Als u me vraagt of ik het aankan om samen met hem in één vertrek te zijn, dan is het antwoord ja.'

'Ik vroeg of je bang was omdat je misschien last hebt gehad van PTSS nadat je bent aangevallen. Dat kan je oordeel beïnvloeden.'

Het was Madisons beurt om te zwijgen. 'Dat klopt en dat heeft het niet,' zei ze na een tijdje, op haar hoede om niet al te zwak te klinken en nog meer op haar hoede om niet lichtzinnig over te komen. 'Ik reageer nogal slecht op de geur van chloroform, maar voor de rest gaat het prima.'

Kamens stem klonk vriendelijk. Hij zou tijdens een verhoor dodelijk kunnen zijn.

'Let goed op wat je zegt. Hij zal je in de gaten houden en zo veel mogelijk uit je proberen te trekken. Ik stel me voor dat hij denkt Salinger eerder te pakken te krijgen dan jij, en vóór Salinger hem te pakken krijgt. Maar hij heeft niet al die jaren overleefd door overmoedig te zijn. Wees eerlijk tegen hem over hoe het was om je tegen zijn vijand te verweren, dan heb je niets te verliezen. Als hij denkt dat je tegen hem liegt, heeft hij geen reden om met je te praten. Zal Quinn er ook bij zijn?'

'Beslist. Hij is de poortwachter. Hij zal ervoor zorgen dat Cameron geen voor zichzelf bezwarende uitspraken doet over andere zaken.'

'En hoe is je relatie met Quinn?'

'Hij wil Salinger even graag dood hebben als zijn cliënt, alleen pakt hij het anders aan. En zijn hoofddoel is zijn vriend te beschermen.'

'Vertrouwt Quinn je?'

'Nee. Hij denkt dat ik minachting heb voor wat hij doet en voor hoe hij het doet.'

'En is dat zo?'

'Soms.'

'Wederom, spreek alleen de waarheid tegen Quinn. Hij weet al wat je van hen beiden vindt. Madison, vraag Cameron niets wat met andere zaken te maken heeft. Geen van de andere doden doen er op dit moment toe. Je zult in de verleiding komen, het gesprek kan heel goed andere kanten opgaan. Dan merkt hij dat je geïnteresseerd bent en dat is het einde van het gesprek. Als je geen antwoord wilt geven op een vraag, zeg dat dan en ook waarom, wees eerlijk. Cameron zal je waarschijnlijk een beetje provoceren, om je te testen. Dat zal Quinn niet aanstaan.'

'Dat is mijn probleem niet.'

'Madison, wat het ook is dat je me niet hebt verteld over je omgang met Quinn, ik hoop dat het geen spaak in het wiel zal steken.'

'Wat...'

'Je hebt al mijn vragen heel direct beantwoord, zelfs die over angst. Behalve één. "Hoe is je relatie met Quinn." Je geeft toe dat hij je niet vertrouwt en hij weet dat je minachting voor hem hebt. Altijd een uitstekend uitgangspunt voor een uitwisseling van informatie. Wat is er nog meer?'

Madison sloot haar ogen. Als ze loog tegen Kamen, dan zou hij dat weten. Als ze hem de waarheid vertelde, kon het een ramp worden. De vraag was of zijn adviezen opwogen tegen haar vertrouwen in hem, of zijn ervaring en steun het waard waren om haar penning in de waagschaal te leggen. Quinn had gelijk: het ging haar niet om een promotie, maar de plek waar ze zat en het werk wat ze deed, waren haar lief.

'Madison...'

'Ik ben aan het denken,' snauwde ze.

Kamen liet een blaffend lachje horen. 'Je probeert tenminste niet tegen me te liegen, maar het is hier nu na twaalven. Vertel me alles of leg de telefoon neer. Brown vertrouwt me volledig, als dat iets voor je betekent.'

'Dat doet het zeker.'

Dus vertelde Madison hem over de tape. 'Quinn zei dat hij hem zou gebruiken om het arrestatiebevel voor Cameron aan te vechten als ik het niet binnen vierentwintig uur liet intrekken. Ik zei dat hij ermee mocht doen wat hij wilde. Uren later was het bewijs voorhanden en werd het bevel ingetrokken. Dat is alles.'

Kamen zuchtte. 'Quinn bedreigt je ermee en jij verdedigt je niet.'

'Hij doet toch wat volgens hem nodig is. Zo goed ken ik hem wel.'

'Als hij zou zeggen: "Doe dit en dat of ik zorg dat je ontslagen wordt", wat zou je dan doen?'

'Luister, nu Salinger de hoofdverdachte is, heeft hij me niet meer in zijn greep. Het onderzoek gaat door met of zonder mij en...'

'Dit gaat niet over nu, het gaat over wat Nathan Quinn over een jaar of twee zal doen wanneer jij Cameron wilt aanklagen vanwege een of ander gruwelijk misdrijf dat hij ongetwijfeld zal begaan.'

'Mr. Kamen, als we over twee jaar allemaal nog in leven zijn en in dat soort problemen kunnen komen, dan zou ik dat eerlijk gezegd als een persoonlijke overwinning beschouwen.'

'Geen wonder dat hij een ontmoeting tussen jou en zijn cliënt een geweldig idee vindt.'

'We weten allebei dat hij dat nooit zal laten gebeuren. Hoe langer ik erover nadenk – laat ook maar, we zien het wel en anders vinden we Salinger op een andere manier.'

'Hou me op de hoogte.'

'Dat zal ik doen. Bedankt voor de adviezen.'

'Ze zullen je er niet voor bedanken, maar je telefoontje heeft een paar levens gered,' zei hij.

'Ik krijg vast een medaille.' Ze was te moe om geestig te zijn, maar ironie lukte nog wel.

'Madison, laat je gebrek aan professioneel zelfbehoud geen deuk in je carrière slaan. Brown heeft een partner nodig als hij wakker wordt.'

'Ik zal proberen daaraan te denken.'

Madison liet zich op de bank zakken, leunde achterover en sloot haar ogen. Het was stil in huis, afgezien van de zachte geluiden uit de haard, de tikjes en plofjes van het brandende hout. Ze kon nog steeds genieten van het geknetter van een vuur en ze was dankbaar voor dat kleine genoegen.

Toen ze de auto hoorde die haar oprit indraaide, kwam ze meteen overeind. Te laat voor Rachel; die zou trouwens eerst gebeld hebben. Met haar linkerduim maakte ze de veiligheidsstrip van haar holster los. Het portier werd met een klap dichtgedaan; een beleefdheidsgebaar van iemand die niet bang is om zichzelf aan te kondigen. Madison ging een lijst mogelijkheden af en de ergste kwam eerst: Brown was dood en iemand kwam het nieuws persoonlijk vertellen. Ze was binnen een seconde bij de deur, met haar oog voor het kijkgaatje.

Shit.

Ze rukte de deur open. Op een meter afstand stond Nathan Quinn. 'Goedenavond, rechercheur.'

'Mr. Quinn.'

'Je zei dat het zo snel mogelijk moest gebeuren.'

'Dat is zo. Doen we het nu?' Madisons hart bonkte. Het was de adrenaline, over een minuutje zou het wel afnemen.

'Ja.'

'Waar is hij?' Madison keek langs hem heen, naar de auto en in het donker rondom het huis.

Quinn aarzelde. 'Hij is er al,' zei hij.

Zijn gezicht was uitdrukkingsloos en hij deed nog steeds geen stap in haar richting. De haartjes op Madisons armen gingen rechtop staan en ze voelde de aanwezigheid achter haar in de kamer eerder dan dat ze hem hoorde. Ze draaide zich om en keek in de amberkleurige ogen van John Cameron, die op zijn gemak in het midden van haar woonkamer stond. *Lang, donkere kleren, geen zichtbare wapens, gehandschoende handen in het zicht, recht in haar ogen kijkend, onbeweeglijk, amper ademhalend.* Het vuur achter hem knetterde en siste.

Hij was er, hij was er al die tijd geweest.

Madison besefte meteen dat de manier waarop ze nu reageerde bepalend zou zijn voor de rest van hun kennismaking, hoe lang of kort die ook zou duren. Ze wilde hem eigenlijk een dreun verkopen omdat hij bij haar had ingebroken, maar bedreigingen maakten weinig indruk op deze man.

Wat ze op kalme toon zei, was het volgende: 'Mr. Cameron, ik begrijp dat de omstandigheden vanavond niet gebruikelijk zijn, maar dit is onaanvaardbaar. Er moet een zekere mate van vertrouwen zijn wil dit werken, en dit is de juiste manier om dat te verpesten.' Ze gaf hem geen tijd om te antwoorden en draaide zich om naar Quinn. Ze deed een stap opzij en liet hem binnen.

Madison deed haar voordeur op slot, hoe ironisch haar dat ook voorkwam, en was zich er terdege van bewust dat dit moment wat surrealiteit betrof nooit geëvenaard zou worden, welke vreemde grillen het leven ook nog in petto had.

38

Alice Madison draaide zich om en keek de twee mannen aan die in haar woonkamer stonden. Het was haar taak om dit goed te laten verlopen; het was haar enige kans en die moest ze benutten. Ze kon – ze mocht – zichzelf niet op het verkeerde been laten zetten. Ze wist al dat Cameron andermans huis binnen kon dringen, dus daar moest ze zich overheen zetten.

'Mr. Cameron, heb ik gelijk als ik veronderstel dat je ruim de tijd hebt gehad om naar mijn aantekeningen daar op tafel te kijken, en naar alle andere dingen die je interesseerden, voor ik vanavond terugkwam?'

'Ja.' Camerons stem klonk zacht. 'Ik heb alle tijd gehad die ik nodig had.'

'Goed, dan hoef ik niets meer op te ruimen. Ga zitten.' Ze maakte een gebaar naar de tafel. 'Ik ga koffie zetten.'

Als de mannen verrast waren door dit ouderwetse gebaar, dan lieten ze dat niet merken. Overigens zou Quinn het waarschijnlijk winnen van een Paaseilandbeeld als het erom ging wie het eerst de blik afwendde.

Madison zette koffie; haar handen bewogen mechanisch terwijl ze in haar hoofd de donkere stegen van de afgelopen tien dagen bewandelde. Ze dacht aan het kleine meisje dat urenlang naar pokerspelers had gekeken, dat op hun gezichten kon zien wat ze dachten en wist wat ze in hun hand hadden. Als ze die vaardigheid nog altijd bezat, dan zou ze er nu een beroep op moeten doen.

Toen ze terugkwam, stonden Quinn en Cameron zwijgend bij de tafel.

'Oké, we stellen vragen, we geven antwoord op vragen, voor zover dat mogelijk is of tot Mr. Quinn ons tegenhoudt,' begon ze. 'Er wordt geen officieel verslag gemaakt, alleen wat aantekeningen voor mijn eigen gebruik. En ik draag geen microfoontje. Mee eens?'

'Ja,' antwoordde Quinn voor hen beiden.

Madison ontspande zich; ze zou zich nergens toe laten dwingen. Het was bijna even belangrijk om de dynamiek tussen die twee mannen te begrijpen als om Salinger te pakken te krijgen. Kamen had gelijk gehad; het zou heel goed kunnen dat ze over twee jaar Cameron zou zoeken wegens meerdere aanklachten. Wat ze vanavond kon leren door ze gade te slaan, zou van onschatbare waarde zijn.

Madison bestudeerde Camerons gelaatstrekken even en maakte een aantekening dat de fotobewerking van Documenten aangepast moest worden. Hij was precies de oudere versie van de achttienjarige jongen die was gearresteerd, maar er was iets verdwenen. De jaren hadden de jukbeenderen en de kaak gevormd en nog iets anders dat ongrijpbaar was, iets dat als een slotgracht om hem heen was ontstaan.

'Begin maar,' zei ze.

'De hinderlaag, rechercheur. Vertel me over de man die jou en je partner heeft aangevallen.'

Hij concentreerde zich op haar met de starende blik van een roofdier; de schroom van de beschaafde maatschappij hadden ze kennelijk achter zich gelaten. *Oké, vanavond werd er niet over koetjes en kalfjes gesproken.*

Madison zag dat Quinn achteroverleunde in zijn stoel. Ze had de vraag verwacht; het soort details waarin Cameron was geïnteresseerd, zei haar net zoveel over hem als wanneer hij antwoord gaf op een vraag van haar.

Ze nam een slokje. 'Afgelopen vrijdagavond, op het politiebureau, werd ik gebeld op mijn mobieltje.'

Cameron luisterde met zijn armen over elkaar en zijn hoofd enigszins schuin. Ze vertelde hem het verhaal in simpele bewoordingen omdat ze niet hoefde uit te weiden. Als hij details wilde, zou hij erom vragen. Ze beschreef de fysieke aanval zoals ze die in een getuigenis zou hebben opgeschreven. Op hetzelfde moment begon haar arm weer pijn te doen.

Cameron liet haar uitspreken en nam elk woord in zich op. Hij keek naar de wond met de hechtingen op haar linkerwenkbrauw en haar gekwetste arm. Hij dacht na en was kennelijk niet iemand die zich geneerde voor stiltes in een conversatie.

Madison onthield alles wat ze van hem kon zien, van de manier waarop zijn korte, donkere haar rondom de oren was geknipt tot aan de nachtblauwe coltrui van kasjmier die hij droeg. Hij zag er zo vertrouwd uit, bijna als een jeugdvriend die ze was kwijtgeraakt aan de tijd. In gedachten stelde Madison een lijst van details op die ze later nog hard nodig kon hebben.

Ze voelde Quinns blik op zich rusten. Hij had haar een stukje gegeven van iets wat hij niet mocht verspillen en hoopte dat de eventuele winst de moeite waard zou zijn. Want hij wist dat ze alles wat ze over zijn vriend te weten kwam ooit tegen hem zou gebruiken, van hoe hij zijn koffie dronk tot welke hand hij het liefst gebruikte. *Rechtshandig*, dacht Madison. Het feit dat Quinn zo op zijn hoede was, kon ze opvatten als een indirect compliment; dat hij überhaupt had ingestemd met de ontmoeting was een teken van hoe grimmig de situatie was.

'Hoe erg deed hij zijn best om je in bedwang te houden?'

'Behoorlijk. Hij wilde zorgen dat ik buiten westen raakte.'

'Maar hij wilde je niet echt kwaad doen.'

'Dat zal ik nooit zeker weten.'

'Denk je dat hij zich inhield?'

'Ik durf niet te zweren op de nuances van zijn bodycheck. Ik had het te druk met geen adem halen.'

'Toen je de chloroform rook, legde je toen een verband met de Sinclairs?'

'Ja. Ik wist wie me in een houdgreep hield en ik wist dat jij het niet was.'

'Was je bang?'

'Ja.'

'Maar je verstarde niet.'

'Ik reageerde zonder te veel na te denken.'

'Maar nu heb je de tijd gehad om na te denken. Al die aantekeningen op tafel, de uren waarin je naar een apparaat kijkt dat ademt voor je partner, schietoefeningen doen met je linkerhand.'

Madison knipperde met haar ogen.

'Maak je geen zorgen, ik heb je niet gevolgd. Je schiet met beide handen, dus je brengt vast wel wat tijd door op de schietbaan. Je draagt je wapen aan de andere kant en je hebt het onlangs nog schoongemaakt.'

Madison wachtte op een vraag.

'Hij wilde contact met je leggen,' zei Cameron ten slotte. 'Hij wilde je partner uit de weg ruimen, met de extra bonus dat de .22 met mij in verband zou worden gebracht.'

'Ik zie het andersom,' antwoordde ze. 'Zijn voornaamste doel was jou in verband te brengen met de .22 waarmee een agent was neergeschoten.'

'Nee. Zijn hoofddoel was een fysiek contact met jou, rechercheur. Het feit dat hij zo je veel ervarener partner uit de weg kon ruimen, was een mazzeltje. Hij wilde jou om jezelf. En eerlijk gezegd heeft hij waarschijnlijk veel meer van het gevecht genoten dan jij.' Er kwam even een onaangename gedachte bij haar op. 'Je hebt je goed tegen hem verweerd, maar je hebt voornamelijk heel veel geluk gehad. Het was een afspraakje, alleen wist je dat niet.'

Madison voelde een rilling over haar rug gaan. Cameron had niet genoten van zijn commentaar. Hij ontleedde de gebeurtenis alleen en stelde in zijn hoofd zijn eigen lijstjes en voetnoten op. *Wat leerde hij nu over haar en hoe zou hij daar gebruik van maken?*

'Was hij bij de plaats delict in Blueridge?'

De plaats delict van de Sinclairs. Brown had beelden gewild van de toeschouwers. Dunne had ze nog maar een paar uur daarvoor bekeken.

Madison leunde voorover. 'Ja.'

'Daar heeft hij je voor het eerst gezien.'

'Waarom zou hij me opgemerkt hebben?'

Cameron glimlachte, zo snel dat het amper opviel. Het was geen vriendelijke glimlach.

'De fotograaf,' zei hij.

'Andrew Riley.'

'Ja.'

'Die had een beetje pech die avond.'

'Werkelijk?'

Quinn had zich niet bewogen en geen woord gezegd, maar zijn concentratie op hun gesprek hing om hen heen als statisch geladen lucht.

'Ga je gang,' zei Cameron.

Madison had hierover nagedacht sinds de avond dat ze door de tuindeuren was gestormd en hem tot in een donker bosje was gevolgd.

'Vertel me over je relatie met James Sinclair.'

De vraag verraste hem; ze zag het omdat zijn ogen zich even vernauwden. Binnen een seconde was het weer verdwenen.

'Waarom?' vroeg hij.

'Omdat het mijn vraag is.'

'Het is een bijzonder veelomvattende vraag.'

'Het is een bijzonder veelomvattend onderwerp.'

Cameron gaf geen antwoord.

'Ik probeer erachter te komen waarom hij James Sinclair en zijn gezin koos. Waarom niet Mr. Quinn, waarom wachtte hij jou niet op na een van die pokernachten in het restaurant, waarom lag hij niet op de loer als je op bezoek ging in je vroegere huis? Hij weet zoveel van je dat hij een van die opties had kunnen kiezen,' zei Madison. 'Vertel me over James Sinclair.'

'Andrew Riley weet precies...'

'Jack,' onderbrak Quinn hem op kalme toon.

Cameron hield zich in en leunde achterover. Madison besefte dat ze hem niet aan de praat zou krijgen over zijn dode vriend, en daarmee uit.

'Zou je kunnen zeggen dat hij het meest kwetsbare doelwit heeft uitgekozen?' vroeg ze.

'Ja.'

'Waaraan hecht je de meeste waarde in je leven?'

'Pardon?'

'Waaraan hecht je de meeste waarde in je leven?'

'Ik kan je vertellen waaraan ik waarde hecht en daarna kunnen we overgaan op mijn lievelingskleur als je dat wilt.'

'Denk je niet dat Salinger daarover heeft nagedacht? Denk je niet dat hij je heeft bestudeerd – niet iemand die makkelijk van de wijs is te brengen – en zichzelf heeft afgevraagd: hoe kan ik die man raken? Denk je niet dat hij heeft uitgepuzzeld hoe hij datgene waaraan je de meeste waarde hecht van je af kan pakken?'

'En wat moet dat dan zijn?'

'Ik ken je niet goed genoeg om ernaar te raden.'

'Ik denk dat je er vast theorieën over hebt.'

'Ik zou liever de jouwe horen.'

'Dat geloof ik graag.'

'Wat het ook is, je kunt er beter een muur omheen bouwen, want Salinger gaat erop af.'

'Laat hem maar komen.'

'Neem maar van mij aan dat je dat niet wilt. Heb je nooit iets met hem te maken gehad voor hij in het restaurant kwam werken?'

'Nee.'

'Heeft hij, voor zover je weet, connecties met iemand met wie jij in het verleden te maken hebt gehad?'

'Nee. Als dat zo was, was ik erachter...'

'Jack.' Quinns stem onderbrak zijn gedachtegang.

Sanders en de dode mannen in L.A.

'De koks in het restaurant,' zei Madison, hardop denkend. 'Iemand moet hem verteld hebben wie je was. Hij heeft je maandenlang in de gaten gehouden en toen heeft hij toegeslagen.'

'Tot nu toe heb ik nog niets gehoord dat op een motief lijkt,' zei Quinn.

'Hij heeft twee agenten aangevallen terwijl hij zelf gekleed ging als politieagent. Voor hij naar de gevangenis ging, had hij zich aangemeld voor het korps en werd afgewezen.'

Madison zag voor zich hoe Salinger tafels afruimde en Cameron, Quinn en Sinclair, die samen zaten te eten, in de gaten hield.

'Hij had geen persoonlijk motief nodig,' zei ze. 'Kies maar een van de misdrijven uit waarvoor je nooit bent aangeklaagd. Hij probeerde alleen het evenwicht te herstellen.'

Woede trok als een schaduw over Camerons gezicht. Madison zag het duidelijk toen ze hem confronteerde met de waarheid. Kille woede. *Niet het type om met borden te smijten en zeker niet iemand om mee te pokeren.* Ze keek even naar Quinn; de man staarde geconcentreerd in het vuur en het enige wat er op zijn gezicht stond te lezen, was een verpletterend schuldgevoel. Hij stond op en liep naar de openslaande deuren, met daarachter slechts duisternis.

Madison bleef ook zwijgen en zag één man die gekweld werd door woede en één door schuldgevoel. Wat de vraag opriep of Quinn zich zo schuldig voelde over de dood van zijn vrienden. In hoeverre was hij op de hoogte van de redenen waarom Salinger achter Cameron aan was gegaan? Vage onrust en vermoedens leiden niet tot schuldgevoelens, details wel: bloed en moordwapens. Quinn wíst het.

'Waaraan meet je je succes af in deze zaak, rechercheur?' vroeg Cameron. 'Vier doden en je partner op de intensive care. Wat moet er gebeuren voor je er een streep onder zet en vrolijk weer naar huis gaat?'

'Ik denk dat het moment om vrolijk naar huis te gaan voorbij is, maar ik zal er binnenkort een streep onder zetten als Salinger in verzekerde bewaring zit en mijn partner bij bewustzijn is.'

'In verzekerde bewaring,' herhaalde Cameron.

Quinns beschermende instincten kwamen weer boven. 'Jack.'

'Hoe meet jij jouw succes af?' kaatste Madison terug.

Quinn hield zich in, Cameron zuchtte. 'Het zou heel prettig zijn als we ooit een gesprek konden voeren zonder juridische consequenties. Maar zoveel kan ik je nu wel zeggen: hier zal geen succes op volgen, hoe vaak jouw rechtssysteem hem ook ter dood veroordeelt, of hoe vaak het mijne dat zal doen.'

'Genoeg.' Quinns stem was zo zacht dat het bijna aan Madison voorbij was gegaan, maar Cameron had het gehoord en zweeg. Het machtsevenwicht tussen de twee leek niet zo duidelijk te liggen.

'Ik heb meer koffie nodig.' Madison stond op en nam de lege kopjes mee. Ze moest een besluit nemen en wilde daar helder over na kunnen denken. John Cameron was een doelwit voor de verschrikkingen die de anonieme mannen in Pierce County hadden ondergaan en dat wist hij niet. Ze wisselden voorzichtig juridische beleefdheden uit en hij had geen idee. En Quinn ook niet.

Ze stond bij het fornuis en klemde haar handen om de rand van het eikenhouten keukenblad, haar ogen gesloten om de herinnering aan de foto's buiten te sluiten. Ze hoorde Quinn niet aankomen.

'Wat is er?' Hij leunde tegen de deurpost, met zijn armen over elkaar, en zag er even uitgeput uit als zij zich voelde.

'Je ziet er…' Quinn was niet tevreden over de woorden die in hem waren opgekomen en liet de zin tussen hen in hangen. 'Je laat je niet zomaar bang maken,' zei hij ten slotte. 'En nu zie je er beslist doodsbang uit. Ik denk niet dat dat door ons onvoorbereide bezoekje komt.'

Madison leunde tegen het keukenblad. 'Ik heb jullie vanavond gezien,' zei ze. 'Jij en Cameron hebben een goede verstandhouding en hij luistert naar je. Ik heb vandaag met onze patholoog gesproken; er is iets gebeurd. Ik kan je garanderen dat jullie geen van beiden ooit met zoiets te maken hebben gehad.' *Evenmin als ik.*

Een paar minuten later troffen ze Cameron aan die de titels op haar boekenplanken stond te lezen. Madison vertelde hem zonder omwegen over de anonieme mannen en over wat naar alle waarschijnlijkheid het werk van Harry Salinger was. Toen ze klaar was, waren Camerons eerste woorden tegen Quinn. 'Vertel haar over de kaarten.'

'Welke kaarten?' vroeg Madison.

'De dag dat jij met je partner naar mijn kantoor kwam om me te vertellen over James en Annie en de jongens, had ik die morgen een kaart ontvangen, een eenvoudige, crèmekleurige kaart in een envelop. Er stond op: *dertien dagen*. Afgelopen woensdag kreeg ik een identieke kaart waarop stond: *25885*.'

'Twee-vijf-acht-acht-vijf.'

'Nee, vijfentwintig, acht, vijfentachtig,' zei Quinn. Hij verwachtte niet dat de cijfers haar iets zouden zeggen.

Madisons woede borrelde op en ze greep die met beide handen vast omdat woede beter voelde dan angst: 'Vertel je me nu dat Salinger persoonlijk contact met je heeft opgenomen? Je moet ongetwijfeld geweten hebben dat hij het was toen je in de kranten las dat hij *dertien dagen* in de deur van de slaapkamer had gekerfd. En je hebt niets gezegd? En daarna schrijft hij weer, dit keer met de datum van de Hoh River-ontvoering. Iets dat voor jou en Cameron en Sinclair zo persoonlijk is. En dan zeg je nog niets? Waar zat in godsnaam je verstand?'

Quinn was verrast dat ze het verband met de datum had gelegd, maar liet dat in zijn toon niet merken. 'Vierentwintig uur geleden was Jack nog de hoofdverdachte in het onderzoek. De briefjes waren de enige band met de man die volgens mij de echte moordenaar was. Als ik wist wat hij wilde, kon hij gemanipuleerd worden. Die kans wilde ik niet opgeven.'

'Nu moet je wel. Je geeft die kaarten nu aan de technische experts en die gaan ze ondersteboven keren. Vingerafdrukken, papiersoort, inkt, spuug onder de postzegel, botanische sporen, noem maar op. Hij heeft contact opgenomen met jou, hij koos voor directe communicatie met jou, degene die als eerste de rechten zou verdedigen van Cameron als hij veroordeeld werd voor vier moorden die hij niet had gepleegd.' Madison streek met haar hand over haar gezicht en vermande zich. 'Kun je die kaarten morgenvroeg op het bureau afgeven? Of, beter nog, kan ik ze nu ophalen?'

Ze rekende erop dat Sorensen er 's ochtends zou zijn en dan zou ze de kaarten persoonlijk aan haar overhandigen.

Quinn knikte. 'Morgenochtend, om halfacht op jouw bureau.'

'Prima.'

'Bedankt voor je gastvrijheid,' zei Cameron en voor ze het wist, stond de voordeur open en was hij verdwenen.

Ze staarde een poosje naar de deur. 'Dat was... interessant,' zei ze.

'Dat is het altijd,' antwoordde Quinn.

39

Twintig jaar geleden. Nathan Quinn zit in zijn kleine kantoortje in het gebouw van het OM in King County. Hij zit al uren telefoonlijsten te controleren en de verveling begint hem langzaam maar zeker te veel te worden. Een halfjaar daarvoor waren de advocaten die betrokken waren bij de Reilly-Murtough-zaak telefonisch bedreigd. Ook hij had telefoontjes op zijn privénummer ontvangen. In hun oneindige wijsheid hadden zijn superieuren beslist dat alle telefoontjes opgenomen en bijgehouden moesten worden, vandaar dat Quinn achter zijn bureau de nummers zat te controleren, af te vinken en te wachten tot zijn ogen uit zijn hoofd vielen.

Hij vond een onbekend nummer van een telefoontje dat hij een paar maanden daarvoor thuis had ontvangen en checkte het overzicht van zijn eigen nummers. Daarop stond: *Jack belde uit bar, kort gesprek.* Nathan Quinn keek naar de datum van het telefoontje. Het was een datum die hij niet makkelijk zou vergeten: het was de nacht dat hij Jack op borgtocht vrij had gekregen uit een politiecel. Hij vinkte het telefoontje af.

Een paar dagen later ging het flink dooien in de staat Washington en werd het lichaam van Timothy Gilman, dood en doorboord door de staken die Cameron had gesleept, gevonden door wandelaars. Het duurde een week voor hij werd geïdentificeerd, twee dagen om de bar op te sporen waar hij altijd zat te drinken en twintig minuten om te accepteren dat de zaak naar alle waarschijnlijkheid onopgelost zou blijven.

Hij had kennelijk een afspraak met een van zijn vrienden gehad waarop hij niet was komen opdagen, en de vriend herinnerde zich heel duidelijk de laatste avond dat ze elkaar in de bar hadden ontmoet, de laatste keer dat iemand Gilman nog in leven had gezien. Iedereen in de bar was verhoord, maar er was niets uitgekomen.

Nathan Quinn las het verslag omdat Gilman een bekende was in de rechtszalen van King County en hun paden elkaar eerder hadden gekruist. Gilman was een crimineel die zich met het kleine werk bezighield, intimidatie, afpersing, niets wat meer dan spieren en twee hersencellen vereiste. Daar, midden in het verslag, stond het adres en telefoonnummer van de bar. Een nummer dat hij nog maar een paar dagen geleden in zijn eigen telefoonoverzicht had zien staan. *Jack belde uit bar, kort gesprek.*

Nathan Quinn keek naar het nummer alsof het een soort buitenaardse code was. Hij haalde het dossier met de telefoongegevens tevoorschijn en controleerde het. Het was hetzelfde nummer. Jack had hem die avond vanuit de bar gebeld, de laatste keer dat Gilman levend was gezien, de nacht dat hij hem op borgtocht vrij had gekregen uit een politiecel.

Nathan Quinn wist niet waarom hij naar de bar reed en wat hem bewoog om met de barkeeper te gaan praten. Hij wist niet waarom hij hem vragen stelde over Gilman, zijn vrienden en alle mensen die al verhoord waren door de politie. En toen de barkeeper hem vertelde dat van alle mensen die er die avond waren geweest alleen de jongen die altijd aan de bar zat niet was verhoord, omdat hij nooit meer terug was geweest, wist Nathan Quinn later niet meer hoe hij terug naar huis was gereden. Omdat hij zo hard aan het werk was geweest, had hij Jack de afgelopen twee maanden amper gesproken. Het laatste interessante gesprek dat hij zich herinnerde was tijdens de lunch in de broodjeszaak, toen Jack zo geïnteresseerd was in zijn werk als openbaar aanklager en in de zaak waaraan hij bezig was.

Quinn zat in zijn geparkeerde auto en had zijn gedachten niet meer onder controle. Hij was simpelweg niet in staat om uit te stappen en zijn huis in te gaan. Het gesprek in de broodjeszaak.

'*Waar hebben we het nu over?*'

'*Wat je zou doen als je niet eens genoeg bewijs had om de vrouw aan te klagen, maar wél wist dat ze het had gedaan?*'

'*Dan begin je opnieuw te zoeken naar het bewijs dat je nodig hebt.*'

'*Maar soms vind je dat niet.*'

'*Soms vind je het niet.*'

'*Wat zou je dan gedaan hebben?*'

'*In dit geval?*'

'Ja.'

'Ik weet het niet. Soms krijg je het gewoon niet voor elkaar, hoe hard je ook aan een zaak werkt.'

'En een verklaring van een ooggetuige?'

'In theorie?'

'In theorie.'

'Zonder bewijzen?'

'Ja.'

'Dat zou heel moeilijk zijn. Een goede advocaat zou de getuige helemaal afbranden.'

Quinn zag Cameron in de cel. De ogen van de jongen uitgeblust en glazig, zijn stem die almaar herhaalde: 'Het is gebeurd, Nathan. Het is voorbij. Het is nu gebeurd.' Hij had het toen niet begrepen. Er stond een zacht lentebriesje toen Quinn eindelijk uit zijn auto stapte. Hij ging met zijn pak aan en zijn das om op bed liggen, schopte alleen zijn schoenen uit toen hij zichzelf in de sprei wikkelde.

Het besef van wat Cameron had gedaan en waarom hij het had gedaan, drong in zijn borst door als de rook van een vuur; het brandde en verstikte hem. Toen het licht werd, was de beslissing genomen. Hij nam een douche, trok een schoon pak aan en ging naar kantoor. Zijn ontslagbrief kwam als een verrassing voor al zijn collega's, maar het was ook weer niet de eerste keer dat iemand die zo goed was als Quinn vertrok om groot geld te gaan verdienen in de privésector. Twee dagen later ontmoetten Quinn en Cameron elkaar voor de lunch in de broodjeszaak.

'Wandelaars hebben een lijk gevonden in de bossen. De man was in een gat gevallen en gedood door houten staken.'

Cameron knipperde niet eens met zijn ogen. 'Dat is een soort val die bestemd is voor beren. Misschien was hij een jager.'

'Nee, hij was een ordinaire, hufterige afperser. Een crimineel, ik had van hem gehoord.'

De serveerster kwam en Cameron bestelde taart. Hij haalde een schema van de wedstrijden van de Sonics tevoorschijn en schoof het in de richting van Quinn. 'Beslis jij maar welke je wilt zien. De taart is heerlijk vandaag.' Camerons ogen stonden helder en keken Quinn direct aan. 'Neem een hapje.'

Een stille jongen. Een pilsje of soms koffie met een glaasje erbij. Probeerde ouder te lijken dan hij was, snap je, maar zag er de helft van de tijd uit alsof hij scheermesjes had doorgeslikt. O ja, ik weet nog dat ik dacht dat er iets vreemds met een van zijn handen was, altijd in zijn zak. Ik let op dat soort dingen, daarmee kom ik de tijd door.

Quinn omcirkelde enkele data met zijn zwarte pen. Jack zou het nooit zeggen, hij zou het hem nooit vertellen, opdat Quinn nooit zou hoeven ontdekken dat het rechtssysteem waarin hij geloofde hem in de steek had gelaten op de enige manier die ertoe deed. Gilman was een van de ontvoerders geweest, een van de mannen die David hadden meegenomen en hem voor altijd waren kwijtgeraakt in de bossen. Jack zou de dood van Gilman voor zijn eigen rekening nemen.

Een paar weken later ging Nathans eigen firma van start. Zijn collega's hadden gelijk; het bedrijf zou enorm succesvol worden.

40

Het telefoontje kwam van een forens die in de vroege morgen naar Seattle reed en het spookachtige licht achter de bomen had gezien. Een buurvrouw zou later zeggen dat ze meende rond 1 uur een explosie gehoord te hebben. De wagens van de brandweer van Everett raceten naar het afgelegen huis, maar in de verte kwamen de vlammen al hoog boven de dennen uit. De cirkel van kale grond rondom het huis werd almaar groter en de sneeuw was teruggedrongen tot aan de bomen.

Een rij brandweermannen stond in volle uitrusting naar de brandende hel te kijken: er was niemand uit het huis gekomen. Ze hadden de omgeving gecontroleerd.

De bovenetage was bezweken waarna de begane grond in de kelder was gestort. Het was een houten huis, gebouwd aan het begin van de vorige eeuw, dus een enkele vonk was al genoeg geweest. Het vuur had zich razendsnel verspreid. De elkaar kruisende waterstralen deden wat ze konden, maar bij het ochtendgloren waren er alleen nog wat geblakerde resten en een hoop as over van het huis van Harry Salinger.

Madison greep de telefoon al toen hij voor de tweede keer overging en zwaaide haar blote voeten automatisch op de koude, houten vloer. 'Hallo.'

'Madison.'

Het was Spencer. 'Zeg het maar.'

'Luister, de hotline is gisteravond gebeld door iemand uit San Diego. Een vrouw zegt dat ze Salingers tante is. Ze zag hem op het nieuws en heeft ons een aanwijzing gegeven. Zijn grootouders hebben hem een huis in Everett nagelaten in de tijd dat hij in de gevangenis zat. Hij heeft alleen nooit de moeite genomen om het op zijn naam te laten zetten.'

Madison liep al naar de badkamer om te gaan douchen, maar bleef plotseling staan. 'Zeg dat je een adres hebt.'

'Rustig aan, Madison. We zijn ongeveer vijf uur te laat.'

'Wat...'

'Er was brand. Het huis is volledig afgebrand; misschien zijn er vlamversnellers bij gebruikt. Op dit moment weten we nog nul komma nul. De brandweer is een onderzoek begonnen.'

'Spencer, we mogen niet aannemen dat hij in het huis was. Zo aardig is het leven simpelweg niet.'

'Dat weet ik. Maar er is kennelijk een explosie geweest. We kunnen het tenminste hopen.'

'Ja, een beetje hoop kan ik wel gebruiken.'

Madison hield het mobieltje nog een minuut nadat Spencer had opgehangen in haar hand, verdoofd door onderbroken slaap en nieuwe informatie. Dit was onverwacht, een nieuwe wending.

Ze keek hoe laat het was, twintig over zes. Over iets minder dan anderhalf uur zou Quinn de kaarten komen brengen. Spencer had het over vlamversnellers gehad. Dat betekende óf dat Salinger zijn schepen achter zich had verbrand en was doorgegaan met de volgende taak op zijn lijstje van dingen die gedaan moesten worden óf dat er vlamversnellers rondom het huis stonden die ontploft waren.

Madison zette de koude kraan open en stapte onder de douche. In haar ervaring was het leven beslist niet zo aardig.

Pas na haar tweede kop koffie besefte Madison dat ze Spencer niet had verteld dat Quinn en Cameron langs zouden komen. Maar ja, alleen de bekers in de gootsteen bevestigden met zekerheid wat ze nog maar een paar dagen geleden als een surrealistische droom zou hebben afgedaan.

Ze kon er niet omheen: de brand had hen beroofd van een schat aan details over Harry Salinger. Madison verschikte haar holster en trok het riempje aan: als het huis bewijzen had bevat die hem in verband konden brengen met de anonieme mannen, dan waren die ook verdwenen. Voor altijd.

Spencer belde net toen ze in haar auto stapte.

'Ze hebben een lichaam in het huis aangetroffen. De brandweer van Everett zorgt ervoor dat de plek wordt beveiligd, maar ze hebben beslist menselijke resten gezien.'

Madison leunde met haar hoofd op het stuur. Eén misselijkmakend moment lang had een lijk in een afgebrand huis haar een goed gevoel gegeven. Was ze zo ver afgezakt? Madison draaide het autoraampje omlaag en haalde diep adem. Ze zou haar ogen er niet voor sluiten: ze was blij geweest dat er een lijk was gevonden in wat alleen beschreven kon worden als een hellepoel, en ze hoopte dat het de man was wiens daden ze had gezien op de foto's uit Pierce County.

Madison draaide het contactsleuteltje om en het vertrouwde gezoem verbrak de stilte. Als de brand hem eerder te pakken had gekregen dan de openbaar aanklager van King County, vóór John Cameron en zijn vonnis, dan was vuur misschien een passender oplossing.

Madison reed over de 509 toen haar mobieltje begon te trillen. 'Maak er maar drie stel ongeïdentificeerde menselijke resten van,' zei Spencer, met een stem die hees was van slaapgebrek.

Ze wist niet precies hoe ze moest reageren: als hij zichzelf had opgeblazen, dan was hij niet alleen gegaan.

'Spencer, wacht. Ik moet eerst iets afgeven bij het lab en dan ga ik Fynn bijpraten. Daar moet je echt bij zijn.'

'Bijpraten over wat?' Hij geeuwde.

'Gisteravond heb ik Cameron ontmoet. We hebben gepraat. Dat wil zeggen, zo zou je het kunnen beschrijven.'

'Je houdt het wel spannend, hè? Oké, ik zal er zijn.'

Madison gaf een dot gas. Eigenlijk zou ze rechtstreeks naar Salingers huis willen rijden en op handen en voeten door de rokende resten willen kruipen op zoek naar iets, wat dan ook, dat zou bevestigen dat hij er was geweest. Maar er waren meer slachtoffers die geïdentificeerd moesten worden, meer familieleden die moesten worden ingelicht, en het enige wat ze kon doen, was wachten op de DNA-testen en de beschikking van het lot dat hun de laatste tijd eerlijk gezegd een flinke loer had gedraaid.

Toen Madison besefte dat een potje schelden heel bevrijdend kon werken, wist ze tegelijkertijd dat ze die dag op enig moment aan de rand van de sneeuw naar de puinhopen zou staan kijken, op zoek naar een antwoord dat ze niet zou krijgen, en Quinn en Cameron zouden ongetwijfeld hetzelfde doen.

Nathan Quinn stapte net uit zijn Jeep toen Madison de parkeerplaats van het politiebureau op kwam rijden. Hij overhandigde haar een grote, gevoerde envelop; ze nam hem aan zonder erin te kijken. 'Dank je,' zei ze.

Hij knikte.

'Je weet wat je te doen staat als je er weer een ontvangt.'

'Misschien gebeurt dat niet.'

'Je hebt het gehoord?'

'Ja, een uur geleden.'

Madison vroeg niet hoe hij het wist. 'Tot nu toe zijn er drie doden in het huis gevonden,' zei ze.

'Drie?'

Dat had hij niet geweten. Goed nieuws en slecht nieuws. Madison zag haar eigen reactie herhaald op zijn gezicht.

'Hoe lang duurt het voor je de uitslag van de testen hebt?'

'Dat weet ik niet; het hangt van zoveel factoren af.'

Quinn stak zijn handen diep in de zakken van zijn jas. Sneeuwvlokken dwarrelden en smolten op zijn jas. 'Geloof jij werkelijk dat hij zichzelf heeft opgeblazen?'

'Deze week niet.'

'Zo is het.' Hij wilde al weglopen.

'Je weet wat je moet doen als je er weer een ontvangt.'

Quinn keek haar heel even aan. 'Beslist.'

Madison kreunde inwendig, niet zozeer omdat Quinn niet eens de moeite nam geloofwaardig te liegen, maar omdat ze een flits op zijn gezicht had gezien die op de lange duur alleen maar ellende kon betekenen.

'Ik dacht dat we hadden afgesproken transparant te zijn,' zei ze tegen zijn rug.

'Ik heb je nooit voorgelogen, en dat zal ik in de toekomst ook niet doen.'

'Waarom stelt dat me helemaal niet gerust?'

'Omdat je wijs bent voor je leeftijd.'

'Als hij nog leeft, schrijft hij je weer.'

Quinn gaf geen antwoord.

'Als je er weer zo een krijgt, dan bel je me zo snel alsof je leven ervan afhangt. Wat ook zo is.'

Quinn gaf geen antwoord.

'Het was Cameron die gisteren over de kaarten vertelde, niet jij. Sinds wanneer is hij degene met het gezonde verstand in jullie partnerschap?'

'Moet je niet naar een briefing? Praten met de tekenaar, veranderingen aanbrengen in Jacks foto op de computer voor later?'

'Ik neem aan dat ze belangstelling zullen hebben, ja.'

Quinn draaide het sleuteltje om en de motor kwam tot leven. 'Veel plezier.'

Na alles wat ze de afgelopen week hadden doorgemaakt, had Quinn op zijn minst enigszins opgelucht moeten zijn dat ze dichter in de buurt van de echte moordenaar waren gekomen. Daar had Madison geen spoor van gezien.

In het kleine lichtcirkeltje flitste Sorensens stalen pincet even op toen ze de kaart uit de eerste envelop haalde. Ze stonden met gebogen hoofd boven de tafel. Sorensens rode haar was in een paardenstaart gebonden; dat van Madison ging schuil onder de kraag van haar blazer. De rest van het vertrek was in duisternis gehuld.

Ze wist al wat er in de kaarten stond, maar toen ze *dertien dagen* op het chique, crèmekleurige papier zag staan, flitsten haar gedachten toch naar de deurstijl in de slaapkamer van de Sinclairs en rook ze weer de zware geur van rottend vlees en boenwas. Madison hield haar adem in.

Het was stil in het vertrek, de onnatuurlijke stilte van een aantal lichamen in een kleine ruimte. Niemand durfde van de ene voet op de andere te gaan staan uit angst ook maar één woord te missen.

'Hij was op zijn hoede, maar vol zelfvertrouwen,' zei Madison nadat ze al een uur met Fynn had zitten praten terwijl Spencer, Dunne, Kelly en Rosario om hen heen zaten en stonden.

Kelly zag eruit alsof hij elk moment uit elkaar kon barsten. Dat het jongste en minst ervaren lid van Moordzaken hén over iets voorlichtte, was zo oneerlijk, en dat ze koffie had gedronken met de man die twee dagen daarvoor de neus van zijn partner had gebroken, was op zich al ongelooflijk.

Madison was voorzichtig geweest met wat ze zei. Dit was geen plek voor speculaties en ze was zich ervan bewust dat een valse indruk van vertrouwdheid met John Cameron sommige van de aanwezigen nog iets veel ernstigers zou bezorgen dan een gebroken neus. 'Sorensen belt als ze iets meer weet over de kaarten,' waren haar laatste woorden.

'Goed gedaan,' zei Fynn.

Ik moet het aan Brown vertellen, dacht Madison. *Dan is de briefing pas voltooid.*

Madison zat achter haar toetsenbord. Oorspronkelijk zou ze alleen de foto's van Pierce County aan Kamen hebben gemaild. Toen was Quinn verschenen en twaalf uur later staarde ze naar het nog lege e-mailscherm en probeerde wat orde aan te brengen in de onthullingen van gisteravond, de brand van vanmorgen en de diepgewortelde overtuiging dat Salinger voorlopig nog niet uitgeschreven was.

Nadat ze een poosje had zitten typen, stond ze op en begon door het kleine kantoortje van haar en Brown te ijsberen. Het kantoor voelde ongeveer net als haar hersenen op dat moment, tjokvol terwijl er tegelijkertijd iets van vitaal belang ontbrak.

We weten niet waarom hij Quinn heeft uitgekozen, en die kaarten, die onafgemaakte boodschappen, onderstrepen zijn beloften, zijn hoop op wat hij wil bereiken. En als hij nog leeft, zullen we hem alleen kunnen tegenhouden als we erachter komen wat dat is.

Madison ondertekende de mail, voegde de foto's toe als bijlage en drukte op 'Verzenden'.

Fynn was tevreden geweest over haar onofficiële verslag en had haar opdracht gegeven om als het ware terug te lopen in Salingers schoenen en zijn achtergrond te reconstrueren. Ze moest alles uit zijn verleden zien op te dreggen om het heden te kunnen begrijpen. Alle beschikbare agenten waren aan het praten met iedereen die Salinger ooit had ontmoet en de kennismaking had overleefd.

Madison nam zich voor een tijdlijn op te stellen die begon met een tweeling die leerde lopen en eindigde met een van de twee die van dichtbij kinderen neerschoot. Maar eerst had ze een afspraak met een jongeman van Documenten. Op het scherm gloeide Camerons reeds bewerkte arrestatiefoto van twintig jaar daarvoor op. 'Je hebt hem ontmoet, hè? Hoe hebben we het gedaan?' vroeg de technicus haar, zijn stem zo hoopvol dat Madison niet rechtstreeks antwoord wilde geven.

'Nou, hij is een moeilijke klant. We moeten een paar details aanpassen.'

'Is het zo erg?'

'De originele foto is heel effectief verouderd, maar de lijnen hier en hier lopen anders en de haarlijn...'

'Wacht, ik breng de veranderingen meteen aan.'

Hij liet zijn vingers kraken en maakte zijn blonde paardenstaart opnieuw vast. 'Laten we beginnen met de haarlijn.'

Madison sloot haar ogen en ging terug naar de vorige avond, toen hij zich omdraaide en zij hem voor het eerst zag, Salingers eigen steen van Rosetta.

Even later zag ze die persoon op het scherm.

'Klaar. Heb ik de stand van de ogen goed getroffen?'

Madison leunde voorover. 'Ja,' antwoordde ze. 'Kun je nu *geweten* en *moraal* weghalen?'

Ze vertrok met een paar kopieën, stopte er een onder een nietmachine op Spencers bureau en greep haar autosleutels.

Madison nam de 99 naar het noorden en hoopte dat de brandweer van Everett haar dicht genoeg bij Salingers huis of wat ervan over was toe zou laten. Ze moest zichzelf er iedere kilometer aan herinneren dat er geen directe antwoorden zouden zijn, geen plotselinge openbaringen ondanks het feit dat ze fysiek dichter bij het leven van de man en zijn raadselen zou zijn dan ze ooit was geweest.

De hemel hing laag en Madison reed zo hard als was toegestaan om er voor donker te zijn. De plek was makkelijk te vinden. Langs de hele oprit stonden voertuigen van hulpdiensten, maar het afgebrande huis ging schuil achter de bomen. Boven haar hoofd cirkelden nieuwshelikopters en een half dozijn cameraploegen probeerde alles wat maar de moeite waard was in zijn lenzen te vangen.

Ze parkeerde, haakte haar politiepenning aan het borstzakje van haar jas, stapte met gebogen hoofd uit de auto en werd doorgelaten. Het was de geur die ze het eerst opmerkte. In de kou voelde elke ademteug aan als een scherp lemmet van zure, bittere lucht.

Haar ogen traanden en ze veegde haar wangen droog met haar mouw. Binnen een paar minuten was ze bij de open plek en het lint rondom de plaats delict. Daarachter was alle sneeuw gesmolten en waren er plekken zand te zien. Ze werd verrast door een steek van felle woede: zijn huis, maar hij was er niet; zijn werk, maar niets wat ze met beide handen kon vastgrijpen. Madison liep om de linten heen. Een paar mannen in beschermende kleding doorzochten de grond, langzaam en nauwkeurig. Zo nu en dan pakte één man iets op met zijn gehandschoende hand en stopte dat in een plastic zak.

In de verte, aan de andere kant van het huis, zag Madison Dunne staan praten met een brandweerman. Hij zag haar en hief zijn rechterhand op, met de duim naar binnen gevouwen en vier vingers recht omhoog. *Vier stel menselijke resten.* Madison knikte, boodschap begrepen.

Er hing iets giftigs en smerigs over de verbrande resten. Haar ogen gingen naar de bomen aan de achterkant van het huis; de duisternis pakte zich al samen onder de zware takken: daar ergens had Cameron staan kijken naar wat ze deden. Misschien was hij er nog – ze kon het niet zien.

'Ze hebben sporen gevonden van industriële vlamversnellers,' zei Dunne naast haar. 'En er zijn een paar gasflessen geëxplodeerd. Het lijkt erop dat hij stond te lassen in de kelder. Er is daar allemaal rotzooi aangetroffen die niet zomaar geïdentificeerd kan worden, maar het is beslist geen meubilair.'

'En de lijken?'

'Sommige resten waren nog intact, andere waren in stukken gesneden. Er zijn in totaal vier menselijke schedels gevonden. Wat het ook was, het vuur is erdoorheen geraasd. Als de brandweerauto's al met volle snelheid de oprit waren ingereden toen de eerste explosie zich voordeed, zouden ze nog niet op tijd zijn geweest om het vuur te blussen.'

41

Diep onder de grond, in de betonnen buik van de schietbaan, schoot Madisons linkerhand een aantal kogels in het midden van het doelwit. De oorbeschermers vingen het ergste lawaai van de knallen op, maar bij elke terugslag schoot de pijn door haar rechterarm.

Madison schonk geen aandacht aan de andere schutters: ze herlaadde, zette een nieuw doelwit neer en schoot trefzeker het midden er weer uit, blij met het ritme van de actie en het respijt van haar eigen gedachten.

Haar sleutel zat in de voordeur toen haar mobieltje overging. 'Madison,' zei ze.

'Er zat een nieuwe kaart bij mijn post vandaag. Ik heb hem net gevonden.'

Quinn.

Madison bleef in de hal staan en knipte het licht niet aan. 'Bij de post van vanmorgen?'

'Ja. Ik ben er pas een halfuur geleden aan toegekomen.'

'Dan moet die verstuurd zijn...'

'... voor de brand.'

'Het laatste wat hij deed of een nieuwe stap in zijn plan. Oké, wat staat erin?'

'Ik kan hem over vijf minuten aan je laten zien.'

'Dat is prima.' Madison draaide zich om in de donkere hal; het huis was stil.

'Even uit nieuwsgierigheid: is Cameron hier al?' Haar toon was droog, haar hand lag op haar holster.

'Hij is bij mij,' antwoordde Quinn.

In al haar jaren als politieagent had Madison altijd haar wapen afgedaan zodra ze thuis was en had ze resten van plaatsen delict en kruitsporen van haar gezicht en handen gewassen. Vanavond bleef haar linkerhand op de kolf van haar wapen rusten terwijl ze tegen de bank leunde, met haar ogen gericht op de voordeur. Ze kwamen naar haar huis, om een klein stukje verschrikking te brengen, gemaakt van crèmekleurig papier. Ze zou blij moeten zijn dat ze Cameron weer kon ontmoeten, al was het dan rond de eettafel van haar grootmoeder.

Madison stak het vuur aan. *Wees dood*, dacht ze, terwijl haar handen zich bezighielden met aanmaakhoutjes en lucifers. *Wees dood en verdwijn. Laten dit je koude dode vingers zijn die achter je aan slieren terwijl je op weg bent naar de hel.* Toen voelde ze de warmte van het vuur op haar gezicht en draaide Quinns auto de oprit in, waarna er deuren open- en dichtgingen. Madison deed een stap terug toen ze naar binnen liepen.

Het was Cameron die ze het eerst hoorde, zachte voetstappen op de natte grond. Hij draaide zich om en posteerde zich tussen Quinn en de deur in. Rachel kwam tevoorschijn uit het donker met Tommy op haar heup en een bruine papieren zak in haar hand.

'Dat is mijn vriendin,' zei Madison snel, te laat om Rachel tegen te houden.

'Hallo.' Rachel liep de deur door. 'Mijn moeder kwam langs en je weet hoe ze is...'

Ze aarzelde even toen ze de mannen naast Madison zag staan, haar beste vriendin sinds haar dertiende. Ze aarzelde omdat hun foto's dagenlang in de krant hadden gestaan, en hoewel één slechts vaag leek op de computerfoto op de voorpagina's, wist Rachel precies naar wie ze nu keek en ook dat de andere man de advocaat was die hem verdedigde en tussen justitie en de vermeende kindermoordenaar in was gaan staan. Het nieuws mocht dan voornamelijk over Salinger gaan, maar John Cameron en zijn verleden vonden ook nog steeds gretig aftrek. Rachel trok Tommy dicht tegen zich aan.

'Het is oké,' zei Madison zachtjes terwijl ze dicht bij hen kwam staan. 'We werken aan de zaak. Ze zijn hier om te overleggen. Ik kan je nu niet binnenvragen.' Rachel knikte; ze had haar zoon op de arm genomen en overhandigde Madison de zak.

'Je ruikt raar,' zei Tommy.

'Ik ben in de buurt van een brand geweest, schat.'

'Ik hou van vuren,' zei Tommy en net op dat moment draaide hij zich om in zijn moeders armen en liet hij de honkbal die hij in zijn hand had vallen. Hij rolde over de houten vloer en bleef liggen aan Quinns voeten. Quinn pakte hem met zijn linkerhand op; in zijn rechterhand een doorzichtige plastic map met een crèmekleurige envelop erin.

'Hier,' zei hij en stak zijn hand uit naar de jongen. Rachel en Quinn keken elkaar aan. Zijn hand bleef even hangen en bewoog toen een paar centimeter verder om de bal in haar hand te laten vallen.

'Dank je,' zei Madison en liep daarna met ze mee naar buiten.

'Weet je zeker dat alles in orde is?' Rachel was wit weggetrokken.

'Vreemd genoeg wel. Bij hen ben ik absoluut veilig.'

'Ik begrijp het niet.'

'Ik ook niet, maar ik moet met ze samenwerken om dit af te maken.'

'Wees voorzichtig.'

'Dat zal ik doen.'

Ze trof ze aan in de woonkamer, waar ze het zich gemakkelijk hadden gemaakt. Madison dacht nog even aan hoe Nathan Quinn de honkbal aan Rachel had gegeven omdat hij de flits van minachting in haar ogen had gezien. Niets uit zijn hand mocht haar zoon aanraken. Hij had niet weggekeken. Maar toen zag ze de envelop en alle andere gedachten verdwenen.

'Laat eens zien,' zei ze.

Ze pakte de pincet uit het kleine setje in haar tas. 'Heb je hem met je blote handen aangeraakt?'

'Handschoenen en een briefopener,' antwoordde Quinn.

John Cameron zat in een stoel bij het vuur, met gesloten ogen alsof de envelop op tafel niets met hem te maken had.

Madison haalde de kaart er langzaam uit en legde hem naast de envelop. Dezelfde zwarte inkt. Hetzelfde kleine lettertype. *3.00 uur.* Ze keek op de andere kant. Meer stond er niet op.

Madison pakte haar notitieboekje en scheurde er twee pagina's uit. Op een ervan schreef ze in hoofdletters *dertien dagen*, op de andere 25885. Ze legde ze rechts van de crèmekleurige kaart en deed een stap achteruit. Quinn had de tijd gehad om na te denken en was, als ze hem juist inschatte, al tot een conclusie gekomen.

'Je weet wat die kaart betekent, hè?'

Quinn knikte. Hij wees naar de eerste. 'Op de dertiende dag na de moord op James en zijn gezin' – hij wees naar de tweede – 'op de plek waar mijn broer op 25 augustus 1985 is gestorven' – hij wees naar de derde – 'om 3.00 uur. Dag, plaats, tijdstip. Het is een uitnodiging om hem te ontmoeten.'

Hij had gelijk. Alles in Madisons botten zei haar dat Quinn gelijk had. Salinger had er ruim de tijd voor genomen, maar het waren beslist instructies voor een ontmoeting. 25885 had te maken met de dood van Quinns broer. Niemand anders zou de betekenis van die cijferreeks hebben begrepen, behalve Nathan Quinn en John Cameron. Die datum zou voor altijd verbonden blijven met de plek waar de Hoh River-jongens naartoe waren gebracht.

'Dat is komende vrijdag,' zei ze. 'En hij moet hem minstens vierentwintig uur voor de brand verstuurd hebben. Vóór zijn gezicht op elk journaal werd getoond. Ze werken zo snel ze kunnen aan de DNA-identificatie, maar het kost tijd. Minstens vier lijken bij de laatste telling, niet allemaal intact. Misschien weten we het nog niet voor vrijdag. Toen hij zijn laatste kaart verstuurde, dacht hij dat je er alleen voor stond, dat je je cliënt tegen ons in bescherming wilde nemen en faalde, en dat Cameron het aantal doden op zou voeren.'

'Je overschat me,' zei Cameron.

'Voor geen seconde. Salinger wist wat je zou doen, net zoals hij wist dat Quinn hem vrijdag zou willen ontmoeten om je leven te redden, of jij dat nu wilde of niet.'

'Denk je dat ik gered moet worden?'

'Ik denk dat het nog niet voorbij is, niet tot ik Salingers geïdentificeerde schedel op de tafel van de lijkschouwer zie liggen.'

'Je bent barbaarser dan ik had gedacht.'

'Het was bij wijze van spreken.'

Cameron draaide zich om en keek haar aan met ogen die de kleur van warme honing hadden. 'Dat denk ik niet.'

Madison beantwoordde zijn blik. Ze pakte de kaart en stopte hem voorzichtig terug in het plastic mapje. 'Ik geef dit vanavond af bij het lab. Ze draaien driedubbele diensten en hoe sneller ze dit onderzoeken hoe beter.' Madison keek van de een naar de ander. 'We hebben nog twee dagen tot vrijdag. Wat er ook op die dag moest gebeuren, is nu in rook opgegaan. Zijn plan is in duigen gevallen. Als een van de resten niet via een DNA-test als Harry Salinger wordt geïdentificeerd, zullen we er vrijdag op de afgesproken tijd zijn. In het onwaarschijnlijke geval dat hij gek genoeg is om daar ook werkelijk op te duiken, zal het gebied bewaakt worden door het politiekorps van Seattle, de staatspolitie en een speciale eenheid. Jullie zullen er niet zijn, geen van beiden.'

'Twee dagen is een heel lange tijd,' zei Cameron. 'Wie weet waar we komende vrijdag zullen zijn.'

Toen ze noordwaarts naar Seattle reed, belde Madison inspecteur Fynn op zijn mobieltje om hem te laten weten dat ze op weg was naar het lab en waarom. Hij was het met haar eens dat Quinn waarschijnlijk gelijk had: Salinger had hem aanwijzingen gegeven om hem te ontmoeten. Fynn zat in zijn studeerkamer, omringd door familiefoto's en encyclopedieën, Madison racete door de nacht, maar ze dachten allebei hetzelfde: er bestond een kans dat Harry Salinger niet meer op deze wereld was, behalve als resten in een kelder van een lijkenhuis.

'Nog één ding...' zei ze.

'Het verbaast me alleen dat je er niet eerder over bent begonnen.'

'We moeten het doen. We moeten het controleren.'

'Ik weet het. Rechter Hugo zal het bevel morgenochtend meteen ondertekenen. Ik wil er vroeg mee beginnen.'

'Weet u al of er de afgelopen weken berichten over vandalisme zijn binnengekomen?'

'Niet dat we weten. We gaan met het personeel praten. De grond is bevroren; het zal niet eenvoudig zijn om erbij te komen.'

'Als hij het gedaan heeft, was het een poosje geleden, toen het zachter en makkelijker was, neem ik aan.'

'Misschien. Hij heeft dit plan beslist niet op het laatste moment bedacht. Nog iets te vertellen over Quinn en zijn cliënt?'

'Cameron was heel stil vanavond. Hij wacht tot er iets gaat gebeuren, wat dat ook mag zijn. Quinn? Ik weet het niet. Maar ik durf erop te zweren dat hij naar die plek zou zijn gegaan. Als we nog steeds achter Cameron aan hadden gezeten, had hij zijn mond gehouden over de kaarten en was hij erheen gegaan, gewapend met een scherpe geest en een graad in de rechten. Misschien had die privédetective van hem in de bosjes gezeten met een geweer. God mag het weten.'

Er was weinig verkeer en er viel een licht buitje dat zo nu en dan veranderde in natte sneeuw. Madison trof Sorensen in het lab aan, op een bank in haar kantoor met een arm over haar ogen.

Een poosje later lag Madison in bed. Ze had zich net zo lang onder de douche afgesopt tot ze zeker was dat de scherpe brandgeur verdwenen was. Haar laatste gedachte, één ademteug verwijderd van de slaap, was: *Wees dood en verdwijn.*

42

Madison werd wakker voor de wekker afging met het gevoel dat ze niet helemaal goed in haar lichaam zat. Ze wachtte: wachtte tot ze kon horen, tot ze goed kon ademhalen, tot ze haar wapens kon verzamelen om weer ten strijde te trekken. Ze wachtte gewoon. Wachtte tot Brown bij bewustzijn zou komen. Er was allemaal weinig anders aan te doen dan haar mouwen opstropen en dingen van haar lijstje afvinken.

Op het politiebureau was het rustig. Inspecteur Fynn was weg om de handtekening te halen onder het bevel waarmee ze de kist van Michael Salinger konden opgraven. Ze zouden hem openmaken en zorgvuldig controleren of een deel van de resten verwijderd en overgebracht was naar het huis vóór het afbrandde. Niemand was vergeten dat Michael en Harry Salinger hetzelfde DNA hadden.

De andere rechercheurs waren ook op pad, waarschijnlijk blij dat ze taken hadden gevonden waardoor ze konden blijven rondrijden, lopen en praten om niet naar de klok te hoeven kijken.

Madison rangschikte haar notities in kleine stapeltjes op haar bureau. Haar arm voelde beter, goed genoeg om een kop koffie op te tillen, al kon ze er nog niet mee schieten.

Ze stuurde snel een e-mailtje naar Kamen om hem te vertellen over de laatste kaart en de betekenis ervan, en voegde alle details over het tweede bezoek van Quinn en Cameron toe. Ze wist niet precies wat hij met die informatie zou moeten doen; het was eigenlijk net zoiets als met Brown praten, minder cynisch, even scherp en op een onverwachte manier buitengewoon nuttig.

Het dossier van Salinger was die nacht met alle verhoren van de vorige dag een paar centimeter dikker geworden. Madison las het snel door, hopend op een draadje om aan te trekken zonder er een te vinden. Zijn collega's in het restaurant hadden vrijwel geen herinneringen aan hem en als Donny O'Keefe er niet was geweest, zouden ze nog dagen achterlopen.

Zijn gevangenisdossier was ook gecheckt. Geen bezoekers en geen post, maar regelmatige verblijven in het gevangenisziekenhuis. Zijn tijd daar was buitengewoon hard geweest. Harry Salinger had in een vacuüm geleefd zonder enige menselijke relatie. Madison ging met haar wijsvinger langs de regels van de politieacademiebrief en vond de datum waarnaar ze op zoek was: drie weken nadat zijn vader was gestorven aan complicaties na een operatie had Harry zich opgegeven bij de academie; twee dagen na zijn afwijzing was hij gearresteerd wegens mishandeling.

Ze schrok op van een klopje op de deur. Kelly kwam binnen en leunde tegen de muur – hij droeg een das met vlekken erop en zijn gebruikelijke lichtgrijze pak. Hij hoefde vandaag kennelijk niet naar de rechtbank.

'Ik moet het vragen,' zei hij. 'Er is nu zoveel gaande dat je makkelijk vergeet wat nu precies wat is.'

'Ga gerust je gang.' Madison leunde achterover in haar stoel en voelde, létterlijk, dat haar stekels rechtop gingen staan. *Kijk eens aan, mensen blijken toch stekels te hebben.*

'Klopt het dat Quinn je gisteravond de laatste kaart thuis heeft overhandigd? En dat Cameron bij hem was?' Kelly pauzeerde even. 'Net zoals hij de avond daarvoor was gekomen, eveneens met Cameron?'

'Dat klopt.'

'Even voor de duidelijkheid. Die man die we al langer in het vizier hebben dan jij je penning hebt kunnen oppoetsen, komt bij jou thuis langs en dan lijkt het jou geen goed idee om ons een seintje te geven zodat we hem kunnen volgen om erachter te komen waar hij 's avonds zijn hoofd op het kussen legt? Je hebt hem twee keer ontmoet en het enige wat je kunt zeggen, is dat hij graag coltruien draagt?'

Madison dacht aan alle informatie die ze zojuist naar Kamen had gestuurd en haar eigen notities. Wat zou Kelly daarvan denken?

'Je hebt gelijk,' zei ze, en genoot van de nanoseconde van verrassing op zijn gezicht. 'Als het iemand anders was geweest, in elke andere situatie, dan had ik dat gedaan. Maar nu niet, en niet met Cameron. De man is – ik weet niet wat hij is. Maar hij zou het geweten hebben en het enige wat ik nu nodig heb, is een klein beetje vertrouwen van hun kant. Als ik dat verlies, dan verlies ik ze allebei. Dat mag ik niet riskeren.'

'Ik hoop dat het dat waard is,' zei Kelly, kennelijk van mening dat dat niet het geval was, en wilde weer weggaan.

'Kasjmier,' zei Madison, die alweer in haar aantekeningen aan het kijken was.

'Wat?'

'Coltruien van kasjmier, om precies te zijn. Blauw.'

Als Kelly al antwoord gaf, dan deed hij dat in gedachten.

Het was frustrerend. Madison had het gevoel dat ze rook probeerden vast te pakken. Ze hadden alle gegevens over Harry Salingers leven en niemand kon hun meer dan een vaag idee van de man geven. De tante in San Diego had urenlang met lokale rechercheurs gesproken die Fynns vragen hadden overgebracht, maar ze bleek hem al tientallen jaren niet meer gezien te hebben. De enige belangrijke informatie die ze had gegeven, was dat de vader een bron van angst was geweest voor zijn jonge vrouw, die naar alle waarschijnlijkheid zelfmoord had gepleegd. Naar wat voor leven de jongens sindsdien hadden geleid, kon ze alleen gissen. Maar het was beslist niet zoals in *The Waltons*.

Madison zag dat Fynn snel binnen kwam lopen. Hij had er nog niet horen te zijn. Ze liep aarzelend op hem af, maar hij was al aan het bellen. Toen hij haar zag, legde hij zijn grote hand over de hoorn. 'Rechter Hugo heeft geweigerd. Hij zei dat ik terug moest komen als we een positieve identificatie hadden. Hij wil het paard niet achter wat dan ook spannen. Heb jij nog iets?'

'Nog niet.'

Ze liep terug naar haar bureau. Ergens in haar notitieboekje had ze de naam van de makelaar opgeschreven die het huis probeerde te verkopen waar Salinger als kind had gewoond. Dat was beslist niet afgebrand. Een uur later stond ze bij de voordeur, met de zegen van Fynn en een sleutel van de makelaar die haar had staan opwachten.

Ze had haar de sleutel gegeven voor ze weer in haar zilveren Camry was gestapt. 'Ik zal eerlijk tegen je zijn. Vóór dit gebeurde, dacht ik dat we dit huis nooit zouden verkopen. Ik bedoel, moet je zien: dertig jaar verwaarlozing, en het stelde al niet veel voor. Hierna krijgen we de mafkezen en de gekken die gaan inbreken om het behang te stelen dat ze op eBay willen verkopen. Hou de sleutel maar, we hebben er een heel stel.'

Het huis was al doorzocht door de politie nadat Salinger was geïdentificeerd. Ze hadden zich ervan verzekerd dat er geen tekenen van braak waren – het huis was in beslag genomen toen Salinger gevangenzat en de sloten waren vervangen – en dat het pand niet was gekraakt.

Het bedrijf dat het huis in beslag had genomen, was zelf failliet gegaan en zo was de makelaar in het bezit gekomen van een pand dat ze niet wilde hebben en niet kon verkopen. Over een paar jaar, zei ze, konden ze er gewoon tegen blazen en dan zou het uit zichzelf in elkaar storten.

Een voordeur, een hek aan de zijkant waarvan de verf was verschoten tot vaalgroen. Madison voelde de zon achter een wolk tevoorschijn komen, maar zelfs een schitterend blauwe hemel zou dit huis nog niet mooi kunnen maken. Ze stak de sleutel in het slot en stapte naar binnen.

Haar ogen wenden snel aan het halfduister. 'Geen elektriciteit,' had de makelaar gewaarschuwd. Madison hield een grote zaklantaarn in haar linkerhand; de zon probeerde door de vuile ramen heen te schijnen toen ze de lantaarn rechtop bij de deur zette.

Boven het stof uit rook ze een chemische lavendelgeur. Iemand had in elke kamer een luchtverfrisser gezet. Ze hadden de vloeren geveegd en al het meubilair weggehaald, al Salingers bezittingen, alle gordijnen en vloerkleden. Madison bleef even staan en luisterde – de geluiden van buitenaf drongen nauwelijks in het huis door.

Ze liep van de ene kamer naar de andere op zoek naar iets dat haar een idee zou geven van het gezin dat hier eerst had gewoond, daarna een vader en twee zoons, een vader en zijn ene nog levende zoon en ten slotte Harry Salinger alleen. Het enige wat Madison zag, was een kaal huis dat haar veel vertelde over leven met een laag inkomen en weinig over moord en obsessies.

Ze klom de trap op naar de slaapkamers. De grootste moest de ouderslaapkamer zijn geweest, waaruit het bed was verdwenen, net als alle andere dingen. Het behang was blauw, met kleine bloemetjes die eruitzagen als monnikskap. Madison keek uit het raam naar de tuin en de hoge dennen die het huis aan alle kanten omgaven. Het gazon was overwoekerd; er moest een tijd zijn geweest waarin het Salingers taak was om het te maaien.

Madison was zich er pijnlijk van bewust dat ze iets van betekenis zocht waar er tot nu toe geen viel te bekennen. Ze voelde geen enkele connectie tussen dit huis en de verschrikkingen die de familie Sinclair en de anonieme mannen in Pierce County hadden moeten doorstaan. Het was een treurige bouwval met grote vochtplekken naast de kozijnen, maar alle sporen van de mensen die erin geleefd hadden, waren uitgewist met voordeelflessen bleekwater.

Madison keek om zich heen. Was Salinger in zijn kinderkamer blijven slapen nadat zijn vader was gestorven? Had hij de vroegere kamer van de man afgesloten en de sleutel weggegooid?

Ze draaide zich om en voelde de vloerplank meteen kraken en onder haar voeten meegeven. Het hout had een donkerder kleur – er moest jarenlang een tapijt hebben gelegen dat het beschermde tegen de zon. Met de punt van haar laars testte Madison de plank nog een keer. Er zat beslist beweging in, meer dan in de plank ernaast.

Madison haalde het mes van haar grootvader uit de achterzak van haar zwarte spijkerbroek. Ze stak het in de smalle spleet aan het korte eind van de plank. Hij bleef ergens vastzitten. Madison knielde op de grond zonder op het stof te letten. Ze probeerde door de spleet heen in de ruimte onder de plank te kijken, maar het was er te donker om iets te zien. Ze rende naar beneden en haalde de zaklantaarn. Toen ze de felle straal erop richtte, zag ze het: een schoenendoos. Haar hart sprong op. Ze probeerde het nog eens met het mes, maar de plank gaf niet mee.

Dit zou niets kunnen zijn. Dit zou helemaal niets kunnen zijn. Maar wat het ook is, het moet eruit.

Madison ging terug naar haar auto en haalde er een koevoet uit die ze naast de krik bewaarde. Ze gooide haar leren jack in de kofferbak, sloeg hem met een klap dicht en keek om zich heen. De weg was verlaten.

Terug in de slaapkamer stak ze de koevoet voorzichtig in de spleet. Ze begon langzaam te duwen, alsof de vloer het eigenlijk niet mocht merken, en even later was de plank los. Madison pakte een paar handschoenen uit haar zak en trok ze aan. Ze klapte haar mobieltje open en nam een paar foto's. Ze klemde haar handen om de schoenendoos en testte het gewicht. Ze kon hem makkelijk optillen, een vuilgrijze doos die ooit wit moest zijn geweest, met een touw dichtgeknoopt.

Dit was het, alles wat er over was van Salingers leven, alles wat niet weggegooid, verkocht of verbrand was. Het touw was met een strik vastgebonden alsof het een cadeau was.

Ze pakte de uiteinden tussen duim en wijsvinger en trok zachtjes. De strik kwam los. Madison tilde in één beweging het deksel op. De zakdoek zat vol donkerbruine vlekken die Madison herkende als bloed. Hij was gewikkeld om een grote, onregelmatige vorm. Madison tilde de punten van de stof op en haalde ze uit de doos. Het waren er tientallen: van verschillende afmetingen, materialen, kleuren, mooie en haveloze. Halsbanden van huisdieren, zowel katten als honden, met korsten bloed en vuil en vacht erop. Van rood fluweel en glanzend leer, kleine plaatjes met namen en telefoonnummers erop. Het rook plotseling naar koper en kadavers. Madison moest, half vallend, op de vloer gaan zitten. *Hoe lang? Hoe lang had het hem gekost om ze allemaal te doden?*

Madison bleef nog een paar uur planken controleren en naar schuilplaatsen zoeken, maar het huis had haar al alles gegeven wat er te vinden was. Vanuit de keukendeur mat ze de tuin op en vroeg zich af hoeveel ondiepe grafjes de jonge Salinger in de zachte aarde had gegraven.

Madison sloot de voordeur af en liep terug naar haar auto. Ze legde de schoenendoos met inhoud en al in een bewijszak in haar kofferbak en reed met alle raampjes open terug naar het bureau.

De jonge medewerker van Quinn Locke was al een paar minuten aan het woord; hij bracht Nathan Quinn op de hoogte van de laatste ontwikkelingen in Headley vs ClearGen Ltd. Quinn was vrijwel meteen opgehouden met luisteren. Zijn blik ging naar de digitale klok op de schoorsteenmantel van de vergaderzaal. 18.07 uur. Minder dan achtenveertig uur. Minder dan twee dagen tot aan een moment dat zich misschien nooit zou voordoen.

Hij realiseerde zich dat de jongeman was opgehouden met praten. 'Dank je, Mark. Ik zal het dossier later bekijken.'

Mark Rosen verzamelde zijn papieren en vertrok. Carl Doyle kwam binnen; hij had kennelijk voor de deur staan wachten. Quinn hoefde niet te vragen naar de reden van zijn nijdige gezicht.

'Gezien de gebeurtenissen is het een noodzakelijke formaliteit,' zei hij.

Doyle was niet naïef noch in de stemming om de zaken op hun beloop te laten.

'Wat moet ik weten?' vroeg hij, beleefd maar met een ondertoon die Quinn in de loop der jaren was gaan herkennen.

'Het is een simpele verandering. Niets om je druk over te maken.'

Carl Doyle liet zich op een stoel zakken en ging met zijn besproete hand door zijn haar; dit was allesbehalve simpel. Als hij in het ongewisse werd gelaten, zou hij Quinn en de praktijk niet kunnen beschermen op de enige manier waarop hij dat kon: door zijn werk goed te doen en zich voor de rest nergens iets van aan te trekken.

'Wat moet ik weten?' herhaalde hij.

Quinn wachtte tot de zon onderging in Puget Sound, liep daarna naar de deur en sloot hem. 'Ik zal je er een klein beetje over vertellen,' zei hij.

Tien minuten later verliet Doyle de vergaderzaal. Hij ging naar het toilet en hield zijn polsen onder de koude kraan tot de kilte zich door zijn hele lichaam had verspreid.

Na even in de buurt te hebben gejogd en een douche te hebben genomen, warmde Madison het stoofpotje van de vorige avond op. Ze had de impuls weerstaan om Sorensen en dr. Fellman te bellen om te vragen of ze vooruitgang hadden geboekt. Iedereen had haar mobiele nummer in drievoud.

Ze stopte *The Apartment* in de dvd-speler en viel in slaap op de bank voor Shirley Maclaines hart was gebroken.

In zijn huis boven Alki Beach zat John Cameron in het donker door de grote ramen naar de lichten van Seattle te kijken, speldenprikjes die over het Alaskan Way-viaduct over de Sound bewogen. Hij wist dat het uitzicht hem niet zou kalmeren. Hij had een kopie van Salingers eerdere arrestatieverslag gelezen en alle informatie die Tod Hollis over Salingers zaak had verzameld. Het inzicht was pas laat tot hem gekomen, maar het was gekomen, en hij vloekte zachtjes.

Er waren wapens in huis. Sommige droeg hij op zijn lijf en sommige liet hij achter. Het kon hem totaal niet schelen of hij ooit weer in dit vertrek zou zitten kijken naar vreemden die in de verte voorbijreden. Uiteindelijk zou het eerder snelheid zijn dan kracht of munitie die het karwei zou klaren. Snelheid en de wil om het te doen. Het jagersinstinct lag bij hem dicht onder de oppervlakte. Op dit moment had hij het gevoel dat het kleine beetje fatsoen dat hij de laatste paar jaar nog had gehad snel tot niets aan het oplossen was. Hij hoopte dat rechercheur Madison niet tussenbeide zou komen, maar wist dat dat waarschijnlijk wel zou gebeuren.

Hij maakte een prop van het arrestatieverslag, stak een lucifer aan en keek hoe het in de lege haard verbrandde tot as.

43

Donderdagmorgen. Madison zat aan haar bureau met de telefoonhoorn tussen haar oor en schouder geklemd aantekeningen te maken. Er kwam net een gedachte in haar op toen Dunne binnenstormde.

'Ze herhalen de test om het resultaat te bevestigen. Eén stel overblijfselen komt overeen met Salingers DNA.'

Madison kon nog net een beleefd maar heel snel 'bedankt en tot ziens' opbrengen en hing op.

'Salingers DNA?'

'Fynn is naar de rechter om het bevel te laten ondertekenen. De eerste ronde testen bevestigt dat een complete set menselijke resten uit Salingers huis overeenkomt met zijn DNA en het geronnen bloed dat op de plaats delict van de Sinclairs is gevonden.'

Madisons hand lag nog op de hoorn. 'We moeten met onze eigen ogen zien dat het lichaam van de broer nog in zijn graf ligt. We moeten het zeker weten.'

'Pak je jas. Ik ben nog nooit zo graag naar een kerkhof gegaan.'

Madison kwam achter hem aan. Haar hoop en haar angst drukten als één gewicht tegen haar borstkas. Ze hoopte dat ze het mis had, meer dan wat dan ook hoopte ze dat ze het mis had.

Farmer Joe in Burien was Tommy's favoriete winkel omdat ze aardbeienijsjes hadden. Hij vond het heerlijk om het koele fruit op het puntje van zijn tong te proeven, terwijl zijn vingers een beetje verdoofd raakten van de kou. Hemels.

Hij keek op naar zijn moeder. Ze liepen in het pad met blikgroenten en -fruit, waar hij geen enkele belangstelling voor had. 'Nog maar een paar dingen, schat,' zei Rachel en ze liet zijn hand los om een blik perziken te pakken. Ze controleerde de ingrediënten om te kijken hoeveel suiker erin zat.

Tommy wist waar de aardbeienijsjes woonden. Ze zaten in een vrieskist een paar gangpaden terug. Het was hem streng verboden om in zijn eentje rond te gaan dwalen, maar dit was geen dwalen, dit was winkelen, net zoals zijn moeder deed. In twee stappen was hij bij het eind van het gangpad.

'Tommy, in de buurt blijven. Ik moet je kunnen zien, schat.'

'Ja, mama,' antwoordde hij. Tommy keek om zich heen; weinig dingen waren zo saai als boodschappen doen. Een politieagent in uniform stond op een paar meter afstand met een leeg mandje in zijn hand en een lange jas opgevouwen over zijn arm. Tante Alice was ook politieagent. De man draaide zich om en keek naar de jongen.

Op Queen Anne Hill tikte de regen op hun paraplu's. Het terrein liep licht af en het water stroomde naar beneden over de plekken waar nog een dun laagje sneeuw lag. Madison was blij dat ze laarzen aan had. Fynn, Spencer, Dunne, Kelly en Rosario verspreidden zich en liepen van steen naar steen op zoek naar het graf van Michael Salinger. Het zou een prachtige wandeling zijn geweest, dennenbomen en een keurig gazon, de universele tekenen van eeuwige rust. Maar uiteindelijk waren ze daar om een kist op te graven en Madison keek om zich heen en hoopte dat ze geen rouwende bezoekers zag.

Een employé van het kerkhof in een lange, grijze parka deed zijn best om hen bij te houden en antwoord te geven op de vragen van inspecteur Fynn. Nee, er had de afgelopen drie jaar geen vandalisme plaatsgevonden, geen enkel voorval, de onderhoudsploegen controleerden het terrein regelmatig. Madison luisterde met een half oor terwijl ze bukte en met haar vingers over afgesleten marmer ging. De verkeerde naam. Ze kwam overeind en liep door.

'Hier,' schreeuwde Kelly terwijl hij zijn arm ophief.

De employé sprak zacht in zijn walkietalkie om de graafmachine aanwijzingen te geven. Ze gingen in een groepje om de granieten steen staan, die identiek was aan de twee stenen ernaast. Geen engelen, geen ornamenten. Alleen aan de data was te zien dat het een kindergraf was. Het was kaal en toch hadden vijfentwintig jaar in het strenge klimaat van het noordwesten er iets aan verleend dat niet met geld te koop was.

Er kwamen twee agenten van de PD-afdeling in beschermende

kleding bij hen staan; Sorensen was op het lab gebleven, waar ze haar eigen oorlog tegen de stapels bewijsmateriaal uitvocht.

Madison hurkte neer en er vielen een paar regendruppels in haar nek. De grond rondom de grafsteen was intact; er waren geen tekenen die erop wezen dat iemand de graven van de drie Salingers had aangeraakt, verstoord of zelfs maar bezocht. Eén agent nam foto's, de andere had een kleine videocamera in zijn hand.

De graafmachine kwam eraan. 'Daar gaan we dan,' zei de bestuurder en startte de motor. Madison deed een stap achteruit en stak haar handen in haar zakken. Ze wist niet precies hoe lang het had geduurd, maar op een bepaald moment stopte de bestuurder en nam een schop om de laatste aarde eraf te scheppen. Niemand zei iets.

De PD-agenten hadden hun lampen al opgezet; ze wierpen een fel licht in een cirkel rondom het gat. Een van de mannen sprong erin en verdween. Er was maar weinig ruimte om te bewegen en de ander bleef op de grond staan, met de videocamera op ooghoogte.

Fynns telefoon ging over; hij klapte hem open en liep uit het licht.

Madison sloot haar ogen en hief haar gezicht op; het was bijna opgehouden met regenen. Ze liet de vochtige sluier op haar wenkbrauwen neerkomen. *Wees dood en verdwijn.*

Fynns stem bracht haar weer terug in de realiteit. 'Het was de patholoog-anatoom. De testen zijn bevestigd. Het is Salinger, het lichaam dat ze gevonden hebben. Het DNA komt overeen.'

'De zegels zijn intact.' De agent in de kuil moest schreeuwen om boven alle stemmen die tegelijkertijd begonnen te praten heen te komen.

'Weet je het zeker?' schreeuwde Madison terug.

'Ik sta er nu naar te kijken. Ze hadden ze op vier plekken moeten verbreken. De originele zegels zijn niet aangeraakt sinds deze kist de grond in is gegaan.'

Madison liet zich op haar knieën vallen aan de rand van de kuil. Om haar heen hoorde ze de anderen bewegen en praten en in hun eigen telefoons spreken.

'Maak nou maar open,' zei iemand.

Madison kon haar ogen niet van de kist afhouden. De PD-agent maakte er korte metten mee; de zegels werden aan alle kanten verbroken. Toen ze het deksel optilden, verdrong iedereen zich aan de rand van de kuil. De menselijke resten in de kist waren bedekt met de overblijfselen van wat ooit kleren waren geweest. Het lichaam lag erin, elk bot op zijn plaats.

De kerkhofemployé keek hen aan. 'Nu tevreden?' Niemand gaf antwoord. 'Inspecteur, ik wil graag alles zo snel mogelijk terugleggen zoals het was. Ik neem aan dat u dat begrijpt.'

Madison luisterde niet meer. Harry Salinger was dood. Ze moest het aan Quinn vertellen, ze moest het aan Brown vertellen. Harry Salinger was verdwenen, opgeblazen door zijn eigen toedoen. Ze voelde Dunnes klapje op haar schouder; hij glimlachte. Zelfs Rosario, met zijn neus nog in het verband en bijna zo bleek als een dode, lachte. Een groep mensen die rondom een open graf stonden en deden alsof dit het beste was wat hun ooit was overkomen. Het was voorbij.

Madison nam afscheid en begon de heuvel af te lopen. Haar wereld was zojuist ingrijpend veranderd en ze moest zich nog aanpassen. Quinn, dacht ze. Ze wilde net haar mobieltje uit haar jaszak pakken toen het overging.

'Tommy is zoek.' Veel stemmen rondom die van Rachel, die probeerde haar snikken in te houden en adem te halen. 'Tommy is zoek.'

Madison bleef stokstijf staan. Ze draaide zich om en zag de politielichten boven op de heuvel. 'Wanneer is dat gebeurd? Waar ben je?'

'Farmer Joe. Ik pakte iets van de plank en toen was hij er nog. Toen ik me omdraaide was hij weg. Ik heb hem zo vaak gezegd... Alice, ik heb overal in de winkel gekeken, en buiten. Ik begrijp niet...'

'Heb je de politie gebeld?'

'Ja, ze zijn gekomen en we hebben allemaal gezocht. Iedereen heeft gezocht. Iedereen. Waar kan hij naartoe zijn gegaan? Hoe kan hij...?'

'Hoe lang geleden merkte je dat hij niet meer bij je was?'

'Zo'n halfuur geleden.'

'Rachel, lieverd, geef me de agent even, alsjeblieft.'

'Alice...'

'Ik weet het,' fluisterde ze, hopend dat ze daarmee kon overbrengen wat Rachel wilde horen. 'Agent? Met rechercheur Madison van Moordzaken. Met wie spreek ik?'

'Met agent Clarke van het korps Burien.'

'Agent, de vermiste jongen is mijn peetzoon. Heeft u een volledige beschrijving gekregen? Zijn moeder heeft meestal een foto van hem in haar portemonnee zitten. Een recente. Heeft ze die aan u gegeven?'

'Ja.'

'Gelukkig. Zijn de camera's in de winkel gecontroleerd?'

'Ja, niets. We hebben de beelden bekeken. Je ziet ze Farmer Joe binnenkomen en meer niet. Daarna komt de moeder de deur uit rennen terwijl ze de naam van de jongen roept. Niemand is in de tussentijd met een kind naar buiten gekomen, en de personeelsdeur was afgesloten en werd gecontroleerd. Je hebt een kaartje nodig om erdoor te kunnen en bij de uitgang te komen.'

'Ik begrijp wat u zegt, agent, maar een zesjarige kan niet zomaar verdwijnen.'

'Dat weet ik. Niemand heeft hem alleen of met iemand anders zien weggaan, maar hij is hier niet. Agenten controleren nu alle winkels.' Agent Clarke liet zijn stem dalen. 'En elke kofferbak van elke auto op de parkeerplaats. Begrijpt u wat ik wil zeggen?'

'Ik begrijp het.'

'We werken volgens de criteria van een Amber Alert. Ik moet nu gaan.'

Madison gaf hem haar mobiele nummer.

'Alice?' De hoopvolle verwachting in Rachels stem was hartverscheurend.

'Ik kom eraan, ik ben zo snel mogelijk bij je.'

'Oké.'

'Ze doen alles wat ze moeten doen.'

'Oké.'

'We vinden hem wel.'

'Oké.'

Madison hing op. Ze had haar blik almaar gericht gehouden op de lichten boven op de heuvel die nog fel opgloeiden in de invallende duisternis. *Salinger is dood.*

Ze rende naar haar auto en reed zo snel ze kon de parkeerplaats van het kerkhof af.

'Spencer, met Madison. Er is een noodgeval in de familie.' Ze had meteen zijn voicemail gekregen. 'Mijn peetzoon wordt vermist. Jongetje van zes, mogelijk ontvoerd. Het is net gebeurd en we weten nog niets. Je kunt me mobiel bereiken.'

Madison had eerder aan zaken van vermiste kinderen gewerkt en ze kende de statistieken: bijna vijfenzeventig procent van de kinderen die werden ontvoerd en vermoord, werden in de eerste drie uur na de ontvoering gedood. Tommy was geen statistisch gegeven. Tommy was een zesjarig jongetje dat graag in zijn eentje rondzwierf. *Er is niets met hem aan de hand en we vinden hem wel.*

Madison werd heen en weer geslingerd tussen gezond verstand en een storm in haar borst die het ergste scenario uitbrulde. Logica en gezond verstand zeiden haar telkens weer dat de originele zegels intact waren en dat het DNA overeenkwam, en toch vulden haar neusgaten zich met de herinnering aan de geur van chloroform.

Madison pakte haar mobieltje en toetste een nummer in.

'Rechercheur Madison voor dr. Fellman. Ik weet dat hij het druk heeft. Heel graag. Ik zou het niet vragen als het geen noodgeval was.'

Een lange stilte terwijl ze werd doorverbonden.

'Rechercheur, ik zit midden in...'

'Dr. Fellman, het spijt als ik stoor, maar ik zit met een mogelijke ontvoering en ik moet u gewoon iets vragen.'

'Welke ontvoering?'

'Een jongetje van zes dat in verband staat met het onderzoek naar Salinger.'

Fellman liet het tot zich doordringen. 'Vraag maar.'

'U heeft het DNA van een van de lichamen in het huis van Salinger afgenomen. Was dat van een complete set menselijke resten?'

'Ja.'

'En u heeft de test zelf uitgevoerd. Twee keer. En twee keer stond vast dat het overeenkwam met dat van Harry Salinger.'

'Ja, we hebben mitochondriaal DNA gebruikt, want meer konden we niet vinden, en het kwam overeen. Het heeft de hoge temperaturen en de vernietiging van het zachte weefsel overleefd.'

'Mitochondriaal, dat is alleen het DNA van moederskant?'

'Precies. We hebben genoeg kunnen afnemen om de overeenkomst aan te tonen. Twee maal getest, twee maal bevestigd. Waar gaat dit over, Madison? Ik dacht dat jullie vanavond de champagne open zouden trekken.'

'Salinger manipuleerde bewijzen en ging achter familieleden aan. De vermiste jongen is mijn peetzoon.'

'Dat spijt me heel erg. Maar zelfs dat ellendige stuk… zelfs hij kan geen DNA veranderen.'

'Ik zal u niet langer ophouden.'

Madison miste bijna zijn laatste woorden toen ze de verbinding verbrak. 'Veel succes.'

44

Madison zigzagde door het drukke verkeer. Er moesten vragen beantwoord worden en ze zag de agent de lijst al afvinken, het protocol volgend, zonder dat hij wist of hij met een kind dat vaak wegliep te maken had, met een ontvoering of een ouder die haar zesjarige zoontje met opzet kwaad had gedaan. *Is dit eerder voorgekomen? Hoe vaak? Hoe lang duurde het voor u het in de gaten had? Was de jongen overstuur? Laat me nog eens zien waar het gebeurd is...* Ze kenden Rachel Abramowitz niet, maar Madison kende haar wel. Ze overwoog alle opties: Tommy was verdwaald, hij was weggelopen, was afgeleid en liep nog steeds ergens alleen rond. Mogelijk maar onwaarschijnlijk. Tommy was slim en hij zou de winkel niet uit zijn gegaan. Tweede optie: hij was weggelopen en had in zijn eentje geprobeerd de drukke weg over te steken. Vanaf dat punt leidden alle mogelijkheden naar het duister.

Madison had eerder zijdelings te maken gehad met de willekeurige wreedheid van de wereld. Je kunt niet bij de politie werken zonder dat zo nu en dan te voelen. Vandaag had hij haar gevonden en zich naar binnen gewurmd.

Brown had haar gevraagd waarom ze bij Moordzaken wilde werken, anderen hadden hetzelfde gevraagd: uiteindelijk kwam het allemaal neer op een hond die twintig jaar geleden had geblaft.

Ze probeerde de lange rijen struiken en bomen dicht bij de winkel te vergeten, maar slaagde er niet in. De dichtbegroeide plekken waarin je makkelijk het lichaam van een klein jongetje kon verbergen. Ze probeerde de kaart van Burien te vergeten, met de kruisen op de adressen van geregistreerde zedendelinquenten, maar slaagde ook daar niet in. Er zijn heel goede redenen waarom gerechtigheid niet wordt overgelaten aan de familieleden van het slachtoffer. Haar mobieltje bleef stil en Madison reed door.

Ze draaide de hoek om en zag een bonte menigte en de stralen van zwaailichten. Tommy was nog steeds zoek en zelfs de schrale troost van het daglicht was verdwenen.

Madison reed de parkeerplaats van het Five Corner Shopping Center op en zocht naar Rachel en Neal. Ze zag ze met een agent staan praten bij Rachels auto; hun zoon was nu al meer dan een uur vermist en ze zagen eruit alsof ze sindsdien geen adem meer hadden gehaald.

Rachels stem over de telefoon had haar hart gebroken, maar hun gezichten, grijs van de schok en de angst, waren weer een nieuwe hel. Neal had zijn arm om zijn vrouw heen geslagen en ze luisterden allebei naar de agent alsof hij het pad naar de verlossing was. Mensen om hen heen waren aan het roepen en aan het zoeken, onder auto's en over heggen heen; sommigen keken in de afvalcontainers. Dat zou een familielid nooit doen.

Madison liep naar ze toe en pakte Rachels hand. Ze hoopte dat haar ogen Rachel zouden zeggen wat woorden niet vermochten.

'Agent Clarke. We hebben elkaar aan de telefoon gesproken.'

Clarke was klein en stevig gebouwd, met een legerkapsel en wangen die over een paar uur geschoren moesten worden. Hij herkende Madison – ze was de afgelopen week vaak genoeg in het nieuws geweest – maar maakte er geen opmerking over.

'Is het Amber Alert al uitgezonden?' vroeg ze.

'We weten niet genoeg om er zeker van te zijn dat hij ontvoerd is. Als het niet voldoet aan de criteria kunnen we het niet uitzenden.'

'En op het gewone tv- en radionieuws?'

'Daar wordt voor gezorgd. En ook voor de rest.'

'Wat is "de rest"?' vroeg Neal.

Madison en Clarke keken elkaar aan en hij liet het aan haar over om de details in te vullen. Madison probeerde een mogelijk scenario te schetsen. Niets wat ze zei, zou geruststellend klinken. 'Stel dat iemand hier Tommy heeft gezien nadat hij gestruikeld en gevallen was toen hij de winkel uitliep. Hoe weinig het ook voorstelde, ze kunnen hem naar een ziekenhuis hebben gebracht. De politie controleert de ziekenhuizen op een jongen die eruitziet als Tommy en net binnen is gebracht.'

'Maar ik begrijp het niet, hij is de winkel niet uitgelopen. We hebben naar de beelden gekeken en hij is niet naar buiten gekomen. Hij moet hier nog zijn.' Rachel klonk boos en smekend.

'Ik ga de camerabeelden bekijken,' zei Madison.

'Ga je gang, er is niets op te zien. Maar het is wel jammer. Er was op dat moment een agent in uniform van het korps Seattle in de winkel en hij kan iets opgemerkt hebben. We hebben rondgebeld, maar hem nog niet te pakken gekregen.'

'Een agent van het korps Seattle,' herhaalde Madison.

'Ja.'

'Oké, ik ben zo terug,' zei ze en ze kneep in Rachels hand. Ze wilde niet dat haar vrienden haar gezicht zouden zien en zich herinneren dat het een man in een uniform van het korps Seattle was geweest door wie haar partner op de intensive care was beland. Ze wilde helemaal niet dat haar vrienden haar gezicht zouden zien.

De man zou waarschijnlijk 1,70 meter lang en kalend blijken te zijn. Hij zou gewoon boodschappen hebben kunnen doen. Een uniform op zich betekende niets.

Het welwillende personeel en haar politiepenning zorgden ervoor dat Madison binnen enkele seconden achter het beeldscherm zat.

De tiener die haar erheen had gebracht, streek haar roze sweatshirt glad, dat van dezelfde kleur was als haar nagels. 'Is het waar dat u de jongen kent?'

'Ja,' antwoordde Madison zonder zich om te draaien.

Het meisje bleef in de buurt hangen terwijl Madison de beelden terugspoelde om het moment te vinden waarop Rachel en Tommy binnen waren gekomen. De tiener was klaar met haar dienst. Madison rook het parfum dat ze net had opgebracht en wenste dat het meisje weg zou gaan.

'Ik heb een broertje van dezelfde leeftijd.'

Madison gaf geen antwoord. Daar waren ze: ze kwamen de winkel binnenlopen en Rachel hield Tommy's hand vast. Haar hart begon te bonzen. Tommy. De man kwam een paar seconden later binnen. Hij had een uniformpet op en keek naar beneden, weg van de camera. Hij was lang en pezig, liep doelbewust de winkel in en greep bijna achteloos een mandje. Madison zette het beeld stil; dat ene frame was het enige wat ertoe deed. Ze kon zichzelf er niet toe brengen om het zelfs maar in gedachten te zeggen, niet nadat ze nog maar enige uren geleden bij het open graf had gestaan.

De man had een volumineuze parka over zijn arm en keek niet één keer op; zijn blik was aan de tegels op de vloer gelijmd. Een paar minuten later kwam hij weer in beeld – geen boodschappenmandje, de jas nu over zijn schouder gegooid – en liep gewoon naar buiten. Hij had niets gekocht.

Madison speelde dezelfde paar seconden telkens opnieuw af.

'Waar kijkt u naar?' Het meisje was er nog.

Madison gaf geen antwoord.

'U kijkt naar die politieagent.'

'Ja.'

'Ik heb hem gezien.'

Madison draaide zich om. 'Kun je je hem herinneren?'

'Ja.' Het meisje keek gegeneerd.

'Wat is er?'

Ze keek even weg en daarna weer naar Madison. Ze aarzelde even en kwam toen dichter bij haar staan. Haar stem was een laag gefluister. 'Hij stonk echt heel erg. Hij liep vlak langs me heen en stonk naar iets smerigs, naar een soort chemische stof.'

'Wat voor stof? Schoonmaakmiddel, zeep, bleekwater?'

'Nee, hij rook naar ziekenhuizen. Snapt u wat ik bedoel?'

Madison snapte wat ze bedoelde en speelde de beelden nogmaals af. 'Weet je het zeker? Weet je het echt zeker?'

Het meisje knikte. 'Ja, ik heb vorig jaar mijn arm gebroken en moest toen naar Harborview.'

Madison zag de man vertrekken, met de bultige parka over zijn schouder, en seconden later Rachel die naar de kassa's rende terwijl ze de naam van haar zoon riep.

'Je heet Hayley, hè? Hayley, vertel me alles wat je je kunt herinneren. Waar was je toen je hem zag?'

Madison trok de andere stoel tevoorschijn vanonder de tafel waarop de schermen stonden en het meisje ging zitten. Haar ogen waren babyblauw en met veel meer zorg opgemaakt dan Madison had gekund toen ze zeventien was, en nu trouwens nog niet kon.

'Ik stond bij de koffie de voorraad op te nemen, omdat sommige merken bijna uitverkocht waren. Ik denk dat mensen meer koffie kopen met Kerstmis. Ik had de hele dag al heen en weer gelopen.'

'Ga door.'

'Ik keek op omdat hij snel liep. Ik bedoel, sneller dan de meeste klanten in de winkel lopen. En hij liep vlak langs me heen; op dat moment rook ik hem.' Bij de herinnering trok ze haar neus op.

'En toen?'

'Niks. Hij ging naar de uitgang en liep naar buiten. Ik dacht dat hij iets vergeten was en haast had, zoiets. Hij had niets gekocht.'

'Heb je hem gezien toen hij binnenkwam? Toen hij de winkel in kwam, misschien wat heen en weer liep?'

'Nee, ik zag hem alleen toen hij naar buiten liep.'

'Hoe duidelijk heb je zijn gezicht gezien? Zou je hem herkennen als je hem weer zag?'

Hayley beet op haar lip; ze wilde heel graag 'ja' zeggen. Madison zag het en het was duidelijk dat het antwoord 'nee' was.

'Misschien.' Ze sprak het woord langgerekt uit. 'Hij liep heel snel. Ik weet het niet.'

Madison keek naar het beeld op het scherm: de kassa's, Rachel die in paniek was.

'Hayley, denk eens terug als dat je lukt. Wat deed je nadat de agent vertrokken was?'

Als Hayley ook maar enigszins ingespannen nadacht, verscheen er een rimpeltje in haar verder perfect gladde voorhoofd. Nu verscheen het.

'Ik heb het koffievak afgemaakt?'

'Daarna?'

'Toen was er die dame die haar zoontje zocht en we moesten allemaal voor in de winkel komen luisteren en daarna de gangpaden in om te kijken of hij daar was, maar dat was niet zo.'

'Heb je hem geroepen?'

'Natuurlijk, wij allemaal.'

'Ben je naar de plek gegaan waar zijn moeder hem het laatst had gezien?'

'Ja. Hij was daar en toen was hij plotseling verdwenen. Ik ben wel vier keer door dat gangpad heen gelopen.'

'Geef me zoveel details als je je kunt herinneren.' Madison zette zich schrap voor wat het meisje zou zeggen.

'Iemand had een mandje achtergelaten in het gangpad ernaast. Dat heb ik opgepakt en ben verder gelopen.'

'Een leeg mandje?'

'Ja, iemand had het gewoon op de grond laten vallen midden in het gangpad. Ach, mensen...' Hayley haalde haar schouders op.

De lucht in het vertrek was bedompt geworden en de wereld klopte niet meer. Madison leunde achterover in de plastic stoel. Nadat ze een minuut lang niets had gezegd, begon het meisje op haar stoel te draaien.

'Was dat verkeerd?' vroeg ze.

'Nee, je hebt het geweldig gedaan,' antwoordde Madison en ze keek op haar horloge.

Het meisje glimlachte breed.

Op het personeelstoilet spatte Madison wat water tegen haar gezicht. Ze had Hayley naar agent Clarke gebracht en hij had haar verklaring opgenomen, al begreep hij niet helemaal waarom dat van enig nut zou zijn om de agent in uniform te vinden.

Ze hield ook haar polsen onder de kraan. De agenten hadden de winkel centimeter voor centimeter afgezocht. Madison wist dat ze niets zouden vinden, net zoals ze wist dat de telefoontjes naar de ziekenhuizen en het alarm dat op de radio en de tv werd uitgezonden niets zouden opleveren. Er waren geen getuigen; eigenlijk was er op het eerste gezicht helemaal geen misdrijf gepleegd.

Buiten was de hemel helder en gingen de sterren schuil achter de oranje gloed van de stad. Het was uren later, lang na de tijd voor onschuldige misverstanden, lang na Tommy's bedtijd. Madison keek nogmaals op haar horloge. Als ze te vroeg vertrok, zou dat het plan in de war sturen en dan zouden de consequenties onvoorstelbaar zijn. Te laat en de broze hoop die ze had, zou verschrompelen.

Logica kwam in dit verhaal niet voor: ze had niets méér om op af te gaan dan de vluchtige indruk van een meisje dat de man niet eens kon identificeren. Het was minder dan niets en toch was het alles. Het was het spoor dat naar Tommy zou leiden: Madison had zonder het te weten het losgeldbriefje in haar hand gehad; het was dagen geleden verstuurd en ontvangen, toen Tommy nog veilig in zijn bed sliep. Het zag er niet uit als een losgeldbriefje, maar intussen was de wereld gekanteld en was niets meer zoals het moest zijn.

De herinnering aan Tommy in Rachels armen was als een mes dat uit de wond werd getrokken. Quinn had de honkbal met zijn ene hand teruggegeven, in de andere hield hij de laatste kaart van Salinger, de belofte van een hel die ze geen van allen hadden voorzien. Het laatste stukje van het losgeldbriefje.

Het was bijna tijd om te gaan. Madison draaide zich om naar haar auto op het moment dat de zwarte Ford Explorer in het vak ernaast parkeerde. Nathan Quinn stapte uit en keek om zich heen. Hun blikken ontmoetten elkaar en Madison ademde de lucht uit die ze had ingehouden: ze hoefde het niet uit te leggen, ze wisten het al. John Cameron leunde met zijn armen over elkaar tegen de zijkant van de auto.

Quinn droeg geen das. Door de bleke, gladde huid in de open kraag zag hij er vreemd kwetsbaar uit. 'Wat doe jij hier?' vroeg Madison.

'Ik wist dat je snel zou vertrekken. We moeten de pont bij Edmonds halen.'

'Ik wil niet dat je hierbij betrokken raakt. Jullie geen van beiden.'

'Het is net andersom, Madison. Jij had hier niet bij betrokken moeten worden, jij noch de jongen. Maar we moeten gaan en onze auto is sneller.'

Overal om haar heen was politie en zij nam een lift aan van een moordenaar en zijn beste vriend. Madison keek hem even aan en liep toen naar haar Civic. Ze pakte snel een paar spullen van de achterbank en uit de kofferbak en stopte ze in een sporttas. Cameron stapte achter in de Explorer, Quinn zou rijden. Madison ging zonder om te kijken voorin zitten.

De Explorer had een paar kilometer over de 509 gereden toen Quinn de stilte verbrak. 'Hoe heeft hij het gedaan?'

Madison staarde recht voor zich uit. 'Hij droeg het politie-uniform dat hij bezit, liep de winkel in, wikkelde hem in zijn jas gedurende de nanoseconde dat zijn moeder niet keek en liep weer naar buiten.'

'Heb je het aan iemand verteld?'

Madison schudde haar hoofd. 'Ik kon het ze niet vertellen. De camerabeelden gaven geen uitsluitsel, maar een getuige had chloroform geroken. Meer heb ik niet. Als ik het mis heb... ik kon de ouders niet laten denken dat hij hem heeft. Hoe wist jíj het?'

'De politie heeft het nieuws vrijgegeven dat Harry Salinger dood is aangetroffen na een brand in zijn huis. Het bericht daarna ging over de vermiste jongen in Burien; ze lieten een foto zien.' Quinn wendde zich tot Madison. 'Hij heeft ze eerder voor de gek gehouden.'

Het landschap was een vlaag van oranje lichten en asfalt. Madison probeerde zich te herinneren wat er allemaal in de sporttas aan haar voeten zat, hoeveel munitie ze had, de laatste keer dat ze haar wapen had schoongemaakt. Alsof een van die dingen ertoe deed. Plotseling kwam er iets wat wel van belang was bij haar op. 'We moeten bij een apotheek stoppen. Ik moet dingen hebben voor het geval Tommy gewond is. Eerste-hulpspullen, verband, een deken voor als hij onderkoeld is.'

'Alles ligt achterin,' antwoordde Quinn.

'Heb jij dekens en spalken in je kofferbak liggen?'

Quinn gaf geen antwoord en uiteindelijk begreep Madison het.

'Je zou toch gegaan zijn. Je zou gegaan zijn, al heeft de politie gezegd dat hij dood is.'

'Hij heeft ze eerder voor de gek gehouden,' zei Quinn.

'Waarom wilde je naar hem toe?'

'Om dit voor eens en altijd af te maken.'

Achter hen lag John Cameron languit op de achterbank. Hij had nog geen woord gezegd nadat ze haar waren komen halen. Madison wist zonder het te vragen dat hij een wapen bij zich had, waarschijnlijk meer dan een, misschien het mes waarmee Erroll Sanders was gedood. En ze vroeg zich af in wat voor wereld ze nu leefde waarin dat zowel een dreiging als een steun was.

'Tod Hollis heeft Salingers mishandelingszaak ingezien,' zei Quinn. 'Zijn proces.'

Iets in zijn stem maakte dat Madison hem aankeek.

De *ms. Puyallup* vertrok op tijd uit Edmonds; de overtocht naar Kingston zou een halfuur duren. Het late uur betekende een bijna lege pont. Toen de andere passagiers het autodek hadden verlaten, namen ze elk een rij geparkeerde auto's voor hun rekening en liepen langzaam en stilletjes van de een naar de andere, naar binnen kijkend terwijl ze langsliepen, luisterend of ze geluiden hoorden boven het gedreun van de motoren uit. Zoals ze verwachtten leek geen enkele auto verdacht. Salinger zou al uren eerder de pont hebben genomen, zijn vrachtje verpakt in de parka achterin. Hij zou tussen de forenzen en de dagjesmensen zijn gaan staan, het politie-uniform al in een tas op de vloer van zijn auto.

Het witte interieur van het passagiersdek was bijna te fel voor Madison. Ze kneep haar ogen toe en liep naar het kleine eettentje dat nog open was. Ze had geen honger; ze kon zich niet voorstellen ooit in haar leven weer honger te hebben, maar ze moest haar gedachten scherp en haar lichaam sterk houden. Ze stapelde iets op een bord – ze zag amper wat – betaalde en liet zich in een van de zitjes glijden. Ze dwong zichzelf een hap te nemen, die naar een stuk stof smaakte, en slikte die door met een slok water.

Quinn ging aan de andere kant van de tafel zitten. Hij had een kop zwarte koffie genomen waar hij niet van dronk en zei niets. Madison was dankbaar dat hij geen loze praatjes had gehouden. Van hem zou ze geen 'het komt wel goed' te horen krijgen en dat vond ze prima. Salinger had eerder kinderen vermoord – die wetenschap droegen ze allebei mee.

Kleine groepjes mensen en alleengaande reizigers zaten verspreid in de grote ruimte; vijf tieners, die boven op elkaar in een zitje vlak naast hen zaten, barstten plotseling in lachen uit. Madison kromp in elkaar en stond op. 'Ik ga naar buiten.'

Quinn knikte en liet haar gaan. Madison duwde de deuren open en de kou woei haar tegemoet. Ze haalde haar mobieltje tevoorschijn en toetste een nummer. Ze moest dit telefoontje plegen, maar hoopte dat ze een boodschap kon inspreken. Toen dat gebeurde, dacht ze aan de woorden die ze had voorbereid en vond ze die volstrekt ontoereikend. Eerlijk gezegd waren er geen woorden voor wat ze te zeggen had. 'Inspecteur Fynn, met Madison. Ik sta op de Edmonds-Kingston-pont...'

Ze bleef een minuut doorpraten en brak toen af. Het buitendek was verlaten en in de heldere nacht was Kingston niet meer dan een paar lichten ergens voor haar. Daarachter lagen de brug naar het schiereiland Olympic en Highway 101, een lint dat rondom het Olympic National Park slingerde. Het hart ervan bestond uit bergen en gletsjers, en ergens diep in die bossen hield Harry Salinger Tommy vast.

Er was al zoveel verloren gegaan in die bossen: vanavond zou iets van wat weggenomen was in de persoon van David Quinn teruggegeven kunnen worden in die van Tommy.

Er stonden sterren in het westen, vlak boven de vallei van de Hoh River. Misschien kon hij dezelfde sterren zien. *We komen je halen, Tommy, wees sterk, we komen.*

De Explorer reed met een bons van de veerboot af en zette snel koers over de 104 in de richting van Port Gamble. Ze sloegen af naar de 101 en raceten langs Discovery Bay. Quinn had gelijk gehad: hij reed sneller dan Madison ooit had gekund. Ze vroeg zich even af hoe vaak hij op de plek was geweest waar zijn broer was gestorven.

Na Port Angeles rukten de bossen aan beide kanten op en de overkapping van dennen in de koplampen leek een tunnel waar ze doorheen schoten. De bochtige weg gaf soms onverwacht uitzicht op een door de maan beschenen wateroppervlak om even later weer in het pikkedonker te verdwijnen.

Quinn nam de afslag naar de Upper Hoh Road. Ze scheurden langs het Hard Rain Café in de richting van Willoughby Creek en na een paar minuten stopte hij langs de kant van de weg.

De lucht was vochtig en prikkelend. Cameron deed een klein rugzakje om.

'Jack gaat er te voet naartoe,' zei Quinn tegen Madison. 'Hij benadert de plek vanaf het noorden.'

Cameron was van top tot teen in het zwart gehuld. Madison wist zeker dat ze hem nog niet eens zou zien als hij naast haar stond.

Hij draaide zich om naar Quinn. 'Ik heb je woord,' zei hij.

Quinn knikte.

'Je woord,' herhaalde Cameron.

Als er ooit een moment was waarop John Cameron menselijk leek, was het toen hij vertrok. Het ging zo snel dat Madison er niet helemaal zeker van was, maar toch was er iets tussen hen gebeurd. Er was amper een geritsel te horen toen Cameron in het bos verdween.

'Het is nu niet ver meer,' zei Quinn.

'Wacht.' Madison stak haar hand in haar sporttas en zocht naar iets. Toen ze het vond, liep ze om naar Quinns kant.

'Trek dit aan,' zei ze en duwde hem een kogelvrij vest in zijn handen.

Quinn keek naar het stijve, marineblauwe vest waarop in gele letters POLITIE stond.

'Nee,' zei hij.

'Het was geen vraag.'

'Denk je echt dat dit opgelost gaat worden met kogels?'

'Ik weet het niet. Ik weet alleen dat ik je met een handboei vastmaak aan deze auto als je het niet aantrekt. Dan ga ik verder wel lopen. Trek aan.'

Quinn snoof. Het enige wat hij hoorde, was een klikje toen het metaal zich sloot om de hendel van het portier, en daarna voelde hij iets kouds om zijn pols. Voor het eerst zolang ze elkaar kenden, was Nathan Quinn sprakeloos. Madison deed drie stappen achteruit.

'Ik moet nu gaan, dus óf je doet wat ik zeg óf ik laat je hier achter. Ik heb geen idee wat ons te wachten staat en het zou mijn leven heel wat makkelijker maken als ik wist dat jij, aangezien ik denk dat je ongewapend bent, deze lichte en naar alle waarschijnlijkheid ontoereikende bescherming draagt. Als hij mij dood had willen hebben, had hij me al duizend keer kunnen neerschieten.'

Na een lichte aarzeling knikte hij. Madison maakte de handboeien los. 'Je moet het onder je jas dragen,' zei ze.

Quinn trok het vest aan, dat zwaarder was dan het had aange-voeld, en trok de riempjes aan de zijkant aan.

'Het moet strakker,' zei Madison en pakte de gespen aan haar kant. Haar handen beefden licht toen ze ze vastmaakte. Quinn zag ze trillen en het kon haar niet schelen: het had van de kou kunnen komen, de adrenaline die door haar lichaam stroomde, haar woe-de of haar angst dat het al te laat was. Ze vroeg zich alleen af of ze nog goed kon mikken.

'Dank je,' zei Quinn.

Ze stapten weer in de auto en reden verder. Madison keek op de digitale klok op het dashboard.

Het was tijd.

45

Het begin van het smalle pad lag bijna geheel verborgen. Quinn remde een paar meter ervoor af alsof hij het al honderd keer had gedaan. Madison ritste de extra fleecelaag onder haar jack dicht, controleerde haar wapen, stopte een paar dingen in een rugzakje en deed het om.

Toen ze klaar waren, deed Quinn de lichten uit en werd de hele wereld om hen heen opgeslokt door volledige duisternis. Ze hielden de straal van hun zaklantaarns laag en dicht bij hen; Quinn ging voor, Madison volgde.

Na een paar minuten stopte hij, draaide zich om en fluisterde: 'We gaan van het pad af. Kijk uit waar je loopt en blijf niet achter.' Hij was al in beweging voor ze kon antwoorden. Hij liep snel en zelfverzekerd. Madison twijfelde er niet aan dat hij de plek waar zijn broer de laatste adem had uitgeblazen al jarenlang bezocht.

Ze liepen onder bomen door die ze niet konden zien, maar Madison voelde hoe hoog en breed ze waren, evenzeer als ze Salingers nabijheid voelde. Hij was er, hij wachtte.

Plotseling stapten ze in het maanlicht en bleven stokstijf staan: het overwoekerde pad kwam uit in een wei. Ze trokken zich allebei instinctief terug in het duister en knipten hun zaklantaarns uit. Een windje voerde de zoete geur van hars mee en een geritsel in de boomtoppen.

Aan de overkant van de wei, in het struikgewas in de verte, flikkerde het licht van de eerste toorts, daarna een tweede, daarna een derde. De gloed van de vlammen trilde in het briesje en Madisons hart begon te bonzen.

'Blijf achter me,' fluisterde ze. Ze maakte het leren riempje van haar holster los en pakte haar wapen.

Ze bleven bij de bomen terwijl ze naderbij liepen, weg van de open ruimte en in de schaduwen.

De eerste toorts was met een metalen greep op een hoogte van

anderhalve meter van de grond in de stam van een spar vastgemaakt. Hoe dichterbij ze kwamen, hoe beter ze zagen dat de toortsen een pad markeerden. De lichtpunten waren regelmatig om de
zes meter neergezet.

Quinn tikte op haar schouder. Hij wees naar iets dat links van
het pad lag. 'De open ruimte waar mijn broer is gestorven, ligt
twee minuten verder díé kant op.'

Madison knikte. Salinger had iets fout gedaan, eindelijk.

Hij had het pad aangegeven, ze hoefden alleen maar het licht te
volgen. Ze liepen langs de eerste en daarna de tweede toorts. De
warmte van de vlammen streek langs hun wangen. Ze voelde
Quinn naast zich toen ze de derde passeerden en ze bleven naast
elkaar stokstijf staan toen de stem voor hen opklonk. 'Jullie zijn
er,' zei hij, en ergens diep in de woorden lag vreugde begraven.

'Laat jezelf zien,' zei Madison tegen de duisternis.

'Waar is Cameron?' vroeg de stem.

'Waar is de jongen?' antwoordde ze, vriendelijker dan ze ooit
voor mogelijk had gehouden.

Harry Salinger stapte uit het duister en keek hen aan. Lang, pezig, een hemd en geen jasje, de man op de camerabeelden, de man
die Brown had neergeschoten en de Sinclairs had afgeslacht. Hij
had een .45 in zijn hand, dicht bij zijn lichaam en naar de grond
gericht. Zijn lichte ogen gleden over de wond boven haar linkeroog. 'Waar is John Cameron?'

Het windje voerde de stank van een dier in Madisons richting.

John Cameron stapte in het licht. Hij was helemaal omgelopen
en stond nu zes meter rechts van Salinger, die zijn hoofd moest
draaien om hem te kunnen zien. Camerons wapen was recht op
het hoofd van de man gericht. Madison had hem totaal niet gehoord.

'Je hebt me gebracht wat ik nodig had,' zei Salinger en Madison
zag de verse, glanzende vlekken en spatten op zijn kleren, op zijn
borst en armen, een scheurtje in zijn hemd bij de schouder. Het zag
eruit als bloed en aarde.

'Waar is Tommy?'

'Hij is in de buurt.'

Hou je hoofd erbij, praat met hem, maak contact, zorg dat hij je vertelt waar Tommy is. 'Wat wil je, Salinger?'

'Ik heb je in het huis van de Sinclairs gehoord. Je praatte zo helder over wat ik gedaan had, met zoveel begrip.'

Quinns arm huiverde tegen haar schouder. Ze bad dat hij zijn mond zou houden. Cameron was een standbeeld dat amper zichtbaar was, met uitzondering van zijn gezicht, zijn .22 ter hoogte van zijn dode ogen.

'Cameron voor de jongen. Jij doodt John Cameron en ik breng je naar het lichaam. Het is meer dan Quinns broer heeft gehad, het is veilig, ik heb het voor je onder de grond gestopt.'

Het duurde even voor tot hen doordrong wat Salinger net had gezegd. *Glanzend bloed en aarde op zijn hemd.*

'Nee.' Het was geen menselijk geluid. Madison sprong naar voren toen Salinger zijn wapen optilde en de trekker drie keer achtereen snel overhaalde; hij blokkeerde. Cameron was al in beweging, bijna bij hem. Salinger draaide zich met wijd open ogen om en verdween uit de cirkel van licht.

Madison haastte zich achter hem aan terwijl ze over haar schouder naar Cameron schreeuwde: 'Je mag hem niet doodschieten, je mag hem niet vermoorden.'

Cameron was naast haar. 'Grijp hem dan maar voor ik het doe.'

Uit de buurt van de toortsen kwamen ze in het duistere kreupelhout terecht. Madisons ogen wenden eraan en ze rende.

Harry Salinger sprintte over een smalle, door de maan verlichte zandvlakte. De dennennaalden hadden nauwelijks genoeg tijd om weer op de grond te vallen voor John Cameron en Alice Madison, na elkaar, achter hem aan vlogen.

Hij was snel, Jezus, wat was hij snel. Madison had haar wapen in haar holster gestopt en joeg nu achter de ritselende geluiden voor haar aan, met Cameron een stukje links van haar. Haar voet bleef haken achter een wortel en ze struikelde, hervond haar evenwicht en sprong weer naar voren. Haar adem kwam in stoten naar buiten en haar hart ging tekeer. Een paar keer liep ze tegen laaghangende takken aan en haar jukbeenderen zaten vol kleine sneetjes.

Salinger vergrootte zijn voorsprong. Ze hoorde hem met grote snelheid door het bos denderen. Ze stormde tussen de enorme boomstammen door, slipte op het mos, richtte zich weer op en realiseerde zich dat ze een telkens steiler wordende helling afliepen.

Cameron was dichtbij, soms voor haar, soms naast haar; ze kon hem niet zien. Ze renden allebei zo hard ze konden, maar haalden hem niet in. Plotseling viel de grond onder hun voeten weg en gleed Madison half naar beneden over een bed van natte bladeren; ze vond steun bij omgevallen boomstammen en bleef overeind. Cameron vloekte terwijl er droge takken knapten en versplinterden.

Salingers voeten raakten de zachte grond en hij liet zich door het geheugen van zijn lichaam in de juiste richting leiden. Het was een opluchting. Hij had zijn jasje uitgetrokken toen hij ze had horen aankomen en had zich al opgewarmd. Zeven jaar geleden, toen hij met zijn pro-Deoadvocaat in het vertrek zat dat naar bleekwater rook, ging de deur open en was de lange, donkere man binnengekomen. Salingers advocaat had zachtjes gevloekt.

'Mr. Quinn, wat aardig dat u er bent,' zei de officier van justitie.

'Het is niet mijn zaak, Mark, het is Peters zaak. Ik hou het alleen in de gaten. Ik ben niet eens in dit vertrek.'

Nathan Quinn keek Salinger niet aan en zei verder geen woord meer, en toch was hij zeer aanwezig.

Uiteindelijk, tijdens het proces, hadden beide mannen zich onschuldig verklaard en lag de barkeeper nog in het ziekenhuis. Het kwam allemaal neer op 'gerede twijfel'.

Op de ochtend van de laatste dag had zijn advocaat de andere jurist aangesproken. 'Nathan Quinn heeft jouw slotpleidooi geschreven, hè?'

De jury gaf het antwoord: twee jaar voor Harry Salinger, de andere man betaalde een boete voor het gebroken glaswerk en kon gaan. Iemand anders mocht dan het slotpleidooi hebben uitgesproken, maar Salinger wist wie het geschreven had, wie de verdediging van de andere man had voorbereid, wie de jury de gerede twijfel had aangepraat die ze nodig hadden plus de zondaar die ze wilden hebben. De barkeeper lag nog in het ziekenhuis en iemand moest die rekening betalen.

Het woud was een waas, zijn pijn was een waas. Twee jaar. Hij herinnerde zich elk litteken en wie het hem had bezorgd. Hij herinnerde zich elke dag in de gevangenis en door wie hij daar terecht was gekomen. Rabineau zou nooit meer uit de Bones komen, daar had de moord op Pathune voor gezorgd, en het kruis op zijn voorhoofd had het bezegeld. En daarna, Quinn.

Hij werd meteen aangenomen in het restaurant, maar die eerste avond, in kelnersuniform, had Salinger naar de twee mannen die naast Quinn zaten gekeken en in een moment van verbijsterende helderheid had hij begrepen dat dit groter was dan zijn eigen pijn, groter dan wat hij ooit ook maar overwogen had. Dit had betekenis. En hij stond daar, verblind door dat complete bewustzijn, met zijn meest recente blessure nog in het verband, omdat het híér was waar hij altijd had moeten komen. Alles in zijn leven had geleid tot dit moment en hij was slechts een instrument om de spil van het universum te corrigeren en alles wat Quinn ooit had aangeraakt en bezoedeld in as te laten veranderen.

Madisons stem, indigo, had ieder deel van zijn bewustzijn dat niet in beslag werd genomen door het rennen gevuld. Hij had dit met een blinddoek om kunnen doen, maar dat zou opschepperig zijn. Hoe lang was lang genoeg?

Het terrein werd vlakker en Madison rende door ondiep water. Salinger was van richting veranderd en ze volgde hem, omhoog aan de andere kant en weer het struikgewas in.

Ze rende, strompelde en raasde door alles op haar pad heen. Soms rook ze de rottende, bedorven geur en moest ze bijna braken. Bloed en aarde. Een verzengende pijn brandde in haar borst en ze raakte buiten adem, maar plotseling waren ze op een pad met wat lichtplekken en een vlakke grond, en ging ze sneller lopen.

Salinger was in zicht. Cameron begon hem in te halen. Madison haalde alles wat ze in zich had naar boven; ze liepen nu naast elkaar en hun doelwit was maar enkele seconden voor hen.

Plotseling hoorden ze het geluid van stromend water en waren ze op de oever van de Hoh River. Het maanlicht was schokkend helder. Salinger wankelde en verloor zijn evenwicht op de rotsen. Ze sprongen boven op hem en pinden hem tegen de grond. Het duurde een paar seconden voor Madison besefte dat hij zich niet verzette. Hij ademde bijna normaal terwijl Cameron zijn linker-arm en -been vasthield en zij zijn rechter, allebei geheel buiten adem. Haar hersenen snakten naar zuurstof.

'Tommy. Waar is hij? Wat heb je gedaan?' Ze spuugde de woorden eruit en wist dat ze de loop van haar pistool in het zachte vlees onder zijn kaak drukte, maar niet hoe het daar gekomen was. De punt van Camerons mes rustte tegen Salingers jukbeen.

Hij lag slap onder hen, met zijn ogen op de hemel gericht, zijn gezicht zo totaal zonder angst, die meest fundamentele menselijke reactie op de aanstaande dood, dat Madison besefte dat er iets niet klopte. Het koude zweet liep in een straaltje tussen haar schouderbladen.

'Je hebt me gebracht wat ik wilde,' kraste Salinger, en zijn blik schoot naar het bos.

'Wát wilde je dan, zieke klootzak?' Madisons stem sloeg over.

'Quinn,' fluisterde hij.

Madison en Cameron keken elkaar aan terwijl ze zich realiseerden dat Quinn niet bij hen was, dat hij alleen achtergebleven was.

'Quinn,' zei ze.

'Ja.' Salinger draaide zich om naar Cameron. 'Hier zal hij je niet uit kunnen redden, hè?'

Stukjes inzicht vielen op hun plaats.

'Waar is Tommy? Wat heb je met hem gedaan?' Madison stond op en Cameron stak zijn arm uit om Salinger tegen de grond te houden.

Salinger had het afgelopen jaar geen enkele fout gemaakt; hij had zich niet vergist in de plek waar Quinns broer was gestorven. Hij wilde dat Quinn alleen zou zijn als hij daar kwam. Madison boog zich voorover, met haar handen op haar knieën, duizelig bij het idee.

'Tommy leeft nog, hè?'

Salinger stond zichzelf een zuinig glimlachje toe.

Madison keek Cameron aan. 'Pierce County,' zei ze. Meer kon ze niet uitbrengen. Ze rende terug naar het bos alsof de duivel haar op de hielen zat.

'Nee,' had Madison geschreeuwd toen ze op Salinger af sprong. Binnen een paar seconden waren ze alle drie uit het zicht verdwenen. Nathan Quinn hoorde de geluiden van de achtervolging vager worden en toen alleen nog het gespetter van de toortsen om hem heen en de diepere stilte van het bos.

Hij liep terug zoals ze gekomen waren en toen hij bij de laatste toorts was, aan de rand van de wei, tilde hij die met gemak uit de metalen, bijna middeleeuwse steun. Hij liep de wei op, hij hoefde zich niet verborgen te houden in de schaduw. Hij keek op en het briesje koelde het zweet op zijn gezicht. Hij had Hollis' rapport gelezen en wist waarom Salinger hem de kaartjes had gestuurd. Hij kon zich de zaak en zijn aandeel erin nauwelijks herinneren. In gedachten was hij er de laatste dagen honderden keren naar teruggegaan, en ook naar het restaurant, om te proberen Salinger voor zich te zien. Hij had hem niet herkend toen hij uit het duister was gestapt. Hij had zeven jaar geleden niet geweten of Salinger dan wel de cliënt van Quinn Locke schuldig was, en dat wist hij nu nog steeds niet. Het enige wat hij wist, was dat James en zijn gezin dood waren en dat Tommy was meegenomen omdat zíjn woorden op een bepaalde dag beter waren geweest dan die van een andere advocaat. En omdat zijn leven ooit, twintig jaar geleden, naar links was gegaan in plaats van naar rechts.

De kaartjes hadden hem hierheen geleid en tot dusverre had Salinger nog geen enkele fout gemaakt. Het pad dat hem naar de plek leidde die hij de afgelopen twee decennia minstens één keer in de paar maanden had bezocht, lag voor hem. Hij was er nooit 's nachts geweest, maar als hij zijn ogen dichtdeed, kon hij hem duidelijk voor zich zien. Hij gaf zich over aan zijn herinnering en volgde die de wei uit en het struikgewas in, terwijl hij de toorts weghield van laaghangende takken.

Het kostte Quinn twee minuten om er te komen. Het was moeilijker om er 's nachts te zijn: de jongens, James en Jack, hadden hier een nacht alleen en doodsbang doorgebracht, toen David al dood was.

De vlam wierp een trillend licht op de eerste van de bomen die hij zo goed kende. Het was die waaraan Jack was vastgebonden en die hem overeind had gehouden terwijl ze hem martelden.

Timothy Gilman als een beer in een val.

James was vastgebonden aan de tweede boom. De vlam flakkerde over de ruwe schors en verlichtte toen de derde, Davids boom. Quinn bleef staan: het gat was gegraven in de holte tussen de enorme wortels. Het opende zich als een zwarte, natte mond in de aarde en even kon hij zichzelf er niet toe brengen er dichterbij te komen. Maar hij moest kijken.

Hij boog zich over het gat en hield de toorts erboven. De kooi was van metalen tralies en paste precies tussen de muren van de kuil. De jongen lag er opgerold in, gewikkeld in een deken. Quinn merkte niet eens dat er een schreeuw over zijn lippen kwam. Hij klemde de toorts tussen twee stenen en ging plat op de grond liggen. Hij stak zijn arm tussen de tralies – krap maar niet onmogelijk – en streek met zijn vingertoppen over het gezicht van het kind. De jongen lag op zijn zij en Quinn ging met zijn hand langs de rand van zijn kraag tot hij het vond: een langzame maar regelmatige polsslag en een lichte suggestie van lichaamswarmte.

Onder zijn lichaam verschoof iets en er begon water uit een opening in de muur te druppelen, uit een gat zo groot als zijn vuist, ter hoogte van de voeten van de jongen.

Hij greep een van de tralies aan de bovenkant. Hij zag dat verrekte veerslot nu zitten en een rode draad van het mechanisme dat in de aarde verdween. Hij rukte uit alle macht aan de tralie. Die bewoog nauwelijks.

Het water begon een plas te vormen op de plek waar de jongen lag. Hoe lang had hij nog?

Quinn had geen toxicologisch rapport nodig om te weten dat het kind verdoofd was: hij bewoog niet, hij reageerde niet, zijn ademhaling was oppervlakkig en als het water hoog genoeg kwam, zou hij helemaal ophouden met ademen.

Hij moest nadenken, want dit had Salinger zo gepland en er móést een reden zijn.

Quinn stond op en er kwam iets los onder zijn voeten. Hij ging met zijn vingers door de vochtige bladeren en de dennennaalden: de platte tegel was makkelijk te vinden, een drukschakelaar. Hij had dit veroorzaakt, door hem was dit begonnen, door zijn gewicht op dat stukje grond toen hij ging liggen om te controleren of Tommy nog leefde.

Er was een draad verbonden aan de tegel, een dunne, bruine draad die uit de aarde sprong toen Quinn de schakelaar optilde. De kabel kronkelde een stukje en verdween toen achter een struik.

Quinn had krankzinnigheid gezien in zijn jaren in de rechtszaal, hij had verdriet gezien en de wolk van geweld die het op de ergste momenten wint van de menselijkheid, maar dit sloeg alles.

Hij controleerde hoe het met de jongen was. Het water kwam langzaam omhoog; binnenkort zouden zijn kleren doorweekt zijn. De keus was verdrinken of onderkoeling. Quinn volgde de draad naar de struik en duwde de takken uiteen. Het was een slecht staaltje van camouflage dat iedereen overdag vanaf een paar meter afstand in de gaten zou hebben gehad. Hij schoof het groen verder opzij tot het object duidelijk zichtbaar was. Nathan Quinn nam onwillekeurig een stap naar achteren en staarde ernaar tot onnozele ideeën over redding en reanimatie in één klap verdwenen waren. *Pierce County.*

De tank van hard plastic met het water dat in de kuil lekte, zat in een metalen kooi met tralies die op hun plaats werden gehouden door in de grond gehamerde staken. Stalen messen en naar binnen gerichte glasscherven in een kooi die zich welfde als de spiraal van een schelp. Hij lag op de grond en was zo lang dat iemand niet bij de tank kon tenzij hij door de kooi kroop. Er moest een pijp onder de grond door lopen. De kraan en de rode draad van het veerslotmechanisme waren duidelijk te zien en als het ventiel werd dichtgedraaid, zou de tank leeglopen, de kuil zou niet verder volstromen en de kooi waarin de jongen lag, zou openspringen.

Quinn keek naar het bos waarin ze verdwenen waren. Hoe lang zou het duren voor een van hen terug zou komen? En wie zou terugkomen? Hij probeerde logisch na te denken: Jack of Madison. Het moest een van de twee of allebei zijn. Salinger zou niet aan hen beiden kunnen ontsnappen, niet zonder wapen, en hij had geen schoten gehoord.

Hij controleerde weer hoe het met de jongen ging; er was niet veel tijd meer. Nu hij naar het ding keek dat Salinger gecreëerd had, begreep hij de foto's van de toegetakelde mannen die Madison hun had laten zien en hoe ze er langzaam en onverbiddelijk door waren gedood.

Het water steeg. Quinn trok zijn jas uit en werd verrast door het harde weefsel van het kogelvrije vest. Dat was hij helemaal vergeten. Hij pakte zijn mobieltje, toetste een nummer en sprak met iemand. Hij probeerde zinnig over te komen zodat ze hem zouden begrijpen, maar hij wist niet of dat lukte en zijn gedachten waren al met iets anders bezig: het patroon van de verwondingen van de dode mannen die gedwongen waren om door de kooi te kruipen. Hij zou de kronkelende spiraal rondom de tank moeten volgen om bij de kraan te komen.

Hij legde zijn mobieltje voorzichtig neer terwijl er nog verbinding was – geen tijd meer – en keek weer over zijn schouder naar het bos. Een van hen tweeën zou terugkomen, een van hen zou de jongen vinden.

Quinn, met zijn buik plat op de vochtige grond, vermande zich en kroop in de kooi. De eerste snee was een lange, stekende jaap over de binnenkant van zijn onderarm. Een mes knarste langs het kogelvrije vest en er drong iets in zijn zij tussen de riempjes. Hij kreunde.

Wat zou er gebeuren als zijn lichaam het eerder opgaf dan zijn geest? Quinn vocht tegen de verzengende pijn. Hij sloot even zijn ogen. Er was maar één manier om erachter te komen.

46

John Cameron zag Alice Madison weer in het bos verdwijnen. De laatste glimp van haar gezicht was een masker van angst en ongeloof geweest. Hij hield Salinger tegen de grond en de punt van zijn mes rustte nog steeds tegen zijn jukbeen.

Cameron ademde uit; hij had geprobeerd Quinn te beschermen door jacht te maken op deze man en hij had gefaald. Wat er ook maar was gebeurd... Cameron zette zijn gedachten stil: alles was nu anders dan twee minuten geleden en het bloed verspillen van deze schaduw van een mens zou hem geen voldoening geven.

Hij hield zijn hoofd schuin. 'Ben jij bij je volle verstand?' vroeg hij Salinger.

De man leek even na te denken over de vraag. 'Dat weet ik niet,' antwoordde hij.

'Ik vraag me af hoe de rechter zal oordelen over wat je hebt gedaan. Zo'n lange voorbereiding, zo lang vooruitdenken.'

Hij verstevigde zijn greep om Salingers keel en de man snapte dat zijn zorgvuldig opgezette plan was mislukt. Hij was in handen van een man die hem wilde laten lijden en als hij hem daarvoor in leven moest houden, dan zat er niets anders op.

'Ik heb de kuil gegraven aan de voet van de boom waar David is gestorven. Weet je nog waar dat is?' fluisterde Salinger. 'Hoe lang zal het duren voor jouw *advocaat* een besluit zal nemen? Weet je dat hij nog steeds elke maand naar die plek toe gaat? Hoe ver zal hij kunnen kruipen voor bloedverlies en shock het hem verder onmogelijk maken?'

Cameron zei niets.

'Heb je enig idee hoe lang je vriend heeft gevochten voor zijn gezin? Hoe lang het duurde voor zijn lichaam stil naast die van hen lag? Een van de kinderen probeerde zich onder het bed te verbergen...'

Cameron raakte hem hard op de slaap met de handgreep van het mes en Salinger viel achterover op de stenen. 'Ik heb niet veel tijd.

Jij moet worden tegengehouden, je moet worden gestraft en je moet in leven blijven opdat het recht je door alle pijn en ellende kan sleuren die je zo graag achter je wilt laten.' John Cameron knielde neer. Hij had nooit binnen die beperkingen gewerkt, maar hij zou het beslist kunnen leren.

De poeltjes maanlicht verdwenen achter haar terwijl Alice Madison over het open stuk land rende. Zo dadelijk zou ze bij de steile helling komen en had ze beide handen nodig. Als ze het wilde doen, moest ze het nu doen. Ze graaide naar haar mobieltje en bad dat er een signaal was. De streepjes waren amper zichtbaar, maar het moest voldoende zijn.

Toen ze gehoor kreeg, begon ze meteen te praten. De telefoniste moest haar alles drie keer laten herhalen. Daarna belde ze Fynn en hoopte dat ze dit keer geen antwoordapparaat kreeg. Toen dat toch gebeurde, kwam ze half glijdend tot stilstand. Ze wist dat ze iets ingesproken had, maar enkele seconden later, toen ze naar boven probeerde te klimmen en wegzonk in de natte bladeren, kon ze zich al niet meer herinneren wat ze had gezegd.

Dit ging allemaal niet om Cameron, dit ging alleen om Quinn. Ze zag Salinger voor zich, nieuw in het restaurant, terwijl een van de hulpkelners over zijn schouder keek. '*Weet jij wie dat is?*' '*Zeker wel.*'

Dit was genoeg. Nathans lichaam kon niet verder. Hij probeerde naar voren te glibberen, maar het ging niet. Er stak iets in zijn been en hij kon het niet meer bewegen. Het andere been voelde hij helemaal niet meer. Ondraaglijke pijn had plaatsgemaakt voor verdovende kou. Hij kon de kraan niet meer zien omdat hij niets meer kon zien.

Met de vingers van zijn rechterhand, die glibberig waren van het bloed, ging hij langs de zijkant van de tank. Hij voelde iets onder zijn vingertoppen, iets dat hij net niet kon pakken. Als hij misschien even uitrustte, kon hij weer op krachten komen en doorgaan. Even maar.

Alice Madison stormde uit het bos de open ruimte in. In één oog-opslag nam ze alles in zich op, de kuil, de kooi, het bloed. Ze riep hun namen al kon ze haar eigen stem amper horen boven het ge-bonk van haar hart uit, en bleef roepen hoewel niemand antwoord gaf. Ze ging bij de opening naar de kuil liggen en trok aan de stang van de kooi; het slot sprong open. Ze duwde de vochtige deken opzij en kon haar hand net onder de arm van de jongen laten glij-den. Ze trok hem voorzichtig naar boven en zocht naar een pols-slag. Dáár, daar voelde ze hem.

'Quinn,' schreeuwde ze. 'Hij leeft nog, hij ademt.'

Ze klauterde naar de kooi, met Tommy tegen zich aan, maar Quinns lichaam lag gekromd met zijn rug naar haar toe en ze kon zijn gezicht, zijn ogen, niet zien; het enige wat ze zag, waren ge-scheurde kleren en rood. Zijn linkerarm zat achter zijn rug gebo-gen. Madison stak haar arm door de tralies en haar hand sloot zich over de zijne.

'Quinn...'

Ze voelde geen polsslag, haar vingers gleden telkens weg. 'Quinn...'

Madison legde Tommy op haar schoot en deed haar rugzak af. Ze haalde er een handvol kleine verwarmingselementen uit en twee thermodekens. Tommy moest langzaam opgewarmd wor-den: ze stak de elementen in haar eigen jas, wikkelde Tommy in de dekens en sloeg een arm om hem heen zodat hij tegen haar aan on-der de jas lag; met de andere hand zocht ze die van Quinn, hij was ijskoud.

'Quinn...'

Tommy zuchtte. 'Ik heb je, Tommy, alles komt goed, ik heb je.' Tommy jammerde in zijn slaap. Madison hield hem dicht tegen zich aan; haar stem klonk als een gefluister in zijn zachte haar toen ze 'Blackbird' zong.

Quinns hand, die ze stevig vasthield, bewoog even.

Alice Madison wist niet hoeveel tijd er voorbij was gegaan, maar toen ze opkeek, was Cameron er. Hij liet zich op zijn knieën val-len. Zijn gezicht was besmeurd met iets waarnaar ze nauwelijks kon kijken; zijn handen en kleren zaten onder. Zijn ogen waren dood. Hij stak zijn arm in de kooi en raakte Quinns arm aan.

'Waar heb je hem gelaten?' vroeg ze.

'Op de oever van de rivier,' antwoordde hij, terwijl hij naar Quinn bleef kijken. 'Levend.'

Hun blikken ontmoetten elkaar. Het geluid van helikopterwieken was zacht, maar kwam dichterbij.

'Als je weg wilt, ga dan nu. Als je blijft, zeg dan niets tegen mij of tegen wie dan ook. Begrepen?'

Cameron ging op de grond zitten, met zijn hand nog steeds op Quinns arm.

Ze kwamen in golven: het gijzelaarsreddingsteam was eerst. Ze verspreidden zich over de open ruimte met hun langeafstandsgeweren en hun lichten. Madison hield haar politiepenning op en Cameron legde zijn handen achter zijn hoofd. Artsen maakten Tommy los uit haar armen en legden hem aan een warmeluchtrespirator, terwijl agenten Cameron fouilleerden op verborgen wapens die ze niet vonden.

Ze vielen stil toen ze de kooi zagen en gingen geconcentreerder aan het werk dan Madison ooit had gezien; binnen enkele seconden had Quinn een infuus in de arm waar ze bij konden en zijn toestand werd continu hardop bijgehouden. Iedereen was het erover eens dat het veel te riskant was om te proberen hem er midden in de bossen uit te krijgen. De lage temperatuur en de metalen constructie hadden hem in leven gehouden, al was het op het randje. Als ze hem bevrijdden, zou hij doodbloeden. Zo simpel was het. Hij zou in deze situatie per helikopter vervoerd en in het ziekenhuis behandeld moeten worden, als hij de reis overleefde, wat onwaarschijnlijk was.

Op de oever van de Hoh River werd een man aangetroffen. Hij werd gestabiliseerd en op een brancard gelegd. Niemand stelde hem vragen aangezien hij niet in een conditie was om te spreken.

47

Billy Rain overhandigde de bankbediende de cheque van 100.000 dollar die hij op zijn rekening wilde zetten, waarop momenteel 147,27 dollar stond. Hij droeg een pak – zijn enige pak – omdat Carl Doyle de beloning op het kantoor van Quinn Locke zou uitschrijven. Hij had Billy uitgenodigd om de cheque daar te komen ophalen, waarna Tod Hollis hem naar een bank zou rijden.

De bediende knipperde niet eens met zijn ogen; Billy Rain, verbijsterd en in shock, pakte het reçuutje aan waarom hij had gevraagd. Hij had die morgen ontslag genomen bij de garage van zijn zwager en was op weg naar het huis waar zijn gezin woonde, een huis waarvan hij geen sleutels meer had, om met zijn vrouw te gaan praten. Vandaag hadden ze dingen te bespreken die ze zich onmogelijk kon voorstellen.

Carl Doyle zat op het smalle bankje dat de afgelopen drie dagen zijn kantoor, zijn huis en zijn wachttoren was geweest. Hij was de poortwachter bij Nathan Quinns ziekenhuiskamer geweest, en sinds drie dagen ook zijn zaakwaarnemer, en niemand had naar binnen gemogen, afgezien van artsen en verpleegsters. Zelfs Alice Madison kwam er niet doorheen, ondanks haar talloze bezoeken. Quinn zou zelf beslissen wie hij wilde zien als hij bijkwam. Dat was Doyles mantra.

Het draadje waarmee Quinn aan het leven hing, was de afgelopen drie dagen gevaarlijk dun geweest, maar het was niet geknapt. De artsen hadden evenzeer versteld gestaan van zijn veerkracht als van de omvang van zijn verwondingen. Enkele van hen hadden te maken gehad met mensen die waren aangevallen door een beer, en die hadden er heel wat beter uitgezien dan de man die in een metalen kooi bij hen was afgeleverd.

De verpleegkundigen hadden het aantal hechtingen boven de vierhonderd niet meer bijgehouden. De milt was bijna geheel verdwenen, maar de oogspecialist kwam met positieve, maar nog niet bevestigde nieuwe informatie. Het was niet veel, het was zelfs erbarmelijk weinig, maar meer was er niet.

En dus leidde Carl Doyle Quinn Locke vanaf een bank in de gang van een ziekenhuis en zou dat blijven doen zolang het nodig was.

De vrouw die aarzelend kwam aanlopen, zag er even uitgeput uit als hij. Toen ze voor de deur bleef staan, keek Doyle op van zijn papieren. 'Geen bezoek en geen commentaar,' zei hij, beleefd maar niet mis te verstaan.

'Ik ben Rachel Abramowitz. Tommy is mijn zoontje,' zei Rachel.

Doyle pakte haar beide handen en ze kwam naast hem zitten terwijl ze probeerde zich te vermannen.

'Hoe gaat het met hem?'

Rachel glimlachte zwakjes. 'Hij herinnert zich niets. Hij is wakker geworden, alles lijkt in orde, hij eet en slaapt. Maar een van ons is altijd bij hem. Altijd.'

Doyle knikte.

'En hoe is het met hem?' vroeg Rachel terwijl ze naar de dichte deur keek.

Doyle legde het haar uit. Zij had het recht om de waarheid te horen.

'Zou je iets voor me willen doen?' vroeg Rachel.

'Natuurlijk.'

'Zou je hem dit willen geven uit naam van mijn zoon?'

Rachel Abramowitz vertrok en Doyle liep Quinns kamer in. De rolgordijnen waren dicht en de man in het bed lag in een medisch geïndiceerde coma. Doyle wist niet wat het voorwerp voor betekenis had. Dat maakte niet uit, Quinn zou het wel weten. Hij schoof de honkbal onder zijn goede hand en vouwde zijn vingers eromheen.

Mary Sue Linden haastte zich door de lange gang, met een dienblad dat ze stevig vasthield. De afgelopen drie dagen was ze het jongste lid geweest van het verpleegteam dat patiënt X verzorgde: hij was binnengebracht zonder naam en onder politiebescherming. Het gerucht ging dat hij getuige was geweest van een afschuwelijke misdaad en dat er een drugskartel achter hem aan zat.

Mary Sue liep langs de lege kamers aan weerszijden en zei de twee politieagenten die op wacht stonden gedag. Ze duwde de deur open met haar heup. Patiënt X was wakker; hij kon niet praten, maar ademde zelfstandig. De artsen konden niet bevatten hoe hij aan zijn verwondingen kwam. Een haai met een mes misschien, had iemand geopperd.

Mary Sue liep naar het bed en hij volgde haar met zijn ogen die zo bleek waren als regenwater. Ze zette het blad voorzichtig op het tafeltje naast het bed en haar ogen schoten naar de deur. Ze boog zich voorover, haar stem zo zacht als ze maar kon.

'Ik heb een speciale boodschap voor u,' zei ze. 'Van uw vriend, de rechercheur met dat Ierse, rode haar.'

Zijn ogen vernauwden zich.

'Kunt u me goed verstaan?'

Harry Salinger knipperde één keer met zijn ogen.

'Hij zei dat ik u dit moest vertellen en me ervan moest verzekeren dat u het begreep.' Fluisterend: 'De jongen leeft nog, het gaat goed met hem, en de man leeft ook. Ze komen er allebei weer helemaal bovenop.'

Toen de patiënt zijn gezicht afwendde, klopte ze zachtjes op zijn arm. Mannen vonden het moeilijk om hun emoties te tonen, dat wist ze zo langzamerhand wel.

John Cameron stond in zijn cel en liet het licht uit het smalle raam over zijn gezicht glijden. Hij droeg de oranje overall van iemand die beschuldigd wordt van een heel ernstig misdrijf en die niet op borgtocht vrij mocht komen. Dat verraste of verontrustte hem geenszins. Rechercheur Madison was regelmatig op bezoek gekomen met nieuws over Quinns vooruitgang en tot nu toe was dat het enige wat hem interesseerde.

Ze hadden aan weerszijden van een glazen ruit gezeten, andere kleren, maar identieke snij- en schaafwonden op hun gezicht en handen.

'Ze hebben een houten kistje in zijn bus gevonden, met een botje erin. Dat zou van de broer kunnen zijn,' zei Madison.

'Ben je erachter gekomen waar ze hem vasthouden?'

'Ja, hij zit ergens apart.'

'Heel goed, de man moet beschermd worden.'

'We hebben ervoor gezorgd dat hij weet dat hij gefaald heeft, dat ze allebei nog in leven zijn.' Ze schoof een vel papier door de spleet in het glas, het rechtbankverslag van Salingers proces en het slotpleidooi dat Quinn had geschreven.

Cameron las: '*Elk mens is van nature geneigd om rechtvaardigheid te zoeken voor diegenen die onrecht is aangedaan, diegenen die gekwetst zijn...*'

Madison stond op om weg te gaan. 'Voor je het bos in ging, zei je tegen Quinn...'

'Hij had me zijn woord gegeven dat hij geen stomme dingen zou doen, zichzelf niet in gevaar zou brengen.' Hij leunde achterover in zijn stoel. 'Stel de vraag maar, rechercheur. Ik weet dat je erover nagedacht hebt.'

Ze hadden net zo goed aan haar eettafel kunnen zitten, met een vuur in de haard en de geur van koffie die de kamer binnenkwam.

'Hoe lang ben je van plan te blijven?' vroeg Madison.

'Zo lang als nodig is voor wat ik van plan ben,' antwoordde Cameron.

Even was er helemaal geen glas meer tussen hen beiden.

John Cameron werd voor zijn eigen veiligheid in isolatie gehouden, maar iedereen wist dat dat een nogal zielig leugentje was. Evengoed had hij een krant te pakken weten te krijgen. Het leek erop dat Harry Salinger de grafstenen had verwisseld. Het lichaam dat ze in de grond hadden gevonden, was eigenlijk dat van zijn vader, terwijl zijn dode tweelingbroer opgegraven was om voor de tweede keer in het vuur te sterven.

Het lichaam in de kist bleek geen mitochondriaal DNA te hebben dat overeenkwam met dat van Salinger. De man, die in de gaten werd gehouden om te voorkomen dat hij zelfmoord zou plegen, waren vier aanklachten wegens moord en een wegens ontvoering ten laste gelegd. Waar ze hem ook vasthielden en behandelden, hij zou waarschijnlijk liever met zijn broer willen ruilen.

Cameron sloot zijn ogen. De cel betekende weinig voor hem. Boven hem was de hemel zo blauw dat het pijn deed ernaar te kijken.

Brigadier Kevin Brown werd wakker en liet zijn bewustzijn langzaam terugkomen terwijl hij probeerde te bedenken waar hij was. In een ziekenhuis, dat was vrij duidelijk, en toch was een gesprek met Madison op het bureau het laatste wat hij zich herinnerde. Het winterlicht viel door de latjes van de jaloezieën en de klok aan de muur gaf aan dat het 15.07 uur was op 28 december. Hij wist niet goed hoe lang hij daar gelegen had, omdat hij er geen idee van had op welke dag de gebeurtenis waardoor hij hier terecht was gekomen had plaatsgevonden.

Hij probeerde zich te bewegen en er gebeurde niet veel. Hij draaide zijn hoofd een stukje en zag Madison, diep in slaap, in een stoel bij zijn bed zitten, met een zwaar boek opengeslagen op haar schoot; ze zag eruit alsof ze door een rozenperk was gerend. Ze zuchtte in haar slaap en op dat moment herinnerde Kevin Brown zich iets, als uit een droom, haar stem die hem voorlas. Die hem urenlang voorlas. *Noem mij Ishmael.*

Dus voor vandaag zat het werk er tenminste op. Hij bleef een poosje naar haar kijken, tot de zuster binnenkwam en ze zich bewoog.